BIOGRAFIA

Przełożył
Zbigniew Gieniewski

Prószyński i S-ka
WARSZAWA 2000

Tytuł oryginału:
RAYMOND CHANDLER. A BIOGRAPHY

Projekt okładki:
Zombie Sputnik Corporation

Redakcja:
Wanda Majewska

Redakcja techniczna:
Elżbieta Babińska

Korektor:
Michał Załuska

Łamanie:
Ewa Wójcik
Małgorzata Wnuk

ISBN 83-7255-450-1

Biografie

Wydawca:
Prószyński i S-ka SA
02-651 Warszawa, ul. Garażowa 7

Druk i oprawa:
Rzeszowskie Zakłady Graficzne
35-025 Rzeszów, ul. płk. L. Lisa-Kuli 19

Dla Figgy

Przedmowa

Kogóż obchodzi, jak pisarz dostał swój pierwszy rower?

(Chandler w odpowiedzi na propozycję napisania autobiografii, złożoną mu przez brytyjskiego wydawcę)

Na rok przed śmiercią, w tysiąc dziewięćset pięćdziesiątym ósmym Raymond Chandler odbył krótki promocyjny objazd Ameryki w towarzystwie Phila Careya, aktora wybranego przez sieć NBC do roli Philipa Marlowe'a w telewizyjnym serialu. Przez cały czas tej podróży pisarz był pijany, jak zresztą niemal bez przerwy od roku pięćdziesiątego czwartego. „Można go było polubić – powiedział potem Carey – ale nie sposób było przebywać w jego pobliżu".

Nie wszyscy jednak byli tego samego zdania. Helga Greene, agentka literacka, która po owym objeździe omal nie poślubiła Chandlera, mówiła o nim jako o człowieku, który „łączył w sobie naiwność z błyskotliwością" i był „najwspanialszym kompanem na świecie".

W przeciągu całego swego życia był zresztą Raymond Chandler najróżniej określany: jako cynik i jako naiwniak; jako odludek i człowiek wielkoduszny; skłonny do depresji i jednocześnie romantyk; jako osobowość dumna i paranoiczna zarazem. Utrzymywały go w równowadze dwie rzeczy: stan nietrzeźwości, w którym często się znajdował, i Philip Marlowe. Choć bowiem próbował różnych rodzajów pisarstwa, to zawsze wracał do powieści detektywistycznej i do swego ulubionego bohatera, aż w końcu definitywnie uznał, że „po prostu nie może bez niego funkcjonować".

To przygody Philipa Marlowe'a przyniosły Chandlerowi sławę i zarazem uczyniły go człowiekiem bogatym; za życia autora, książki, w których występował Marlowe, były tłumaczone na ponad dwadzieścia języków i nakręcono na ich podstawie sześć filmów; po śmierci Chandlera powstały jeszcze cztery. Wszystkie te dzieła osnute były wokół postaci mocno nadużywającego alkoholu bohatera, który łączył w sobie wszystko, czym Chandler był i czym chciał być, i czego się równocześnie lękał. A miał mnóstwo sposobności, by analizować samego siebie, zanim jeszcze stworzył tę postać: pierwszą książkę napisał dopiero po ukończeniu pięćdziesięciu lat.

Miał już wówczas za sobą bogate i urozmaicone życie: zdarzyło mu się być i bogatym, i biednym, i pijakiem, i abstynentem, i wylatywać z różnych posad, i ożenić się, i przeżywać manie samobójcze. Mieszkał w Chicago, w którym nie powstała jeszcze mafia, i w stanie Nebraska, gdy nie było w nim jeszcze telefonów, i w Irlandii w środowisku kwakrów, i w wiktoriańskim Londynie. Mając dwadzieścia pięć lat, osiedlił się w Los Angeles, gdzie dane mu było przeżyć gorączkę ropy naftowej, dwa trzęsienia ziemi, wielki kryzys i igrzyska olimpijskie. Stwierdził kiedyś: „Aby pisać o jakimś miejscu, trzeba je kochać albo go nienawidzić, albo na przemian czuć do niego to jedno, to drugie... ale poczucie pustki i nudy to rzecz zabójcza".

Chandler przez wiele lat swego życia próbował unikać nudy, choć nie zawsze mu się to udawało. Był w nim jakiś niespokojny demon, który prześladował go zawsze, gdy tylko zbyt długo pozostawał w bezruchu. Nigdy nie podtrzymywał długo jakiejś przyjaźni, z wyjątkiem tej, która łączyła go z Cissy Pascal w ciągu trzydziestu lat małżeństwa; zresztą miał w swoim życiu ponad sto różnych adresów. Wielu ludziom, którzy się z nim zetknęli, Chandler wydawał się kimś, kto przekroczył granice ekscentryczności.

Mimo iż uprawiał gatunek popularnie zwany „kryminałem", a w jego ramach także podgatunek, jakim jest powieść detektywistyczna z elementami gwałtu i brutalności – Chandler zawsze reprezentował coś więcej niż pisarstwo dostarczające czytelnikowi sensacji, napięcia i rozrywki. W późnych latach czterdziestych Evelyn Waugh określił go wręcz jako „największego żyjącego amerykańskiego powieściopisarza", a podziwiali go także tej miary twórcy co T.S. Eliot, W.H. Auden i Edmund Wilson. Chandler zdobywa sobie rosnące uznanie zarówno wśród pisarzy, jak i wśród czytelników. W 1988 roku magazyn „Time" uznał, że „Chandlera naśladowano i parodiowano częściej niż jakiegokolwiek innego pisarza dwudziestego wieku, z wyjątkiem Hemingwaya".

Dzieło Raymonda Chandlera nabrało jeszcze większego znaczenia dzięki temu, czego dokonał w Hollywood. W ciągu pięciu lat, które tam spędził, stał się nie tylko najlepiej płatnym scenarzystą w historii przemysłu filmowego, ale i wpisał się do grona tych, którzy wywarli na niego największy wpływ. Gdy w czterdziestym ósmym roku zrezygnował z dalszej pracy dla filmu, by powrócić do pisania książek o Philipie Marlowe, poświęcony kinematografii magazyn „Sequence" tak oto ten wpływ ocenił:

„Podobnie jak w literaturze, w której wielu go naśladowało, tak i na filmie Chandler odcisnął znaczące piętno, wpływając na zmianę w podejściu do pokazywania zbrodni i przemocy: pomógł przywrócić dziełom filmowym zdrowy realizm. Nie ulega wątpliwości, że od czterdziestego czwartego roku uczynił on bardzo wiele dla stworzenia podstaw nowej szkoły, która jest równie ze swej natury amerykańska jak szkoła westernów".

Zarówno w filmach, które współtworzył jako scenarzysta, jak i w tych, które powstały jako adaptacje jego książek, Raymond Chandler był postacią kluczową dla narodzin gatunku, który zyskał sobie miano Czarnego Kina.

Felietonista S.J. Perelman tak oto pisał kiedyś do Chandlera: „Siedzę w motelu, który jest cały z plastiku, widzę za oknem inny plastikowy motel, za którym płynie Golfstrom, ale oprócz pana nie ma w Ameryce (a w tym przypadku z pewnością i na całym świecie) nikogo, kto potrafiłby oddać przerażający urok tego miejsca".

Chandler był z pewnością jedynym i niepowtarzalnym pisarskim talentem, jakiego przed nim nikomu nie przyszłoby do głowy łączyć z powieścią detektywistyczną. Niniejsza biografia podążać będzie tropem lat, które sprawiły, że talent ten się objawił, a następnie dostarczały mu twórczej strawy.

Podziękowania

Autor pragnie wyrazić szczególną wdzięczność za pomoc przy pracy nad tą biografią następującym osobom i instytucjom: Neilowi Morganowi; Natashy Spender; Bodleian Library (Modern Papers) w Oxfordzie; UCLA Special Collection Library w Los Angeles; pani doktor Judith Priestman; Michaelowi Gilbertowi; Kathrine Sorley Walker; Grahamowi C. Greene'owi; the Raymond Chandler Estate.

Na moje podziękowania zasługują także: Albert Hernandez; Claire Paterson; Jonathan Burnham; Alison Samuel; Toby Buchan; British Library; Dulwich College; doktor Jan Piggott; Frank MacShane; Academy of Motion Picture Arts and Sciences (Margaret Herrick Library); James O'Brian; Sebastian Doggart; Charlotte Elston.

Specjalne podziękowania winienem również Kay Beckett za nader szczodre ofiarowanie mi maszyny do pisania należącej do Chandlera oraz Sir Gordonowi Reece'owi, który oddał mi do dyspozycji swój dom w Los Angeles oraz swój samochód, a następnie wybaczył mi zniszczenie samochodu.

Fotografie zostały zamieszczone za zgodą the Raymond Chandler Estate; zdjęcie nr 2 udostępnił mi Dulwich College w Londynie; numery 1, 3, 6, 8, 9, 10, 11, 15 i 17 wykorzystane zostały dzięki uprzejmości Bodleian Library w Oxfordzie; nr 12 – dzięki wytwórni Paramount, nr 13 dzięki Warner Bros, przy czym obie za zgodą BFI Stills, Posters and Designs, British Film Institute w Londynie; zdjęcie nr 4 – dzięki John W. Seifert Photographs, Los Angeles.

Rozdział 1

Z Chicago do Bloomsbury

Łabędzie naszego dzieciństwa były zapewne zwyczajnymi gołębiami.

(List z lutego 1954)

Raymond Chandler podawał różne wersje swojego dzieciństwa, w każdej jednak pojawiał się ten sam czarny charakter: jego ojciec, Maurice Chandler, inżynier budowy kolei, kwakier, który sprzeniewierzył się zasadom swej wiary, oraz alkoholik. Urodził się w 1859 roku w rodzinie farmerów osiadłych w pobliżu Filadelfii w latach osiemdziesiątych siedemnastego wieku.

Chandlerowie wywodzili się z Anglii, choć ich nazwisko jest w istocie francuskie i oznaczało niegdyś wytwórcę świec. Wraz kilkoma innymi kwakierskimi rodzinami opuścili Anglię, aby schronić się w południowej Irlandii przed prześladowaniami zapoczątkowanymi przez Cromwella w drugiej połowie siedemnastego wieku. Byli jedną z pierwszych rodzin, które z inicjatywy kwakierskiego przywódcy, Williama Penna, utworzyły angloirlandzką społeczność w hrabstwie Waterford, by następnie wraz z Pennem emigrować w roku 1682 do Nowego Świata.

Gdy Maurice Chandler przyszedł na świat, stan Pensylwania wciąż był jeszcze zdominowany przez kwakrów, choć zmniejszyła się wśród nich liczba najgorliwszych wyznawców surowych praw sekty. Jej członkowie stanowili najstarszą, a zarazem najzamożniejszą grupę pensylwańskich osadników. Wyróżniali się strojem, umiejętnością prowadzenia interesów i swoistą, zgoła dynastyczną dumą. William Penn pozostawił swoim zwolennikom surowe zalecenia, które jednak zarazem otwarcie zachęcały do bogacenia się:

> Bądźcie skromni w stroju, urządzeniu waszych domów i w odżywianiu się, dbajcie o czystość i jak największą surowość obyczajów, reszta bo-

wiem to szaleństwo i groźne pułapki [...] pilność to jedyna droga do zamożności. Jest nią także skromność, cnota w życiu nader ważna, gdyż prowadzi do bogactwa, czyniąc odporniejszym na trud i pokusy[1].

Maurice Chandler bardzo wcześnie okazał się odstępcą od zasad swej wiary. Jego rodzice mieli farmę na obrzeżach Filadelfii, on jednak, ukończywszy dziewiętnaście lat, przeniósł się do miasta. Wynajął pokój w pensjonacie i rozpoczął studia inżynierskie; Uniwersytet Pensylwanii, na który wstąpił, istniał od roku 1749 i, jako jedna z nielicznych amerykańskich uczelni, miał charakter świecki.

Kwakrzy nie przykładali wielkiej wagi do wykształcenia. William Penn ostrzegał nawet swych współwyznawców, że „czytanie książek jest szkodliwe, zanadto bowiem odciąga umysł od medytacji”[2].

Maurice przez dwa lata uczęszczał na uniwersytecki wydział nauk, ale studiów nie ukończył, otrzymując jedynie w 1880 roku świadectwo „znajomości rzeczy”. W wieku dwudziestu jeden lat przeniósł się do Chicago, by tam znaleźć pracę przy budowie linii kolejowych na Środkowym Wschodzie.

Choć stałą jego siedzibą było Chicago, to jednak, gdy tylko nadarzyła się okazja, szukał zatrudnienia przy nowo budujących się liniach kolejowych, głównie w stanach Nebraska, Kansas i Wyoming. W tamtych czasach wielkie prerie uznawane były jeszcze za terytoria przygraniczne, pionierskie: Nebraska otrzymała status stanu dopiero w 1867 roku, Oklahoma zaś w dalszym ciągu była uznawana za terytorium niebezpieczne dla osadników ze względu na wrogo do nich nastawionych Indian. Budowy, na których pracował Chandler, łączyły owe prerie z Chicago, przekształcającym się dzięki temu w wielki skład zbożowy i rzeźnię.

Nowe linie kolejowe wzbogacały także i same wielkie równiny, umożliwiając rolniczym osiedlom przeobrażenie się w miasta, a spekulantom w lokalnych potentatów; zaledwie dziesięć lat przed pojawieniem się Chandlera w tym regionie „Buffalo Bill” Cody zyskał sobie swój przydomek po zabiciu pięciu tysięcy bizonów, zawarłszy umowę z Kansas Pacific Railroad na dostawę mięsa dla ich robotników.

Budowa linii kolejowych była ogromnym przedsięwzięciem: każda z nich zatrudniała do czterdziestu tysięcy robotników i każda zostawiła po sobie swą własną barwną historię tempa, w jakim kładziono tory, wydajności oraz bezwzględnych metod pracy. Wszystko to miało ogromny wpływ na przekształcenie tego regionu: Maurice Chandler pojawił się tam w czasie, który historycy uznają za kulminację amerykańskiego rozwoju.

> Budowa linii kolejowych oznaczała tworzenie i utrzymywanie setek tysięcy nowych miejsc pracy; nowe kopalnie węgla i rudy żelaza; nowe koksownie; nowe huty żelaza i stali; nowe miasta, które stanowiły nowe rynki zbytu; nowe zawody oraz nowe formy finansowych i przemysłowych organizacji. Była to kwintesencja rewolucji przemysłowej: moment, w którym Amerykanie zaczęli się przekształcać w społeczeństwo mieszkańców miasteczek, a potem miast, w którym popyt zaczął stymulować zdumiewający wzrost produkcji i dobrobytu, mającego przed upływem końca wieku przekroczyć wszystko, czym mógł się pochwalić Stary Świat[3].

Przez siedem lat Maurice pracował jako dyplomowany inżynier przy budowie kolei. W wieku dwudziestu ośmiu lat trafił do Omaha w stanie Nebraska, gdzie poznał i poślubił młodą Irlandkę Florence Thornton.

Drobna, ciemnowłosa i nadzwyczaj piękna Florence, przybywszy do Ameryki, mieszkała ze swą starszą, już zamężną siostrą, Grace, w pobliskim miasteczku o nazwie Plattsmouth. Były dwiema spośród pięciu córek z zamożnej rodziny w południowej Irlandii; tylko jedna z nich nie wyrwała się z rodzinnego domu, który wzbudzał uczucie klaustrofobii. Podobnie jak Maurice, Florence była także odstępczynią od kwakierskiej wiary: jej rodzice żyli w tym samym hrabstwie Waterford, z którego wywodziła się rodzina Chandlerów.

Pobrali się tego samego lata, kiedy się poznali, w kościele episkopalnym w Laramie, w stanie Wyoming. Dwanaście miesięcy później Florence powiła syna. Raymond Thornton Chandler przyszedł na świat w Chicago, 23 lipca 1888 roku.

*

W chwili jego narodzin Chicago przeżywało boom. Dzięki kolei żelaznej, z podrzędnego miasta, jakim było jeszcze podczas wojny secesyjnej, przekształciło się w sławną na cały świat metropolię. Rozwój przemysłu ciężkiego powiększył zamożność tego miasta, dotychczas opierającego się na rolnictwie. Miastem trzęśli finansowi potentaci przemysłu i rolnictwa, którzy angażowali architektów do imponujących budowli podkreślających w oczach świata znaczenie metropolii.

Władza tych możnych osobistości nie była jednak aż tak wielka, by mogli oni zapobiec społecznym skutkom błyskawicznego rozwoju miasta, które niejako wpadło w pułapkę własnego sukcesu. Na dwa lata przed narodzinami Raymonda doszło w Chicago do gwałtownych starć policji ze strajkującymi robotnikami, kiedy to podczas związkowej manifestacji wybuchła bomba, zabijając policjanta.

Niebywałe tempo, w jakim się to miasto rozwijało, uczyniło je terenem politycznej wojny. To jednak potentaci mieli w tej wojnie ostatnie słowo: w obronie swej nadwerężonej reputacji Chicago zorganizowało w 1893 roku Wystawę Światową, która pozwoliła wszystkim ukazać jego nadzwyczajne bogactwo. Dwadzieścia osiem milionów ludzi odwiedziło tę wystawę, na której między innymi można było zobaczyć pierwszy na świecie traktor z silnikiem benzynowym.

W wynajętym przez Chandlerów domu nie panował jednak optymizm. Wędrowny charakter pracy Maurice'a sprawił, że wkrótce matka i dziecko przez większość czasu byli sami. Ponadto Maurice coraz więcej pił, aż w końcu – jak to potem określił jego syn – jeżeli się już w ogóle udało go odnaleźć, to zawsze pijanego.

Pijaństwo w przemyśle budowlanym było w industrializującej się Ameryce znanym problemem, i to właśnie reakcja na spustoszenie, jakie alkoholizm szerzył wśród męskiej populacji, sprawiła, że rósł w siłę Amerykański Ruch na rzecz Wstrzemięźliwości. Już w 1880 roku, gdy Maurice Chandler opuścił Pensylwanię, popierana przez ten ruch Partia Prohibicyjna po raz pierwszy stanęła do wyborów prezydenckich.

Małżeństwo Chandlerów rozpadało się bardzo szybko. Maurice, jeśli nawet był w domu, to pił, nic więc dziwnego, że atmosfera stawała się coraz trudniejsza do zniesienia i Chandlerowie nie mieli już więcej dzieci.

To właśnie istnienie takich małżeństw sprawiło, że w latach dziewięćdziesiątych XIX wieku pojawiły się próby połączenia działań na rzecz prohibicji z poczynaniami ruchu sufrażystek. Choć nie ma żadnych dowodów na to, by Florence Chandler wzięła udział w choćby jednym zgromadzeniu albo włączyła się do jakiejś kampanii, czy też podpisywała petycje, to mogła mieć świadomość tego, że nie jest jedyną „pijacką wdową" w Chicago.

Mimo że w tamtych czasach w Ameryce nie istniała jeszcze przestępczość zorganizowana, która miała się objawić jako siła dopiero za trzydzieści lat, to już wtedy Chicago było miejscem, w którym ciężko było żyć komuś wrażliwemu i cierpiącemu. Mały Chandler z pewnością nie miał tam wielu okazji do romantycznych wzruszeń i przeżyć. „Jako chłopiec – napisze potem – widziałem w Chicago, jak policjant zastrzelił małego białego pieska".

Florence zaczęła coraz więcej czasu spędzać w miasteczku Plattsmouth w Nebrasce, ze swoją siostrą Grace i jej mężem, osadnikiem irlandzkim, Ernestem Fittem. Dla małego Raymonda i jego matki Fittowie stali się czymś w rodzaju namiastki rodziny.

Ernest był inspektorem kotłów parowych i, według Chandlera, człowiekiem o wątpliwej uczciwości. Jego brat Harry Fitt prowadził sklep z narzędziami i pił. „Alkohol był naszym rodzinnym grzechem. Ci, którzy go uniknęli, albo zwracali się ku religii, albo trafiali do czubków"[4].

Był tam jeszcze jeden przedstawiciel rodziny Fittów, lokalny polityk, o którym Chandler wspominał, że „też z nim coś było nie tak". W Plattsmouth osiedlili się także inni Fittowie, których młody Raymond miał okazję poznać. Jeden z nich dokonał w Irlandii nadużycia w banku, uciekł więc do Europy, gdzie z kolei sam został okradziony w hotelu. („Kiedy go poznałem wiele lat potem, był to już niezwykle szacowny starszy pan, zawsze nieskazitelnie ubrany i niebywale skąpy").

Jeszcze inny z Raymondowych wujków z Nebraski skonstruował urządzenie pozwalające na ładowanie przesyłek pocztowych bez konieczności zatrzymywania pociągu. Urządził nawet publiczny pokaz działania tej maszyny, ale ktoś go „wyrolował" z tego interesu i nigdy nie dostał za swój wynalazek choćby centa.

Ponieważ ojca prawie nigdy nie było w domu, Chandler był bardzo zadowolony ze sposobu, w jaki opiekowali się nim męscy przedstawiciele rodu Fittów. Zrozumiał także ich – a i swoją w jakimś stopniu – irlandzkość.

Nebraska lat dziewięćdziesiątych ubiegłego stulecia była, mimo rozwijających się stosunków z Chicago, miejscem bardzo oddalonym od reszty świata. Połączenie kolejowe mogło jedynie przybliżyć leżące sześćset pięćdziesiąt kilometrów na wschód od Plattsmouth wielkie miasto. Bez późniejszych wynalazków, takich jak samochód, telefon i radio, stan nieodwołalnie by utknął w samym sercu tak zwanego Biblijnego Pasa, ciągnącego się na północy Stanów.

Za czasów dzieciństwa Chandlera najbardziej znanym mieszkańcem Nebraski był senator William Jennings Bryan, słynący z prostackiego języka. Posługiwał się nim, walcząc w czasie swej politycznej kariery o powrót do „prostych" wartości, obowiązujących w przedindustrialnej Ameryce małych miasteczek; został nawet w 1896 roku kandydatem na prezydenta Stanów Zjednoczonych z ramienia Demokratów, których zjednał sobie krytyką niemoralności panującej w wielkich miastach i ustanowieniem standardu złota.

Pokonany w następnym roku w wyborach przez republikanina Williama McKinleya, Bryan poświęcił się walce o przywrócenie „Starej dobrej Ameryki", w ramach tej kampanii między innymi atakując świecką edukację. Występował jako oskarżyciel w słynnym „małpim procesie" w Tennessee, kiedy to pewnego naczyciela sądzono za zapoznawanie uczniów z teorią Darwina, co było sprzeczne z antyewolucjonistycznym prawem, jakie obowiązywało w tym stanie.

W Nebrasce Bryan odgrywał dużą rolę, i Chandler, już jako dziecko, wiedział, jaką ważną jest osobistością ten człowiek.

> Pamiętam dęby i wysokie drewniane chodniki, ciągnące się wzdłuż pokrytych kurzem ulic, i upał, i dokuczliwe muchy, i przechodniów postukujących laskami, i mnóstwo jakichś dziwnych owadów [...] i martwe bydlęta, a od czasu do czasu martwe ludzkie ciało płynące błotnistą rzeką, i usytuowaną za domem wykwintną wygódkę z trzema otworami. Pamiętam dni, gdy wciąż jeszcze trwała kampania na rzecz wyboru Bryana. I pamiętam rząd bujanych foteli ustawionych na skraju chodnika przed hotelem, i to że gdzie nie spojrzeć, widniały plamki po wyplutym tytoniu[5].

W porównaniu z postępowym, choć zaślepionym radykalizmem Chicago, Nebraska była społecznym zaściankiem starej farmerskiej Ameryki.

Chandler był rówieśnikiem pewnej pisarskiej postaci: dziewczynki z sąsiedniego stanu Kansas, która także mieszkała ze swoją ciotką i wujkiem. „Czarnoksiężnik z krainy Oz" L. Franka Bauma zostanie opublikowany w 1899 roku. Książka ta zaczyna się opisem preindustrialnego świata, który małemu Raymondowi był tak dobrze znany:

> Dorothy mieszkała pośród wielkich kansaskich prerii ze swoim wujkiem Henrym, farmerem, i z ciocią Em, żoną farmera. Ich dom był nieduży, bo drzewo do jego budowy trzeba było przywozić furmanką z odległości wielu mil[6].

W połowie lat dziewięćdziesiątych małżeństwo Chandlerów już definitywnie nie istniało. Przestali udawać, że mieszkają pod tym samym dachem, i zaniechali dalszego wynajmowania domu w Chicago. Kiedy w dziewięćdziesiątym piątym roku Raymond Chandler zapadł na szkarlatynę, zatrzymali się z matką w hotelu. W tym samym roku w Chicago został ogłoszony rozwód i Maurice Chandler ostatecznie zniknął z życia swego syna. Florence nigdy już nawet nie chciała o nim mówić. Nie mając własnych pieniędzy, postanowiła wrócić ze swoim siedmioletnim chłopcem do Irlandii.

Amerykański Środkowy Wschód zawsze będzie miał dla Chandlera szczególne znaczenie. W późniejszym życiu zawsze się będzie zastanawiał, co mogłoby się z nim stać, gdyby tam z matką pozostał. Nie mógł nie wyobrażać sobie, jaka przyszłość czekałaby go na preriach. Fittowie próbowali nakłonić Florence, by wychowywała chłopca w Plattsmouth. Chandler uświadomił sobie potem, że gdyby tam pozostali, jego losy potoczyłyby się całkiem inaczej:

> [...] zostałbym w mieście, w którym się urodziłem, i pracował w sklepie z galanterią metalową; wziąłbym za żonę córkę szefa [...] Mógłbym nawet stać się zamożnym człowiekiem – na skalę małego miasteczka: ośmiopokojowy dom, dwa wozy w garażu, co niedziela kurczak, „Reader's Digest" na stole w living-roomie, żona z bardzo trwałą trwałą, a ja z mózgiem jak worek cementu portlandzkiego[7].

Myśl o tym, co by się stać mogło, powracała do Chandlera przez całe życie. Powracała także w jego prozie. Próbował sobie wyobrazić, jaki byłby jego los, gdyby oboje rodzice zdecydowali się na nieszczęśliwy żywot na Środkowym Wschodzie, gdy...

> ...matka bębni palcami po stole, kiedy ojciec próbuje sobie wziąć jeszcze jedną porcję ciasta, chociaż nie ma pieniędzy. Nic już nie ma. Po prostu siedzi na werandzie domu w Manhattanie, w bujanym fotelu, z pustą fajką w zębach. Buja się wolno i ostrożnie, bo po ataku wszystko trzeba robić wolno i ostrożnie. I czekać na następny. Z pustą fajką w zębach. Bez tytoniu. Nic nie robić, tylko czekać[8].

Zamiast jednak pozostać w Ameryce, Chandler i jego matka w 1895 roku powrócili do Irlandii. Najpierw pociągiem do Nowego Jorku, potem parowcem do Dublina.

Chicagowscy Chandlerowie nie przetrwali nawet jednego pokolenia.

*

Dla Florence Thornton, której burzliwe małżeństwo spotkało się w Waterford z jeszcze większym potępieniem niż mało zaszczytna emigracja jej siostry z kontrolerem kotłów parowych, powrót w rodzinne strony oznaczał utratę twarzy.

Od przedwczesnej śmierci ojca Florence, rolę głowy rodziny odgrywała arogancka i głupia, jak ją określał Chandler, babka wspomagana przez jego wuja Ernesta Thorntona. Jak większość mężczyzn w rodzinie Thorntonów ojciec Florence aż do śmierci pomagał w prowadzeniu rodzinnej firmy prawniczej, która miała swoje biura w Waterford, w Cork i w Dublinie. Było to środowisko stanowiące rozcieńczoną wersję angloirlandzkiego świata służących oraz quasi-szlachectwa; w niczym nie przypominał Nebraski pod koniec dziewiętnastego wieku. Było to zarazem środowisko głęboko przekonane o swej religijnej i socjalnej wyższości.

Moja babka była córką irlandzkiego prawnika. Jej syn, który z upływem czasu dorobił się znacznego majątku, także był prawnikiem, ale jego gospodyni, niejaka pani Groome, za jego plecami kpiła sobie z niego, ponieważ nie był adwokatem mającym prawo występować przed sądem.

Kościół, Marynarka Wojenna, Armia i Adwokatura; tylko to się liczyło [9].

Chandler wspominał również, jak to niejaka miss Paul, mieszkająca w wielkim domu z rozległym ogrodem, czasem, ale nie za często, raczyła zapraszać do siebie panią Groome, a to tylko dzięki temu, że jej ojciec był kanonikiem.

Przyjęcie, z jakim spotkała się Florence ze strony rodziny, było tak chłodne, jak się tego spodziewała. W dużym domu w Waterford panowała atmosfera konserwatyzmu i antykatolicyzmu, taka że Chandler, już jako chłopiec, z nostalgią wspominał Nebraskę. Społeczność kwakrów w Waterford była, podobnie jak w Pensylwanii, statecznie osiadła i zamknięta we własnym kręgu; wszyscy wszakże dzielili z innymi tamtejszymi angloirlandzkimi społecznościami antykatolicyzm: sekciarskie uprzedzenie, które obce było tolerancyjnej postawie ich kwakierskich przodków.

Była w Waterford słynna szkoła (w każdym razie słynna w kwakierskim pojęciu – jak stwierdził Chandler), lecz Florence obstawała przy tym, żeby jej syn nie był wychowywany przez kwakrów. Wprawdzie pilnie zważała, by w zachowaniu i słowach niczym się nie wyróżniać, ale w głębi duszy nie podzielała już pewnych poglądów swego otoczenia, na przykład dotyczących własności.

W 1895 roku Irlandia wciąż była brytyjska, ale dwuznaczna postawa Londynu co do jej konstytucyjnej przyszłości niesłychanie utrudniała życie Angloirlandczykom, mieszkającym i pracującym tam. Mimo że Robert Cecil, markiz Salisbury, rządził w klasycznym kolonialnym stylu, konserwatywny rząd w Londynie nie zaprzestawał flirtu z „Ruchem na rzecz Autonomii Irlandii", działającym pod przewodem Parnella. Status i prawa angloirlandzkich społeczności osiadłych w hrabstwach na południu Irlandii, w tym także społeczności kwakrów w Waterford, stanowiły przedmiot tyleż dyskusji, co i gmatwaniny poglądów; tak miało pozostać aż do 1920 roku.

Ów stan niepewności pogłębiał wśród angielskich rodzin, takich jak Thorntonowie, uczucia antykatolickie; Chandler dobrze zapamiętał ówczesną atmosferę:

> Angloirlandczycy to zdumiewający ludzie. Na płaszczyźnie socjalnej nie utrzymywali żadnych stosunków z katolikami. Pamiętam, jak grałem kiedyś w krykieta w drużynie lokalnych snobów. Jednym z graczy był katolicki chłopak, który przybył na mecz w eleganckim powozie z lokajami w liberii; po grze nie został zaproszony do udziału w tradycyjnej herbatce. Zresztą bez wątpienia sam by zaproszenia nie przyjął[10].

Uwagi młodego Chandlera nie uszła też wrogość, biorąca się z różnic religijnych. „Nie chciałbym się posunąć do stwierdzenia, że katolicyzm dosięgnął w Irlandii dna ignorancji, podłości i ogólnej degradacji stanu duchownego – powiedział po latach – ale w moich chłopięcych latach odczuwałem to bardzo boleśnie. Dobrze to świadczy o Irlandczykach, że ta miodousta banda małych krętaczy i pijaczków nie doprowadziła do prawdziwych prześladowań wszystkiego co niekatolickie".

Zawsze potem złościli Chandlera dziennikarze, którzy wysuwali przypuszczenia, że jego irlandzkość równoznaczna była z katolicyzmem. „Dorastałem w straszliwej pogardzie dla katolików – wyjaśniał w roku 1945 – i coś z tego w dalszym ciągu we mnie pozostaje".

Równocześnie jednak doświadczenie, jakim była zamiana usposobionych towarzysko Fittów na zadufanych Thorntonów, dość wcześnie obudziła w pisarzu podejrzenia co do szacowności klasy średniej. Uosobieniem nadętej arogancji, jak się wydaje, był jego bogaty wujek Ernest.

> Bywało, że gdy nie smakował mu obiad – rozkazywał, by go zabrano ze stołu, po czym potrafił przez trzy kwadranse siedzieć w ponurym milczeniu, podczas gdy w kuchni na dole rozgorączkowana pani Groome bezlitośnie popędzała służbę. W końcu przynoszono panu nowe danie. Było ono zapewne gorsze niż to, które kazał zabrać; nie w tym jednak rzecz, a w tym jego milczeniu, które dziś jeszcze słyszę[11].

Kwakrzy nie byli jedyni w okazywaniu brytyjskiego snobizmu tamtych czasów. Neurotyczny pęd do przydawania sobie znaczenia przejawiany przez całą klasę średnią Imperium na przełomie wieków, podsunął innemu Angloirlandczykowi, Oscarowi Wilde'owi, pomysł napisania satyrycznej sztuki zatytułowanej „Bądźmy poważni na serio" („The Importance of Being Ernest")*. Prapremiera tej komedii odbyła się w 1895 roku; tym samym, w którym Florence z synkiem wróciła z Ameryki do Irlandii.

> CECILY: Kiedy widzę szpadel, to nazywam go szpadlem.
> GWENDOLEN: Co do mnie, to z zadowoleniem mogę stwierdzić, że nigdy nie widziałam szpadla. Nie ulega wątpliwości, że obracałyśmy się w bardzo różnych sferach. (Akt III)

Florence, z trudem godząca się z myślą o życiu w Waterford, zabrała syna do Londynu, gdzie wujek Ernest, który przebywał tam przez większość roku, zgodził się nimi zająć. Ulokował ich tymczasowo w, uważanej za wytworną, dzielnicy Upper Norwood w południowym Londynie, w domu, który niegdyś wynajął jako stołeczną rezydencję dla matki i zarazem jako stałe mieszkanie dla swej niezamężnej siostry Ethel. Dzielnica, którą łączyła z Londynem linia kolejowa, przestała w owym czasie być ekskluzywna i jej domy stopniowo traciły na wartości.

Ethel Thornton niechętnie przyjęła wtargnięcie siostry w swoje życie, i w rezultacie atmosfera w nowym miejscu niewiele różniła się od tej w Waterford. Co jakiś czas pojawiała się też babka Raymonda i nie przepuściła żadnej okazji, by upokorzyć Florence, której, na przykład, podczas posiłków ostentacyjnie nie podawano wina.

* W Polsce wystawianej pt. „Brat marnotrawny".

W taki sposób traktowana przez własną rodzinę i pamiętająca ciągle, jak odnosił się do niej mąż pijak, matka Chandlera zaczęła się załamywać psychicznie. Z natury dzielna, teraz zaczęła się poddawać: rezygnując niejako z własnej osobowości, stopniowo godziła się z rolą potulnej matki. Tymczasem Raymond zapamiętał przede wszystkim, jak ojciec traktował matkę, zapominając, kim była ona sama. Kiedy ją wspominał już jako człowiek dorosły, to niewiele więcej mówił ponad to, że bardzo pragnął, by w Londynie ponownie wyszła za mąż:

> Wiem, że matka miewała romanse; w końcu była bardzo piękną kobietą. Ale jedyne co miałem jej za złe, to fakt, że odrzucała propozycje małżeństwa, obawiając się, by po tym, co przeżyłem przy takiej świni jak mój ojciec, nie spotkało mnie złe traktowanie ze strony ojczyma[12].

Życie w atmosferze podmiejskiej dzielnicy było dla dorastającego chłopca frustrujące. Początkowy gniew, jaki odczuła Florence po porzuceniu jej przez męża, teraz, w miarę jak mijały lata, przeobrażał się w bierność i pogodzenie z losem. Opieka Ernesta ograniczała się do zabezpieczenia finansowego, a i temu często towarzyszyły objawy niezadowolenia. Jako wzięty prawnik, a przy tym kawaler, większość czasu spędzał w gronie przedstawicieli bogatej londyńskiej angloirlandzkiej socjety. Jak wielu ludzi z tego kręgu zwykł był na przemian przebywać to w Irlandii, to w Anglii, tu i tam dbając o swe interesy (tudzież rezydencje). Trzeba jednak przyznać, że mimo wszelkich oporów, z jakimi to czynił, wuj Ernest był dla Chandlera kimś niezwykle ważnym, zwłaszcza że obiecał Florence, iż pokryje koszty edukacji jej syna. Ustalili oboje, że z chwilą ukończenia dwunastu lat Raymond rozpocznie naukę w Dulwich College, dobrej publicznej szkole, położonej na tyle blisko, aby mógł do niej uczęszczać, mieszkając w domu; do tej chwili miał pobierać naukę w lokalnej szkole kościelnej, wakacje spędzając w Waterford.

Trudno się dziwić, że wracając z synkiem z Chicago, Florence spotkała się z nieskrywaną niechęcią, bowiem rozwód był dla kwakrów równie karygodny jak dla królowej Wiktorii. Chłód okazywany im przez Ernesta Thorntona był jednak nieco łagodniejszy niż innych członków rodziny – jak to później odkrył Chandler – co wynikało z faktu, że on sam nie był bez grzechu:

„Było rzeczą w przypadku mego wuja zabawną, że sprawił sobie w Londynie żydowską kochankę, wychowywał jej syna z nieprawego łoża, sam spłodził jej dwoje dzieci, a wreszcie się z nią ożenił. Ale nigdy nie zabrał jej ze sobą do Irlandii.

Mógłbym o tych ludziach napisać całą książkę, ale sam za bardzo jestem Irlandczykiem, by kiedykolwiek ujawnić to wszystko, co o nich wiem"[13].

*

Koleje życia w Chicago, Nebrasce, Waterford i Londynie (a nadto jeszcze niepewność co do przyszłości) sprawiły, że Chandler wcześnie osiągnął emocjonalną dojrzałość. Fizycznie był drobny, lecz przystojny; po matce odziedziczył ciemne włosy i jasnoniebieskie oczy. Było jednak coś, co czyniło go nieszczęśliwym: będąc jedynym dzieckiem w otoczeniu trojga dorosłych, znienawidził niedziele i święta Bożego Narodzenia, co miało mu pozostać na całe życie. Nie czytał więcej niż większość dzieci, lecz jego niezorganizowane, cygańskie bytowanie wcześnie utwierdziło go w przekonaniu, że „dzisiaj poklepią cię po plecach, a jutro dadzą kopa w tyłek"[14].

Nie dość, że życie samotnego dziecka w Upper Norwood było monotonne, to jeszcze nie zachęcano Raymonda do zapraszania przyjaciół do domu wuja Ernesta. To nietypowe i samotnicze dorastanie niosło ze sobą ryzyko, że będzie się czuł odmieńcem. Zarówno bowiem na przedmieściu południowego Londynu, jak i w kwakierskim Waterford, mały Chandler postrzegany był jako ktoś dziwny: chłopak z amerykańskim akcentem i z piękną irlandzką matką, o której ludzie, w tym także jej własna rodzina, plotkowali. Inni chłopcy wyobrażali sobie, że wychował się na Dzikim Zachodzie, a teraz zdany jest na łaskę surowych kwakierskich krewnych.

Podczas gdy właściwa jego rówieśnikom nieśmiałość sprawiała, że czuli się obco w swoim otoczeniu – Chandler doświadczał tego nie po raz pierwszy. W późnowiktoriańskiej Anglii nie przynależał do żadnej określonej klasy społecznej, do żadnej konkretnej narodowości i nie identyfikował się z żadnym tradycyjnym wzorcem bycia mężczyzną. I nawet w domu zarówno on, jak i matka musieli czuć swoją odmienność.

*

Pójście do szkoły przyjął z ulgą. We wrześniu 1900 roku, w czarnej pelerynce i etońskim kołnierzyku, dwunastoletni Raymond stał się dochodzącym uczniem Dulwich College. Rok ten był przedostatnim z sześćdziesięcioczteroletniego panowania królowej Wiktorii. Szkolnym numerem Chandlera był 5724.

Dulwich College, założony w 1619 roku, leży o pięć mil na południe od centralnego Londynu w pobliżu domów zamieszkanych przez rodziny należące do klasy średniej; w rejestrze opłat czesnego nazwiska ich synów stanowiły większość. W hierarchii społecznej absolwenci Dulwich nie zaliczali się do tej samej ligi co Eton czy Harrow, ale college ten miał solidną reputację zarówno pod względem edukacyjnym, jak i sportowym; jego mury opuszczali młodzieńcy z klasy średniej, przygotowani do służby dla Brytyjskiemu Imperium. W chwili gdy Chandler rozpoczynał tam naukę, Dulwich mógł się pochwalić długą i imponującą listą swoich absolwentów, którzy wyróżnili się jako naukowcy, generałowie, prawnicy, akademicy, biskupi i sportowcy.

W college'u zawsze panował duch patriotyzmu, a zwłaszcza w okresie gdy Chandler w nim studiował. Wielu absolwentów Dulwich walczyło w drugiej wojnie burskiej, a wszyscy studenci pilnie tok tej wojny śledzili. Toczyła się ona do maja 1902 roku jako pierwsza wojna kolonialna, której przebieg był obszernie i na bieżąco przedstawiany przez unowocześnioną brytyjską prasę. Korespondenci wojenni, wśród których był między innymi Rudyard Kipling, relacjonowali przebieg kampanii telegraficznie. Chandler wspominał, że w Dulwich zapanował zwyczaj wznoszenia codziennego toastu: „Za mój kraj, bez względu na to, czy ma rację, czy też nie!"

Na krótko przed wstąpieniem Chandlera w mury tej uczelni, Matthew Arnold pisał o niej jako o „typie szkoły, o którego upowszechnieniu jako wzorca nauczania zawodowego i handlowego w całym kraju długo, acz bezskutecznie marzyłem".

Gdy w połowie osiemnastego wieku potrzeby szkoły przerosły pojemność oryginalnego elżbietańskiego budynku, zbudowano z czerwonej cegły i białego kamienia całkiem nową, gigantyczną, jak na owe czasy, siedzibę w stylu łączącym w sobie elementy palladiańskie z gotyckimi. Zaprojektował ją Charles Barry, którego ojciec był twórcą siedziby Parlamentu. W jej skład wchodziły: Great Hall, czyli Wielka Sala, kaplica, budynki mieszkalne dla studentów, sale wykładowe, wieża zegarowa oraz tereny sportowe; łącznie szkoła mogła gościć siedmiuset pięćdziesięciu chłopców. Gdy na pięć lat przed wstąpieniem w jej mury Raymonda Chandlera, ujrzał tę imponującą uczelnię z okien pociągu ojciec P.G. Woodehouse'a – postanowił posłać na nią swoich dwóch synów.

W momencie gdy Chandler rozpoczynał naukę w Dulwich, college ten słynął z dwóch rzeczy: z tego, że większość jego studentów mieszkała we własnych domach, w odróżnieniu od innych tego typu publicznych uczelni, utrzymujących system internatowy, oraz ze swego charyzmatycznego rektora, A.H. Gilkesa, który notabene, podobnie jak Chandler, miał kwakierskie korzenie.

Gilkes stał na czele Dulwich od 1885 roku i nic się tam nie mogło wydarzyć bez jego udziału. Był to człowiek wielkiego talentu i ascetycznego charakteru; ukończył Oxford z dwiema pierwszymi lokatami, zdobywając jednocześnie cenne trofea sportowe. Rozmyślnie wyrzekł się błyskotliwych sukcesów i przez dziesięć lat z ostentacyjną skromnością pracował jako młodszy wykładowca w Shrewsbury School, w której sam jako chłopiec się uczył. Siła jego osobowości i talent wykładowcy były jednak tak wielkie, że w pewnym momencie praktycznie zaczął kierować szkołą z pozycji zwykłego nauczyciela i stał się postacią tak znaną poza jej murami, że w osiemdziesiątym piątym roku Dulwich ofiarował mu rektorat. Gdy Chandler wstępował do college'u, wpływ Gilkesa na codzienne życie szkoły był już przeogromny.

Kanciasty, ponad dwumetrowy olbrzym z długą siwą brodą, który dopiero niedawno rozpoczął życie rodzinne, zawierając małżeństwo z siostrą jednego ze studentów Dulwich – Gilkes jako nauczyciel był zwolennikiem poglądów Thomasa Arnolda. Podobnie jak słynny rektor Rugby, na pierwszym miejscu stawiał moralność, na drugim – przywiązanie do Anglii, na trzecim dopiero – intelekt. Cieszył się sławą tak na terenie uczelni, jak i poza nią. Jeden z absolwentów tak go wspominał: „Miał w sobie taką siłę, jakiej nie spotkałem u żadnego innego człowieka [...] Nie był to typ rektora, który trzyma się z boku, promieniując olimpijską godnością. Nie było nigdy rektora, którego wszyscy chłopcy widywaliby częściej i regularniej"[15].

Dla wielu uczniów, których ojcowie odbywali służbę gdzieś daleko w Imperium, Gilkes stanowił wypełnienie luki, jaką był brak autorytetu i mądrości dorosłego mężczyzny. Ów obraz patriarchy, a nie tyrana, tym bardziej był przekonywający, że Gilkes nie wierzył w zasadność rygorystycznego stosowania kar cielesnych. Wśród wielu profesorów uchodził za postać zabawną, lecz jeśli szło o chłopców, to zdawało się, iż cieszy się ich szczerą lojalnością.

Na przełomie stuleci rektorzy dużych brytyjskich szkół bywali częstokroć osobistościami o publicznym znaczeniu, których opinie cytowała prasa ogólnokrajowa. Gilkes unikał tego rodzaju popularności, ale cieszył się nią w jakiejś mierze jako powieściopisarz; sam H.G. Wells zaatakował go kiedyś za to, co w jego powieściach wydawało mu się formą niebezpiecznej nostalgii moralnej.

Książki Gilkesa przedstawiały w formie beletrystycznej teorie autora co do tradycji, zachowań godnych dżentelmana oraz edukacji. Dulwich był dla niego swoistym tyglem, w którym chciał przetopić w materialny kształt swoją własną wizję przyzwoitości i uczciwości. Kierował nim zamysł moralny, który, jak to ujął jeden z jego współczesnych, „wyróżniał go bardziej niż któregokolwiek ze znanych mi ludzi". Inny stwierdził, że Gilkes „miał w sobie dziecięcą prostotę i fundamentalną klarowność ducha".

> Mówił tak proste rzeczy z tak pełną powagi szczerością, jak gdyby otwierał okna, które pozwalały wejrzeć do duszy. Bywało, że czytając Ajschylosa lub Sofoklesa, potrafił ku naszemu zdumieniu zakrzyknąć: „Co?! Zabić króla?! I to takiego króla?!", lub powiedzieć nam: „Widzicie, królowa jest bardzo piękna. Równie piękna, jak zepsuta". I w rzeczy samej zaczynaliśmy to dostrzegać. Takim lub innym sposobem budził w nas zachwyt, wydelikacał naszą wyobraźnię, uwalniał w nas podziw nie tylko dla greki i łaciny, ale i dla wielu innych rzeczy, które napotykaliśmy później w dorosłym życiu. Jako nauczyciel zawsze starał się odkryć i odświeżyć nie tylko w nas, lecz i w sobie samym, to co piękne i ciekawe w tym, czego się uczyliśmy[16].

Poczucie, że wszystko winno stanowić jedność, objawiało się niekiedy u Gilkesa zgoła przesadnie. P.G. Woodehouse, który skończył Dulwich dwa lata przed przybyciem tam Chandlera, wspominał profesora jako kogoś, kto po jakimś meczu krykieta potrafił do niego podejść i powiedzieć: „Dobry występ, Woodehouse, ale nie zapominaj, że wszyscy w końcu umieramy". P.W. Bain, który na trzecim roku Chandlera był kapitanem sportowym, stwierdził, że większość studentów Dulwich dopiero po opuszczeniu szkoły zdawała sobie sprawę z genialności Gilkesa: „Myślę, że nasza młodzieńcza ignoracja połączona z arogancją skłaniała nas do pomniejszania jego siły oddziaływania jako pedagoga. [On jednak wierzył], że zadaniem nauczyciela jest podsuwanie uczniowi innych, lepszych rzeczy, nad którymi bardziej niż nad samym sobą warto się zastanawiać – jak na przykład wielcy ludzie lub narody, czy Natura – i właściwe przygotowanie umysłów wychowanków do ich docenienia. Uczeń nie potrafi sięgnąć myślą wystarczająco głęboko, ale w dorosłym życiu przychodzi świadomość tej potrzeby".

Choć sam Chandler nigdy później nie wspomniał o Gilkesie (ani zresztą o Dulwich, ograniczając się jedynie do stwierdzenia, że był to dobry okres w jego życiu), to relacje współczesnych mu studentów skłaniają do przekonania, iż od wpływu takiej osobowości żaden jego uczeń nigdy się nie uwolni. Zwłaszcza ten, który w domu pozbawiony był ojca.

Oto jak wspominał Gilkesa chłopiec, który rozpoczął naukę w Dulwich, kiedy Chandler był już na trzecim roku: „Z początku był on dla mnie postacią budzącą grozę: zarówno swoim stanowiskiem, jak i wyglądem przywodził mi na myśl mitycznego Zeusa, na którego jedno skinienie grzmiały niebiosa. W miarę jak przechodziłem na wyższe lata, groza ta się zmniejszała, aby w końcu przekształcić się w uczucie szacunku i podziwu, który najlepiej można opisać, cytując wyrażenie z listu nieżyjącego już biskupa Zanzibaru; napisał on, że odkąd opuścił Dulwich, zawsze myślał Gilkesem i nauczał w duchu Gilkesa"[17].

Wkrótce po rozpoczęciu przez Chandlera nauki, jego matka i ciotka przeprowadziły się, aby być bliżej szkoły. Zamieszkały pod numerem 77 na Alleyn Park, tuż obok terenów college'u, w wolno stojącym domu (który już nie istnieje), na tyle obszernym, że przedtem mieściła się w nim szkoła pierwszego stopnia. Kupił go dla nich Ernest Thornton, wykorzystując wymuszoną opiekę nad swymi siostrami, matką i siostrzeńcem jako okazję do zainwestowania, malała bowiem atrakcyjność (a więc i ceny) posiadłości na południu Londynu.

Jakkolwiek osobliwe było życie domowe Chandlera, to Dulwich College zapewnił mu niezbędną stabilność oraz tradycję, z której był dumny. W przyszłości zostanie członkiem zarówno Klubu Szkół Publicznych, jak i Stowarzyszenia Absolwentów Dulwich. Będzie także przez całe życie utrzymywał korespondencję ze swoim wykładowcą języków klasycznych H.F. Hose'em.

Jako uczeń Raymond był zdolny i pilny: z archiwalnych zapisów wynika, że we wszystkich przedmiotach regularnie plasował się w pierwszej trójce swej klasy. Mając talent, nie miał jednak pieniędzy, by kontynuować studia na uniwersytecie, toteż zmuszony był do dokonania rozsądnego wyboru kierunku nauki. Dulwich oferował ich dwa, Chandler zaś postanowił między nimi lawirować: „Za moich czasów istniały dwa kierunki: nowożytny – przeznaczony głównie dla chłopców, którzy zamierzali stać się ludźmi interesu, klasyczny zaś dla tych, którzy podjęli naukę łaciny i greki, zamierzając pójść do Oxfordu lub Cambridge"[18].

Kurs, który wybrał na pierwszym roku w Dulwich, był typowy: pomnikowe osiągnięcia ludzkości warte studiowania to Ateny, Rzym, Biblia i Imperium Brytyjskie. Na przedmioty „angielskie" składały się: semestr na temat Afryki i semestr na temat Australii. „Klasyka" zawierała między innymi Eurypidesa, Horacego, Platona, Arystofanesa, Owidiusza i Wergiliusza.

Podczas nauki w Dulwich Chandler nie zamierzał bynajmniej zostać pisarzem (chciał być prawnikiem), toteż gdy się przyjrzeć wykazom ze studenckiej biblioteki tamtego okresu, widać, że poza lekturami obowiązkowymi nie czytał wiele, a jedyną powieścią, jaką wypożyczył, był melodramat pod tytułem „Ostatni z baronów". Lecz jeśli nawet wówczas nie przewidywał, że czeka go kariera pisarska, to kiedy został pisarzem, zawsze utrzymywał, że „Klasyka" nauczyła go, jak NIE pisać: „Wykształcenie klasyczne pozwala ci nie dać się zwieść pułapce pretensjonalności, którą dzisiejsza beletrystyka jest przepełniona. W tym kraju [w Ameryce] na autora książek detektywistycznych patrzy się z góry jako na podpisarza, tylko dlatego, że opisuje zagadki kryminalne, zamiast na przykład przelewać z pustego w próżne na tematy mające tak zwane społeczne znaczenie. Dla klasycysty, nawet bardzo już zardzewiałego, tego rodzaju mniemanie jest po prostu wyrazem niepewności parweniusza"[19].

Ważną sprawą w Dulwich był sport. „Trochę grałem w rugby – powie potem Chandler – ale nigdy nie byłem dobry, ponieważ mój niepohamowany irlandzki temperament skłaniał mnie ku grze na pozycji napastnika, na co jednak byłem fizycznie za słaby".

W jednym ze szkolnych meczów doznał złamania nosa, co w dorosłym życiu nadało jego twarzy wyraz męskiej twardości. Brał także udział w meczach krykieta, ale ponieważ w Dulwich sport stał na wysokim poziomie, nigdy nie zakwalifikował się do szkolnej reprezentacji; w owym czasie prasa poświęcała dużo miejsca wynikom sportowym szkół publicznych, toteż do zawodów wybierano tylko najlepszych.

Na sobotnie mecze przychodziły tłumy, a czołowi szkolni gracze zdobywali miejsca w reprezentacji kraju. Gilkes, który zawsze był tam, gdzie działo się coś, co dotyczyło jego szkoły, pojawiał się na każdym meczu w surducie i z cylindrem na głowie[20].

Podczas swej rekordowo długiej obecności w Dulwich Gilkes nie ustawał w krucjacie przeciwko wszelkim przejawom pretensjonalności, posuwając się nawet do publicznej krytyki nauczycieli, którzy dopuścili się tego grzechu w obecności uczniów. Miał również inne obsesje, do których należała punktualność. Któregoś wieczora przemaszerował wieczorem w padającym deszczu ponad półtora kilometra, aby dostarczyć do domu jednego z uczniów jego wypracowanie, dotrzymując umówionego terminu. Takiego samego oddania oczekiwał od swoich uczniów. „Są inne rzeczy, które mężczyzna może poślubić, nie tylko żonę", napisał kiedyś.

Gilkes osobiście przygotowywał chłopców do ceremonii bierzmowania, a co zdolniejszym uczniom starszych klas (w tym i Chandlerowi) zlecał napisanie indywidualnych esejów na określony temat, na przykład „Przesąd" lub „Odwaga". Po zapoznaniu się z nimi Gilkes zapraszał autorów do swego gabinetu, aby osobiście im je zwrócić. Kosztowało ich to wiele wieczorów, ponieważ każde nazbyt zdobne słowo lub pretensjonalny zwrot, stanowiły przedmiot druzgocącej krytyki; P.G. Woodehouse określił te chwile indywidualnych rozmów jako „bliskie samobójstwu".

Przy tym wszystkim jednak w Dulwich panowała atmosfera daleka od despotyzmu, w odróżnieniu od niesławnych praktyk stosowanych w szkołach z internatami; a nadto Gilkes nie pozwalał na jakiekolwiek formy wewnątrzszkolnej rywalizacji, które kogokolwiek z góry stawiałyby na pozycji przegranego. Zdarzyło się na przykład, że zabronił chórowi występu, w którym przewidziane były solowe partie sopranowe, aby nie doszło do niezdrowej rywalizacji wśród solistów.

Za jego rządów wręczanie nagród było uroczystością tak skromną, że niekiedy graniczyło to z obrazą. Semestralne oceny uczniów uzależniał raczej od charakterów uczniów niż ich osiągnięć w nauce. Wprawdzie nie zachowała się żadna ocena Chandlera, można się jednak zapoznać z tym, co w 1899 roku napisał o P.G. Woodehousie; nie tylko – zważywszy na późniejszą karierę Woodehouse'a – była ona zgoła prorocza, ale jej treść pozwala sądzić, że Gilkes większą wagę przywiązywał do zalet umysłowych swoich chłopców, aniżeli do ich dobrego zachowania: „Jest chłopcem w najwyższym stopniu niepraktycznym [...] często zapominalskim; wynajduje trudności w najprostszych sprawach i zadaje absurdalne pytania, a jednocześnie potrafi pojąć najtrudniejsze rzeczy. Ma wysoce wypaczone pojęcie o dowcipie i poczuciu humoru; zarysowuje swoje zeszyty dziwacznymi obrazkami, a do zeszytów swoich kolegów wpisuje głupie rymowanki. Pomimo tych wszystkich wybryków nie można go nie lubić"[21].

W okresie gdy Chandler uczęszczał do Dulwich, każdego letniego semestru – tradycyjnie w sobotę najbliższą 21 czerwca – szkoła świętowała Dzień Założyciela. Ze szkolnych zapisów można się dowiedzieć, że atmosfera, jaka tam wówczas panowała, była typowo „gilkezjańska", a zarazem charakterystyczna dla szkół publicznych.

Dzień zaczynał się od apeli w wiktoriańskich salach klasowych, po czym w Wielkiej Sali odbywały się modły, podczas których szkolny kapitan sportowy czytał lekcję z Eklezjasty „Chwalmy teraz sławnych ludzi", a na zakończenie odśpiewywano hymn Dnia Założyciela: „Wszyscy ludzie, którzy zamieszkują ziemię". O jedenastej rozpoczynał się mecz krykieta, sędziowany przez samego Gilkesa. Po lunchu cała profesura, personel i uczniowie ponownie gromadzili się w Wielkiej Sali, by wysłuchać przemówienia Gilkesa. „Tuż przed godziną czternastą Pan Rektor w towarzystwie Pani Gilkes opuszczał swój dom. Wzdłuż alei stała Kompania B w charakterze gwardii honorowej, grały fanfary i warczały werble, zapowiadając nadejście Rektora"[22].

Po odśpiewaniu hymnu szkoły, „Pueri Alleynienses", rozpoczynało się przedstawienie teatralne. Najczęściej wystawiano Arystofanesa w oryginale i przy akompaniamencie muzyki, a główną rolę grał tradycyjnie szkolny Kapitan Sportowy.

Po przemówieniach wszyscy udawali się na szkolne boisko, by oglądać dalszy ciąg meczu krykieta. Ci, którzy otrzymali zaproszenie, mogli się udać do prywatnych ogrodów Gilkesa, gdzie – jak czytamy w szkolnej kronice – czekały na nich „napoje orzeźwiające, truskawki i lody oraz orkiestra szkolna złożona z uczniów, którzy zdobyli złote świadectwa". Gdy zapadł zmierzch, ogrody rektora były dostępne już dla wszystkich i występował w nich chór szkolny.

Ostatnim wydarzeniem dnia była uroczysta kolacja w Wielkiej Sali, wydawana przez Gilkesa dla chóru i drużyn sportowych. Przebiegała ona w wesołej atmosferze, kończyła się śpiewaniem pieśni, a gospodarz, ulegając prośbom, zgadzał się niekiedy odśpiewać swoją pieśń – „Piwniczy Simon".

*

Chandler i P.G. Woodehouse nie byli jedynymi pisarzami, którzy pobierali nauki w Dulwich. Uczyli się tam także C.S. Forester i A.E.W. Mason (autor „Czterech piór"), jak również reżyser filmowy Michael Powell, twórca takich dzieł jak „Życie i śmierć pułkownika Blimpa".

Chandler, Forester, Powell, Woodehouse i Mason to licząca się piątka dwudziestowiecznych twórców; dzięki nim powstało sporo bardzo popularnych i dochodowych dzieł, które przetrwały próbę czasu. Wszyscy oni zresztą trafili do Hollywood.

Podobieństw między Chandlerem a Woodehouse'em możemy dopatrywać się zwłaszcza w życiorysach obu pisarzy. Obaj dorastali bez rodziców (Woodehouse'owie przebywali w Hongkongu), opiekowały się nimi apodyktyczne ciotki; obaj trafili do Ameryki po otarciu się o Fleet Street, zanim wreszcie znaleźli się w Hollywood. I Chandler, i Woodehouse niezwykle starannie kreowali swoje postaci i odwoływali się do inteligencji jako twórczego narzędzia, zdecydowanie unikając intelektualizowania. (Choć nie byli rówieśnikami, mieli w szkole tego samego przyjaciela, Willa Townenda, który później zostanie autorem książek przygodowych i przez długie lata będzie korespondował z oboma przyjaciółmi). Woodehouse stworzył Jeevesa, Chandler zaś Marlowe'a, dwie spośród najpopularniejszych postaci literackich tego wieku. A wreszcie – ich pierwsze próby literackie były poddane krytyce tego samego człowieka: to Gilkes w swoim gabinecie rozkładał na czynniki pierwsze ich pozaobowiązkowe eseje, bezlitośnie atakując wszelkie przejawy pretensjonalności, której zwalczanie uważał zawsze za swój obowiązek i życiowe powołanie.

Wpływ, jaki wywarły dzieła tych absolwentów Dulwich w świecie, miał się okazać ogromny. Jeeves w „The Africa Queen" („Afrykańska Królowa"), Horatio Hornblower – „The Four Feathers" („Cztery pióra") i „Głęboki sen" („The Big Sleep") stały się dla dwóch pokoleń amerykańskich i europejskich czytelników oraz kinomanów punktem odniesienia przy ocenie wartości artystycznej innych dzieł. Każdy z tych pisarzy stworzył postać mężczyzny wyróżniającego się wewnętrzną spoistością i wiernego zasadzie przyzwoitości, bez względu na okoliczności i przemijające mody; wykreowali model nowoczesnego bohatera, który jest wyzbyty wszelkiej pretensjonalności, a nadto odznacza się poczuciem humoru, które go na przemian pakuje w tarapaty i pomaga z nich wyjść. Bohaterowie ci, bez względu na to czy ich twórcy byli tego świadomi czy nie, przystają do obrazu łagodnego patriarchy nakreślonego przez Gilkesa w jednej z jego własnych opowieści, zatytułowanej „Dzień w Dulwich":

> Najszlachetniejszą na całym świecie rzeczą jest człowiek, i świat ten zostanie ocalony, jeśli rozwijać będzie to, co w człowieku najszlachetniejsze: człowieczeństwo. Higiena, masowa produkcja, potężne maszyny, pozwalające się przemieszczać z miejsca na miejsce – to niekoniecznie służy człowiekowi, a może mu nawet wyrządzić dotkliwą szkodę, jeśli utrudni mu wyzbycie się egoizmu, czyli podporządkowanie się najwyższemu prawu, jakie w samym sobie nosi. Jest rzeczą nieodzowną powrót do dawnego ideału, który nie tylko został sformułowany w teorii, ale i zrealizowany w rzeczywistości przez starożytnych Greków: gotowości do poświęcenia samego siebie[23].

Ów wzorzec mężczyzny, gotowego do poświęcenia samego siebie, znalazł swoje wcielenie w jednym z najsłynniejszych „chłopców z Dulwich": w 1901 roku, gdy Chandler drugi rok uczęszczał do college'u, Ernest Henry Shackleton podjął wraz z kapitanem Scottem próbę zdobycia bieguna południowego. Shackleton był od Chandlera zaledwie o osiem lat starszy; był przy tym, tak jak Chandler, Angloirlandczykiem.

*

Pod koniec swojej nauki w Dulwich Chandler zdobył kilka wyróżnień, przy czym szczególną biegłością odznaczył się w matematyce. (Matematyczny talent mieli także dwaj inni wybitni twórcy powieści detektywistycznych z jego pokolenia: Georges Simenon i Dashiell Hammett, który w latach czterdziestych, podczas prób odwyku, zwykł był zabijać czas przy pomocy algebry).

Żadne wyróżnienia nie mogły jednak zmienić faktu, że uniwersytet był poza zasięgiem jego możliwości. Wprawdzie w dalszym ciągu chciał zostać prawnikiem, ale kończyła się finansowa cierpliwość jego wuja, dla którego tak długi okres dalszej nauki Raymonda był nie do pomyślenia. Ernest Thornton uznał, że młody człowiek winien znaleźć sobie pracę, by zacząć pomagać Florence, i postanowił skierować go na egzamin do Służby Cywilnej.

Chandler opuścił Dulwich, mając szesnaście lat, na rok przed zakończeniem nauki. Wuj Ernest wspaniałomyślnie zrekompensował mu te stracone studia swoim ostatnim finansowym gestem na rzecz edukacji bratanka: zgodził się opłacić jego roczny pobyt w Europie. Pół roku miał Chandler spędzić we Francji, drugie pół w Niemczech, po czym winien wrócić do Anglii, aby przystąpić do egzaminu. W Służbie Cywilnej zaczęto wówczas wymagać od kandydatów znajomości języków obcych, toteż pobyt w Europie Chandler miał wykorzystać na naukę francuskiego i niemieckiego.

Raymond chętnie zgodził się na propozycję wuja, gdyż oznaczała ona między innymi dwanaście miesięcy, podczas których uwolni się od ponurej opiekuńczości matki w południowym Londynie.

*

Jeśli spojrzeć z dzisiejszej perspektywy, to rok 1905 spędzony w Europie musiał być dla wstępującego w życie młodego człowieka ekscytującą przygodą. Pomijając już nawet szybki rozwój techniki, który w istotny sposób ułatwiał komunikację w Europie, na ten czas przypadł przecież najwyższy rozkwit twórczości wielu europejskich pisarzy, artystów i muzyków. Freud, Strindberg, Strauss, Debussy i Matisse mieli swój najlepszy okres; Marcel Proust miał wkrótce zasiąść do pisania swej wielkiej epopei – „W poszukiwaniu straconego czasu", a i szczególna teoria względności Einsteina została opublikowana właśnie w tym czasie.

Jeśli chodzi o politykę międzynarodową, miał się ten rok zaznaczyć w historii jako początek postępującej destabilizacji, która doprowadzi w końcu do pierwszej wojny światowej. W Rosji wybuchła pierwsza antycarska rewolucja; rządy Francji i Niemiec zaczęły głośno manifestować wzajemne pretensje i obawy wobec niepokojących zjawisk, jakie zaczęły zachodzić w przeludnionych miastach. Chandler wszelako ani nie był radykałem, ani się nie interesował polityką czy też antyburżuazyjną sztuką. W późniejszych latach wspominał: „Jako młody człowiek, w dodatku bardzo niewinny, byłem szczęśliwy, po prostu rozglądając się dokoła; pieniędzy miałem wprawdzie niewiele, ale za to wszystko, co zobaczyłem, budziło we mnie coś w rodzaju szczeniackiego zakochania"[24].

W Paryżu Raymond zamieszkał w małym pensjonacie na bulwarze Saint Michel, niedaleko katedry Notre Dame, i uczęszczał do specjalistycznej szkoły, ucząc się francuskiego w zakresie przydatnym w handlu i w interesach. W sumie jednak o jego pobycie w Paryżu zachowało się bardzo mało informacji; wiadomo tylko, że nauka francuskiego przychodziła mu z łatwością. Zresztą pobyt na kontynencie zrodził w nim coś, co mu pozostanie na całe życie: zafascynowanie językiem, a zwłaszcza slangami: „Zawsze byłem i pozostaję wielkim admiratorem języka francuskiej ulicy. Myślę, że to jedyny slang porównywalny z naszymi, choć niemiecki także jest pod tym względem całkiem niezły. Slang francuski ma w sobie cudowną precyzję i śmiałość. Wprawdzie nie wydaje mi się, by miał on tę samą zwariowaną ekstrawagancję co nasz, ale za to nie podlega tak częstym zmianom"[25].

Chandler, który wszak dorastał najpierw w środowisku posługującym się irlandzkim angielskim, potem amerykańskim angielskim, a wreszcie angielskim właściwym szkole publicznej – nigdy nie uważał języka za coś oczywistego. Po opuszczeniu Dulwich jego akcent można by było nazwać środkowoatlantyckim, w wieku dojrzałym mówił jak aktor James Stewart. Co się zaś tyczy zdolności językowych – których bez wątpienia dowiódł podczas egzaminu do Służby Cywilnej – to wydawać by się mogło, że i w tym względzie zawdzięcza coś Gilkesowi, który uczył go języków klasycznych w ostatnim roku nauki w Dulwich. Inny uczeń Gilkesa, J.T. Sheppard, który z czasem doszedł do godności rektora King's College w Cambridge, twierdził, że „nikt kto miał szczęście poznawać łacińską prozę i grecką poezję, mając Gilkesa za nauczyciela, nie mógł nie posiąść wiedzy o językach"[26]. Chandler, zmuszony zarzucić pierwotny zamiar zostania prawnikiem, podczas pobytu w Europie rozważał więc inną możliwość:

> Na miłość boską oszczędź swoim ludziom kłopotów i wydatków związanych z przesłaniem mi ośmiu fińskich tłumaczeń! Cztery wystarczyłyby aż nadto [...] Swego czasu miałem nadzieję, że zajmę się językoznawstwem porównawczym (ot, takie chłopięce marzenie, rzecz jasna), i grzebałem się w tak dziwnych językach, jak nowożytny grecki, ormiański czy węgierski, nie wspominając już o dużo prostszych i bliższych językach romańskich oraz tych z grupy germańskiej. Na ścianie u wezgłowia mojego łóżka w pensjonacie Narjollet przy bulwarze Saint Michel przypiąłem dwieście czternaście głównych ideogramów chińskiego w dialekcie mandaryńskim. Ale fiński, niech go diabli, gorszy jest od tureckiego[27].

Chandler bardzo był potem na siebie zły, że będąc z dala od rygorów panujących w południowym Londynie, nie stracił w Paryżu dziewictwa. Był przecież uderzająco przystojny, z ciemnymi włosami zaczesanymi do góry, wysokim czołem i ze spojrzeniem, które sam określał jako „moje roześmiane irlandzkie oczy"; trzymał się przy tym prosto i zawsze był elegancko ubrany. Wzrostu był nieco więcej niż średniego, trochę ponad metr siedemdziesiąt pięć, a najbardziej charakterystyczną cechą jego twarzy były duże usta, które raz rozchylał w przyjacielskim uśmiechu, innym zaś razem ściągał w nieprzyjaznym grymasie. Wśród ludzi zachowywał się z bezpośredniością cechującą jedynego w gronie dorosłych dziecka, które bez wahania podejmuje z każdym rozmowę. Jeśli jednak chodzi o seks, zachował całkowitą niewinność: podczas jednej z lekcji przygotowawczych przed bierzmowaniem mały Chandler wyznał, że nigdy się nie onanizował i że nie wie nawet, co to w ogóle jest masturbacja.

Gdyby mieszkał w internacie, nie pozostałby zapewne taki niewinny. Nie mając jednak ani braci, ani ojca, ani nawet małych rówieśników, z którymi mógłby wymieniać wiadomości na ten temat, zachował w kwestii seksu zaskakującą naiwność.

W ten nietknięty obszar niewinności wpisał się za to obraz cierpień, które spowodował ojciec. Florence Thornton stała się rozbitą, załamaną kobietą, która bała się powtórnie wyjść za mąż, toteż Chandler postanowił sobie, że w swoim własnym życiu nikomu podobnej krzywdy nie wyrządzi. Powiedział kiedyś:

> Kocha się nie po to, by ranić i niszczyć: Nigdy nie zaakceptuję przekonania, że seks może być traktowany jako coś bez większych konsekwencji. Można na jego temat opowiadać żarty, najczęściej sprośne (co sam robiłem), ale każdy przyzwoity mężczyzna w głębi swego serca czuje, że jego stosunek do ukochanej kobiety winien być taki jak stosunek do świętości[28].

Dopiero później miał sobie Chandler uświadomić rozmiary swej naiwności; gdy przebywał w Paryżu dwie spośród kobiet, które mieszkały w tym samym co on pensjonacie, były niewątpliwie prostytutkami. Czyniły mu awanse, których on jednak wówczas nie potrafił rozpoznać. Lecz nawet bez tego rodzaju łóżkowych podbojów bardzo sobie cenił wolność samodzielnego życia.

Po sześciu miesiącach spędzonych w Paryżu udał się do stolicy Bawarii, Monachium, a potem do Fryburga, uniwersyteckiego miasta w Schwarzwaldzie, w którym studiował handlowy język niemiecki, a przy okazji zrobił sobie w studiu fotograficznym portret, by go przesłać matce. Mówił potem, że z radością by tam pozostał („Bardzo lubiłem Niemców, to znaczy Niemców z południa"), gdyby nie stało się tajemnicą poliszynela, że Wielka Brytania i Niemcy staną wkrótce do wojny. „Ani przez chwilę nie było co do tego wątpliwości – mówił później. – Jedyną niewiadomą było: kiedy".

Niemcy, które wówczas dopiero od trzydziestu czterech lat stanowiły jednolite państwo, za bardzo zazdrościły zamorskich kolonii Francuzom i Brytyjczykom, aby zadowolić się potęgą własnego przemysłu.

Choć Chandler nigdy nie opisał szczegółowo swego rocznego pobytu w Europie, to w późniejszych latach żartobliwie go uromantycznił. Przeczytawszy jakąś swoją licho skleconą biografię, zauważył, że osiemnasty rok jego życia w ogóle nie został w niej odnotowany:

> A co z czasem, który spędziłem w cieniu Saint Sulpice podczas krótkiej, lecz oszałamiającej miłostki z pewną panną z Luksemburga, która potem stała się sławna na całym świecie? Lecz nie; to niebezpieczny teren: nawet w Luksemburgu istnieje prawo o zniesławieniu, i to nawet w trzech językach. Ale co o tych sześciu straconych miesiącach, które spędziłem w Hollenthalu, próbując nakłonić kolejkę linową, by poruszała się poziomo?[29]

Cieszyły go spotkania z Amerykanami w Europie. Wprawdzie pobyt w Dulwich złagodził nieco jego akcent, ale był on wciąż wystarczająco słyszalny, aby mu tam uświadamiano jego „jankeskość".

Dopiero piętnaście lat później, w latach dwudziestych, nastąpił masowy najazd młodych Amerykanów na Paryż, ale Raymond lubił tych, których napotkał podczas swojego pobytu: „W żadnym stopniu nie identyfikowałem się ze Stanami Zjednoczonymi, a jednak drażnił mnie ignorancki i snobistyczny krytycyzm wobec Amerykanów, który był wówczas na porządku dziennym. [...] Większość z nich tryskała niepohamowaną energią i żywotnością, i najwyraźniej szczerze bawili się tam, gdzie przeciętny Anglik, wywodzący się z tej samej klasy społecznej, byłby nadęty albo kompletnie znudzony"[30].

Kwestia narodowości Chandlera miała dla niego znaczenie tyleż praktyczne, co symboliczne. Wróciwszy z Europy, by zdawać egzamin do Służby Cywilnej, najpierw musiał skorzystać z prawa, które pozwalało dzieciom rozwiedzionych Brytyjek na otrzymanie brytyjskiego obywatelstwa.

Po śmierci matki Florence mieszkała teraz samotnie w mniejszym domu, który Ernest kupił w Streatham w południowym Londynie, przy Mount Nod Street. Ulica była dość miła, lecz otaczały ją długie rzędy przygnębiająco podobnych do siebie domków robotniczej dzielnicy.

W 1907 roku Streatham było przedmieściem, które odznaczało się nie tylko brakiem uroku, ale i niekorzystnym dla zdrowia mieszkańców mikroklimatem. Chandler – mimo że mieszkał w tak nieeleganckiej dzielnicy, a na dobitek nie miał żadnych dochodów – nie rezygnował z ubierania się tak samo nieskazitelnie, jak go nauczono w Dulwich; wkrótce po powrocie z Niemiec nawet zaczął używać laseczki ze srebrną gałką.

To właśnie gdzieś pomiędzy powrotem z Fryburga a czekającym go egzaminem, ten elegancko ubrany, władający trzema językami osiemnastolatek, w którąś tam niedzielę, podczas kąpieli w wannie, przy ulicy Mount Nod w Streatham ułożył swój pierwszy w życiu wiersz. Opatrzony tytułem „Nieznana miłość", utwór ten przez co najmniej jednego krytyka uznany został za rzecz pozbawioną jakiejkolwiek wartości[31].

Gdy zachodzące słońce przyświeca z ukosa,
Pierwszymi perły w trawie pobłyskuje rosa
I świerszcz już przedwieczornie przygrywać zaczyna,
Ja, na wpół dumny, na wpół kornie się schylając,
Ścieżką stąpam ostrożnie, z wolna się wspinając,
By śladów stóp twych w trawie nie zatrzeć, dziewczyno[32].

Sam Chandler ocenił później wartość tej poezji jako „B w skali georgiańskiej", choć jednocześnie stwierdził, że dumny jest z tego, iż nigdy nie zaakceptował tej poetyckiej szkoły, która opierała się wedle jego określenia na założeniu: „Ośmiel-się-tylko-powiedzieć-że-nie-rozumiesz-o-czym-mówię". W każdym razie stworzenie tego wiersza zachwyciło go na tyle, że postanowił zostać pisarzem. Zdawał sobie przy tym sprawę, iż Służba Cywilna daje mu możliwość otrzymania idealnej pod tym względem posady; nie byłby to układ bez precedensu pośród brytyjskich literatów bez osobistych dochodów, jako że tylko bardzo nieliczni byli w stanie utrzymywać się z pisania.

Do egzaminów zorganizowanych w 1907 roku stanęło ośmiuset kandydatów do Służby Cywilnej; Chandler był trzeci na liście tych, którzy przeszli, a w klasyce zajął pierwsze miejsce. Zaproponowano mu stanowisko asystenta Szefa Działu Zaopatrzenia w Admiralicji, co oznaczało między innymi nadzorowanie i bilansowanie zapasów marynarki wojennej, w tym amunicji. Mimo że praca nie wymagała wiele czasu (kończył ją o szesnastej), nienawidził jej i po sześciu miesiącach, ku przerażeniu wuja i matki, porzucił ją, mówiąc: „Mam w sobie za dużo irlandzkiej krwi, żeby mną pomiatali jacyś frajerzy z przedmieścia”[33].

Za pośrednictwem swego byłego profesora klasyki, H.F. Hose’a, uzyskał możliwość dorywczego prowadzenia wykładów w Dulwich. Trwało to wprawdzie tylko jeden semestr, oznaczało jednak, że od tej pory do swego coraz dłuższego curriculum vitae mógł dopisywać „nauczyciel”. Na razie, przejęty swym nowym powołaniem pisarza, zaczął uczęszczać na wykłady i spotkania literackie w Londynie: „Jako bardzo młody człowiek, kiedy broda George’a Bernarda Shawa była jeszcze ruda, miałem okazję wysłuchać w Londynie jego prelekcji na temat »Sztuka dla Sztuki«, co w owym czasie najwidoczniej jeszcze coś znaczyło. Dla niego oczywiście nie było to nic godnego uwagi, jak zresztą wszystko, czego on sam nie wymyślił”[34].

Jeśli chodzi o wczesne poezje Chandlera, to najbardziej niezwykłe było, że – z nielicznymi wyjątkami – udawało mu się je publikować w renomowanych czasopismach, i w dodatku otrzymywać za nie honoraria.

Ernest Thornton, choć nie był zachwycony decyzją bratanka o porzuceniu Służby Cywilnej, służył mu jednak nadal pomocą. Przez pewnego znajomego z londyńskiego bractwa angloirlandzkiego, Ronalda Ponsonby Blennerhasseta, załatwił Chandlerowi kontakt z wydawcą „Westminster Gazette”, która w owym czasie miała kilku znamienitych współpracowników, wśród nich Hectora Hugh Munro („Saki”), a wydawana była z dużym polotem przez J.A. Spendera, wuja Stephena Spendera.

> Spender kupił ode mnie sporo towaru: wiersze, szkice, ale także rzeczy, których nie podpisywałem, jak na przykład akapity przejęte z zagranicznych publikacji. Wprowadził mnie ponadto do czytelni Narodowego Klubu Liberalnego. [...] Dawało mi to wszystko jakieś trzy gwinee tygodniowo, ale to nie wystarczało. Równocześnie pracowałem więc dla niejakiego Cowpera, który przejął „Academy” [czasopismo] po lordzie Alfredzie Douglasie (kochanku Oscara Wilde’a), napisałem dla niego dużo recenzji książkowych i parę esejów, które zachowałem do dzisiaj. Odznaczają się one nieznośnym pięknem stylu, ale zarazem już pobrzmiewa w nich całkiem niegrzeczny ton[35].

Przez cztery lata w „Gazette” i w „Academy” pojawiały się co parę tygodni wiersze podpisane „R.T. Chandler”. Ich styl bywał mało urozmaicony:

Świat ten potęgę całą swoją trwoni,
Ludy się trudzą życia broniąc,
Wzrok mędrców wciąż na nieboskłonie
Iskierki szuka, co zapłonie.
Noc jest po dniu, a dzień jest po niej,
Czyż kiedyś coś da nam wytchnienie?

Te spośród wczesnych utworów poetyckich Chandlera, którym daleko było do owego tonu posępnej chmurności, zwykle nadrabiały ów brak mnogością ezoterycznych aluzji do twórczości klasyków. Co do samego autora, który tymczasem ponownie, wraz z matką, przeprowadził się, tym razem na Devonshire Road w Forest Hill, to w najmniejszym stopniu nie odstępował od zamiaru osiągnięcia poetyckiej nieśmiertelności w bardzo młodym wieku. Jak czytamy w innym jego poemacie: „Nie powstała w umyśle ludzkim żadna myśl, która byłaby mi nieznana".

Co się zaś tyczy domku na Devonshire Road, to Ernest Thornton uznał go za lepszą inwestycję niż ta w Streatham; niezbyt wprawdzie od niego oddalone, Forest Hill leżało jednak w okolicy, która więcej zachowała z atmosfery wioski.

Zważywszy, że Chandler nie robił żadnych starań, aby publikować swoją twórczość, aż do chwili gdy był już dobrze po czterdziestce, ten czteroletni okres młodzieńczych wersyfikacji uznać można za sukces sam w sobie, który niejako położył podwaliny pod karierę prawdziwą. W przyszłości Chandler miał ją postrzegać jako pożyteczne doświadczenie, które w dorosłym pisarstwie uchroniło go od jakiejkolwiek pokusy powierzchownego wykorzystywania swych zdolności i umiejętności naśladowczych. Powiedział o tym okresie: „Byłem młodym eleganckim kimś, kto starał się błyskotliwie wypowiadać na temat niczego".

A cóż gdyby potwór jakiś skrwawionym kopytem
Wdeptał cię w ziemię w szalonym swym cwale?
Ducha mego nie zgniecie, co prawdziwym bytem,
Więc w pysk mu się zaśmieję: nie boję się wcale!

Odłóżmy jednak na bok poezję, gdyż to nie ona, lecz pisane wówczas przez Chandlera eseje i recenzje dają pewien przedsmak tego, co miało nadejść. Redaktorzy „Westminster Gazette" zwykli byli poprzedzać jego eseje ostrożnym zastrzeżeniem, że nie zawsze zgadzają się z poglądami autora; była to dla Chandlera sytuacja idealna, pozwalało mu to bowiem uchodzić za „młody głos" jednego z najbardziej prestiżowych brytyjskich tygodników.

Co się zaś tyczy jego recenzji książkowych, to pisane były w równie aroganckim tonie. Można uznać za typową notkę, którą skwitował w „Academy" z grudnia 1911 roku powieść Elinor Glyn „Oto dlaczego". Recenzja kończy się krótkim streszczeniem zakończenia książki, a następnie wyrokiem na autorkę:

> Tristan coraz bardziej dziczeje, zupełnie traci apetyt, podejrzewa ją o zdradę, po czym postanawia udać się do Sudanu. Ale złagodniały w międzyczasie finansista zgadza się, by Zara ujawniła rzeczy, które obiecała zachować w sekrecie, przeto pędzi ona do londyńskiego apartamentu Tristana, dokąd udaje się jej zdążyć w ostatniej chwili, aby paść mu w ramiona i wyszeptać: *Tu sais que je t'aime.*
> Pani Glyn pisze z tak niebywałym zasobem zmysłowego animuszu, iż można być przekonanym, że naprawdę wierzy w to, co robi. Jest to walor, który wynosi ją ponad morze złej prozy, przysparzając jej pewnego uznania, jednakże w sensie literackim, w oczach czytelnika krytycznego jeszcze bardziej ją pogrąża.

W eseju opublikowanym we wrześniu 1911 roku pod tytułem „Bohater godny uwagi" Chandler wywodzi, że w brytyjskiej beletrystyce bohater, który dotąd pochodził z wyższych sfer, został zastąpiony przez nowy typ – tekturowego arystokraty:

> Wyśmiany doszczętnie za swój tradycyjny, uczciwy, sam z siebie niejako oczywisty szacunek dla czyjejś pozycji społecznej i zamożności – zwyczajny czytelnik musi jakoś zaspokoić swą potrzebę posiadania kogoś, kto nad nim góruje intelektualnie. Skoro mu więc zabroniono płaszczyć się przed arystokratą, to decyduje się na podziwianie primadonn, błyskotliwych mężów stanu, zuchwałych korsarzy lub mistrzów subtelnych intryg. Skoro nie może się już dłużej rozkoszować konwersacjami książąt, to kontentuje się rozmowami wybitnych specjalistów od burzenia domów. Zważywszy zaś, że stopień jego zażyłości z kołami arystokratycznymi jest znikomy, a znajomości z ludźmi genialnymi jeszcze mniejszy – czytelnik rzadko jest w stanie zorientować się w oszustwie, jakiego pada ofiarą[36].

Najbardziej jednak interesujący ze wszystkich esejów był chyba ten, który Chandler napisał, mając dwadzieścia trzy lata. Nosi on tytuł „Realizm a świat baśni" i podejmuje krytykę tezy, iż sztuka powinna być albo realistyczna, albo fantastyczna.

Chandler ocenia w zestawieniu ze sobą istotę fantazji i rzeczywistości. „Świat baśni" zależy od poszczególnego marzyciela. Dla jednego jest wyobrażeniem jakiejś rzeczywistości doskonałej albo też takiej, w której prawa rzeczywiste nie obowiązują, i mamy w niej do czynienia z „ludźmi, którzy kochają lub nienawidzą od pierwszego wejrzenia". Dla innego może on oznaczać „anarchię piękna tkniętego zagrożeniem".

Chandler postuluje, by nie traktować baśni w oderwaniu od czasu, w którym została napisana, gdyż „duch danej epoki wierniej się odzwierciedla w baśni niż w najbardziej nawet szczegółowych opisach dziejopisarzy". Atakuje on nowych pesymistów w rodzaju Emila Zoli, którzy [...] informują nas, że aby poznać prawdę, musimy spojrzeć w twarz nudnej rzeczywistości i że nie wolno się nam zabawiać różowymi snami i hiszpańskimi zamkami ze złota. Aby nam pokazać, jak winniśmy postępować, zarzucają nas górami ludzkiego śmiecia [...] Prawda w ich mniemaniu jest nieodłącznie związana z tym, co nieprzyjemne, a gdy chcą nam ukazać doskonały portret człowieka, wystarcza im odmalować jego słabości".

Tego rodzaju realizm, powiada młody Chandler, to w istocie „nastrój, jaki nas ogarnia w godzinach nudy i depresji". Każdy jest w stanie w nudny sposób opisać nudne wydarzenie; prawdziwe wyzwanie to posłużyć się magią w opisywaniu realnej rzeczywistości. Ci, którzy potrafią temu wyzwaniu sprostać, odpowiedzą na coś, co w człowieku najszlachetniejsze i najgłębiej tkwiące.

Chandler pisał:

> Każdy, kto choć raz szedł uliczką dzielnicy zamieszkanej przez pospólstwo, w chwili gdy zapada zmierzch i właśnie zapalane są latarnie, powtórzy za mną, że tego rodzaju artyści nie są realistami; są idealistami najodważniejszymi z odważnych, bowiem to, co nędzne i plugawe, przekształcają w magiczne wizje, z gipsu i kurzu tworząc czyste piękno.

Zasmakowawszy w Europie życiowej niezależności, a przy tym myśląc o kontynuowaniu działalności pisarskiej, Chandler wyprowadził się od matki do taniego pensjonatu w pobliżu Russell Square w Bloomsbury. Choć nigdy nie podał dokładnego adresu tego pensjonatu, to niewątpliwie odpowiadał on opisowi przedstawionemu w nieopublikowanej noweli, nad którą pracował w 1950 roku, nadawszy jej tytuł „Angielskie lato". Była to jedna z dwóch jego opowieści, które usytuowane zostały poza Kalifornią (tą drugą były „Spiżowe drzwi", których akcja umiejscowiona została także w Londynie).

„Angielskie lato", to historia, która dzieje się w Bloomsbury we wczesnych latach naszego wieku, a więc w czasie, gdy Chandler rzeczywiście tam przebywał.

> O niezbyt wczesnej porze udałem się na stację i pojechałem pociągiem do Londynu. Znałem drogę do tego małego pensjonatu na północ od Russell Square, miejsca, w którym nikt nie był tym, kim być powinien lub kim być chciał, i nikogo to nie obchodziło, a już najbardziej było obojętne tej starej flądrze, nazywającej się gospodynią.
> Śniadanie to zimna, tłusta bryja na tacy pod drzwiami. Lunch – to ciemne piwo, chleb i ser, jeśli ktoś sobie tego życzył. Co do obiadu, jeżeli należałeś do kategorii obiadowiczów, to trzeba było gdzieś pójść i poszukać go sobie. Gdy wracałeś późnym wieczorem, straszyły cię białe twarze widm Russell Square, przemykających wzdłuż nieistniejących płotów, jak gdyby sama pamięć o ich niegdysiejszej obecności pozwalała im skryć się przed latarką policjanta. Widma te prześladowały cię przez całą noc swymi jękliwymi „Słuchaj, kochasiu", resztkami zaciśniętych ust o cienkich, wyżartych od wewnątrz wargach i wielkimi, pustymi oczami, w których świat odbijał się jako już martwy. Był tam mężczyzna grający Bacha, trochę za głośno, ale z potrzeby duszy. Był samotny starzec o regularnie zarysowanej delikatnej twarzy i brudnych myślach. I były dwa drewniane motyle, które miały się za aktorów[37].

Nazbyt to szczegółowy opis, by nie miał się odwoływać do czasu, który Chandler spędził wśród oczytanych bukinistów Bloombsbury. Zdecydowanie przedkładając tę atmosferę biedy i cygańskiej artystyczności ponad mieszkanie z matką, wynajął pokój w pobliżu Muzeum Brytyjskiego.

W owym czasie centralny Londyn był wciąż jeszcze przerażającym śmietniskiem. Automobile w dziesiątym roku naszego wieku były tam jeszcze rzadkością i podstawowy środek transportu stanowiły – wraz z pociągami – powozy. „Błotnisty śluz ulic miasta" (jak zapamiętał to Chandler) bliższy był obrazom prosto z Dickensa niż późniejszym opisom E.M. Forstera i Evelyna Waugha.

Tak naprawdę, to obraz czasu, w którym przebywał w Londynie Chandler, najlepiej można sobie wyobrazić, czytając Artura Conan Doyle'a. Fikcyjna działalność Sherlocka Holmesa obejmowała lata 1887 – 1917 i przebiegała na terenie takiego właśnie miasta, jakie osobiście poznał Chandler. „Londyn – mówi Holmes w „Studium w szkarłacie" – to wielka kloaka, do której ściągają włóczędzy z całego Imperium". Chandler czytał Conan Doyle'a dopiero w późniejszym okresie swego życia, a jednak natychmiast rozpoznał miasto, o którym pisał Doyle.

Zapewne Raymond Chandler przedwcześnie święcił początek swej pisarskiej kariery, ale przynajmniej dowiódł – i to zarówno swym postępowaniem, jak i tekstami, które publikował – że jest pełen wiary we własne siły.

Jedną ze sztuczek, jakie stosował, by zdobyć zamówienie na napisanie czegoś, co by mu pozwoliło zapłacić za pokój w Bloomsbury, było odwiedzanie redakcji w charakterze osoby zainteresowanej nabyciem pisma. Wypróbował ten trick w „Academy" i z równym powodzeniem powtórzył go w magazynie zatytułowanym „Tit-Bits". W tym ostatnim „przyjął mnie z wielką kurtuazją sekretarz wydawnictwa, bez wątpienia absolwent szkoły publicznej, który wyraził żal, że w tej akurat chwili pismo nie potrzebuje kapitału, ale też wyraził mi uznanie za oryginalne podejście do sprawy".

Udało się także Chandlerowi w 1911 roku zdobyć zatrudnienie w charakterze reportera w redakcji „Daily Express", lecz jego kariera tam trwała bardzo krótko, gdy go bowiem wysłano z poleceniem opisania jakiegoś wydarzenia – musiano go potem uznać za osobę zaginioną.

*

Wreszcie, w 1912 roku dwudziestoczteroletni Chandler postanowił zapomnieć o pisarstwie i opuścić Londyn. Przyczyną tej decyzji nie było – samemu sobie wszak narzucone – życie w ubóstwie ani warunki mieszkaniowe, lecz brak realnych perspektyw na takie urządzenie się w Londynie, które dawałoby nadzieję na utrzymanie się, nie mówiąc już o matce. W ciągu czterech lat opublikował dwadzieścia siedem wierszy, osiem esejów i cztery recenzje książkowe, ale pieniądze, jakie mu to przyniosło, ledwo ledwo wystarczyły mu na własne tylko utrzymanie. Ernest Thornton nalegał, by Raymond przejął wreszcie odpowiedzialność za matkę, on zaś był z tego pokolenia obywateli Imperium, które – gdy w jego granicach nie widziało dla siebie perspektyw – zwykło zwracać się ku zagranicy.

Jak wielu Europejczyków w owym czasie, Chandler zdecydował się na Amerykę. Mimo że nie miał tam żadnej bliskiej rodziny ani też kontaktów, wciąż jednak odczuwał pewien emocjonalny związek z krajem swego urodzenia: „Ameryka – powie potem – w jakiś sposób mnie pociągała".

Pożyczył 500 funtów (na sześć procent) od zdesperowanego wuja Ernesta i kupił sobie bilet. Do Nowego Świata udawał się, jak mówił – „w dobrym garniturze i bez pieniędzy", bynajmniej nieprzestraszony zatonięciem „Titanica" w kwietniu tego samego roku.

Ustalone zostało, że gdziekolwiek Chandler będzie szukał szczęśliwego losu, to Florence podąży za nim, jak tylko uda mu się znaleźć jakieś zatrudnienie. Był pełnoletni, co dla Ernesta Thorntona oznaczało, że odtąd powinien wypełniać swe synowskie obowiązki. Raymond musiał zapewnić byt swojej matce.

*

Choć decyzja o emigracji oznaczała, że Chandler rozminie się z narastającą właśnie falą modernizmu, która miała wkrótce ogarnąć Londyn i której centrum stać się miało właśnie Bloomsbury, to jednak w ostatnim napisanym przez niego wierszu widać już wpływ rodzącego się ruchu. Napisany został ten wiersz raczej w tonacji pastiszu niż powagi, jako że autorowi towarzyszyła świadomość, iż jego wczesna próba osiągnięcia nieśmiertelności spełzła na niczym. „Wolny wiersz" jest przeto w niczym niepodobny do sformalizowanej i związanej z tradycją poezji, jaką uprawiał Chandler do tej pory. Nie jest on przy tym bardzo daleki od stylu T.S. Eliota, który przybył do Londynu zaledwie na rok przed emigracją Chandlera.

Pochlebiłbym mym ideom nawet
Gdybym je nazwał
Nastrojami.

Mały zwrot frazy lub myśli
To w tę, to w inną stronę
By dać jej pozór, iż znaczy o wiele
Więcej, niż mówi.
Zwykła drobna reakcja nerwowa
Na odgłos dźwigu
Albo nadmiar kawy
Albo palenia do drugiej w nocy.

Moje produkty to czyste natchnienie
Łatwo o nie, jak łatwo ześlizgnąć się ze słupa

Jedyna trudność to wiedzieć gdzie
Wstrzymać upadek...

I słowa same jakże wiele znaczą,
Te śliczne drobiazgi.
Weźmy „fiołkoworóżowy" na przykład,
Ileż to prosto słowo zdaje się znaczyć
O tyle więcej, niż można powiedzieć.
Lubię takie słowo położyć przed sobą
I po prostu przyglądać mu się
Z przechyloną głową,
I krążyć wokół niego,
I krążyć, i krążyć,
Póki nie zacznie mi się kręcić w głowie,
A wtedy siadam na chwilę paplaniny.

Wielu ludzi rozmawia całkiem poważnie
O amerykańskich rewolucjonistach intelektualnych.
Ja zaś nie chciałbym, by wszędzie się rozeszło
Że jesteśmy tylko intelektualnymi
Bankrutami
Którzy mają dobre wyczucie dysharmonii
W pękniętych skrzypcach
Na których gra skrzypek obojętny
Na pożogę
Bardziej niż obojętnego
Wszechświata.

Zamiast ujrzeć w tak tworzonej poezji klucz do nowej formy sztuki, jaką był modernizm – Chandler postrzegał ją jako kres własnych wysiłków wpisania się w wielką tradycję angielskiej poezji. Modernizm nie przemawiał do niego, wolał więc opuścić Europę i zacząć jakąś zawodową karierę.

Zawsze miał skłonność do retrospektywnego przyprawiania jakiegoś wydarzenia szczyptą melodramatu; po latach wspominał swą decyzję o emigracji, wzbogacając ją o scenę, która tę decyzję ukazuje jako spontaniczną.

Dziennikarz, nazwiskiem Horace Voules, zaproponował mu pisanie romansów w odcinkach za sześć gwinei tygodniowo. Odpowiedzią było: „Wyobraźcie sobie mnie we flanelowym garniturze koloru bladoniebieskiego w prążki, skrojonym przez krawca z West Endu, z przepaską w kolorach mojej szkoły na eleganckim słomkowym kapeluszu, w rękawiczkach i z laseczką w ręku, i tego elegancika mówiącego mi, żebym pisał rzeczy, które zdawały mi się wówczas najbardziej odrażającymi kupami śmieci, jakie kiedykolwiek złożono ze słów. Więc pożegnałem faceta bladym uśmiechem i opuściłem ten kraj”[38].

PRZYPISY

[1] Carl Deiger, „Out Of Our Past"; Harper Colophon 1984, s. 8.

[2] Ibid., s. 20.

[3] Hugh Brogan, „History of the United States of America"; Penguin 1990, s. 390.

[4] List do Charlesa Mortona, 15.01.1945; Bodleian Library, Oxford, Chandler files.

[5] List do Charlesa Mortona, 20.11.1944; Bodleian, Chandler files.

[6] L. Frank Baum, „The Wizard of Oz"; Puffin 1982.

[7] Raymond Chandler, „Długie pożegnanie"; przeł. Krzysztof Klinger; Prószyński i S-ka, Warszawa 1997.

[8] Raymond Chandler, „Siostrzyczka"; przeł. Piotr Kamiński; Prószyński i S-ka, Warszawa 1998.

[9] W liście do Hamisha Hamiltona, 15.07.1954; Bodleian, Chandler files.

[10] Ibid.

[11] Ibid.

[12] Zacytowane przez Franka MacShane'a w „The Life of Raymond Chandler"; Jonathan Cape 1976.

[13] List do Charlesa Mortona, 1.01.1945; Bodleian, Chandler files.

[14] List do Dale'a Warrena, dyrektora reklamy w wydawnictwie Houghtona Mifflina, 14.03.1951; Bodleian, Chandler files.

[15] W.R. Leake (red.); „Gilkes and Dulwich"; wydane przez Alleyn Club ok. 1930, s. 144.

[16] Ibid.

[17] A. Rowlins, rektor szkoły w 1907; cytowane przez Leake'a, ibid.

[18] List do Wesleya Hartleya, 3.12.1957; Bodleian, Chandler files.

[19] List do Hamisha Hamiltona, 10.11.1950; Bodleian, Chandler files.

[20] P.G. Woodehouse, który grał w szkolnej reprezentacji krykieta, mieszkając już w Nowym Jorku, wybierał się samolotem do Londynu, by oglądać najważniejsze mecze drużyny Dulwich. Inny wychowanek tej szkoły, bliski Chandlerowi wiekiem, E. de Selincourt, zyskał popularność jako autor opowiadań przygodowych, których osnową był ten klasyczny sport angielskich wyższych sfer.

[21] Z wystawy „Woodehouse w Dulwich", 1995.

[22] Leake, op. cit., s. 125.

[23] Fragment powieści Gilkesa „A Day at Dulwich"; Leake, op. cit., s. 177. Do imponującej listy sławnych alleynian dopisać można jeszcze G. Wilsona Knighta, który wprawdzie nie zajmował się powieściopisarstwem, lecz stał się wybitnym szekspirologiem. A skoro już mowa o sławnych autorach, którzy uczyli się w murach tej szkoły, to należałoby również zaznaczyć, że Forester i Powell zaczęli naukę w Dulwich w 1914 roku, gdy Gilkes już stamtąd odszedł. Jakkolwiek jednak nie byli jego uczniami, to metody i podejście do nauczania Gilkesa zachowały się w Dulwich College jeszcze w latach dwudziestych.

[24] List do Helgi Greene, 13.07.1956; Bodleian, Chandler files.

[25] List do Dale'a Warrena, 4.01.1951; UCLA Special Collections, Chandler.

[26] Frances Donaldson, „Woodehouse"; Weidenfeld & Nicolson, 1982, s. 49.

[27] List do Rogera Machella, 24.03.1954; Bodleian, Chandler files.

[28] Neila Morgana Chandler files w „San Diego Tribune".

[29] List do Dale'a Warrena, 15.01.1950; Bodleian, Chandler files.

[30] List do Hamisha Hamiltona, 11.12.1950; Bodleian, Chandler files.

[31] Krytyk Jacques Barzun tak właśnie określił młodzieńczą poezję Chandlera w kolekcji wczesnej twórczości Chandlera pod redakcją Matthewa Bruccolego „Chandler Before Marlowe"; University of South Carolina Press 1973.

[32] Nieznana data i adresat listu; Bodleian, Chandler files.

[33] List do Hamisha Hamiltona, 11.12.1950; Bodleian, Chandler files.

[34] List do Jamesa Sandoe, 10.08.1947; Bodleian, Chandler files.

[35] List do Hamisha Hamiltona, 22.04.1949; Bodleian, Chandler files.

[36] Raymond Chandler, „The Remarkable Hero"; „Academy", 9.09.1911.

[37] Frank MacShane (red.), „The Notebooks of Raymond Chandler"; Ecco Press 1976.

[38] Zacytowane przez Franka MacShane'a (red.) w „The Notebooks of Raymond Chandler"; op. cit., s. 22.

Rozdział 2

Podążaj na Zachód, młodzieńcze

Zabawna sprawa z tą cywilizacją. Tyle obiecuje, a wszystko, czego dostarcza, to tandetne towary i tandetni ludzie.

(List z listopada 1940)

Gdy Chandler, sam, powrócił do Nowego Świata, była jesień 1912 roku. Wyjeżdżając z Ameryki, miał siedem lat i tylko raz przekroczył granice Środkowego Wschodu: podróżując z matką do Irlandii, dokąd odpływali z Nowego Jorku. Naukę pobierał w Wielkiej Brytanii, otrzymał brytyjskie obywatelstwo i pracował dla brytyjskiej Admiralicji. Nikogo w Ameryce nie znał poza granicami Nebraski, a przecież nie miał najmniejszego zamiaru szukać swego ojca. Od ukończenia siedmiu lat ani razu nie skontaktował się z Maurice'em Chandlerem, ani też nigdy w swym dorosłym życiu nie próbował dowiadywać się, co się z nim dzieje. Fakt przyjścia na świat w Stanach Zjednoczonych dawał mu wprawdzie automatyczne prawo wjazdu do kraju, ale żadnej gwarancji zdobycia sukcesu.

Nie był też zupełnie pewien, gdzie się osiedlić. Decyzję o powrocie do Ameryki w wieku dwudziestu czterech lat podjął raczej pod wpływem impulsu niż w rezultacie przemyślenia; nie planował przyszłości, pozostawiając za sobą brytyjską przeszłość. Jak powiedział, dosyć miał bycia jeszcze jednym „zużytym intelektualistą z kaszlem palacza i bez grosza w banku". Jako adres korespondencyjny w Stanach podał dom Fittów w Plattsmouth w Nebrasce.

Wychodząc z wieku dorastania, Chandler liczył sobie metr siedemdziesiąt osiem „w ubraniu wyjściowym". Jego ciemne włosy były krótko ostrzyżone i rozdzielone przedziałkiem pośrodku głowy. Nadal najbardziej charakterystyczną jego cechą były duże usta, których układ mógł całkowicie zmienić wyraz jego twarzy. Robione w tym okresie zdjęcia Chandlera uśmiechniętego i Chandlera nachmurzonego mało są do siebie podobne; jedyne, co się na nich powtarza, to szyta na zamówienie bielizna i flanelowe garnitury.

Podróż na płynącym do Nowego Jorku parowcu zaczęła się dobrze: ponieważ był samotny, wciągnęła go do swego towarzystwa jedna z najbogatszych rodzin Los Angeles. Na Lloydach, powracających z rodzinnych wakacji w Europie, młody ekspoeta zrobił duże wrażenie. Z kolei oni reprezentowali w jego oczach to wszystko, czego on oczekiwał w tej chwili w Ameryce: wielkie pieniądze (w ich przypadku z ropy naftowej), a przy tym towarzyskie zalety osób inteligentnych. Lloydowie i kręgi, w których się obracali, to byli ludzie wykształceni na Wschodnim Wybrzeżu, postępowi i szczodrzy. Warren Lloyd, głowa rodziny, uzyskał na uniwersytecie Yale doktorat z filozofii, a jego żona była utalentowaną rzeźbiarką. Radzili Chandlerowi, aby się zastanowił nad możliwością osiedlenia w Los Angeles, obiecując przy tym, że zarekomendują go ewentualnym pracodawcom i wprowadzą w tamtejsze kręgi towarzyskie.

Wybór południowej Kalifornii jako miejsca pobytu nie był dla Chandlera oczywisty. W odróżnieniu od Los Angeles, w anglofilskim Nowym Jorku istniało niewielkie środowisko absolwentów Dulwich, którzy nawet spotykali się regularnie na obiadach. Na początku wieku Los Angeles liczyło stosunkowo niewielu mieszkańców i ani na Wall Street, ani w Waszyngtonie nikt jeszcze nie przewidywał, jaka przyszłość czeka to miasto. Po zastanowieniu Chandler rozstał się więc w Nowym Jorku z Lloydami. Nie mając własnych pieniędzy prócz tych, które pożyczył mu wuj Ernest, musiałby niezwłocznie znaleźć jakąś pracę i coś zarobić, ponieważ podróż do Kalifornii bez finansowych zasobów byłaby zanadto ryzykowna. Poza tym nie było czasu na podróżowanie w nieznane: Florence czekała, aż jej syn gdzieś osiądzie i będzie zarabiał, aby móc do niego dołączyć.

Środkowy Wschód był jedynym terytorium, które jako tako było Chandlerowi znane, wsiadł więc w pociąg do St Louis w stanie Missouri. Nikogo tam nie znał, toteż wynajął pokój w pensjonacie i znalazł sobie posadę urzędnika, zamierzając – jak wielu wykształconych imigrantów bez pieniędzy – wieczorami kształcić się w jakimś określonym kierunku. Ponieważ miał za sobą krótką karierę pracownika Admiralicji, a nadto odznaczał się zdolnościami matematycznymi, zdecydował się na zawód księgowego. Była wczesna zima 1912 roku i w Missouri panowało dotkliwe zimno.

Postój w St Louis okazał się krótki. Kolegów z pracy irytowały jego maniery absolwenta angielskiej szkoły publicznej – obdarzyli go przydomkiem „Lord Stoppentakit" – aura zaś okazała się bardziej niegościnna, niż oczekiwał. Dla tak pewnego siebie jak on młodzieńca było to wszystko dużym szokiem, toteż jeszcze przed upływem miesiąca napytał sobie biedy. Zdegustowany powszechnym na Środkowym Wschodzie zwyczajem spluwania, Chandler podzielił się swymi uwagami na ten temat ze swoim szefem. „Stary tetryk oświadczył mi z pełną fałszywej godności miną, że w Ameryce prawdziwy dżentelman nie spluwa. Powiedziałem mu na to: Dobra, mam nadzieję, że kiedyś takiego spotkam".

Chandler porzucił więc posadę oraz St Louis i ruszył w drogę do Fittów w Nebrasce.

Młodzieńcza nostalgia przydawała wprawdzie jego dzieciństwu odcienia pewnej beztroskiej prostoty, ale dla chłopca z Dulwich, którego koledzy pracowali w londyńskim City i w Służbie Cywilnej lub studiowali w Oxfordzie, praca w należącym do wuja Harry'ego sklepie żelaznym była czymś, na co ani trochę nie był przygotowany. A że zaledwie kilka miesięcy wcześniej mieszkał w arcybrytyjskim Londynie, nie mógł więc nie patrzeć na swego wuja i zarazem pracodawcę z poczuciem wyższości: „Prowadzenie sklepu z artykułami metalowymi to »fach«, a ja świeżo przybyłem z Anglii, toteż nie byłem w stanie znieść jakiejkolwiek familiarności z jego strony. Chłopcze! Dwa kilofy, na jednej nodze, śmigaj!"[1]

Zamieszkał u ciotki i jej męża Ernesta Fitta, który grywał na pianinie. „Przychodził wieczorem do domu – wspominał Chandler Ernesta – kładł na podstawce do nut gazetę i czytał ją, improwizując jednocześnie na pianinie". Choć w tamtych czasach Chandler jeszcze ostro nie pił, to jego krótki pobyt u Fittów pozostawił mu jednak znamienne wspomnienie domowych metod, jakimi zwalczali oni prohibicję: „Zalewali się wszyscy gorzką kukurydzianą whisky. Dostarczał jej pewien chciwy na grosz, ale poczciwy typ, który miał w ubraniu około czternastu kieszeni, a w każdej z nich blisko półlitrową piersiówkę. Ta gorzała miał tak okropny smak, że trzeba ją było doprawiać cytryną, piwem imbirowym i cukrem, ale nawet po takim zabiegu, dopóki system nerwowy nie został już znieczulony, miało się odruch, żeby nią rzygnąć przez cały pokój"[2].

Po dwóch miesiącach pobytu u Fittów postanowił spróbować życia w Kalifornii. Koleją, pod którą kładł niegdyś tory jego ojciec, pojechał do San Francisco.

*

Na początku 1913 roku przybysze ze Środkowego Wschodu, przybywający do Kalifornii w poszukiwaniu pracy, nie byli żadną nowością, toteż nikt tam Chandlera nie witał fanfarami; był po prostu kropelką w napływającej fali, którą Charles Fletcher Lummis, późniejszy wydawca „Los Angeles Times", określił jako „najmniej heroiczną migrację w historii". „Spracowani farmerzy, którzy sprzedali swoją ziemię; handlowcy nieudacznicy, którzy rozglądali się za dobrą okazją; małomiasteczkowi prawnicy, dentyści i nauczyciele; gruźlik; inwalida; bogata wdowa lub stara panna; hurtownicy i handlarze nieruchomościami"[3].

Chandler był przekonany, że nie byłoby stosowne składanie wizyty Lloydom zaraz po przyjeździe do Los Angeles. Jak zwykle nienagannie ubrany, uważał się za młodego dżentelmena, nie zaś za kogoś, komu się przychodzi z pomocą, a poza tym nie miał żadnych fachowych kwalifikacji, które pozwoliłyby mu skorzystać z cudzych znajomości. Postanowił więc zacząć w San Francisco, a nie w Los Angeles, ponieważ w tej chwili bardziej potrzebna mu była praca niż widoki na karierę, a z tych dwóch miast San Francisco było wówczas większe.

Zaczął od pracy na plantacji moreli, gdzie płacono mu dwa dolary za dziesięciogodzinny dzień pracy, a następnie znalazł zatrudnienie w firmie sprzętu sportowego Spalding; napinał tam naciągi rakiet tenisowych za dwanaście i pół dolara za pięćdziesięcioczterogodzinny tydzień roboczy[4]. Nie mając żadnego kapitału, poza pieniędzmi, które pożyczył mu Ernest Thornton, ani też nikogo w Ameryce, u kogo mógłby się dodatkowo zapożyczyć, musiał zarabiać, jak się tylko dało.

Utrzymując się dzięki nudnym zajęciom, Chandler jednocześnie uczęszczał na wieczorowy kurs księgowości. Mieszkał w różnych pensjonatach, które później będą się pojawiać w jego książkach. W „Siostrzyczce" Philip Marlowe kręci się wokół starego pensjonatu nad plażą, poszukując pewnego młodego człowieka, który niedawno przybył do Kalifornii ze Środkowego Wschodu z nadzieją na poprawę losu.

Numer 449 miał mały, niepomalowany ganek, na którym próżnowało pięć bujanych foteli z drewna i trzciny. Trzymał je w kupie drut i morska wilgoć. Zielone żaluzje w niższych oknach były w dwóch trzecich opuszczone i popękane. Przy drzwiach frontowych wisiał wielki szyld: „Wolnych pokoi brak". On także znajdował się tu od dawna[5].

Nie ulega wątpliwości, że postać Philipa Marlowe'a rodziła się właśnie podczas tych pełnych samozaparcia, choć nieprzyjaznych i niebogatych miesiącach przeżytych w kalifornijskich pensjonatach. Na miesiąc przed śmiercią Chandler napisał o swoim bohaterze, że zawsze widział go „na opustoszałej ulicy, w pustych pokojach, zawsze w kłopotach, ale nigdy nie pokonanego do końca".

Chandler w tamtym okresie, podobnie jak Marlowe, odznaczał się dużą inteligencją i rozsądkiem, nie miał jednak widoków na szybką poprawę losu. Zaczęły go także na nowo męczyć samotnie spędzane Boże Narodzenia, niedziele i urodziny. Ale, znowu podobnie jak Marlowe, począł w sobie wykształcać owo specyficzne poczucie humoru, które pozwalało mu na samego siebie patrzeć z ironicznym dystansem, dzięki czemu łatwiej mógł się uporać ze swoją samotnością: „Wystukałem zimny popiół z fajki, po czym napełniłem ją znowu ze skórzanego kapciucha, który dostałem na Boże Narodzenie od pewnego wielbiciela, przy czym przez zdumiewający zbieg okoliczności wielbiciel nosił to samo nazwisko co ja"[6].

Mimo swego ubóstwa, światu wciąż prezentował się jako elegancki i wykształcony dżentelmen. W tym właśnie okresie natknął się na niego w San Francisco Will Townend, były dulwiczanin, z którym zarówno Chandler, jak i Woodehouse mieli w przyszłości korespondować. Townend, będąc tylko przejazdem w drodze do Kanady, tak wspominał to spotkanie:

> Jak wszyscy w owym czasie, tak i my obaj nosiliśmy słomkowe kapelusze ze wstążeczkami naszej szkoły. Zostaliśmy sobie przedstawieni [...] Raymond zaprosił mnie na lunch do jednej z drogich restauracji, ale stanowczo odmówiłem. On nalegał, ja obstawałem przy swoim, aż w końcu zaproponowałem, żebyśmy zjedli coś w jakimś w miarę tanim miejscu, i na tym stanęło. Raymond pracował wówczas dla Spaldinga przy naciągach rakiet tenisowych i nie zarabiał wiele. Potem pojechałem do Kolumbii Brytyjskiej i tam otrzymałem od niego wieści. Wtedy już zatrudniony był w biurze producenta lodów w Los Angeles[7].

W ciągu pięciu miesięcy wykonywania najróżniejszego rodzaju prac w San Francisco i okolicach, Chandler zdołał opanować podstawowe zasady księgowości: „Ponieważ nie miałem pojęcia o prowadzeniu ksiąg finansowych, poszedłem do szkoły wieczorowej i po sześciu zaledwie tygodniach instruktor powiedział mi, że na tym koniec. Wyjaśnił mi, że przeszedłem już cały trzyletni kurs i niczego więcej w tej szkole nie mogłem się nauczyć”[8].

Złożył już wizytę Lloydom i nawet używał ich adresu dla korespondencji nadchodzącej z Londynu, a gdy przekonał się, że są mu wciąż tak samo przyjaźni i życzliwi jak na statku do Nowego Jorku, postanowił na stałe przenieść się do Los Angeles. Southern Pacific Railway utrzymywała codzienne połączenie między obu miastami i tą drogą Chandler wyjechał z San Francisco do południowej Kalifornii.

W roku 1880 Los Angeles liczyło dwanaście tysięcy mieszkańców i znajdowało się pod tym względem na sto osiemdziesiątym siódmym miejscu w Stanach Zjednoczonych, ale od tamtej pory intensywnie się rozrastało, zarówno pod względem liczby mieszkańców, jak i rozwoju gospodarczego. Spis powszechny w 1911 roku wykazał, że w mieście żyje trzysta pięćdziesiąt tysięcy osób. Zachował się opis miasta takiego, jakim go ujrzał Chandler w chwili swego przybycia:

> Oto sztuczne miasto, które zostało napompowane pod ciśnieniem niby balon, wypchane przybyszami ze wsi niby gęś kukurydzą [...] Usiłując przełknąć tę nazbyt szybką lawinę antropoidów, słoneczna metropolia napina się i stęka, poci się i dostaje wytrzeszczu oczu, niby młody wąż boa usiłujący przełknąć kozę. To miasto nigdy nie narzuciło przybyszom miastowego charakteru, a to z tego prostego powodu, że samo nigdy nie miało w sobie żadnej prawdziwej miejskości: pod pewnymi względami zachowało maniery, kulturę i ogólny wygląd ogromnej wioski[9].

Dzięki poleceniu jednego z przyjaciół Warrena Lloyda, Chandler dostał posadę księgowego w firmie Los Angeles Creamery, która specjalizowała się w prowadzeniu ksiąg wytwórni lodów; mógł sobie teraz pozwolić na wynajęcie taniego umeblowanego mieszkanka na Loma Drive. Wolny czas spędzał z Lloydami i towarzystwem, w którym się obracali. Chadzał z nimi na wieczorki muzyczne i literackie, a nawet na seanse, w których uczestniczyła wąska grupa bogatej cyganerii.

Szczególnie dobre stosunki miał z doktorem Lloydem, z którym łączyło go takie samo poczucie cynicznego humoru. Jednym z ich ulubionych numerów było udawanie się do kin, w których wyświetlano akurat łzawe melodramaty. Siadali w różnych miejscach sali i w umówionym momencie zaczynali się śmiać, jak gdyby na ekranie działo się coś zabawnego. Dowcip polegał na tym, żeby reszta sali zaczęła się śmiać wraz z nimi, i często im się to udawało.

Lloyd był autorem książki zatytułowanej „Psychologia normalna i anormalna" i wraz z innymi osobami ze swego grona interesował się modnym wówczas okultyzmem. Popularna była w tym czasie zarówno w Ameryce, jak i w Anglii spirytualistyczna eksperymentatorka, Madame Helena Blavatsky, Rosjanka z urodzenia, założycielka Towarzystwa Teozoficznego, Chandler brał udział w jej eksperymentach w domu Lloydów.

Jako młody i błyskotliwy człowiek bez kompleksów, Raymond stanowił mile widziane urozmaicenie w gronie cygańskiej socjety. Wkrótce zaczęto mówić, że przygotowywany jest do roli męża najmłodszej córki Lloydów, Estelle.

To szczególne środowisko stanowiło jednak wyjątek na tle Los Angeles, które w 1913 roku było miastem bardzo purytańskim. Prostytucja, hazard i uliczny handel były zakazane, a przepisy z 1906 roku ściśle określiły dopuszczalną liczbę barów w mieście. W roku przyjazdu Chandlera rada miejska Los Angeles uchwaliła prawo zakazujące stosunków seksualnych osobom nie będącym małżeństwem.

W mieście działały trzy Ligi: Przeciwko Saloonom, Przeciwko Grze na Wyścigach i Za Wypoczynkiem Niedzielnym[10]. LA miało „idiotyczną cenzurę", stwierdził w 1913 roku jeden z nowojorskich dziennikarzy. „Los Angeles jest opanowane przez bojowników o moralność".

Za tą walką przeciw niemoralności kryła się panika. Miastu tak gwałtownie przybywało mieszkańców, że wśród protestanckich przywódców Los Angeles narastała obawa przed nieuniknionym chaosem, a przecież LA chlubiło się tym, że jest ostatnim bastionem przestrzegania wartości przekazanych Ameryce przez Ojców Założycieli.

Loma Drive, miejsce zamieszkania Chandlera, leżała o krok od Pershing Square, centralnego placu miasta, a równocześnie blisko Bonnie Brae, gdzie mieszkali Lloydowie. Była to okolica, w której obszerne rezydencje dystyngowanej elity Nowego Świata sąsiadowały z tanim budownictwem miejskim. Dwadzieścia lat później bogate rodziny zaczną się stamtąd wyprowadzać na otaczające Los Angeles wzgórza, w tamtych jednak czasach dzielnica oferowała jeszcze Chandlerowi wybór pomiędzy „koktajlowym intelektualizmem" grona skupionego wokół Lloydów a pobliską ulicą, na której właśnie bokser Kid McCoy zastrzelił swoją żonę, ponieważ przestała go darzyć uczuciem.

Chandler, podobnie zresztą jak wielu jego sąsiadów, sprawił sobie broń, Smith and Wesson .38 Special; mieszkał wszak na powierzchni niecałych trzech kilometrów kwadratowych, na której świeży pieniądz z ropy naftowej sąsiadował z rosnącą w siłę zorganizowaną przestępczością. Wprawdzie Rada Miejska wciąż usiłowała przedstawiać Ameryce Los Angeles jako miasto „czyste", ale na jego powierzchni pokazywało się coraz więcej pęknięć. W historii LA zatytułowanej „Od 1915 do 1923" podano, że:

> [...] aż ośmiu szefów policji zmieniło się pod czterema wstrząsanymi skandalami Radami Miasta. W ciągu tego okresu burmistrzowie, prokuratorzy i radni przyjmowali pieniądze na kampanie wyborcze, a czasem zwykłe łapówki od właścicielek burdeli i domów gry oraz przemytników alkoholu[11] .

Mimo wszystko było to w pewnym stopniu pozwalające swobodniej oddychać miasto nad oceanem, toteż Chandler, otrzymawszy pracę w Creamery, postanowił zostać tu na stałe. Przybyła też wkrótce do syna Florence, która właśnie przekroczyła pięćdziesiątkę.

Praca księgowego nie była wcale wyczerpująca, a za to przynosiła regularny dochód i pozwalała na utrzymanie synowi i matce; ich życie zaczęło wreszcie osiągać jakiś stopień stabilizacji. Florence, której stosunki z Lloydami także bardzo dobrze się ułożyły, zadowolona była z tego, że może zajmować się mieszkaniem swego syna. Chandler jeszcze przez trzy lata będzie pracował jako księgowy.

W miarę jednak jak mijały miesiące, początkowe zadowolenie ze znalezienia stałego dochodu zaczęło w nim ustępować miejsca rozdrażnieniu. Pogłoski o przyszłym jego małżeństwie z Estelle Lloyd ucichły, a on sam przestał się już uważać za młodego człowieka z widokami na przyszłość. Konieczność utrzymywania matki nie pozostawiała mu żadnej możliwości manewru; ogarniał go smutek na myśl o tym, jak oto jego dwudzieste lata przemijają na nudnej posadzie, do której został przykuty. Jego poetyckie utwory z tego okresu, znów były „klasy B w skali georgiańskiej", ale ich tematyka utraconych marzeń i możliwości bardziej teraz płynęła z serca:

PIOSENKA ŻEGLARZA NA RZECE ROON

Oto łódź, która spływa Roonem,
W niej mężczyzna ze starą cytrą w rękach.
Z cytry strun ulatuje długa, piękna melodia,
Z jego ust płynie tęskna piosenka.
O łodzi swej ster lekko wsparty
Łzy ociera, co z oczu niechcący spłynęły,
Twarz zwróciwszy na zachód a plecami do słońca
Patrzy w lata, co już przeminęły.

O słodkich śpiewa pocałunkach,
Na najdroższej ustach żarliwie składanych,
I o tamtej chwili, w której requiem usłyszał
W pełnej widm alejce zagrane.
O kwiatach śpiewa zrywanych,
Które z dawna już wszystkie na jeziorka dnie gniją,
I o błazna błazenadach, którego już nie ma,
I o pieśniarzach, co już nie żyją.

Oto łódź, która spływa Roonem,
W niej żeglarz ze starą cytrą w rękach.
Z cytry strun ulatuje długa, piękna melodia,
Z jego ust płynie tęskna piosenka.
Gdybym-ż ja to potrafił wyśpiewać,
Ale w samej się serca głębinie schowało.
Żaden głos się nie przedrze przez mrok tego miejsca,
W którym tylko westchnienia i żałość[12].

W 1917 roku Chandler miał dwadzieścia osiem lat i zaczynał odczuwać niepokój, bo fortuna, jakiej zamierzał dorobić się w Ameryce, wciąż mu umykała. Zarabiał zaledwie wystarczająco na potrzeby swoje i matki, a zawód, który uprawiał, nie dawał mu odpowiednich bodźców skłaniających do ubiegania się o awans. Znał bardzo niewielu ludzi poza kręgiem Lloyda, który zresztą także zaczynał go nudzić. Nie miał za sobą żadnej przeszłości ani przed sobą przyszłości, która by go inspirowała. Był po prostu księgowym, który mieszkał z matką i rozpaczliwie oczekiwał jakiejś odmiany.

W tym też roku znalazł wreszcie honorowy sposób wydostania się z sideł Los Angeles: postanowił wstąpić do armii kanadyjskiej i walczyć w Europie. Wojna trwała już od blisko trzech lat i Chandler, wiedząc, że sporo jego kolegów z Dulwich było już w okopach, zdecydował się do nich przyłączyć. Archiwa szkoły dowodzą, że wielu jej byłych uczniów, poległych w pierwszej wojnie światowej, wstąpiło do wojska, powróciwszy spoza Europy. Chandler uznał, że on też tak właśnie powinien postąpić, mimo że nie był już w pełnym tego słowa znaczeniu poddanym Imperium Brytyjskiego. Uwalniało go to ponadto od poczucia winy, którego by nie uniknął, pozostawiając Florence w Los Angeles samą z jakiegokolwiek innego powodu.

W towarzystwie innego młodego człowieka z kręgu Lloydów, Gordona Pascala, w sierpniu siedemnastego roku udał się więc na północ, aby w Victorii na terytorium Kolumbii Brytyjskiej wstąpić w szeregi armii kanadyjskiej.

W odróżnieniu od Amerykanów, którzy przystąpili do wojny wiosną tego właśnie roku, Kanada (jako część składowa Imperium Brytyjskiego) uczestniczyła w niej od samego początku, a od momentu gdy w piętnastym roku doszło do eskalacji walk – jej żołnierze uwikłani byli w ciężkie boje na froncie zachodnim. „Była to w końcu dla mnie rzecz naturalna, że wybrałem brytyjski mundur" – powiedział Chandler, choć trzeba tu zauważyć, że, w odróżnieniu od amerykańskiego, kanadyjski rząd przyznał zasiłki osobom pozostającym pod opieką żołnierzy, a więc w przypadku Chandlera wypłacał je jego matce.

W Victorii Raymond został wcielony do Gordon Highlanders; w skład jego umundurowania wchodził również szkocki kilt. Było to jeszcze jedno powikłanie w jego narodowościowych komplikacjach, jak to w przyszłości wyjaśni kanadyjskiemu korespondentowi: „Jestem obywatelem amerykańskim z prawa urodzenia. Nauka w Anglii, matka angloirlandzka, mocne uczucia probrytyjskie, a także i prokanadyjskie, skoro służyłem w Kanadyjskich Siłach Ekspedycyjnych i całe miesiące spędziłem w Victorii [...] Jeśli nazwałem Victorię nudną, to dlatego, że podczas mojego pobytu było tam tak samo nudno, jak bywa w angielskich miasteczkach w niedzielę, kiedy wszystko jest zamknięte, atmosfera kościoła, i tak dalej. Nie miałem na myśli ludzi, bo poznałem tam wiele miłych osób"[13].

Wstąpiwszy do wojska pod koniec lata, Chandler przeszedł przeszkolenie, otrzymał ekwipunek i w końcu listopada siedemnastego roku wysłany został okrętem do Europy. W Liverpoolu wylądował jako szeregowiec i przydzielono go do pułku Kolumbii Brytyjskiej, który stacjonował w Seaford, na wybrzeżu Sussex. Dalszych szczegółów o jego służbie można się dowiedzieć jedynie z archiwów wojennych, on sam bowiem nic robił żadnych notatek.

W marcu osiemnastego roku znalazł się we Francji ze swym pułkiem, który wszedł w skład sił kanadyjskich pozostających pod dowództwem brytyjskiego Naczelnego Dowódcy, marszałka polnego sir Douglasa Haiga, którego armie z kolei podlegały Naczelnemu Dowódcy Sprzymierzonych, marszałkowi Ferdynandowi Fochowi.

Skierowano ich na odcinek okopów w pobliżu Arras; Chandler dołączył do żołnierzy, którzy walczyli w bitwach pod Vimy Ridge oraz Passchendaele, gdzie siły brytyjskie i dominiów brytyjskich poniosły straty w wysokości czterystu tysięcy ludzi. W chwili gdy Chandler znalazł się na froncie, liczba rannych i cierpiących na choroby roznoszone przez robactwo była tak wielka, że dla nowo przybyłych oznaczało to automatyczny awans. „Kiedy raz przyszło ci prowadzić pluton prosto pod ogień karabinów maszynowych – powiedział Chandler – nic już potem nie jest takie samo, jak było".

Normalny stan osobowy kanadyjskiego batalionu, w którym walczył Chandler, wynosił tysiąc dwustu ludzi. Od chwili gdy w piętnastym roku batalion ten został rozlokowany we Francji, odnotowano w nim czternaście tysięcy rannych i zabitych, co pociągało za sobą konieczność ciągłego odnawiania stanu poprzez wymianę ludzi i nowe posiłki. W następstwie tego ponurego bilansu, już po dwu miesiącach po wejściu do okopów Chandler otrzymał wojenny stopień i objął dowództwo trzydziestoosobowego plutonu.

Mimo że na froncie zachodnim przez całą wiosnę trwały zaciekłe walki, ponieważ armia niemiecka przystąpiła do ostatniej ofensywy pod dowództwem generała Ludendorffa, to dalsze prowadzenie wojny było już prawie niemożliwe. Blisko dziesięć milionów żołnierzy zginęło, a dwa razy tylu zostało rannych. Ani Brytyjczycy, ani Niemcy, ani ich sojusznicy nie palili się do kolejnej kampanii zimowej, dzięki czemu Chandler brał udział raczej w sporadycznej wymianie ognia między dwiema liniami okopów, niż w masakrach, jakimi stawały się najcięższe bitwy. A przecież i tak to, co zobaczył, było przerażające:

> Kiedy już trzeba było wyskoczyć z okopów do ataku, to jak gdyby całe myślenie ograniczało się tylko do tego, żeby utrzymać ludzi w tyralierze w odpowiednich odstępach, dzięki czemu straty mogły być mniejsze. To było za każdym razem bardzo trudne zadanie, szczególnie jeśli wśród

żołnierzy znajdowali się nowo przybyli lub ranni. To bardzo ludzki odruch, szukać pod kulami bliskości innego człowieka[14].

W czerwcu 1918 roku Chandler stracił przytomność, gdy na okopy jego batalionu spadły pociski niemieckiej artylerii. Doznał kontuzji i zabrano go na tyły. Niemiecki ostrzał tak zdziesiątkował jego pluton, że musiano go rozwiązać; ci, którzy przeżyli, z Chandlerem włącznie, zostali odesłani z powrotem do Anglii, tym razem do Royal Air Corps w Waddington, w pobliżu Lincoln, gdzie mieli się szkolić w pilotowaniu nowych alianckich samolotów. Tak oto nagle dobiegła końca dwunastomiesięczna kariera Chandlera jako piechociarza.

To właśnie po kontuzji podczas ostrzału, podczas czteromiesięcznego szkolenia w Waddington („co za cholerne było to miejsce w niedziele!") Chandler, który przed wojną nigdy nie pił ostro ani dużo, zaczął się rozsmakowywać w alkoholu: „Służąc jako młody człowiek w RAF-ie spijałem się czasami tak, że do łóżka musiałem wędrować na czworakach, ale następnego ranka zrywałem się wpół do ósmej rano jak skowroneczek i wydzierałem się o śniadanie. Pod pewnymi względami nie jest to dar godny pozazdroszczenia"[15].

Gdy w listopadzie osiemnastego roku wojna dobiegła końca, Chandlera przeniesiono z Waddington do Seaford, gdzie miał oczekiwać na powrót do Kanady. Nauczył się wprawdzie pilotażu samolotów, ale zanim go posłano do walki, wojna się skończyła. Dorobił się stopnia sierżanta i, jak wszyscy alianccy żołnierze, którzy przeżyli, odnaczony został Gwiazdą 1914–1918 oraz Medalem Zwycięstwa.

Pomiędzy zawieszeniem broni a chwilą gdy wszedł na pokład statku minął wprawdzie miesiąc, ale jeśli nawet próbował nawiązać jakiś kontakt z przyjaciółmi, którzy pozostawali w Londynie, nie został po tym żaden ślad.

Szczęście dopisało mu bardziej niż wielu innym. Na wojnie zginęło trzystu pięćdziesięciu chłopców z Dulwich, co tak przybiło Gilkesa, że zrezygnował z funkcji rektora szkoły, aby objąć kościelną parafię.

Czekając na zaokrętowanie, Chandler przelał na papier krótki opis artyleryjskiego ostrzału, który przeżył w okopach. Nie wiadomo, czy pisał to z myślą o publikacji, ale tekst ten dowodzi, że w jego sposobie wyrażania się zaszła głęboka zmiana. Błyskotliwe objaśnienia (błyskotliwy na temat niczego – jak to sam określił) ustąpiły pola precyzyjnym spostrzeżeniom bystrego oka. Co więcej, opis ten świadczy, że Chandler przeżył twórcze przeobrażenie, przechodząc od poezji do prozy:

OKOPY POD OSTRZAŁEM

Pociski zaczęły spadać o wiele gęściej niż zwykle. To już nie tylko prąd powietrza sprawiał, że stearyna szybciej spływała ze świeczki umocowanej na szczycie jego blaszanego hełmu. Szczury za osłoną ziemianki czujnie znieruchomiały, ale zmęczonego człowieka mogło to nie obudzić. Zaczął luzować owijacz na lewej łydce. U wejścia do schronu rozległ się czyjś wrzask i na oślizgłych kredowych schodkach rozbłysnął płomień elektrycznej latarki. Zaklął, zapiął owijacz i ślizgając się, ruszył do góry po schodkach. Gdy odsunął brudny koc, który służył za kurtynę przeciwgazową, artyleryjska nawała wstrząsnęła jego mózgiem niby walnięcie kija. Poczołgał się wzdłuż ściany okopu. Nieustający łoskot wybuchów przyprawiał go o mdłości. Zdawało mu się, że został sam jeden w tym wszechświecie, wypełnionym niewyobrażalnie brutalnym grzmotem [...] Czas ruszać dalej. Nie wolno zbyt długo pozostawać w jednym miejscu. Przeczołgał się wokół zakrętu ściany, za którym była zatoczka ze stanowiskiem karabinu maszynowego Lewisa. Na strzeleckim podwyższeniu stał Numer Jeden obsługi, do połowy wychylony ponad parapetem, nieruchomy; tylko jego ręka poruszała się na podziałce celownika karabinu[16].

Jednostkowe, przeżywane zawsze w samotności doświadczenie, jakim jest ból, ból prawdziwy, fizyczny, a nie symboliczne, intelektualne cierpienia, którym dawał wyraz w swej poezji, bezustannie będzie potem powracało w książkach Chandlera. Philipe Marlowe często bywa pobity do utraty przytomności:

Ja przyłożyłem mu znacznie lepiej. Nic mi to jednak nie dało, bo w tym samym momencie dostałem potężnego końskiego kopa prosto w tył mózgownicy. Poleciałem zakosami nad jakieś ciemne morze i eksplodowałem płachtą ognia[17].

W niektórych opowiadaniach, które w latach trzydziestych będzie Chandler pisywał dla sensacyjnych magazynów, odnajdziemy sceny, które w swej krwawej wyrazistości wykraczają nawet poza obowiązujące w tego rodzaju pismach normy:

Gębal miał koszmarnie zakrwawioną twarz. W mroku dokładnie jej nie widziałem, ale raz czy dwa oświetliłem go latarką i widziałem, że jest cała czerwona. Ręce miał już wolne, w krocze oberwał dawno temu i pamięć o tym nieprzyjemnym wydarzeniu zagubiła się gdzieś po drugiej stronie oceanu cierpienia i bólu. Wydał z siebie skrzekliwy odgłos, stanął bokiem do De Spaina, ugiął prawe kolano i rzucił się w stronę rewolweru.

De Spain kopnął go w twarz. [...] Błyskawicznym ruchem obu rąk wykręcił mu głowę. Ciało gorylowatego wielkoluda wystrzeliło nagle w powietrze i przechyliło się na bok. Gębal runął twarzą w żwir, ale nie, De Spain nie puścił stopy przeciwnika. [...] Szarpnął stopą jeszcze raz i mocno ją wykręcił. Gębal zawył jak obdzierany ze skóry[18].

Chcąc nie chcąc, Chandler zachował w sobie obrazy tego, co widział podczas wojny we Francji: począwszy od widoku ludzkich oczu tuż po śmierci, po lepkość krwi sączącej się ze śmiertelnego postrzału w głowę; użyje ich potem w swojej prozie.

Wygląda również na to, że uznał, iż jedyny sposób, by uporać się z takimi obrazami, oprócz uśpienia pamięci przy pomocy alkoholu, to trzymać się jak tylko można daleko od centrum wydarzeń. „Okopy pod ostrzałem", to pierwszy przejaw owego dystansowania się, którym posługiwał się coraz częściej, zarówno w życiu, jak i w literackiej fikcji, w obliczu nieprzyjemnych sytuacji.

*

Po powrocie do Kanady, oficjalnie zdemobilizowany w Victorii dwudziestego lutego 1919 roku, Chandler nie śpieszył się wcale z powrotem do Los Angeles. Na jakiś czas zatrzymał się w Seattle z kumplem z wojska, nazwiskiem Smythe, który był z zawodu fryzjerem („kawał szelmy i komedianta"[19]). Półtora roku spędzone w wojsku stępiło snobizm nabyty w chłopięcych latach w postwiktoriańskim Londynie, a wspólne pijatyki także sprzyjały poczuciu równości.

Wspomnienie północno-zachodniego wybrzeża będzie od czasu do czasu wracało w pisarstwie Chandlera, a w szczególności w scenariuszu zatytułowanym „Playback", którego akcja przebiega na granicy kanadyjsko-amerykańskiej. W pewnym momencie bohaterka filmu, zapytana przez współpasażera, czy chciałaby rzucić okiem na gazetę wydawaną w Seattle, odpowiada: „Nie, dzięki. Widziałam Seattle".

Na początku innego scenariusza, który Chandler potem napisze, „The Blue Dahlia", trzej przyjaciele wracają z wojny w Europie. Kierują się do baru, gdzie jeden z nich zamawia „whisky z dopalaczem". Dwaj spośród bohaterów filmu na jakiś czas wynajmują wspólnie mieszkanie, co mogli też w Seattle uczynić Chandler i fryzjer Smythe. Jeden z nich zamierza wydobyć mieszkającą w Chicago matkę z łap jej męża pijaka, ale w następstwie szoku przeżytego podczas bombardowania nie jest w stanie zdobyć się na jakiekolwiek właściwie działanie.

Przebyta przez Chandlera droga od kwiecistego intelektualizmu do szorstkiej ironii nie była tak całkiem gładka. Podczas przystanku w Seattle próbował on opublikować swój pastisz Henry'ego Jamesa, którego w tym okresie bardzo podziwiał. Ponieważ jednak żadne pismo nie było tym zainteresowane, Chandler zaczął się na nowo rozglądać za jakąś pracą.

Niechętnie myślał o powrocie do Los Angeles (a jeszcze większą niechęcią napawała go myśl o ponownym objęciu dawnej posady), zaczął więc od poszukiwania pracy w San Francisco, mieście, które, jak powiadał, lubił za jego atmosferę pod hasłem „idź do diabła!". Gdy wreszcie na krótko wpadł do Los Angeles, by spędzić z matką Boże Narodzenie 1919 roku, to uznał, że panujący w tym mieście nastrój zanadto wpędza go w depresję, by mógł w nim pozostać.

Florence mieszkała teraz z ojcem i macochą Gordona Pascala, który w siedemnastym roku wraz z Chandlerem opuścił Los Angeles, by wstąpić do armii kanadyjskiej. Zapadła na zdrowiu i coraz więcej czasu spędzała w łóżku. W krótkim wierszu, napisanym z okazji owego Bożego Narodzenia, Chandler mówił o „tajemnicy i ciszy, i zapachu [...] milczącego domu wszystkich zmarłych"[20].

Wróciwszy do San Francisco w Nowy Rok 1920, ponownie spróbował pracy dla tego samego co w Londynie wydawcy: został reporterem w kalifornijskim biurze „Daily Express". Brakowało mu jednak do tego zajęcia niezbędnej cierpliwości, toteż to nowe zatrudnienie potrwało zaledwie tydzień. Znalazł wolne posady w dwóch bankach: w Anglo and National Paris oraz w Bank of British North America. Ich przyjęcie byłoby rozsądnym wyjściem, z rodzaju tych, do jakich zachęcał go w Londynie jego wuj, lecz Chandler nabierał rosnącej awersji do rozsądnych posunięć:

> Zdrowy rozsądek to taki facet, który dowiedziawszy się, że rozwaliłeś sobie przód w tym tygodniu, mówi ci, że powinieneś był wymienić hamulce tydzień temu. Zdrowy rozsądek to zawodnik rezerwowy, który mówi w poniedziałek rano, że gdyby grał w niedzielę, to jego drużyna by wygrała. Ale

on nigdy nie gra. Zawsze siada wysoko na trybunach z butelką w kieszeni. Zdrowy rozsądek to także człowieczek w szarym garniturku, który nigdy nie myli się w dodawaniu. Ale zawsze dodaje cudze pieniądze[21].

W końcu Chandler wrócił jednak do Los Angeles. Mając trzydzieści jeden lat, był buntownikiem, na jakiego wcale nie wyglądał, nie zarzuciwszy swej edwardiańskiej elegancji, której zasad przestrzegał od czasu Dulwich. Jednakże powód jego powrotu był daleki od banalności. Oto bowiem nareszcie zakochał się, a obiektem jego pożądań była czterdziestojednoletnia macocha Gordona Pascala, Cissy.

Nie był to ze strony Chandlera wybór przedmiotu uczucia, który by można uznać za całkiem zrozumiały czy zgoła oczywisty. Cissy Pascal wciąż była żoną Juliana Pascala, pianisty o pewnej międzynarodowej renomie (Cissy zresztą była także dobrą pianistką), który przy tym należał do ścisłego grona przyjaciół Lloydów. Pascalowie zajęli się Florence, przyjąwszy ją do swego domu przy South Vendone Street, gdy Chandler udał się na wojnę, i opiekowali się nią w dalszym ciągu.

Cissy przyszła na świat w Perry, w stanie Ohio, jako Pearl Eugenie Hurlburt. Mając dwadzieścia parę lat, przeniosła się do Nowego Jorku, gdzie przemianowała się na Cecylię (co z kolei dało w zdrobnieniu Cissy lub Cissie), zamieszkała w Harlemie i pracowała jako modelka; plotka głosiła, że należała wówczas do ekskluzywnego kręgu towarzyskiego, który odznaczał się zamiłowaniem do opium. Pewnego razu pokazała Chandlerowi swoje fotograficzne portrety w stroju Ewy, zrobione w okresie, gdy była modelką.

Jej pierwszym mężem był handlowiec nazwiskiem Leon Porcher, za którego wyszła w 1897 roku w osławionym kościele na Dwudziestej Dziewiątej ulicy, w którym często dochodziło do ślubów ze strzelaniną i który zwano „kościółkiem na rogu". Rozwiodła się z Porcherem po siedmiu latach, a w 1911 roku poślubiła Juliana Pascala (którego prawdziwe nazwisko brzmiało Goodridge Bowen).

W czasie świąt Bożego Narodzenia, o których już wspomniano, Chandler napisał dla niej jeden ze swych miłosnych liryków „klasy B w skali georgiańskiej". Należy się domyślać, że ani jego matka, ani mąż Cissy nic o tym wierszu nie wiedzieli. Jedna z jego zwrotek jest szczególnie wymowna:

Usta zbyt drogie, by je całował śmiertelnik
Światło ócz zbyt subtelne dla pospolitości

I jaśminowy oddech, co mógłby wypełnić
Ogród nieziemskiej kwiecistości[22].

Niewiele więcej wiadomo dziś o Cissy poza tym, że była kobietą o wielkim erotycznym temperamencie; zresztą także dla przyjaciół swego małżonka pozostawała ona w późniejszych latach zagadką. Po jej śmierci Chandler zniszczył wszystkie listy, które od niej otrzymał. Jedyna jej ocalała fotografia z wczesnego okresu potwierdza, że Cissy odznaczała się urodą zatykającą wręcz dech w piersiach: jej rysy miały w sobie niemal doskonałość, a towarzyszył im wyraz melancholijnej nonszalancji. Chandler uznał, że charakter także miała niezwykły. Pewnego razu, gdy jechał z nią samochodem, najechała na nogę policjantowi. Zbulwersowana, wrzuciła wsteczny bieg i... powtórnie najechała mu na nogę. Jak twierdził Chandler, uczyniła to z tak naturalnym, sobie właściwym wdziękiem, że nawet policjant musiał się uśmiechnąć.

Gdy była młodsza, miewała napady wściekłości, podczas których rzucała we mnie poduszkami, ja zaś się śmiałem. Lubiłem jej charakter. Była niesłychanie waleczna. Jeśli czekała ją jakaś niezręczna albo nieprzyjemna scena, a w tamtych czasach wszystkim nam się to zdarzało, bez wahania stawiała jej czoło. I zawsze wychodziła z tego zwycięsko; nie dlatego, że w odpowiednim momencie z rozmysłem używała swego uroku, lecz dlatego, że był on nie do odparcia, choć ona sama o tym nie wiedziała ani nie przykładała do tego wagi[23].

Chandler wierzył, że Cissy go rozumie. Znudzony przebywaniem w gronie skupionym wokół Lloydów, stwierdził, że łączy ich podobieństwo myślenia i odczuwania, a przy tym nie dostrzegł w niej tej kruchości, której się zawsze w kobietach obawiał.

Barwna przeszłość nauczyła Cissy cynicznego stosunku do konwenansów i niezależności ducha; dwa małżeństwa – zręczności i zapobiegliwości, na jakie nigdy nie zdobyła się w swoim nieszczęśliwym życiu Florence Thornton. Cissy była kobietą bywałą w świecie i piękną, z którą Chandler mógł rozmawiać jak równy z równym, nie obawiając się, że zrani jej uczucia albo że będzie jej musiał bezustannie dodawać pewności siebie. Była wprawdzie od niego starsza i dwukrotnie już zamężna, ale za to Chandler zdawał się zadowolony z tego, iż mógł sobie oszczędzić konwencjonalnych zalotów; w wieku trzydziestu jeden lat sam zresztą nie był już młodzieniaszkiem.

Miłość do Cissy niepomiernie podniosła go na duchu: oto miał wreszcie partnerkę i bratnią duszę. Napisał dla niej kolejny wiersz, zatytułowany „Ballada dla niemal wszystkich bogiń (dżentelmen bez zajęcia zwraca się do Wenus Anadyomene)". Wiersz ten bez wątpienia oddaje łączące ich oboje poczucie humoru:

Pijąc herbatkę, popijając ten cholerny płyn,
Upadłem do stóp twoich z zuchwałymi słowy,
Których nikt nie usłyszał, nikt się nie uśmiechnął;
Nie było komu. Wszyscy zmarli już przed śmiercią.

Nie nazwałem cię Pięknością ni nawet jeszcze Kobietą
Wielkie litery nie są bowiem w moim guście.
Oni cię zwą nieśmiertelną. Nudziarze.

Cóż mogę rzec, nie mając wyszukanego stylu?
Zanurzamy się w noc zapomnianą,
W mroczną noc bez daty, bez czasu,
Ni żadnego requiem, żadnej elegii, żadnego romansu.
W delikatnym fiolecie bezimiennych gwiazd
Wędrujemy z dłonią w dłoni. Śliczny obrazek
Dla miłośników takich rzeczy, ja jednak
Serdecznie ich nie znoszę.
Czy uda ci się
Być wolną około ósmej
Tego najcholerniej cudownego wieczora?
Tak właśnie myślałem[24].

Jeśli wziąć pod uwagę szczególne okoliczności, w jakich zrodził się ten romans, to do zaręczyn Chandlera z Cissy doszło zdumiewająco łatwo. Krąg Lloydów tak był dumny ze swego awangardowego podejścia do obyczajowych konwenansów, że zorganizowano spotkanie z udziałem Cissy, Juliana Pascala, Chandlera i doktora Lloyda. Cissy wyjaśniła, że wprawdzie kocha swego męża, ale jeszcze bardziej kocha Chandlera, po czym szybko osiągnięto porozumienie co do rozwodu. Został on ogłoszony pod koniec 1920 roku, tego samego, w którym w Waszyngtonie uchwalono Dziewiętnastą Poprawkę do Konstytucji, przyznającą wszystkim kobietom w Ameryce prawo głosu. Jeśli chodzi o samego Chandlera, to stanął w tym momencie wobec perspektywy utrzymywania dwóch kobiet przy braku jakichkolwiek stałych dochodów.

Planowane małżeństwo syna przyprawiło Florence o wściekłość. Po dwóch latach pozostawania pod opieką Juliana i Cissy zawzięcie stawała w obronie Pascala, którego w jej przekonaniu Cissy porzuciła tak samo, jak ją porzucił niegdyś ojciec Chandlera. Co gorsza, choroba, która ją dręczyła od dwóch lat, rozpoznana została jako rak. Wraz z diagnozą umocniła się stanowczość Florence, która narastała wraz z gwałtownie postępującymi objawami choroby. Fakt, że nawet na łożu śmierci odmawiała swej zgody na ich małżeństwo, oznaczał dla Cissy i Chandlera konieczność czekania na jej zgon.

Owo ponure oczekiwanie szczególnie trudne było dla Cissy, która przez cały czas kłamała na temat swego wieku, a w końcu nawet na świadectwie ślubu podała fałszywą datę urodzenia. W chwili rozwodu z Julianem Pascalem nie miała czterdziestu lat, lecz pięćdziesiąt, naprawdę bowiem urodziła się w październiku 1870 roku. Chandler dowiedział się o tym dopiero po ślubie; jak widać, Cissy była w stanie lepiej nawet zatroszczyć się o swoje interesy, niż on się tego spodziewał.

Między rozwodem Pascalów a śmiercią Florence upłynęły cztery lata i przez cały ten czas Chandler musiał utrzymywać dwie kobiety w dwóch osobnych mieszkaniach w Los Angeles. Były to wprawdzie tanie mieszkanka, położone w zróżnicowanych narodowościowo dzielnicach na południu miasta (Cissy mieszkała na Hermosa Beach, a Florence przy South Carolina Street na Redondo Beach), ale nękany ciągłym brakiem pieniędzy Chandler rozpaczliwie potrzebował stałej posady i choćby odrobiny szczęścia. Jedno i drugie znalazł w małym syndykacie producentów ropy naftowej, w którym doktor Lloyd miał pewne udziały; rozpoczął tam pracę w 1920 roku.

W całej Ameryce był to okres o wiele bardziej korzystny dla ludzi wykształconych, takich jak Chandler, niż lata poprzedzające wybuch wojny. Tania siła robocza, napływająca z imigracji, oraz polityka rządu, który sprzyjał forsowanej przez potentatów finansowych gospodarce, umożliwiły gospodarczy boom. W dwudziestym pierwszym roku Kongres zmniejszył wysokość nadzwyczajnych podatków od zysku wprowadzonych podczas wojny, zlikwidował podatek od luksusu, obniżył podatki korporacyjne i sprowadził najwyższy próg podatkowy z sześćdziesięciu pięciu do trzydziestu dwóch procent. Autorem tych zmian był sekretarz skarbu Andrew Mellon, który notabene zadbał o to, aby jego osobiste podatki malały w stopniu przewyższającym zniżki wszystkich mieszkańców Nebraski[25].

Nie było w Ameryce miasta, które by się nie zaraziło gorączką gospodarczego rozkwitu, ale południowa Kalifornia dysponowała dwoma atutami, które pozwalały jej spodziewać się prosperity: ropą naftową i ziemią.

Przy poparciu Waszyngtonu Los Angeles przez całe lata dwudzieste stanowiło swoisty towar sprzedawany całej Ameryce. „Los Angeles to nie jest po prostu miasto – pisał w owych latach jeden z komentatorów – przeciwnie, od 1888 roku jest to artykuł handlowy; coś, co należy reklamować i sprzedawać społeczeństwu Stanów Zjednoczonych, tak jak sprzedaje się samochody, papierosy i płyny do płukania ust”[26].

Mieszkańców przybywało niczym grzybów po deszczu; w trzydziestym roku będzie ich już około półtora miliona. Dla tych, którzy rządzili miastem, sukces propagandowy nic nie znaczył, jeśli w ślad za nim nie podążał sukces gospodarczy i finansowy. W miarę jak trwał masowy napływ nowych obywateli, wśród których był i Chandler, Los Angeles podejmowało środki mające na celu ochronę i utrwalanie rozwoju gospodarczego.

Dwa główne priorytety Rady Miejskiej w owym czasie to utrzymanie ładu i porządku oraz zachęcanie do nowych inwestycji. „Wojujący moraliści” przedwojennego Los Angeles ustąpili pola ludziom nowego chowu: wojującym finansistom. Polityką, która najlepiej służyła rozwojowi miasta, okazywał się często brak jakiejkolwiek polityki, objawiający się zbiorowym przymykaniem oczu na nieprzebierającą w środkach policję i wątpliwej legalności operacje finansowe, jedno i drugie bowiem zdawało się dobrze służyć kwitnącej ekonomii miasta, dla którego kondycji groźniejsza była zarówno obstrukcyjna działalność związków zawodowych, jak i plaga włóczęgów. Był to czas odpowiedni dla szybkiego i bezwzględnego zdobywania władzy, nie zaś dla nadmiernej skrupulatności ocen. Nie bądź bohaterem – usłyszy później Marlowe w „Długim pożegnaniu” – to nie procentuje.

Lata dwudzieste w Los Angeles stanowiły idealną dekadę dla białego wykształconego mężczyzny, a do tego jeszcze Chandler nie mógł dokonać lepszego wyboru niż zatrudnienie się w przemyśle naftowym. Południowa Kalifornia znalazła się bowiem u progu paliwowej bonanzy. Syndykat, dla którego zaczął pracować, był jednym z kilku podobnych przedsięwzięć, podjętych z myślą o wykorzystaniu sytuacji, w której warto było godzić się z wysokim stopniem ryzyka, by osiągać szybkie zyski z eksploatacji otaczających Los Angeles pokładów ropy. Firmy tego rodzaju bezustannie łączyły się ze sobą, plajtowały, zmieniały nazwy i dzieliły się; nie było żadnej pewności, że ta, do której się dostał, Dabney Oil Syndicate, skazana jest na odniesienie szybkiego sukcesu. Nigdy nie miało się gwarancji, że w rejonie, w którym podjęło się poszukiwania, w ogóle jest ropa, a jeśli tak, to czy jest w wystarczającej ilości i czy ma odpowiednią jakość, tak aby zwróciły się szybko koszty kolosalnych inwestycji.

Dabney Syndicate, przemianowany potem na South Basin Oil Company, miał jednak nosa, wybierając jako teren poszukiwań część Signal Hill w rejonie Long Beach. Po dwóch latach od chwili gdy Chandler zaczął dla niego pracować, Signal Hill i dwa sąsiadujące z nim pola dawały łącznie dwadzieścia procent światowej produkcji ropy naftowej[27].

Krajowy rynek zbytu był ogromny, a to dzięki ogólnemu rozwojowi amerykańskiego przemysłu, jak i rosnącej produkcji przemysłu samochodowego: w latach 1907–26 sam tylko Henry Ford sprzedał Amerykanom piętnaście milionów aut.

Do syndykatu płynęła rzeka pieniędzy. Jego właściciel, Joseph Dabney, stał się multimilionerem. Chandler stwierdził, że nie mógł sobie wybrać lepszej posady niż zwykłego księgowego.

I znowu uśmiechnęło się do niego szczęście: w bałaganie, jaki zapanował w firmie na skutek nagłego uśmiechu fortuny, główny księgowy został aresztowany za malwersacje. Był to rezultat prywatnego dochodzenia, wszczętego przez świeży nabytek działu księgowości: „To ja go nakryłem – relacjonował tę aferę Chandler – a podczas jego procesu musiałem siedzieć obok prokuratora i podsuwać mu pytania”[28]. Gdy zaś następca oskarżonego na stanowisku głównego księgowego zmarł na atak serca, wybrano na jego miejsce właśnie Chandlera, który, nagle wyrwany z szeregów rachunkowościowego pospólstwa, z miejsca otrzymał stuprocentową podwyżkę. Miał teraz za tysiąc dolarów miesięcznie pełnić rolę prawej ręki jednego z największych graczy na kwitnącym rynku kalifornijskiej ropy. Oto, jakim cudownym sposobem Chandler stał się integralnym elementem słynnych „ryczących dwudziestek”.

> Stałem się pełną gębą menedżerem [...] dyrektorem w ośmiu kompaniach naftowych i prezesem w trzech innych, chociaż, tak naprawdę, to byłem tylko przepłacanym najemnym pracownikiem. Wszystkie te firmy były

niewielkie, lecz bardzo bogate. W moim biurze zatrudniałem najlepszych ludzi w całym regionie Los Angeles i płaciłem im lepiej, niż mógłby im zapłacić ktokolwiek inny, z czego doskonale zdawali sobie sprawę.
Drzwi do mojego gabinetu zawsze stały otworem, wszyscy zwracali się do mnie po imieniu i nie zdarzyło się, aby ktoś mi się sprzeciwił, ponieważ dbałem o to, by nie było po temu powodów. Czasami, choć rzadko, zmuszony byłem kogoś zwolnić – nigdy kogoś, kogo sam przedtem wybrałem, zawsze takiego, którego przedtem podesłał mi Wielki Szef – i potwornie nienawidziłem takich sytuacji, bo przecież nigdy nie wiadomo, jak ciężki może to być cios dla danego człowieka.
Miałem dar wynajdywania w ludziach ich użytecznych cech. [...] Pracował dla mnie pewien prawnik, który był bardzo bystry, lecz równocześnie nie można było na nim do końca polegać, pozornie zanadto popijał. Zadałem więc sobie po prostu trud zrozumienia mechanizmu funkcjonowania jego umysłu; potem często i publicznie mówił, że jestem najlepszym szefem biura w całym Los Angeles, a zapewne i na całym świecie. (W końcu wpakował się samochodem w policyjny radiowóz i musiałem go wyciągać z aresztu)[29].

Uzyskawszy pewną władzę w firmie Dabneya, Chandler zaczął odczuwać satysfakcję ze swej pracy. Znajdował przyjemność w bezwzględności, jakiej wymagała ta branża, i zasmakował w walce przeciwko tym, o których sądził, że próbują okpić syndykat. Większość prawników na przykład uważał za oszustów: „Oczywiście – wyjaśniał – prawnicy muszą solidarnie pilnować gałęzi, na której siedzą, bo jeśli nie, to w pojedynkę będą na tej gałęzi wieszani”[30].

Wrogów upatrywał również w towarzystwach ubezpieczeniowych:

Pamiętam, jak pewnego razu nasza ciężarówka przewoziła rurę na Signal Hill (na północ od Long Beach) i ponieważ rura wystawała poza platformę, to, zgodnie z przepisami, na jej końcu była zawieszona latarnia.
Wpakował się na nią samochód z dwoma pijanymi marynarzami i z dwiema panienkami w środku, po czym wszyscy wystąpili na drogę sądową, domagając się po tysiąc dolarów odszkodowania. Czekali przy tym prawie cały rok, a to jest tu maksymalny okres, w którym wolno wystąpić o zadośćuczynienie za doznane uszkodzenia ciała.
Towarzystwo ubezpieczeniowe powiada: „Och, trudno. Sprawa sądowa kosztuje tyle, że lepiej już zawrzeć z nimi ugodę”. Więc ja im na to: „To wszystko świetnie z waszego punktu widzenia, ponieważ was ugoda nic nie kosztuje. Po prostu odbijecie ją sobie, podnosząc stawkę ubezpiecze-

nia. Jeżeli nie chcecie nas bronić, i to kompetentnie, to będziemy się bronić sami". Na własny koszt? „Ależ oczywiście, że nie. Zaskarżymy was potem o zwrot poniesionych wydatków".
Ubezpieczeniowiec trzasnął drzwiami i poszedł, a my wynajęliśmy najlepszego ze znanych nam adwokatów, który dowiódł przed sądem, że ciężarówka była właściwie oświetlona, po czym przedstawiliśmy zeznania paru barmanów z Long Beach (znalezienie ich kosztowało trochę pieniędzy, ale warto je było wydać) i udowodniliśmy, że skarżących wyrzucano po kolei z trzech barów. Sprawę wygraliśmy i towarzystwo natychmiast musiało zapłacić mniej więcej jedną trzecią tego, co kosztowałaby ich ugoda, a ja zaraz potem anulowałem ich polisę i ubezpieczyłem firmę u kogoś innego[31].

Chandler dobrze wykonywał swoją robotę, a przy tym zaczął się interesować tym, jak prowadzi się innego rodzaju interesy. Fascynowała go działalność nowych potentatów, takich jak Du Pont, Alco i Standard Oil. Doszedł do wniosku, że gdy tylko jakieś prywatne przedsiębiorstwo przekroczy pewien próg zatrudnienia, władze nigdy nie odważą się kierować pod jego adresem oskarżeń ani ich kontrolować, nawet gdyby chodziło o poważne sprawy, a to z obawy przed masowym bezrobociem. Mogą więc sobie pozwolić na wszystko. Stać je „nawet na nieszkodliwą, czarującą, przyjazną i współczującą postawę wobec własnego personelu", gdyż „rozsądek trafnie im podpowiada, że lęk odbiera ludziom zdolność twórczego podejścia do pracy, bowiem zdolny jest tylko skłonić ich do pilności"[32].

Mimo to jednak Chandler uważał te giganty za niebezpieczne dla gospodarki kraju, ponieważ w ostatecznym obrachunku doprowadzały one do „unicestwienia tego, w imię czego powstały i co miały reprezentować – swobodnej konkurencji". Nie miał jednak czasu na zajmowanie się komunistyczną alternatywą wobec wielkiego businessu, mawiał, że „banda biurokratów potrafi nadużywać władzy i pieniędzy równie bezwzględnie jak banda bankierów z Wall Street, czyniąc to przy tym o wiele mniej kompetentnie[33].

Chandler był tak uczulony na zjawisko korupcji, że nawet w sprawach domowych zachowywał w tym względzie czujność. Gdy Cissy zapadła na lekkie zapalenie płuc, otrzymał ogromny rachunek za opiekę medyczną. Uznał go za rozmyślną próbę nadużycia: „napisałem im, że uważam tę sumę za bezzasadnie zawyżoną i wyjaśniłem dlaczego. Po czym ledwie się obejrzałem, a już miałem na głowie komornika. Na szczęście tak się złożyło, że jeden z prawników, którzy dla nas pracowali (byłem wtedy w branży naftowej), sam zaoferował mi swoje usługi i nie chciał za to zapłaty. Niezwłocznie wystąpił o unieważnienie tej decyzji i wygrał".

*

Matka Chandlera zmarła w styczniu 1924 roku. Data urodzin Florence pozostaje nieznana, lecz można przypuszczać, że w chwili zgonu nie miała jeszcze sześćdziesięciu lat. Jej syn miał lat trzydzieści pięć i kroczył drogą wiodącą ku zamożności.

Po dwóch tygodniach od śmierci Florence, szóstego lutego odbył się ślub Raymonda z Cissy. Wysuwano przypuszczenia, że nigdy nie poznał prawdziwego wieku Cissy; jakkolwiek trudno uwierzyć, by autor powieści detektywistycznych nie zwrócił uwagi na pewne rozbieżności w życiorysie własnej żony, to faktem jest, że w dniu kiedy się pobrali, nie wyglądała ona na kobietę pięćdziesięciotrzyletnią[34]. Nie urodziwszy nigdy dziecka, zachowała sylwetkę modelki, a w opinii współpracowników Chandlera była atrakcyjna niczym trzydziestolatka. W pierwszych latach swego trzeciego małżeństwa mogła sobie nawet pozwolić na to, by domowe czynności wykonywać nago.

Bez względu na to, co myślał Chandler o wieku swej żony, zdawał się nie przejmować tym, że jego małżeństwo pozostanie bezdzietne; posiadanie własnej rodziny nigdy nie stanowiło poważnej pozycji w jego życiowych planach. Kiedyś nawet powiedział: – Uwielbiam słyszeć tupot małych nóżek, kiedy się ode mnie oddalają.

Pod wieloma względami Cissy i Raymond byli dla siebie stworzeni. Ona nosiła efektowne stroje, wyglądała o dwadzieścia lat młodziej niż w rzeczywistości i lubiła elegancko meblować mieszkania; Chandler ubierał się jak przebywający za granicą Anglik z epoki edwardiańskiej, którym w istocie nigdy tak naprawdę się nie stał, i było mu obojętne, czy meble są wynajęte, czy własne.

Cissy, przedstawicielka stylu Wschodniego Wybrzeża, była błyskotliwa i świadomie tajemnicza, gdy chodziło o jej przeszłość; Chandler mógł się poszczycić brytyjską szkołą, kulturą i niezwykłym życiorysem.

Cissy wymawiała swoje nowe nazwisko z żartobliwie ozdobnym akcentem: „Czond-lah", i uważała, że wiersze jej małżonka są zabawne. Wspólnie pili tradycyjną popołudniową herbatę i razem słuchali w radiu koncertów muzyki klasycznej; chadzali także na dancingi, przy czym ulubionym tańcem Chandlera był walc. Każdą rocznicę ślubu Chandler uświetniał, zapełniając całe mieszkanie czerwonymi różami, a potem tylko we dwoje pili szampana.

Było to małżeństwo godne tradycji rycerskich; wielu znajomych i sąsiadów obserwujących tę parę było zbitych z tropu, a zarazem rozbawionych. Cissy nazywała męża „Raymio", co w wymowie przypominało Romea, on był bowiem taki romantyczny, ona zaś stanowiła dobre tło dla jego nieco narwanych snów na jawie. Zdarzało mu się spisywać listę planów na przyszłość, a wśród nich figurowało również dorobienie się takich pieniędzy, by mógł wrócić na stałe do Anglii, zabierając Cissy ze sobą. Na końcu jednego z takich spisów Cissy dorzuciła: „Drogi Raymio, będziesz się być może dobrze bawił, patrząc kiedyś na to i widząc, jak płonne miałeś marzenia. Być może jednak wcale nie będzie to zabawne"[35].

Jednemu z przyjaciół podał kiedyś Chandler ośmiopunktowy przepis na dobre małżeństwo. Albowiem „choćby miesiąc miodowy był najdoskonalszy – wyjaśniał w nim – to będzie się, choćby najkrótszymi chwilami, zdarzało, że będziesz jej życzył, aby spadła ze schodów i złamała sobie nogę, oraz vice versa".

1. Trzymaj ją na krótkiej wodzy i nigdy nie pozwól jej myśleć, że to ona ciebie dosiada.
2. Jeśli jej kawa ci nie smakuje, przemilcz to. Po prostu wylej ją na podłogę.
3. Nie pozwalaj jej zmieniać ustawienia mebli w mieszkaniu częściej niż raz do roku.
4. Nie zgadzaj się na wspólne konto w banku, chyba że wpływają na nie jej pieniądze.
5. W przypadku gdy dojdzie do kłótni, pamiętaj że zawsze to ty jesteś winien.
6. Trzymaj ją z daleka od sklepów z antykami.
7. Nigdy nie rozpływaj się zanadto w pochwałach nad jej przyjaciółkami.
8. Nade wszystko zaś nigdy nie zapominaj, że pod pewnym zasadniczym względem małżeństwo podobne jest do gazety: ona każdego cholernego dnia każdego cholernego roku musi się ukazywać na nowo[36].

*

Pod koniec lat dwudziestych życie Chandlera obróciło się o sto osiemdziesiąt stopni: mając lojalną żonę, nowiuteńkiego chryslera i pracę przynoszącą mu sukcesy, on, niegdysiejszy napinacz naciągów w tenisowych rakietach, przeobraził się w wysokiej rangi menedżera w branży naftowej, zaspokoiwszy większość materialnych ambicji, z jakimi przybył do Nowego Świata. Grywał w tenisa na prywatnych kortach swych przyjaciół i regularnie pływał, a nawet opanował sztukę skakania z trampoliny.

W swojej obecnej branży stykał się z bardziej interesującymi i bystrymi umysłowościami niż niegdyś w LA Creamery, a także zyskał sobie nowych przyjaciół: ludzi, którzy nie oszczędzali się w pracy i nie oszczędzali się w piciu. Przyjaciół, którzy doceniali zarówno jego walory intelektualne, jak i jego lekceważenie dla przyjętych konwencji; byli wśród nich, między innymi, prawnik, znany jako „Red" Barrow, oraz Milton Phileo, z którym Chandler pracował u Dabneya. W Los Angeles mieszkał już dłużej niż w jakimkolwiek innym miejscu i zaczynał przywiązywać się do tego miasta. Podobała mu się jego energia i nonszalancja, jak o tym pisał później w swych książkach:

> Był to jeden z tych jasnych, promiennych poranków, jakie zdarzają się nam w Kalifornii wczesną wiosną, zanim nastaną mgły. Deszcze się skończyły. Wzgórza jeszcze się zielenią, a z doliny po drugiej stronie wzniesień Hollywood widać śnieg na górskich szczytach. Sklepy futrzarskie ogłaszają doroczną wyprzedaż. Przedsiębiorstwa wyspecjalizowane w szesnastoletnich dziewicach robią kokosowe interesy. A w Beverly Hills zaczynają kwitnąć drzewa jacarandy[37].

Chandler zawsze odczuwał niechęć do stabilizacji: co rok zmieniał dom, wynajdując jakieś przeszkody, uniemożliwiające mu przedłużenie wynajmu. Właściciele wietrzyli w tym coś podejrzanego, podobnie zresztą jak prawnicy i firmy ubezpieczeniowe. On wszakże uwielbiał kłótnie i nie mógł sobie odmówić satysfakcji wynajdywania kruczków zakamuflowanych w kontraktach:

> Jestem w sporze z ogrodnikiem. Jestem w sporze z człowiekiem, który miał złożyć do kupy zmieniacz Garrarda, a zniszczył nam kilka płyt [...] Zobaczymy, kto będzie następny; a zresztą... dajmy temu pokój. Znasz przecież Chandlera. Zawsze musi się z czymś użerać[38].

Jego uposażenie wprawdzie rosło, ale obstawał przy tym, by odkładać pieniądze na wypadek gdyby sprawy przybrały niefortunny obrót; jednocześnie jednak nie uważał własności za sprawę pierwszorzędnej wagi. „Mieszkałem tamtego roku w Yucca Canyon w okręgu Laurel Canyon – opowiada Marlowe na początku „Długiego pożegnania". – [...] Czynsz był niski, po części dlatego, że właściciel chciał mieć możność powrotu z krótkim wypowiedzeniem, a po części z powodu tych [stromych] stopni".

Kolejne domy zaliczały się wprawdzie do coraz wyższych kategorii, Chandler nigdy się jednak nie zdecydował na luksus przydomowego basenu, choć było go już na to stać. Wszystkie te posesje zachowały się do dzisiaj; wszystkie reprezentują ten sam typ pozbawionego własnego charakteru domu w stylu hiszpańskim, jakich pełne są wzgórza leżące na północ od centrum Los Angeles, wokół Echo Park i Silver Lake.

Tuż po ślubie Chandlerowie zajęli połowę dwulokalowego domu na Leeward, róg Magnolii. Wśród kolejnych adresów, pod którymi mieszkali w czasie nafciarskiej kariery Chandlera, znajdujemy Gramercy Place (na Melrose Avenue), West 12th Street i South Highland Street. Był wprawdzie plan przewidujący zakup gruntu i budowę własnego domu, który stanowiłby ukoronowanie jego sukcesu w Nowym Świecie, a nawet bliska była jego realizacja w Huntington Palisades, na południu LA, ale w końcu upadł, gdyż Chandler uznał, że miejsce było zbyt „niegościnne i wietrzne".

Jego obawy, by nie zostać wystrychniętym na dudka przez agencje pośrednictwa w obrocie nieruchomościami oraz przez właścicieli, po części brały się z jego paranoicznego lęku przed ponowną biedą, po części zaś stanowiły reakcję na wymykającą się spod kontroli lokalną ekonomię. Obserwując ogromny i praktycznie pozbawiony jakichkolwiek regulacji wzrost obrotów w Kalifornii lat dwudziestych. Chandler oceniał bardzo sceptycznie kampanie reklamowe w prasie i w radiu. Z jednej strony był zafascynowany oszukańczym charakterem ogłoszeń reklamowych, z drugiej jednak, postanowił, że nie padnie ich ofiarą.

Agencjom pośrednictwa w handlu ziemią przypatrywał się szczególnie dokładnie i gdy już nawet miał wystarczająco dużo pieniędzy, by sobie pozwolić na kupno jakiejś posiadłości, to zachowywał niezmierną podejrzliwość w stosunku do każdego, kto się zajmował ich sprzedażą.

Był to przejaw pewnego cynizmu zrodzonego z wiedzy, jaką mu dało przypatrywanie się od środka funkcjonowaniu branży naftowej, jednego z największych ogłoszeniodawców w całym stanie.

Większość przedsięwzięć wydobywczych w Kalifornii była finansowana z publicznej sprzedaży akcji, reklamowanej w prasie Los Angeles, a także podczas tak zwanych „pikników", czyli dni otwartych, kiedy to starano się zachęcić ludzi do zainwestowania oszczędności.

Wall Street przyglądała się spekulacjom na kalifornijskim rynku z dużą ostrożnością, chyba że chodziło o operacje takich firm jak Standard Oil czy Shell. Niektóre z reklamowanych przedsięwzięć oparte były bowiem na świadomym zawyżeniu wartości pakietu akcji, inne od samego początku były oszukańcze, gdy na przykład sprzedawano akcje na eksploatację pól, o których wiedziano już, że są „suche".

Poszukiwanie i wydobywanie ropy było przemysłem działającym niejako na oślep, lecz bez względu na skandale, jakie wybuchały, ludność w dalszym ciągu żyła w gorączce spekulowania. Historia kalifornijskiego boomu naftowego, napisana przez J. Tygiela, odnotowuje niezliczone przypadki oszustw dokonywanych przez ukrytych za wielkim przemysłem naciągaczy. Patrząc na sumy, jakie wchodziły w grę podczas tych oszukańczych operacji, warto pamiętać, że najwyższe uposażenie Chandlera jako wiceprezesa Dabneya nigdy nie przekroczyło trzech tysięcy dolarów na miesiąc:

> Gdy Alvin Frank, na którym opierały się machinacje Bennetta, spróbował uzyskać zwrot dwóch pożyczek na łączną sumę siedemdziesięciu pięciu tysięcy dolarów, Bennett polecił jego wysłannikowi, by wrócił do niego o szesnastej. Sam opuścił swoje biuro o piętnastej, zostawiając Franka i innych na łasce losu. Widziano go podobno trzy godziny później, jak na Union Station wsiadał do pociągu linii Santa Fe Chief, który jechał w kierunku wschodnim. Miał na sobie wypełniony pieniędzmi pas, wart – jak szacowano – około sześciuset pięćdziesięciu tysięcy dolarów[39].

Sam Joseph Dabney, który mieszkał w obszernej rezydencji na South Lafayette Place, został w pewnym momencie postawiony przez Lloydów przed sądem pod zarzutem przywłaszczenia sobie zysków z ropy. W najbardziej jednak niebywały spośród wszystkich skandali wmieszana była Julian Petroleum Company. Afera ta przez blisko dwa lata stanowiła w Los Angeles największy dziennikarski przebój, jednakże dla Chandlera nie było to tylko odkrycie opisywane codziennie na pierwszych stronach gazet, ale fakty, które na bieżąco obserwował we własnej branży naftowej.

C.C. Julian był wielce oryginalnym naciągaczem, który rozstawszy się z zajęciem rozwoziciela mleka w Winnipeg, przybył do LA, mając za wszelkie kwalifikacje niewiele więcej ponad uprawnienia górnika i rodzinne powiązania, które były zresztą zwykłym kłamstwem. Julian okazał się geniuszem w gromadzeniu funduszy. W gazecie „LA Daily News" wykupił na stałe rubrykę ogłoszeniową i osobiście opisywał w niej najnowsze osiągnięcia swojej firmy, które rozgrzewały szarych czytelników do białości. Aby pozyskać ich zaufanie, Julian posługiwał się cytatami z Kiplinga i z Szekspira, jak również zręczną autoparodią.

Kiedy jego syndykat zaczął się sypać w następstwie kontroli przeprowadzonej przez władze, Julian zmienił ton: w swojej płatnej rubryce zaczął się przedstawiać jako ludowy bohater, który walczy z biurokracją, aby do kalifornijskich domostw zaczęły płynąć pieniądze. Oto ogłoszenie, które pojawiło się w „LA Daily News" piątego stycznia 1924 roku:

AMERYKANIE, W KTÓRYCH ŻYŁACH
PŁYNIE CZERWONA KREW
APELUJĘ DO WAS
DZISIAJ

Potężne Moce, które zjednoczyły się przeciwko mnie, po miesiącach zajadłych ataków ze wszystkich możliwych pozycji, podjęły desperackie finalne natarcie, grupując wszystkie swe siły, aby dokonać ostatecznego wyłomu w moim obronnym murze i doprowadzić do unicestwienia Julian Petroleum Company[40].

Julian zwykł opatrywać swe artykuły nagłówkami w rodzaju: POZWÓL MI ZOSTAĆ TWOIM ŚWIĘTYM MIKOŁAJEM!, ZOSTAŁ CI JUŻ TYLKO JEDEN DZIEŃ!, czy też ŚWIAT NALEŻY DO ODWAŻNYCH. Jego pomysłowość nie znała granic; potrafił nawet przemyślnie zagrać na uczuciach swoich czytelników. Największy odzew przyniosła mu rubryka poświęcona możliwościom, jakie stwarzała spekulacja w Santa Fe w 1922 roku. Otwierał ją tytuł:

JULIAN NIE ZAAKCEPTUJE TWOICH PIENIĘDZY, JEŚLI NIE JESTEŚ W STANIE POZWOLIĆ SOBIE NA PRZEGRANĄ. WDOWY I SIEROTY, TA INWESTYCJA NIE JEST DLA WAS!

Julian organizował ogromne bezpłatne pikniki, przewożąc potencjalnych drobnych nabywców akcji na miejsce wynajętymi pociągami. Były to wydarzenia same w sobie, toteż w latach dwudziestych Julian stał się osobistością publiczną i często bywał zapraszany na przyjęcia w Hollywood. Fakt, iż stał się znany, dodatkowo umacniał jego obraz jako godnego zaufania i w pełni wypłacalnego biznesmena, dzięki czemu wielu miejscowych luminarzy wdało się z nim w interesy. Gdy wreszcie w dwudziestym siódmym roku rozdęta bańka mydlana pękła mu prosto w twarz (Julian sprzedał ponad tysiąckrotnie więcej akcji, niż był wart), nie było w LA takiej społecznej enklawy, która by tego nie odczuła. Nie tylko tysiące drobnych inwestorów straciło swoje oszczędności; straty ponieśli również tej miary ludzie, co Louis B. Mayer, Cecil B. De Mille i Charlie Chaplin.

Skandal przekształcił się w dramat, gdy na sali sądowej w centrum miasta został zastrzelony Motley Flint, finansista filmowy powiązany z Julianem. Sam zastępca prokuratora okręgowego sądzony był za branie łapówek i próbę zatuszowania dochodzenia przeciwko oszustowi. Afera dobiegła końca, gdy jej autor, efektowny i przystojny mężczyzna, zbiegł do Szanghaju, gdzie następnie popełnił samobójstwo. Ciąg wydarzeń związanych z jego upadkiem zawierał w sobie niejedną scenę, która musiała poruszyć wyobraźnię Chandlera:

> Tej nocy, gdy Julian pracował wraz z wiceprezesem Julian Petroleum, Jackiem Rothem, ktoś nieznany uprzedził go telefonicznie, że nim nadejdzie ranek, zostanie zabity. Julian opuścił wraz z Rothem biuro i udał się z nim do swej rezydencji Los Feliz. W czasie jazdy jego szofer zorientował się, że są śledzeni przez jakąś taksówkę [...] Tuż przed pierwszą po północy, gdy Julian i Roth wyskoczyli z auta i pobiegli w stronę domu, aby się tam schronić, w ścianie utkwił wystrzelony przez kogoś pocisk, po którym nastąpiła seria oddanych z odległości dziesięciu metrów i blisko siebie wymierzonych strzałów, których ślady pozostawiły w oknie krąg otworów o niewielkiej średnicy[41].

Po ucieczce Juliana nowy zastępca prokuratora okręgowego w LA wysłał prywatnych detektywów w pościg za jednym z jego głównych wspólników. Podążali oni jego tropem przez Francję, Włochy i Austrię, by go w końcu odnaleźć w Paryżu, w umeblowanym z wyszukaną elegancją apartamencie; jednakże w następstwie postępowania prokuratora, który prowadził pierwsze śledztwo, a po części także z powodu niemożności skompletowania takiej ławy przysięgłych, której członkowie byliby w stanie w pełni pojąć skomplikowaną mechanikę oszustwa, nigdy nie doszło w tej sprawie do żadnego wyroku skazującego. Sprawa ta skłoniła senatora Stanów Zjednoczonych Geralda Nye'a do wygłoszenia uwagi, iż afera Julian Petroleum Company była „dobitnym dowodem, że w Stanach Zjednoczonych nie da się skazać miliona dolarów".

Chandler podzielał ten cyniczny stosunek do kalifornijskiego wymiaru sprawiedliwości; jak to później powie Philip Marlowe: „Jedyne, co w Los Angeles oddziela zbrodnię od interesów, to pieniądze".

*

Przez cały ten czas Chandler w dalszym ciągu pisywał wiersze. Pracował nad nimi po nocach, większość adresując do Cissy i pozostawiając je na kuchennym stole tak, by je znalazła rankiem. Odzwierciedlał w nich swój niepokój i wzburzenie, w miarę jak obojętniał mu jego nowy zawód, a zarazem – jak to przepowiedziała Cissy – blakła uciecha, jaką dawało mu snucie wielkich planów na przyszłość. Jako trzydziestolatek zarabiał wprawdzie więcej u Dabneya niż niegdyś jako dwudziestoparolatek w LA Creamery, odniósł jednak wrażenie, że wciąż tak samo bezproduktywnie traci czas. Jego codzienne zachowanie znów zaczęło mieć w sobie coraz więcej cech zniecierpliwienia, a nadto zaczął cierpieć na bezsenność. „Pół do trzeciej nad ranem – odnotował nad jednym ze swych wierszy. – To zapewne niemądry sposób spędzania nocy, ale jednak lepszy niż sprzątanie".

Przyznawał obecnie, że pisanie poezji jest raczej zajęciem dla niespokojnego umysłu niż twórczym powołaniem: „O pani, zbudź się, proszę, gdyż tęsknię/ Za pocałunkiem twych uległych warg", to początek jednego z ówczesnych jego wierszy; inny znów przywołuje „Tameczne echa przyćmionego czaru niepocieszonej skargi dawnego pieśniarza"[42].

Niektóre z jego wierszy z lat dwudziestych oddają lepiej stan jego umysłu w okresie, gdy pracował w branży naftowej Los Angeles:

NOKTURN, KTÓRY NADSZEDŁ ZNIKĄD

Nie znajdziesz kraju równie pięknego
Jak Anglia, którą widzę, patrząc

Na ten rozświetlony i pełen melancholii ląd
Który zarazem dał mi schronienie i wewnętrzny nieład.

W gruncie rzeczy najlepszymi wierszami, jakie Chandler napisał, były te, które odeszły od klasycznych poetyckich stóp; warto jednak odnotować jeden jego utwór, którego podobieństwo do tego, co pisał w Londynie, nie dotyczy formy, lecz bardziej właśnie treści:

PIOSENKA NA ROZSTANIE
Tej nocy majowej gorącej i parnej
Nagą porzucił ją na gołej ziemi
Dla sąsiadów to było nieznośnie wulgarne
On się wszak nie przejmował niemi.
U jej wezgłowia złożył krwistą różę
Lecz nie wyrwał z jej czaszki topora
Notkę jeno zostawił:
„Wróżę,
Iż następnych mych odwiedzin na ziemi
Nie nadejdzie już nigdy pora[43].

*

Nie mając własnych dzieci, którymi musiałby się opiekować, Chandler znów zaczął spędzać większość swego czasu zgodnie ze swoim upodobaniami. Tymczasem jednak siła charakteru, jaką okazała Cissy, nie dorównywała jej odporności fizycznej: po kolejnym lekkim zapaleniu płuc przyszedł stan nawracającego zmęczenia. On tymczasem kultywował swe przyjaźnie z czasów pracy w branży naftowej. Gdy jednak w lecie 1927 roku skończył trzydziesty dziewiąty rok życia, owi przyjaciele w większości byli już zajęci swymi rodzinami.

Gdyby się wówczas przyjrzeć jego sytuacji, to była ona w istocie identyczna z tą, w której znalazł się w 1917 roku jako urzędnik na nudnej posadzie; pozwalała mu ona ledwie utrzymać chorą kobietę. Dzięki wojnie udało mu się w wyjechać z Los Angeles. Obecnie zaczął wynajdywać nowe sposoby wyrwania się ze szponów nudy, jaką go napełniało życie w tym mieście: regularne i intensywne picie, a zarazem rozglądanie się za jakąś nową miłością.

Stałe przebywanie w towarzystwie atrakcyjnych sekretarek oraz żon swych kolegów, i to na dobitek świadomych już dzielącej go z żoną różnicy wieku, wprowadziło Chandlera w stan swoistego niepokoju:

Wie pan, jak to jest w małżeństwie... W każdym małżeństwie. W krótkim czasie facet taki jak ja, taki kawał łobuza jak ja, chce sobie podskoczyć na dziewczynki. Ma ochotę na jakąś inną kobietkę. Może to jest paskudne, ale tak to jest[44].

W dwudziestych i wczesnych trzydziestych latach Chandler pił coraz więcej, a przy tym coraz mniej to swoje picie kontrolował. Potrafił przenieść się z własnego domu do jakiegoś hotelu, by kontynuować pijacki ciąg. Zdarzały mu się także w owym czasie okresy separacji od Cissy; jego przyjaciółmi od serca stawali się wówczas podobni mu pijaczkowie.

Wciąż pamiętam, jak przesiadywałem z dwójką lub trójką takich kumpli od serca, z którymi, rozumiecie, można się ululać w najprzyjemniejszy z możliwych sposobów. Nasze pijackie wieczory kończyły się cyrkowymi popisami na stołach, samochodowymi powrotami do domów przy akompaniamencie księżycowego światła, muzyki i piosenek, gdy o milimetry mijaliśmy przechodniów, rechocząc na samą myśl, że ktoś może się poruszać przy pomocy zaledwie dwóch kończyn[45].

Były także w tym okresie weekendowe wyprawy na futbolowe mecze do San Francisco, które, bywało, zaczynały się i kończyły przed bramami stadionu.

Wraz ze swym kumplem od Dabneya, Miltonem Phileo, Chandler potrafił wynająć sportowy samolot wraz z pilotem, po czym lecieć nim wzdłuż wybrzeża w stronę Meksyku. Podczas jednego z takich lotów potrafił nawet odpiąć pasy, próbując zachować równowagę w otwartej na pęd powietrza kabinie pilota.

Nie był to przy tym taki tam sobie zwykły wariacki wybryk: pod wpływem alkoholu Chandlerowi zdarzało się popadać w nastroje zgoła maniackie, aż do gróźb samobójstwa, zapowiadanych telefonicznie z hotelowych apartamentów; jego przyjaciele gnali wówczas w panice do hotelu, z którego dzwonił, by go zastać żywym, ale pijanym.

Pracowała u Dabneya pewna sekretarka, której tożsamość nigdy nie została ujawniona; jak opowiadali starzy znajomi zwykła przepadać z Chandlerem na całe weekendy, gdzieś w okolicach Los Angeles. Pili na tych wypadach tak ostro, że Chandler, jako zwierzchnik, musiał ją kryć, gdy w poniedziałki nie była w stanie stawić się do pracy.

Później sam przestał się pokazywać w pracy w poniedziałek rano, aż w końcu doszło do tego, że obojga ich nie widywano w biurze przed wybiciem środowego południa.

*

Gdy Chandler wpadał w pijacki trans, zdarzało mu się doświadczać tak zwanych czarnych dziur, czyli spowodowanej alkoholem okresowej amnezji. A znów podczas następnej takiej pijackiej dziury bywało, że przypominał sobie, co mu się przydarzyło podczas poprzedniej. Nie było to nic nadzwyczajnego, jak tego dowodzi poświęcone alkoholizmowi studium specjalisty, profesora D. Goodwina. Jego zdaniem, na przykład, alkoholicy często mówią, że w okresie picia chowali po różnych zakamarkach pieniądze i butelki, po czym na trzeźwo nie potrafili ich odnaleźć, aż dopiero podczas następnego pijackiego ciągu pamięć ta im wracała. Znalazłszy się w czarnej dziurze, dana osoba jest świadoma i uważnie śledzi otaczającą ją rzeczywistość. Potrafi nawet sprawiać wrażenie kogoś całkiem normalnego i, w razie konieczności, stanąć na wysokości zadania: prowadzić w towarzystwie inteligentne rozmowy, czarować swym wdziękiem nieznajomych, a nawet odbywać skomplikowamne podróże. Oto pewna prawdziwa historia:

> Trzydziestodziewięciolatek budzi się w jakimś hotelowym pokoju. Gnębi go umiarkowany kac, ale poza tym wszystko w porządku: jego ubrania schludnie wiszą w szafie, on sam zaś jest należycie ogolony i domyty. Ubiera się i schodzi do recepcji, gdzie się dowiaduje, że to hotel w Las Vegas, w którym mieszka już od dwóch dni. Nie ulegało wątpliwości, mówi mu hotelowy recepcjonista, że był pan zalany, ale znowu nie aż tak bardzo. Tymczasem dzisiejsza data, to czternasty dzień miesiąca, sobota, podczas gdy ostatnie, co ten facet pamięta, to jakiś bar w St Louis w poniedziałek dziewiątego[46].

W opowiadaniu, napisanym potem dla jednego z mało wybrednych magazynów sensacyjnych, Chandler wykreuje postać detektywa któregoś z hoteli w Los Angeles, noszącego nazwisko Steve Grayce. Gdy mu jeden z gości oferuje szklaneczkę, Grayce odmawia, a na pytanie o przyczynę odmowy wyjaśnia: „Nietęgi ze mnie pijak. Jestem z tych, co to wyskakują na piwko i budzą się w Singapurze z brodą do pasa”[47].

W każdej powieści z Philipem Marlowe'em jako głównym bohaterem można trafić na scenę, w której da się odnaleźć wątek tego rodzaju amnezji, podobnie jak i w każdym hollywoodzkim scenariuszu Chandlera. Prawdę powiedziawszy, chwile alkoholicznej niepamięci można uznać za swego rodzaju znak firmowy detektywa Marlowe'a, bez względu na charakter dochodzenia, które akurat prowadzi. Momenty te zyskały sobie taką sławę w pisarstwie Chandlera, że nie można się powstrzymać przed powiązaniem ich z co najmniej dwoma faktami z życia autora.

Pierwszy – to pamiętny niemiecki ostrzał artyleryjski, który pozbawił go przytomności, a następnie w wyniku kontuzji położył kres jego dalszej walce na francuskim froncie.

Drugi element tego swoistego psychologicznego podkładu – to owe czarne dziury, w które przyszło Chandlerowi wpadać, odkąd zaczął ostro i długotrwale pić, w szczególności zaś w okresie, gdy nabierał rozpędu, pracując w firmie Dabneya[48].

Są oczywiście także inne, pozaliterackie powody, dla których w pamięci Chandlera pozostały tak dokładne wspomnienia aż tylu czarnych dziur. Jak każdy bohater serialny, Marlowe będzie musiał po kolei zwalczać wredne postaci, lecz nigdy nie będzie mu wolno w tej walce zginąć. Ma tylko jeden sposób, żeby to uwiarygodnić: musi bezustannie padać ofiarą brutalnych agresji, z których jednak wychodzi bez szwanku.

Co powiedziawszy, zauważyć trzeba, że niewielu autorów historii detektywistycznych aż tak wielką przykładało wagę do przypadków utraty przytomności swego bohatera jak Chandler, ani też nie szafowało tak jak on rozrzutnie obrazami scen, w których ów bohater był na wszelkie wyobrażalne sposoby katowany.

Cenzorskie ograniczenia, jakie narzucało Hollywood, uniemożliwiały Chandlerowi nasycenie filmów alkoholem i przemocą w takim stopniu, w jakim występuje to w jego książkach, mimo to jednak w notatkach do scenariusza „The Blue Dahlia" powtarza się ten sam motyw. Jest to historia, mówi autor, „trzech zwolnionych z wojska żołnierzy. Powiedzmy, że są oni jedynymi ocalałymi członkami załogi bombowca, która została zmuszona do odbycia zbyt wielu misji bojowych". Jednemu z nich, któremu początkowo Chandler przydzielił rolę mordercy, po postrzale w głowę pozostała srebrna płytka w czaszce. „Dręczą go bóle głowy, nie znosi hałasu i od czasu do czasu po przeżyciu jakiejś emocji traci przytomność. Nie potrafi sobie potem przypomnieć, co się stało. Są ludzie, którym zdarza się to samo, gdy za wiele wypiją".

Pewnego dnia Chandler pojechał samochodem na tenisa do posiadłości Miltona Phileo i jego żony. Był pijany, a kiedy dowiedział się, że pani Phileo nie może grać, ponieważ jest chora, wszedł do jej sypialni i usiłował wyciągnąć ją z łóżka, póki go wreszcie Milton nie powstrzymał i nie nakłonił do powrotu do domu. Gdy jednak zszedł do salonu w przekonaniu, że przyjaciel już odjechał, zastał go tam z lufą rewolweru przystawioną do głowy.

Chandler stawał się nieobliczalny. Spotkania z nim, jak to określił inny spośród jego przyjaciół, przypominały „lądowania w jakimś interesującym miejscu, które jednak całkowicie spowijała mgła".

Choć on sam nigdy o tym nie pisał ani nawet nie poczynił najmniejszej wzmianki na temat tych straconych lat, to był to ten okres jego życia, który potem w książkach znalazł odbicie bardziej wyraziste niż jakikolwiek inny.

Wiek i cechy charakteru jego fikcyjnego bohatera, Philipa Marlowe'a, bardzo będą przypominały Chandlera z ostatnich czterech lat jego kariery naftowego menadżera. Obaj pili w samotności, obaj pracowali w Los Angeles. Obaj dobrze wykonywali pracę, która budziła w nich wstręt, i obu w jakiejś mierze fascynowało fizyczne zagrożenie[49].

W książkach Chandlera odmalowana jest również niepowtarzalna atmosfera wczesnych lat trzydziestych w Los Angeles bardziej wyraziście niż cokolwiek innego. Niepewna sytuacja, w jakiej się znalazł w owym czasie pisarz, była odzwierciedleniem tego, co działo się w tym mieście po krachu na Wall Street w dwudziestym dziewiątym roku.

W rezultacie kataklizmu, jakim stała się dla całych Stanów Zjednoczonych Wielka Depresja, która wtedy się właśnie zaczęła, co czwarty Amerykanin stracił pracę, a bardzo wielu utraciło również swoje domy. Jak to przedstawiał jeden z historyków tego okresu:

> Bez ubezpieczenia przeciw bezrobociu, bez prawa do opieki zdrowotnej i socjalnej, Depresja przeobraziła dwa miliony Amerykanów w bezdomnych i bezrobotnych, którzy wędrowali z miasta do miasta, często uciekając się do przemocy[50].

Wielu z nich zmierzało ku Los Angeles. W trzydziestym pierwszym roku przybywało ich tam każdego tygodnia dwa tysiące, co zmusiło policję do instalowania na drogach dojazdowych specjalnych „blokad włóczęgów". Ta napływowa fala nałożyła się na sześćset tysięcy przybyszów, których miasto wchłonęło podczas boomu lat dwudziestych. Utrzymanie ładu stawało się tu coraz trudniejsze.

Zanim jeszcze zaczęła się depresja, skala przestępczości w Los Angeles rosła w stopniu budzącym zaniepokojenie jego zarządców. Metropolia po prostu rozrastała się zbyt szybko, by można było utrzymywać ją pod kontrolą. W roku dwudziestym szóstym powstało stowarzyszenie znane jako „Klub Śniadaniowy". Wchodzili w jego skład tacy obywatele miasta jak senator Samuel Shortridge, Louis B. Mayer, Henry Chandler (właściciel dziennika „LA Times") czy Guy Barham, reprezentujący interesy Williama Randolpha Hearsta, jak również liczni potentaci na rynku nieruchomości, finansiści i przemysłowcy. Postanowili oni stawić czoło szerzącemu się bezprawiu.

„Śniadaniowcy", którzy praktycznie kontrolowali skład Rady Miejskiej, w kwietniu dwudziestego szóstego roku zatrudnili na stanowisku szefa miejskiej policji Jamesa Edgara Davisa. Wsławił się on między innymi tym, że domagał się zdjęcia odcisków palców wszystkich mieszkańców Los Angeles, a gdy ten pomysł nie przeszedł – przynajmniej odcisków służby domowej.

Następstwa depresji w odniesieniu do rynku pracy dodatkowo wzmocniły zakres władzy przyznanej szefowi policji przez jego mocodawców. Wziął on na celownik nie zorganizowaną przestępczość, która sama już uczestniczyła w podziale władzy, ale włóczęgów, przywódców związkowych oraz krytyków miejskich władz.

Raymond Chandler, tak samo jak wszyscy, zdawał sobie sprawę z zagrożenia, jakie stanowiła taktyka silnej ręki, bez skrupułów stosowana przez policję Los Angeles. W 1929 roku nadano wielki rozgłos sprawie Carla Jacobsona, wojującego krytyka poczynań policji. Aresztowano go w hotelowym pokoju w towarzystwie prostytutki i postawiono mu zarzut „sprośnego zachowania", gdy jednak zażądał, by postawiono go przed sądem, to okazało się, że prostytutką była siostra detektywa z obyczajówki, która za zaciągnięcie Jacobsona do łóżka otrzymała dwa i pół tysiąca dolarów. Po tej sensacyjnej aferze prasa relacjonowała inną:

Harry McDonald, zwany „Łaźnią", który płacił szefowi policji obyczajowej, Maxowi Berenzweigowi, i jego ludziom sto tysięcy dolarów rocznie, został aresztowany i zaczął sypać. Na podstawie jego zeznań Berenzweig i jeden z jego podwładnych, detektyw James Howry, zostali postawieni w stan oskarżenia i uciekli z miasta, by uniknąć procesu[51].

Podczas gdy pod okiem władzy kwitł w najlepsze proceder wymuszania okupów za „opiekę", policja z całym zdecydowaniem i zawziętością używała swych nadzwyczajnych uprawnień do ostentacyjnej walki z innymi, bardziej widocznymi zagrożeniami dla porządku publicznego.

Chandler wprawdzie nigdy nie przyznał się do własnych pijackich tarapatów z bezwzględną policją, ale jego wiedza o stosowanych przez nich metodach nie ograniczała się, bez wątpienia, do domysłów. Jedną z akcji podejmowanych przez policję Los Angeles na podstawie przepisów stanu nadzwyczajnego było rozstawianie blokad na kilkunastu głównych ulicach miasta. Policjanci otrzymali rozkaz zatrzymywania i przeszukiwania wszystkich podejrzanych osobników.

Tu, w Kalifornii, [...] to policjant decyduje o tym, kto ma być zatrzymany w celu przesłuchania w charakterze świadka, a kto nie. Może trafić na kogoś, kto odmówił udania się na posterunek i składania zeznań na temat tego, co robił w ciągu ostatniej doby. Jeśli tego odmówisz – a prawo ci przecież na to pozwala – to i tak cię zabiorą, w razie potrzeby siłą, a jeśli zechcą, to i w kajdankach[52].

Był to w historii miasta moment, gdy niebezpiecznie było wpaść w pijacki ciąg. Jedna z postaci późniejszych książek Chandlera, Roger Wade w „Długim pożegnaniu" („The Long Goodbye"), w wyjątkowo dużej mierze wzorowany na osobie samego autora, z pewnością zna wnętrze niesławnej pijackiej cysterny okręgu Los Angeles, która mieściła się na Lincoln Heights.

„Nie było prycz, krzeseł, koców, właściwie niczego. Siedziało się na ustępie, wymiotując na własne kolana, spało na cementowej podłodze. Zupełne dno"[53].

W powieści „Tajemnica jeziora" („The Lady in the Lake") Marlowe doprowadza do wściekłości policjanta, który prostym sposobem bierze na nim odwet: jedzie za nim, potem go wyprzedza i nakazuje zjechać na pobocze, a następnie oblewa go whisky i dokonuje aresztowania za prowadzenie samochodu pod wpływem alkoholu.

Chandler zdawał sobie sprawę z tego, jak nieznośnie zachowuje się u Dabneya, a także dobrze wiedział, do jakiego stopnia zawładnął nim alkohol. Jak wielu nałogowców nie miewał kaca; ale też z jego braku nie odczuwał wyrzutów sumienia. Zostawiając Cissy samą, aby się napić, powtarzał przecież dokładnie grzechy swego znienawidzonego ojca. Każda autodeprecjonująca wzmianka na temat alkoholu, jaką potem uczyni w jego książkach Marlowe, ma dla Chandlera swoisty autobiograficzny rezonans:

> Śmierdziałem ginem. Nie tak normalnie, jakbym wypił cztery czy pięć kieliszków jakiegoś zimowego ranka przed wyjściem z łóżka, ale tak jakby Ocean Spokojny składał się z czystego ginu, a ja bym go przepłynął wpław. Gin był w moich włosach i na brwiach, na brodzie i pod brodą. Był na mojej koszuli. Śmierdziałem jak zdechła ropucha[54].

Był to początek samotniczego trybu życia, który Chandler sam wybrał, aby się już od niego do końca nie uwolnić, przy czym w gruncie rzeczy sam nigdy w pełni nie zrozumiał tego wyboru.

*

Raymond Chandler nie był jedynym Amerykaninem, który popadł w nałóg pijaństwa w okresie prohibicji. „Szlachetny eksperyment", któremu Roosevelt ostatecznie położył kres w 1933 roku, nie tylko od samego początku dowodził, że jest jedynie literą prawa, którego nie można siłą wprowadzić w życie, ale także okazał się w gruncie rzeczy szkodliwy.

Poprawka do konstytucji zabraniająca wytwarzania, sprzedaży lub przewożenia napojów odurzających i przedstawiana jako gest patriotyczny, omawiana była przez Kongres w ostatnich miesiącach pierwszej wojny światowej, a prawem stała się w początkach dziewiętnastego roku. Wprawdzie ruch prohibicjonistyczny zyskiwał w sobie Waszyngtonie poparcie już od 1880 roku, w istocie jednak przewagę głosów w Kongresie zdobył w 1918 roku dzięki temu, że większość gorzelników była pochodzenia niemieckiego, a ponadto amerykańska kukurydza była potrzebna dla wojsk alianckich.

W kolejnych budżetach federalnych zabrakło środków niezbędnych do tego, aby dopilnować przestrzegania zakazu, zaś (wedle jednego z szacunków) „2 000 000 000 000 dolarów przepłynęło z rąk producentów alkoholu i właścicieli barów do kieszeni przemytników i gangsterów działających w ścisłym porozumieniu z policjantami i politykami, których przekupili"[55].

W następstwie upowszechnienia się zorganizowanej przestępczości Ameryka nigdy już nie uwolniła się od skutków prohibicji. W Nowym Jorku prawie dziewięćdziesiąt procent dochodzeń przeciwko sprawcom łamania zakazów dotyczących alkoholu uległo umorzeniu z powodu niewystarczających dowodów winy. W miastach takich jak Los Angeles nabycie alkoholu nie nastręczało żadnych trudności, a jedyny problem stanowiła jego cena. Nadto prohibicja skłaniała niejako pijących do pijaństwa; w sumie wypito w czasie jej obowiązywania więcej niż w analogicznym okresie, który ją poprzedzał. Dzięki bliskości granicy meksykańskiej, pod względem rozmiarów gangsterskiej ekonomiki alkoholowej Los Angeles zaczęło w pewnym momencie przypominać Chicago, które także miało pod bokiem nieszczelną granicę kanadyjską. Prohibicja, jak wspominał później Chandler, nadwątliła same fundamenty systemu prawa:

> Niewielu Amerykanów, z wyjątkiem świętoszków i fanatyków, uwierzyło w ideę prohibicji. Większość z nas udawała się do najbliższej kafejki i kupowała całkiem jawnie butelkę przemytniczej gorzałki, przy czym większość z nas to byli także sędziowie, policjanci i funkcjonariusze rządowi [...] Pamiętam, że w pewnym klubie w Culver City obecnych było zawsze dwóch policjantów na służbie. Ich zadaniem nie było bynajmniej zapobieganie kupowaniu alkoholu; oni czuwali nad tym, by go nie wnosić do środka, lecz kupować na miejscu[56].

W Los Angeles nielegalne pijaństwa najbardziej było rozpowszechnione w tamtejszym środowisku filmowców. W dwudziestym pierwszym roku pewien pomocnik hydraulika, który stał się gwiazdą filmów komediowych, Fatty Arbuckle, został bohaterem sensacyjnego procesu o zabójstwo, którego miał dokonać po dwudniowym pijaństwie w pokoju hotelowym. Prokurator twierdził, że Arbuckle przebił butelką nerkę pewnej aktorki, która po paru dniach zmarła. Oburzenie, jakie ten czyn wywołał na łamach prasy (choć Arbuckle został w końcu uniewinniony), która przy tej okazji wytknęła również inne przypadki pijackich ekscesów w Hollywood, zmusiło branżę filmową do wprowadzenia swoistej autocenzury. Jej rezultatem było powołanie przez wytwórnie filmowe specjalnego ciała pod nazwą „Motion Pictures Producers and Distributors of America" (Producenci i Dystrybutorzy Filmów w Ameryce), a znanego jako „Hays Office", od nazwiska jej pierwszego przewodniczącego, Willa Haysa.

Hays Office powstało w 1922 roku (w poprzednim odbyła się sprawa Arbuckle'a), mając za zadanie przekonanie szerokiej publiczności, że produkowane w Hollywood filmy to jedno, a domniemane „rozpustne życie, lekceważenie wszelkich zasad, pijaństwo, plugawość i uprawianie wolnej miłości”[57], o które posądzano filmowców, to coś całkiem innego. Jednakże kolejne skandale, do których dochodziło w dekadenckim hollywoodzkim światku, a które przez resztę lat dwudziestych i początek trzydziestych wyciągała prasa, sprawiły, że owo rozróżnienie stopniowo coraz bardziej się zamazywało. Wreszcie, w trzydziestym czwartym roku, cenzorski nadzór nad Hollywood definitywnie przejął Kościół rzymskokatolicki. Mae West z jej słynnym biustem oraz filmy gangsterskie zostały zastąpione przez bezalkoholowe musicale i romantyczną epikę; ów uzdrawiający proces trwał aż do początku lat czterdziestych.

Chandler popijał w towarzystwie innych gwałcicieli prohibicyjnego prawa, ale zaczął także pić samotnie. Zawsze będą się jeszcze zdarzali przyjaciele, którym uda się przedrzeć przez jego żelazną kurtynę niechęci do ludzi, ale począwszy od 1932 roku, Chandler nie chce już tak naprawdę z kimkolwiek się stykać. Jeden z przyjaciół napisał kiedyś do niego: „Przykro mi, jeśli cię zirytowałem, ale po prostu sądzę, że w tym wnętrzu, do którego zakazałeś wstępu, ukrywa się wciąż tak samo fajny gość [...] Skoro nas zapraszasz, to kiedyś wpadniemy, pod warunkiem jednak, że nie będziesz tak zaskoczony, otwierając nam frontowe drzwi. Może lepiej byłoby, gdybyś wyznaczył jakiś konkretny dzień i godzinę, i to na piśmie, bo wtedy, w razie konieczności, moglibyśmy wezwać policję, aby nam pomogła dostać się do środka”.

Chandler bowiem nie tolerował powszechnie przyjętego w Los Angeles zwyczaju wpadania bez uprzedzenia do domów przyjaciół. Zdarzało mu się często nie tylko kogoś nie wpuścić, ale nawet gdy do tego doszło, nie ukrywał chęci, aby goście jak najszybciej sobie poszli. Gdy ktoś okazał się kiedyś wielce odporny na wszelkie aluzje, Chandler w końcu po prostu go zostawił, a kiedy wrócił, był już odziany w piżamę.

Badania naukowe zdają się dowodzić, że popadnięcie w nałóg zwykle prowadzi do picia w samotności, a w rezultacie do stania się odludkiem. Picie w przypadku Chandlera oznaczało teraz, że jego poczucie osamotnienia pogłębiało się i coraz bardziej uwidaczniało.

*

Ponieważ w latach dwudziestych kalifornijska ropa była jedną z nielicznych branż przemysłowych, do których Wall Street podchodził z pewnym dystansem, krach 1929 roku nie dotknął nafciarzy w Los Angeles szczególnie dotkliwie, za to dużo boleśniej odczuli oni skutki depresji, która przyszła po krachu, powodując drastyczny ogólnokrajowy spadek zapotrzebowania na benzynę. To, że w trzydziestym drugim roku Chandler stracił posadę u Dabneya, złożyć jednak należy raczej na karb jego pijaństwa niż ekonomiki. Nie nadawał się dłużej do pracy, w której albo był nieobecny, albo pijany.

Jego kariera menedżerska w branży naftowej była czymś, co było mu na przemian miłe i nienawistne. Na zbiorowej fotografii z uroczystego obiadu producentów ropy, wykonanej na krótko przed wymówieniem mu posady, znajdujemy Chandlera z posępną miną trzymającego się z boku. Jeden z jego ówczesnych kolegów powiedział, że częstokroć pod koniec takich spotkań Chandler stawał się dla wszystkich „uprzykrzeniem": groteskowo pijany z żałosną hałaśliwością wydzierał się do „stadka girlasek".

W dniu, w którym zwolniono go z pracy, Chandler ani nie wiedział, co chce dalej robić w życiu, ani nie miał żadnych ideałów; przestał się już uważać za dżentelmana, a na horyzoncie zarysowała się wizja jego trwałej paranoi, przybierającej realny kształt: człowieka bez pieniędzy.

Nigdy do końca nie wybaczy branży naftowej upokorzenia, na które sobie przecież zasłużył. Początkowa scena jego pierwszej powieści, „Głębokiego snu", będzie się rozgrywała w Los Angeles, w domu z widokiem na pole naftowe:

> Sternwoodowie, zamieszkawszy na wzgórzu, nie musieli znosić zapachu stęchłej wody i ropy naftowej, ale wciąż jeszcze mogli podziwiać z frontowych okien to, co uczyniło ich bogatymi. Jeśli mieli na to ochotę. Nie przypuszczałem jednak, by ich to bawiło[58].

Powieść kończy obraz Marlowe'a stojącego na tym właśnie naftowym polu i rozmyślającego nad tym, że... „Ropa i woda znaczą tyle samo co wiatr i powietrze. Śpi się bardzo głębokim snem, a ten, który go śni, nie troszczy się o to, w jaki sposób umarł albo gdzie go złożono do grobu. Czułem się częścią tego całego brudu, który mnie otaczał".

PRZYPISY

[1] List do Charlesa Mortona, 15.01.1945; Bodleian, Chandler files.

[2] List do Hardwicka Moseleya, 6.05.1954; Bodleian, Chandler files.

[3] Joe Domanick, „To Protect and to Serve"; Simon & Schuster 1994.

[4] List do Hamisha Hamiltona, 10.11.1950; Bodleian, Chandler files.

[5] Raymond Chandler, „Siostrzyczka"; przeł. Piotr Kamiński; Prószyński i S-ka, Warszawa 1998.

[6] Ibid.

[7] Dulwich College Chandler files.

[8] Frank MacShane, „The Life of Raymond Chandler"; Jonathan Cape 1976.

[9] Mike Davies, „City of Quartz"; Vintage 1990, s. 33.

[10] Domanick, op. cit., s. 33.

[11] Ibid., s. 96.

[12] „Song of the Boatman on the River Roon"; Bodleian, Chandler files.

[13] List do Alexa Barrisa, 16.04.1949; Bodleian, Chandler files.

[14] List do Deirdre Gartrell, 2.03.1957; Bodleian, Chandler files.

[15] Bodleian, Chandler files.

[16] Bodleian, Chandler files.

[17] Raymond Chandler, „Playback"; przeł. Leszek Stafiej; Czytelnik, Warszawa 1986.

[18] Raymond Chandler, „Bay City Blues", wydane w zbiorze pod tym samym tytułem; przeł. Jan Kraśko; Wydawnictwo Da Capo, Warszawa 1993.

[19] Cytowane przez MacShane'a w „The Life of Raymond Chandler"; op. cit.

[20] „Lines With An Incense Burner". UCLA Special Collections, Chandler.

[21] Raymond Chandler, „Playback"; op. cit.

[22] „Lines With An Incense Burner"; UCLA Special Collection, Chandler.

[23] Bodleian, Chandler files.

[24] „Ballad to Almost Any Goddess"; Bodleian, Chandler files.

[25] Jules Tygiel, „The Great Los Angeles Swindle: Oil, Stokcs an Scandal during the Roaring Twenties"; Oxford University Press 1994, s. 10.

[26] Zacytowane w ibid.
[27] Ibid.
[28] List do Helgi Greene, 5.05.1957; Bodleian, Chandler files.
[29] Ibid.
[30] List do Raya Starka, 28.08.1950; UCLA Special Collections, Chandler.
[31] List do Helgi Greene, 5.05.1957; Bodleian, Chandler files.
[32] List do Rogera Machella, 24.03.1954; Bodleian, Chandler files.
[33] List do Hamisha Hamiltona, 27.02.1951; Bodleian, Chandler Files. Mowa była o J.B. Priestleyu.
[34] Z domniemaniem, iż Chandler nigdy nie poznał prawdziwego wieku Cissy, wystąpiła Dorothy Gardiner, współredaktorka zbioru „Mówi Chandler". W liście do Hamisha Hamiltona ze stycznia 1960 Gardiner napisała: „Jest prawdopodobne, że nigdy nie uświadomił on sobie, iż w chwili śmierci była ona w istocie kobietą starą". Bodleian, Chandler files.
[35] Notebooks; Bodleian, Chandler files.
[36] List do Neila Morgana, 18.11.1955; Bodleian, Chandler files.
[37] Chandler, „Siostrzyczka"; op. cit.
[38] List do Edgara Cartera, 15.11.1950; UCLA Special Collections, Chandler.
[39] Tygiel, op. cit., s. 207.
[40] Ibid., s. 79.
[41] Ibid., s. 78.
[42] Wyjątki z „Epithalamion" i „Envoi"; Bodleian, Chandler files.
[43] Ibid.
[44] Raymond Chandler, „Tajemnica jeziora"; przeł. Adam Kaska; Dom Wydawniczy „JOTA", Warszawa 1989.
[45] List do Rogera Machella, 24.03.1954; UCLA Special Collections, Chandler.
[46] Donald Goodwin, „Alcoholism: The Facts"; Oxford University Press 1994, s. 40.
[47] Raymond Chandler, „Król w złotogłowiu", w zbiorze „Bay City Blues"; op. cit., s. 307.
[48] W powieści „Żegnaj, laleczko" (op. cit.) Marlowe dwukrotnie traci przytomność pod wpływem uderzenia. Za pierwszym razem, przychodząc do siebie, zdradza wyraźne objawy amnezji:

Świecąca tarcza zegarka pokazywała 10.56, w każdym razie na tyle precyzyjnie, na ile udało mi się odzyskać ostrość widzenia. Dzwonek u drzwi zadzwonił o 10.08. Marriott mówił może ze dwie minuty. Cztery następne zajęło nam wyjście z domu. Kiedy naprawdę coś robisz, czas płynie bardzo wolno. To znaczy, mam na myśli, że w przeciągu bardzo niewielu krótkich minut można wykonać bardzo wiele czynności. Czy naprawdę to właśnie mam na myśli? Okay, lepszym ode mnie zdarzało się gorzej myśleć.

Marlowe dalej mocuje się z myślami, próbując dojść do tego, jak długo był nieprzytomny, w końcu ustala, że zapadł w „dwudziestominutowy sen" (zwrot, którego niegdyś Chandler zamierzał użyć jako tytułu pewnego opowiadania). Sto stronic dalej detektyw ponownie dostaje uderzenie w głowę.

Pod moimi stopami otwarła się otchłań ciemności, która była o wiele, wiele głębsza niż najczarniejsza noc.
Zapadłem się w nią. Była bezdenna.

Tym razem analogie pomiędzy alkoholem a skutkami przemocy objawiają się w „czarnej dziurze" wyraźniej:

Była noc. Świat za oknami był światem czerni. Z pośrodka sufitu zwisała na trzech mosiężnych łańcuchach porcelanowa misa. W jej wnętrzu było światło. Otoczka na jego krawędziach była na przemian pomarańczowa i niebieska. Wpatrywałem się w nią. Byłem zmęczony dymem. W miarę jak patrzyłem, otoczka zaczęła pękać na pojedyncze krążki, niby główki małych laleczek, tyle że żywe. Pojawił się mężczyzna w czapce kapitana jachtu z nosem Johnny Walkera, potem pulchna blondynka w czapeczce filmowca i chudy mężczyzna z przekrzywioną muszką. Wyglądał jak kelner w podłym lokaliku jakiejś nadmorskiej miejscowości.

Surealistyczne obrazy tego fragmentu są zgoła przejmujące, gdy zważyć, iż ludzie, którzy byli blisko Chandlera w latach pięćdziesiątych, opowiadali, że podobnie jak i inni alkoholicy w chwilach „odsuszania", doświadczał on halucynacji. Jeden z jego przyjaciół wspominał, jak w pięćdziesiątym szóstym wybrali się do jednej z londyńskich restauracji, gdzie Chandler w pewnym momencie zaczął w kącie sali „widzieć" arabskich nomadów.

Powiązania między piciem a czarnymi dziurami najbardziej się uwidaczniają w „Tajemnicy jeziora" (op. cit.), gdy Marlowe zostaje pozbawiony przytomności w hotelowym pokoju, a przychodząc do siebie, stwierdza, że ktoś oblał go ginem.

Początkowa scena nokautu jest typowo dla Chandlera dramatyczna i zawiera dalsze odniesienia do najbardziej trywialnego wspólnego wyróżnika pomiędzy piciem a dotkliwą przykrością wymiotów: „Wszystko eksplodowało ogniem, a potem ciemnością. Nie pamiętałem nawet momentu uderzenia. Ogień i ciemność, a tuż przed ciemnością ostry skurcz wymiotny". To ostatnie linijki rozdziału; następny zaczyna się od zdania: „Śmierdziałem ginem".

W kolejnej powieści, „Siostrzyczce" (op. cit.), Marlowe zostaje odurzony środkiem farmakologicznym.

> Jakaś twarz wypłynęła ku mnie z ciemności. Zmieniłem kierunek i ruszyłem w jej stronę. Lecz popołudnie było już zbyt późne. Zachodziło słońce. Gwałtownie zapadała ciemność. Nie było żadnej twarzy. Nie było żadnych ścian, żadnych biurek. Nie było nic. Nawet mnie samego tam nie było.

Gdy Marlowe zaczyna odzyskiwać przytomność, jego pierwszym półświadomym odruchem jest rozejrzenie się za alkoholem. („Wreszcie, po strasznie długim czasie, który był dla mnie niby cztery lata harówki przy budowie dróg, moje paluszki zacisnęły się wokół dwustu gramów alkoholu etylowego. Tak wynikało z etykietki").

Nie ma znaczenia to, że literatura medyczna na temat alkoholizmu jako pięć głównych objawów delirium tremens podaje zaburzenia pamięci, bezsenność, podniecenie, halucynacje i złudy. Delirium przychodzi nie w trakcie picia, lecz w momencie zaprzestania bądź próby zaprzestania picia. W chwili gdy Chandler zaczął pisać książki z Marlowe'em – wiedział już wszystko o tym stanie.

[49] Chandler zaczął pracować u Dabneya w 1919 roku, mając trzydzieści lat. Marlowe będzie w tym samym wieku, rozpoczynając swoją fikcyjną karierę prywatnego detektywa, i z każdą kolejną powieścią przybywało mu lat. Chandler nie ukrywał nieufności wobec swego pracodawcy, Josepha Dabneya, który zamieszkiwał w wielkiej rezydencji na South Lafayette Place i w trzydziestym roku został oskarżony przez Lloydów o sprzeniewierzenie zysków z ropy. Marlowe okaże tak samo mało szacunku dla klientów, dla których będzie pracował.

[50] Domanick, op. cit., s. 59.

[51] Ibid., s. 55.

[52] List do Dale'a Warrena, 27.03.1949; Bodleian, Chandler files.

[53] Raymond Chandler, „Długie pożegnanie"; op. cit. s. 50.

[54] Chandler, „Tajemnica jeziora", op. cit.

[55] Hugh Brogan, „History of the United States of America"; Penguin 1990, s. 518.

[56] „My Friend Luco" (artykuł odrzucony przez „Sunday Times"); Bodleian, Chandler files.

[57] Hal Mohr, „Sound and the Cinema". Zacytowane w książce Iana Hamiltona, „Writers in Hollywood"; Heinemann 1990.

[58] Raymond Chandler, „Głęboki sen"; przeł. Mieczysław Derbień; Prószyński i S-ka, Warszawa 1997.

Rozdział 3

Papka

– Podobasz mi się – powiedziała. – Wyglądasz na takiego faceta, który już prawie stał się łajdakiem, ale w ostatniej chwili coś go powstrzymało.

(„Mandarin's Jade", listopad 1937)

Utrata stanowiska, na którym pracował przez blisko trzynaście lat, była dla Chandlera wystarczająco dotkliwym sygnałem, że najwyższy już czas powstrzymać proces samozniszczenia. Zostawiwszy Cissy, udał się do Seattle, gdzie przez dwa miesiące przebywał w towarzystwie swych przyjaciół z wojska i nawet zdołał odstawić kieliszek. Gdy jednak dowiedział się, że Cissy znowu zachorowała na zapalenie płuc, wrócił do Los Angeles.

Choć nie miał ani posady, ani majątku, a w trzydziestym drugim roku także i szybkich widoków na jedno bądź drugie, Cissy po wyzdrowieniu zgodziła się przyjąć go z powrotem.

Chandler znajdował się w takim stanie psychicznym, który wprawdzie uniemożliwiał mu rozglądanie się za nową pracą, ale zarazem pozwalał mu już zdawać sobie w jakiejś mierze sprawę ze swego alkoholizmu. Owe przebłyski świadomości, co zrobił z niego alkohol, odzwierciedlił w książkach, które już wkrótce zaczął pisać:

> Wszedłem do mego biura. Siadłem na obrotowym fotelu za biurkiem i zamyśliłem się. Porywisty wiatr wdzierał się przez okna, wnosił do pokoju sadze z gazowych palników kuchni sąsiedniego hotelu. Pomyślałem, że trzeba by wyjść i zjeść coś, że życie jest właściwie dość bezbarwne, że mógłbym wypić drinka, ale to prawdopodobnie nie przyda niczemu barw, zwłaszcza że picie w samotności i o tej porze nie będzie z pewnością zabawne[1].

Strach przed brakiem zabezpieczenia finansowego, który zawsze go prześladował i powstrzymywał go przed wystawnym stylem życia, gdy było go na to stać, teraz okazał się jego zbawieniem. Chociaż nie miał żadnego trwałego majątku, to jednak odłożone pieniądze starczały na to, aby przez jakiś czas mógł siebie i Cissy utrzymać.

Nie mając rodziców, braci czy kuzynów, którzy mogliby mu podać rękę w biedzie, Chandler zawsze pamiętał o tym, jak mało go dzieli od stoczenia się po równi pochyłej, zwłaszcza gdy zaczynał pić. W całym mieście nie było człowieka, do którego mógłby się zwrócić o pomoc czy choćby tylko o jakiś kąt do spania; Cissy nie miała własnych pieniędzy, a przyjaciół, na których Chandler mógł kiedyś liczyć, skutecznie sobie pozrażał[2].

Przez cały okres załamania, gdzieś tam, w tle jego myślenia czaiła się napawająca lękiem pewność, że gdyby wszystko się definitywnie zawaliło, jak już się zaczęło walić, to nie znajdzie nikogo, do kogo mógłby się zwrócić w poszukiwaniu ostatniej deski ratunku. O powrocie do Irlandii nie było raczej mowy, a co do Lloydów, to już wyczerpał zasoby ich szczodrości. Utrata pieniędzy, powie kiedyś, to najlepsza okazja, żeby się przekonać, kto jest twoim przyjacielem. W trzydziestym drugim roku czterdziestoczteroletni Chandler nie miał ani jednego.

Stanąwszy na nogi fizycznie, odczuł nagły przypływ pewności siebie i zarejestrował się w książce telefonicznej jako pisarz, opracował sobie bowiem plan, zgodnie z którym miałby się z Cissy przeprowadzić z centrum Los Angeles do Santa Monica, gdzie można było wynająć tańsze mieszkanie i żyć z tego, co pozostało, próbując równocześnie coś zarobić piórem. Dla czterdziestoparoletniego człowieka, który nigdy przedtem nie parał się beletrystyką, było to ryzykowne posunięcie, lecz Chandler był dobrej myśli, tym bardziej, że szybko wpadł na pomysł, jaki rodzaj pisarstwa uprawiać:

> Podczas samochodowych przejażdżek wzdłuż wybrzeża Pacyfiku zacząłem czytać „papkowe" czasopisma, bo były wystarczająco tanie, żeby je po lekturze wyrzucić, a poza tym nigdy nie gustowałem w pismach określanych jako kobiece magazyny, ani też nie miałem na to czasu. Był to okres wielkiej popularności „Czarnej Maski" [magazynu poświęconego papce kryminalnej] i nagle uderzyło mnie to, że choć zamieszczane tam kawałki odznaczały się stylem dalekim od wyszukanego, to trafiały się pośród nich i takie, które robiły wrażenie siłą swego wyrazu i pewną pisarską uczciwością. Doszedłem do wniosku, że zajęcie się tego rodzaju prozą może być dobrą szkołą pisania, a zarazem źródłem

jakichś tam niewielkich zarobków. Poświęciłem pięć miesięcy na napisanie kilkudziesięciostronicowej nowelki i sprzedałem ją za sto osiemdziesiąt dolarów[3].

Chandler postanowił potraktować pisanie beletrystyki w sposób bardziej metodyczny, aniżeli niegdyś to czynił jako poeta. Wystarczająco już nauczył się kalkulować, a także być cierpliwym, aby wiedzieć, że choćby nie wiadomo jaki miał talent, to musi opanować warsztatowe tajniki pisarstwa, aby móc jego owoce sprzedawać. Tak samo więc jak w przeszłości, gdy chodziło o rachunkowość, zapisał się na odpowiedni wieczorowy kurs i zaopatrzył się w podręczniki. Kurs ten nosił nazwę „Pisanie opowiadań 52AB". Chandler ukończył go ze stopniem A, który otrzymał za ten oto opis buntu na statku:

Jednooki Mellow zerknął na obszycia, kiedyś z pewnością złote, które zdobiły boki jego rękawów. Uśmiechnął się chytrze, a jego ręka powędrowała świetnie znanym jego ludziom ruchem ku pistoletowi zatkniętemu za opasującą go szarfę. Gdy już bez emocji i bez pośpiechu wydobył go zza fałd szerokiego pasa brudnego jedwabiu, mały czarniawy majtek wykonał nagły, lecz niezwykle zręczny ruch. Jednooki Mellow raptownie zwrócił spojrzenie ku swemu ramieniu i ujrzał, że jego pistolet zwisa z ostrza cienkiego sztyletu, które przemknęło przez osłonę spustu.
– Bardzo ładnie – powiedział wreszcie przeciągle, gdy cisza zaczęła się już zdawać nie do zniesienia. – Doprawdy świetna robota!
Jabłko Adama poruszało się niespokojnie pod skórą jego chudej szyi. Czarniawy majtek przesunął się na drugą stronę stołu i wyrwał ze ściany swój sztylet.
– Zdaje się, że to pański pistolet, kapitanie – rzucił ironicznie modulowanym tonem, po czym uprzejmym gestem zwrócił broń właścicielowi.
– Dzięki ci, mój człeku – powiedział Mellow z lekka zmęczonym głosem [4].

Chandler uważał, że proza stawia o wiele większe wymagania niż poezja, toteż przyłożył się do pracy nad opanowaniem sztuki kreślenia poszczególnych scen. Nie potrafiłem zdjąć mu kapelusza – powiedział po jednym z pisarskich ćwiczeń. W przyszłości miał obliczać, że dwa do trzech lat zajęło mu nabycie umiejętności takiego opisania momentu, w którym bohater wychodzi z pokoju, aby sprawiało ono przekonywające wrażenie; jeszcze więcej czasu upłynęło, nim nauczył się radzić sobie ze sceną, w której występowały więcej niż dwie postaci. Pisanie zmuszało też do dyscypliny, która bardzo odpowiadała alkoholikowi na odwyku, a jednocześnie coraz bardziej fascynowała go mechanika tworzenia literackiej fikcji.

Eksperymentował nawet z techniką pisania na maszynie: zaczął używać wąskich kartek żółtego papieru, który wkładał do maszyny w taki sposób, że dłuższa krawędź była równoległa do wałka. Dawało to w rezultacie stroniczki o rozmiarach zbliżonych do kieszonkowego formatu książki ułożonej bokiem, a na każdej z nich mieściło się zaledwie od dwunastu do piętnastu linijek. Odkrył, że zmuszało go to do wynajdywania na każdej poszczególnej stroniczce jakiejś szczególnej sztuczki, która ułatwiłaby ciekawy obraz, dobry opis lub jakiś dowcipny zwrot. Miał ów sposób tę jeszcze zaletę, że łatwiej było się na nowo zabierać do poprawiania tej samej strony, nawet gdyby kartka była już prawie do końca zapełniona.

Taka technika pisania zmuszała go do dyscypliny, która odpowiadała zasobom utworów, opierających się głównie na dialogach, czego domagały się masowe magazyny, a przy tym bardziej przypominała scenopisarstwo filmowe niż typową prozę. Chandler na zawsze pozostał jej wierny, podobnie jak zasadzie, że nie będzie próbował poprawiać sceny, która go nie zadowala, lecz zacznie pisać ją od nowa.

Kupił sobie notatnik adresowy w kieszonkowym formacie i zapisywał w nim (w porządku alfabetycznym) nazwiska i imiona postaci, w miarę jak mu przychodziły do głowy, uważał je bowiem za równie ważne jak tytuł, a jedno i drugie traktował jako czynnik kluczowy dla jakości utworu. Toteż w innym notesie kolekcjonował pomysły tytułów, wielu z nich w przyszłości użył, wśrod nigdy niewykorzystanych były np. „Guys With Guns" (Faceci z pukawkami), „The Black-Eyed Blonde" (Blondynka z podbitym okiem), „Party Before Danger" (Prywatka, po której przyjdzie strach), „Twenty Inches of Monkey" (Dwadzieścia cali małpy), „Tough On Woman" (Twardy wobec kobiet), „All Guns Are Loaded" (We wszystkich lufach są naboje), „Party Girl" (Prywatkowa dziewczyna)[5].

W tym samym notesie Chandler zapisywał pojedyncze celne zdania, które zasłyszał i postanowił zachować do przyszłego użytku: „Jeśli stąd nie wyjdziesz, to znajdę kogoś, kto to zrobi za ciebie"; „Do widzenia, żegnam, za nic nie chciałbym być tobą"; czy też „Wystrojony jak Filipińczyk na sobotni wieczór". Znalazł się wśród tych zasłyszanych powiedzonek nader wymowny opis kogoś, kogo dręczy pragnienie: „Chciał kupić coś słodkiego i lekkiego, o smaku, który w niczym by nie przypominał tego, co przez okno od wschodu wlewa się do kościoła".

Równie metodycznie zaczął Chandler gromadzić notki ze szczegółowymi opisami ubrań, które zobaczył albo o których przeczytał. Kolekcjonował także zasłyszane wyrażenia gwarowe, choć przypuszczał, że połowa slangu, który słyszało się na amerykańskiej ulicy, przejęta została właśnie z papkowej literatury i z filmu. Spośród wyrażeń, nie będących takim naśladownictwem, odnotował sobie między innymi „winogrono" i „węgorzowy sok" (alkohol), „warga" (adwokat), „pod szkłem" (w więzieniu) i „chicagowska błyskawica" (strzelanina). Założył też osobną rubrykę, do której wpisywał określenia używane przez policyjny Wydział Antynarkotykowy, np. „cecylia" (kokaina), „czerń" (opium), „radosny strzelec" (osoba zażywająca narkotyków tylko od czasu do czasu), „poławiacz pereł" (pomywacz restauracyjny) „mojo" i „mary" (morfina).

Systemowi zapisków nie podlegała tylko intryga opowieści; Chandler doszedł bowiem do wniosku, że najlepszy sposób, by podtrzymywać w czytelniku ciekawość, „jak to się skończy", to... samemu nie znać zakończenia.

Mimo kurczenia się finansowych zasobów, Chandler cierpliwie kontynuował swój pisarski trening w ostatnich miesiącach trzydziestego drugiego i na początku trzydziestego trzeciego roku. Zanim zabrał się do pisania własnych utworów z myślą o ich druku, pracował nad pastiszami opowiadań innych autorów. Brał na warsztat coś, co wzbudziło w nim podziw, po czym pisał rzecz na nowo, a następnie porównywał z oryginałem. Nauczył się w ten sposób wykrywać w swym pisaniu strukturalne słabości, jak również rozpoznawać niektóre ukryte zabiegi, jakie stosowali doświadczeni pisarze, czyniąc to w sposób niedostrzegalny dla czytelnika. Był to okres, w którym uważał Hemingwaya za największego żyjącego amerykańskiego pisarza, toteż i jego dzieło stało się przedmiotem pastiszu:

> Hank odłożył tubkę pasty do zębów i rozejrzał się wokół siebie. W górnej szufladzie, wbudowanej w ścianę komody, znalazł pomiędzy ręcznikami butelkę. Była to żytniówka. Velma nienawidziła nacierać się mocnym alkoholem. Miała wrażliwą skórę. Velma odczuwała nienawiść niemal wobec wszystkiego... Hank widział, jak jego twarz w lustrze faluje niby za cienką powłoką dymu. To była twarz nakreślona na szarym jedwabiu przez wyzbyte ze współczucia cienie. To już w ogóle nie była twarz.
> „Niech to diabli", powiedział. „Nie powinna była tego zrobić"[6].

Z chwilą podjęcia decyzji o zajęciu się historiami detektywistycznymi Chandler zaczął wypróbowywać swoją metodę na utworach uznanych przedstawicieli tego gatunku. Wziął na warsztat opowiadanie najpoczytniejszego w owym czasie autora i napisał je na nowo. Erle Stanley Gardner, który w przyszłości stanie się przyjacielem Chandlera i będzie z nim utrzymywał stałą korespondencję, miał za sobą karierę kalifornijskiego prawnika, a następnie pisarza, którego książki (bohaterem wielu z nich był Perry Mason) już wtedy rozeszły się w łącznej liczbie trzystu milionów egzemplarzy.

O rok młodszy od Chandlera, został niegdyś wyrzucony ze szkoły za uderzenie nauczyciela. Zdecydował się z czasem na studia prawnicze, w 1911 roku został członkiem kalifornijskiej palestry i wsławił się jako adwokat pewną obrończą sztuczką: nakłonił kilku Chińczyków, aby zamienili się tożsamościami, dzięki czemu udało mu się doprowadzić głównego świadka oskarżenia do sprzecznych zeznań.

Zaniechał adwokatury w trzydziestym trzecim roku, by odtąd całkowicie poświęcić się pisaniu, a był tak płodny, że jedną ze swych książek napisał – przy użyciu dyktafonu – w ciągu trzech dni. W porównaniu z przyszłymi powieściami Chandlera, z Marlowe'em jako bohaterem, to utwory Gardnera były konwencjonalne, suche i wydumane, ale sztukę wymyślania intrygi i struktury swych dzieł ten autor opanował do perfekcji. Napisanie książki zajmowało mu zwykle trzy tygodnie, toteż, umierając w 1970 roku, miał w swym dorobku około stu pięćdziesięciu książek.

Wprawdzie większy wpływ na detektywistyczną twórczość Chandlera mieli potem inni autorzy, ale to u Gardnera pobierał on niejako pierwsze lekcje pisarskiej techniki. Uznał swój dług wobec niego w liście napisanym w 1939 roku:

> Pisania krótkich historyjek uczyłem się na jednej z pańskich nowelek. Opowiadała ona o niejakim Reksie Kane, który był alter ego Eda Jenkinsa i w pewnym domu na wzgórzu Hollywood zadał się z efektowną damą, która stała na czele jakieś organizacji na rzecz walki z szantażem. Nie może pan pamiętać tego opowiadania. Pewnie zachowało się w pańskim archiwum pod numerem 54276-84. Ja w każdym razie przygotowałem dokładne jego streszczenie, potem je rozszerzyłem, rozszerzyłem jeszcze bardziej, i tak dalej. Wyszło mi to całkiem nieźle[7].

*

Chandler pragnął zarabiać swoim pisaniem, ale jednocześnie niewątpliwie fascynowały go detektywistyczne utwory takich autorów, jak

Dashiell Hammett czy Gardner. Dzięki amerykańskim przedstawicielom tego gatunku wyzbył się układnej grzeczności nabytej od autorów angielskich[8]. Dało to w rezultacie nowy, odznaczający się pewną twardością i bezwzględnością podgatunek, który z miejsca zdobył sobie popularność. Podgatunek ten znalazł sobie zarazem nową formę prezentacji i masowego odbiorcę w magazynie „Czarna Maska".

„Czarną Maskę" w 1929 roku założyło dwóch nowojorskich krytyków, chcąc dzięki niej utrzymać przy życiu prestiżowy periodyk literacki „Smart Set", którego najsłynniejszym współpracownikiem był Scott Fitzgerald.

To wzajemne powiązanie dwóch wydawnictw miało w odniesieniu do Chandlera pewien ironiczny wydźwięk: oto „Czarna Maska", dla której zamierzał pisywać, subsydiowała pismo literackie będące odpowiednikiem londyńskich magazynów, w których zamieszczał swoje utwory jako przedwcześnie rozkwitły dwudziestolatek. „Smart Set" miał w podtytule: „A Magazine of Cleverness", co można by przetłumaczyć jako „Magazyn dla ludzi bystrego umysłu", czyli rodzaj literatury przez Chandlera obecnie zarzuconej.

> Zdarzały mi się chwile, gdy ulegałem bezproduktywnej chęci wyjaśniania każdemu, kto tylko zechciał mnie słuchać, dlaczego nudzi mnie to całe intelektualizowanie. Aby to jednak wytłumaczyć, trzeba się samemu posługiwać językiem intelektualistów. A to już zupełna bzdura [...] Myślenie w kategoriach idei niszczy zdolność myślenia w kategoriach emocji i wzruszeń[9].

Prozie nacechowanej przez „twardość" Chandler przyznawał walor „szczerości", której nie miał Arthur Conan Doyle ani jemu współcześni twórcy intelektualnej beletrystyki. Nie posunął się jednak aż do tego, by twierdzić, że gdyby Szekspir ożył, to pisałby dla „Czarnej Maski", ale stwierdził później, że wielki dramaturg pracowałby dla Hollywood. Chandler szczerze natomiast wierzył, że autorzy prozy detektywistycznej, nie przeceniając wartości tej literatury, mieli możliwość niczym nieskrępowanego pisarstwa na najwyższym poziomie tego gatunku. Doszedł do wniosku, że w epoce, w której sztuka nie była już zdolna do podejmowania najwspanialszego tradycyjnego tematu, jaki stanowiła miłość, było to jedyne możliwe do uczciwego zagospodarowania terytorium literackie:

Historie miłosne i historie detektywistyczne nie mogą współegzystować nie tylko w tej samej książce, ale rzekłbym nawet, że i w tej samej kulturze. Otwartość i bezpośredniość nowoczesnego świata definitywnie uśmierciła romantyczne marzenia, którymi karmiła się miłość [...] Do opisywania nie zostało już nic poza śmiercią, a powieść detektywistyczna to tragedia, która się dobrze kończy[10].

„Czarna Maska" została wprowadzona w kwietniu 1920 roku na rynek przez H.L. Menckena i George'a Jeana Nathana, po finansowym sukcesie odniesionym uprzednio przez inną maszynkę do robienia pieniędzy, pod tytułem „Paryżanka", po której z kolei ukazał się, pochodzący z tej samej stajni, magazyn erotyczny pod nazwą „Opowieści Pikantne".

Mencken był znanym krytykiem literackim, od czasu do czasu imającym się poezji, Nathan zaś specjalizował się w krytyce teatralnej; ich niezmienną ambicją było utrzymać przy życiu „Smart Set". Początkowo zamierzali rzucić na rynek po „Opowieściach Pikantnych" magazyn w całości przeznaczony dla czytelników społeczności murzyńskiej, zrezygnowali jednak z tego zamiaru na korzyść „Czarnej Maski".

Było to przedsięwzięcie, w odróżnieniu od magazynu „Smart Set", czysto komercyjne, a jego pierwszy numer nie był nawet wypełniony wyłącznie „kryminałkami". Nie ukrywając zamiaru podbicia jak największej rzeszy czytelników, „Czarna Maska" oferowała początkowo „pięć magazynów w jednym: wybór najlepszych opowiadań przygodowych, najlepszych opowiadań tajemniczych i detektywistycznych, najlepszych romansów, najlepszych historii miłosnych i najlepszych opowieści ze świata okultystycznego". Na nielicznych stronicach poświęconych opowiadaniom detektywistycznym nie znalazło się nic, co zwracałoby na siebie szczególną uwagę; były to jedna w drugą zagadki kryminalne wzorowane na tego rodzaju opowieściach angielskich. Niektóre spośród tych wczesnych publikacji zgoła przypominały parodie:

– Mój drogi inspektorze – zaprotestował Profesor. – Nie spodziewa się pan zapewne, bym uwierzył, że zwykła małpa...

– Ta małpa przyprawiła Madame La Tournette o atak absolutnej histerii – nie ustępował inspektor Donaldson. – Przed piętnastoma laty, podczas myśliwskiej wyprawy do Afryki, jej małżonek poniósł śmierć w uścisku łap potężnego goryla...[11]

Chociaż wczesne wydania „Czarnej Maski" odznaczały się kiepską jakością, Menckenowi i Nathanowi szybko się zwróciła wstępna inwestycja w wysokości pięciuset dolarów. Gdy pierwszych osiem numerów zyskało sobie powodzenie, sprzedali magazyn jego wydawcom za dwanaście i pół tysiąca. Po ich odejściu „Czarna Maska" przeszła we władanie reprezentantów szkoły twórców „twardych" kryminałów, którym przewodził nowy redaktor, „Cap" Joseph Shaw.

Shaw, typowy dżentelmen ze Wschodniego Wybrzeża i szermierczy mistrz Ameryki, był nieudanym pisarzem przygodowym, gdy w dwudziestym szóstym roku powierzono mu redagowanie „Czarnej Maski". Do tego czasu służył w Europie w armii amerykańskiej, będąc jednym z oficerów czuwających nad wdrożeniem w życie postanowień wersalskiego traktatu pokojowego. Dzięki znajomościom, jakie miał w Nowym Jorku, dostała mu się posada szefa magazynu, o którego istnieniu nie miał nawet przedtem pojęcia. Mimo to ów ekszołnierz stanu wolnego podszedł do swych obowiązków z energią godną człowieka idącego za głosem powołania. Jego redaktorski program opierał się na wymogu klarowności i wiarygodności drukowanych tekstów: „Zawsze przestrzegamy założenia, że dobra historia jest dobra, bez względu na to, jak sławny jest jej autor i przy pomocy jakiego medium została zaprezentowana. Jest takie powiedzenie, że jeśli tylko się rozporządza odpowiednim materiałem, to wszędzie można skonstruować dobrą pułapkę".

We wspomnieniach Lestera Denta, który pracował dla „Czarnej Maski" w tym samym czasie co Chandler, sposób, w jaki Shaw kierował redakcją, zdumiewająco przypominał metody, którymi posługiwał się Gilkes, stojąc na czele Dulwich:

> Cap bardzo grzecznie obchodził się ze swoimi autorami. Gdy się poszło do „Czarnej Maski" i porozmawiało z nim, człowiek zaraz nabierał poczucia własnej wartości i utwierdzał się w przekonaniu, że to, co pisze, to mocna literatura. Cap dawał swoim pisarzom siłę. Był w stanie tego dokonać, ponieważ sam był absolutnie przekonany, że ją mają [...] Stanowił uosobienie angielskiej kultury. Biła przy tym od niego taka szczerość, że zdawałoby się, iż kultura ta była jego duchowym odzieniem [...] Oto więc człowiek wielkiej kultury redagujący papkę [...] człowiek, który potrafił natchnąć pisarza swą godnością. Cap uważał, że za mało się przykładam do papki [...] używał swego pejcza w przedziwnie delikatny sposób. Potrafił zacząć rozmowę z pisarzem od pochwał pod jego adresem i nagle –

nim się delikwent zorientował – już widziałeś jakiegoś Hammetta lub Chandlera z kopiowym ołówkiem gotowym do spełnienia grzecznej prośby szefa: „Gdyby pan tak zechciał troszeczkę gdzieś skrócić. Wystarczyłoby parę słów". Tymczasem, rzecz jasna, w mniemaniu autora jego tekst był już całkowicie „odtłuszczony" ze zbędnych słów. Nic już nie było do wycięcia. Każde słowo musiało zachować swoje miejsce[12].

Shaw często pisywał wstępniaki, w których podejmował takie tematy, jak funkcjonowanie ławy przysięgłych bądź kontrola sprzedaży broni. Głęboko wierzył w moralną odpowiedzialność, jaka spoczywa na literaturze kryminalnej, zwłaszcza zaś był przekonany, że gatunek ten mógłby upowszechnić ideał sprawiedliwości na amerykańskich ulicach, na których coraz bardziej szerzyło się bezprawie; mógłby on ukazywać przestępców jako pozbawionych moralnego kośćca łajdaków, którymi w istocie byli, a zarazem przywracać siłom publicznego ładu i porządku nadwątlone dobre imię.

Powodem, dla którego stróże prawa w tak wielu publikowanych w „Czarnej Masce" tekstach są prywatnymi detektywami, a nie policjantami, była w dużej mierze narastająca w społeczeństwie nieufność wobec policji. Zalew artykułów prasowych demaskujących skorumpowanie i nieskuteczność amerykańskiej policji w epoce prohibicji skłonił wielu autorów „Czarnej Maski" do kreowania alternatywnych obrońców prawa.

Shaw systematycznie atakował w swoich artykułach wstępnych amerykański wymiar sprawiedliwości oraz policję. Jednakże amerykańscy prywatni detektywi też nie zawsze cieszyli się dobrą opinią; poza tym, że przylepiano im etykietkę „podglądaczy", dali się w latach dwudziestych niesławnie poznać jako łamistrajki: wkradali się w środowiska robotnicze, by za pieniądze fabrykantów wykonywać krecią robotę. Przemawiało za nimi tylko jedno: podejmując detektywistyczną działalność nie byli zobowiązani do składania przysięgi, a więc nie można im było przynajmniej zarzucić hipokryzji.

Bywało zresztą, że zdobywali się na czyny zgoła heroiczne, jak to się zdarzyło w kilku znanych przypadkach. Allan Pinkerton, na przykład, Szkot, który założył pierwszą w Ameryce prywatną agencję detektywistyczną, tak się odznaczył, kładąc w krótkim czasie kres serii rabunkowych napadów na pociągi, że podczas wojny secesyjnej prezydent Lincoln postawił go na czele tajnych służb Unii. Struktura i metody działania FBI, powołanego do życia w latach dwudziestych, oparte zostały na zasadach wypracowanych właśnie przez

Pinkertona. Wprawdzie na krótko przed śmiercią w 1884 roku wsławił się on dla odmiany jako najemny łamistrajk w przemyśle węglowym, niemniej jednak był postacią wystarczająco godną naśladowania, aby niejako patronować przeprowadzanej na łamach „Czarnej Maski" pisarskiej zamianie policjanta i szeryfa na prywatnego detektywa.

Choć to Cap Shaw najbardziej zasłużył się w dziele kultywowania realistycznej prozy detektywistycznej podczas swego dziesięcioletniego panowania w „Czarnej Masce", to nie jemu jednak przypadła palma pierwszeństwa w historii tego nowego typu pisarstwa. Zanim jeszcze zaczął redagować ten magazyn, piętnastego maja 1923 roku ukazał się w nim tekst uważany za pierwsze „twarde" opowiadanie detektywistyczne: „Three Gun Terry", autorstwa Carrolla Johna Daly'ego:

> Mam małe biuro z umocowaną na drzwiach tabliczką „Terry Mack, Prywatny Detektyw"; oznacza to wszystko, co tylko może ci przyjść do głowy. Nie jestem oszustem ani nie jestem tajniakiem; na mój własny sposób gram uczciwie[13].

Po Terrym Macku, Daly stworzył postać detektywa nazwiskiem Race Williams, i dopiero ten właśnie skłonny do gwałtownych czynów i cynicznych żartów osobnik stał się faktycznym prototypem prywatnego łapsa twardziela.

Od tej pory w tekstach drukowanych w „Czarnej Masce" coraz więcej było przemocy, styl nabierał coraz większej surowości i twardości, dialogi stawały się coraz posępniejsze, dowcip zaś coraz bardziej porażał swą suchą zwięzłością: „Mój pocisk trafił pod właściwy adres", czytamy w jednym z kolejnych opowiadań Daly'ego. „Z bladością jego twarzy kontrastowała widniejąca w niej mała dziurka [...] Jeśli w piekle mieli jeszcze wolne miejsca, to podesłałem im kolejnego klienta".

Kiedy Shaw objął rządy, tego typu mało wyszukane, lecz z miejsca zyskujące sobie popularność kawałki uzyskały redaktorski priorytet. Pierwszy tydzień w fotelu szefa Cap poświęcił lekturze poprzednich wydań „Czarnej Maski". Doszedłszy do wniosku, że najlepszymi autorami byli ci, którzy pisali historie detektywistyczne, postanowił zrezygnować z większości pozostałych. Oprócz kryminałów drukował tylko westerny i literaturę przygodową, a i to jedynie dla zapełnienia wolnego miejsca, dopóki nie znalazł nowych talentów w wiodącej dziedzinie.

W roku dwudziestym siódmym napisał artykuł wstępny, w którym zarysował swoje plany co do przyszłości „Czarnej Maski": „literatura detektywistyczna w naszym przekonaniu dopiero zaczyna się rozwijać [...] wszystkie inne gatunki zostały już wyeksploatowane, [podczas gdy ten] zaledwie został napoczęty".

W innym wstępniaku, opublikowanym w tym samym wydaniu z roku trzydziestego trzeciego, w którym zadebiutował Chandler, Shaw napisał, że chce, aby ranne postaci krwawiły: „tak, żeby się czuło, że cierpią"[14]. Następnie przystąpił do omawiania zawartości numeru, zachęcając do lektury debiutanckiego dzieła Chandlera zatytułowanego „Blackmailers Don't Shoot" („Szantażyści nie strzelają"): „Prywatny łaps prosto z Chin dowiaduje się, jak u nas na Wybrzeżu rozgrywa się wielką grę".

W owym czasie, a był to grudzień trzydziestego trzeciego roku, magazyn publikował już wyłącznie historie kryminalne, a jego nakład wzrósł od sześćdziesięciu sześciu tysięcy w momencie, gdy objął go Shaw, do stu trzech tysięcy, przy cenie dwudziestu centów za egzemplarz.

Głównym źródłem inspiracji dla redaktora, dla Chandlera i dla entuzjastów, którzy kupowali „Czarną Maskę" w nowej formie, był wówczas Dashiell Hammett. Wydaje się, że to on jako pierwszy zdał sobie sprawę z pełni możliwości, jakie stwarza proza detektywistyczna z „twardzielem" w roli głównego bohatera, poza siłą przyciągania, jaką nieodmiennie odznaczała się każda strzelanina.

Hammett, samouk w sztuce pisania, był niegdyś detektywem Pinkertona i miał jedyne w swoim rodzaju kwalifikacje, by kreślić trójwymiarowe sylwetki swoich bohaterów, do czego inni autorzy „twardych" opowieści nie byli zdolni. Był królem tego gatunku; dopóki w trzydziestym roku nadmiar wypitego alkoholu nie wyeliminował go z konkurencji, seria jego opowiadań drukowanych w „Czarnej Masce" pod tytułem „Continental Op" była ulubionym kąskiem zarówno czytelników, jak i redaktorów oraz współpracowników magazynu. Gdy pod koniec lat dwudziestych zagroził, że zerwie współpracę, jeśli nie będzie lepiej opłacany, Erle Stanley Gardner zaoferował swoje własne honoraria na rzecz wyższych stawek dla Hammetta.

Gdy Chandler przystąpił do pisania swego pierwszego krótkiego utworu, książki Hammetta zdobyły już sobie szeroki krąg czytelników, zarówno w Ameryce, jak i w Europie. Późniejszy laureat literackiej Nagrody Nobla, William Faulkner, był jego partnerem od kieliszka. Nawet ludzie, którzy zwykle nie czytali tego rodzaju książek, wiedzieli, kim jest Hammett. Z czasem przestawił się on z pisania dla „Czarnej Maski" na detektywistyczne powieściopisarstwo (jak np. „Sokół maltański"), publikowane w twardych okładkach przez cenionego nowojorskiego wydawcę Alfreda Knopfa.

Chandler nie cenił sobie zbytnio Hammeta, którego raz spotkał w Los Angeles na uroczystym obiedzie wydawanym przez redakcję „Czarnej Maski". Mimo całego szacunku dla niego, odczuwał swego rodzaju satysfakcję, że „choć to, co robi, robi znakomicie, to jednak jest wiele rzeczy, których by nie potrafił".

W trzydziestym trzecim, dzięki Hammettowi, literatura detektywistyczna cieszyła się wielką popularnością, on sam jednak był już zniszczonym przez alkohol wrakiem człowieka. W ostatnich miesiącach tego roku pracował nad swoją ostatnią, jak się miało okazać, powieścią „Thin Man"; w tym samym czasie Chandler pisał swoją pierwszą opowieść – i czuł, że jest gotów do przejęcia królewskiej korony „twardziela" literatury detektywistycznej.

*

Napisanie pierwszego w życiu prozatorskiego utworu zajęło mu pięć miesięcy, a przerabiał go pięć razy; ten rytm pracy już na samym początku pisarskiej kariery dawał pewne pojęcie o jego ambicji. Choć wielu twórców „Czarnej Maski" ukończyło college (Chandler i Hammett stanowili wyjątki), to jedynie nieliczni nie żałowali czasu, aby udoskonalać swój styl. Sporo było wśród nich takich, którzy posługiwali się aż trzema nawet pseudonimami, aby zarobić jak najwięcej, a niemal wszyscy pisywali równocześnie także dla innych magazynów.

W zróżnicowanej grupie byłych dziennikarzy, byłych prawników, byłych policjantów i nieudanych scenarzystów filmowych piszących dla „Czarnej Maski" – większość nie dbała o poziom swej twórczości. W środowisku autorów tego gatunku przyjęło się uważać, że aby się utrzymać, trzeba pisać milion słów rocznie. Mając takiego redaktora jak Cap Shaw, który wykreślał wszystko, co mu się nie spodobało, liczni współpracownicy magazynu nie tylko nie mieli czasu, ale także nie palili się do eksperymentowania z przyjętym raz na zawsze indywidualnym sposobem opowiadania swoich historii. To właśnie takie konsekwentne podejście do pisania sprawiało, że Erle Stanley Gardner był w stanie przedyktować sekretarce nową powieść o Perrym Masonie w ciągu zaledwie trzech tygodni. Inaczej na tym tle przedstawia się Chandler, któremu napisanie pierwszego opowiadania zabrało blisko pół roku.

Raymond Chandler po opuszczeniu Londynu mógł się wprawdzie utwierdzić w swych antyintelektualistycznych poglądach, teraz jednak musiał swej filozofii dowieść w praktyce. Jeśli chciał być wydrukowany i dostać za to pieniądze, musiał – najpierw i przede wszystkim – opowiedzieć interesującą historię. Każdy literacki ozdobnik przemycony pod czujnym ołówkiem Shawa był czymś w rodzaju swoistej premii, a jednak już pierwszy akapit jego debiutanckiego dzieła dowodzi, że Chandler nie zamierzał z takich premii rezygnować bez walki:

> Mężczyzna w popielatoniebieskim garniturze, który w światłach Klubu Bolivar przestał być popielatoniebieski, był wysokiego wzrostu, miał szeroko rozstawione szare oczy, cienki nos i kamienną szczękę. Jego usta miały w sobie coś zmysłowego. Czarne i kędzierzawe włosy tu i ówdzie rozjaśniała nieznaczna siwizna, jak gdyby dotknęła ich tam jakaś nieśmiała ręka. Ubranie leżało na nim tak, jak gdyby miało własną duszę, a nie tylko budzącą wątpliwości przeszłość. Tak się składało, że mężczyzna ten nazywał się Mallory.

Opowiadanie „Blackmailers Don't Shoot" („Szantażyści nie strzelają") – Chandler określi je w przyszłości jako „cholerne pozerstwo" – odznacza się intrygą nie do rozszyfrowania. Można je przeczytać kilka razy pod rząd i dalej nie rozumieć, o co w nim chodził. W jakiejś mierze winna temu była pewna arogancja demonstrowana przez autora: Chandler oponował przeciwko dokładnemu planowaniu zawiłości akcji, głównie dlatego, że jego zdaniem duch nowej realistycznej prozy detektywistycznej czynił intrygę zbędną. Uważał on, że tradycyjny angielski styl komplikowania zagadkowych historii przez nagłe zwroty w przebiegu akcji stanowi obrazę dla przyzwoitego pisarstwa, gdyż: „aby zaskoczyć osobą mordercy, musisz fałszować postaci [...] Jeśli ludzie chcą się bawić w takie gry, to ich sprawa. Ale, na miłość boską, nie mówmy o uczciwie opowiedzianych zagadkach kryminalnych, bo takie nie istnieją".

Rezygnując z powikłanej intrygi, Chandler chciał tworzyć wyraziste postaci typu melodramatycznego. W przypadku „Szantażystów" jednak chęć realizacji takiego założenia przyniosła taki sam skutek jak próba usadowienia się między dwoma stołkami. Intryga okazała się niezrozumiała, na to zaś, by stworzyć wyraziste i przekonywające postaci, które by tę wadę czytelnikowi wynagrodziły, Chandlerowi brakowało jeszcze pisarskich umiejętności.

Rzecz opowiada o hollywoodzkiej gwiazdce, Rhondzie Starr, którą ktoś szantażuje, oraz o Mallorym, prywatnym detektywie z Chicago, zaangażowanym do uporania się z tą sprawą. Z dziewięciu występujących w tej historii postaci siedem ginie, każda zaś – nim wyzionie ducha – pada ofiarą jakiegoś oszustwa lub zdrady, a co najmniej raz zostaje zdrowo pobita. Mallory i Rhonda Starr jako jedyni wychodzą z tego wszystkiego cało, przy czym na samym końcu klientka wyznaje detektywowi, że całą tę historię z szantażem po prostu zmyśliła, aby zyskać sobie rozgłos.

Opowieść ta mogłaby być klarowniejsza, gdyby detektyw był zarazem narratorem, ale Chandler napisał „Szantażystów" w trzeciej osobie. Pisząc dla „Czarnej Maski" będzie jeszcze eksperymentował z różnymi rodzajami narracji, zanim wreszcie zdecyduje się na „Ja", które w końcu stanie się jego znakiem firmowym. Nawet ów sławetny popielatoniebieski garnitur z pierwszego akapitu „Szantażystów" będzie lepiej dopasowany, gdy w pięć lat później bohater w nim wystąpi na samym początku „Głębokiego snu", pierwszej powieści Chandlera:

> Była połowa października, około jedenastej przed południem – pochmurny, typowy o tej porze roku dla podgórskiej miejscowości dzień, zapowiadający chłodny, siekący deszcz. Miałem na sobie jasnoniebieską koszulę, odpowiedni do tego krawat i chusteczkę w kieszonce marynarki, czarne spodnie i czarne wełniane skarpetki w niebieski rzucik. Byłem elegancki, czysty, świeżo ogolony, pełen spokoju i nie dbałem o to, jakie to robi wrażenie. Wyglądałem dokładnie tak, jak powinien wyglądać dobrze ubrany prywatny detektyw. Szedłem z wizytą do czterech milionów dolarów[15].

*

Gdy w 1933 Chandler przystępował do pracy nad swoim drugim utworem przeznaczonym dla „Czarnej Maski", oboje z Cissy wciąż jeszcze czerpali ze swych oszczędności. Zainkasowane za pięciomiesięczne pisanie „Szantażystów" sto osiemdziesiąt dolarów nawet w epoce depresji stanowiło zapłatę raczej symboliczną. Chandler, który u Dabneya zarabiał prawie trzy tysiące miesięcznie, nienawidził braku pieniędzy i nie przychodziło mu nawet do głowy godnie znosić biedę. Obca mu była teza, że pisarz im bardziej musi walczyć o swoją egzystencję, tym bardziej jest twórczy.

Tymczasem znajdowali się z Cissy na granicy przeżycia i przyprawiało go to o wściekłość. W swoim notesie zapisał cytat z przeczytanej właśnie książki Normana Douglasa „South Wind" („Wiatr z południa"). Fragment ten oddawał jego własny pogląd na domniemaną „czystość", jakiej bieda przydaje artyście:

> Człowiek biedny bezustannie sobie czegoś odmawia. Jego ludzkie instynkty, jego pragnienie elegancji, wszystko, jedno po drugim, pada ofiarą niezaspokojenia, spowodowanego ciągłym ciśnieniem okoliczności. Przestają cokolwiek dla niego znaczyć różnorodne uroki życia. Aby się podtrzymać na duchu, ustawia przewrotne armaty zła i dobra. Cokolwiek robi ktoś bogaty, jest złe. Dlaczego? Ponieważ ON tego nie robi. A dlaczego? Ponieważ nie ma na to pieniędzy. Biedny (i czysty) człowiek zmuszony jest zachowywać wobec życia postawę hiperkrytyczną i nie jest w stanie być intelektualnie uczciwy. Nie może zapłacić za niezbędne doświadczenia[16].

Chandler twierdził, że zdarzyło mu się kiedyś przeżyć pięć dni o jednym talerzu zupy. „Nigdy nie spałem w parku – opowiadał – ale cholernie mało do tego brakowało [...] nie zabiło mnie to, ale też i nie spotęgowało uczucia miłości do ludzi".

Samoograniczanie się dla kogoś, kto właśnie przeszedł bolesny proces wychodzenia z alkoholowego nałogu, było rzeczą nieomal naturalną. Pozostawało jednak poczucie winy, jakie pociągała za sobą niemożność zapewnienia przyzwoitej egzystencji żonie, oraz niemiła świadomość, że również samego siebie wpędził w takie położenie.

Cierpliwość i miłość, jakie mu w owym czasie okazywała Cissy, sprawiły, że na zawsze pozyskała sobie jego niezmierny szacunek. Życie na uboczu, jakie prowadzili, mieszkając w Santa Monica, sprawiło, że Chandlerowie stali się nierozłączni i na nowo się w sobie zakochali. W październiku trzydziestego piątego roku Raymond napisał wiersz zatytułowany „Improwizacja dla Cissy":

> Ty, która mi ofiarowałaś noc i poranek,
> (A cóż ja tobie dałem?)
> Chude lata przemykające po krawędzi zmierzchu,
> Sposępniałe od wspomnień, pełne dziur po cierpieniach...
>
> To właśnie jest miłość, to właśnie jest miłość.
> Gdzie zaś jest miłość, jak może rozpacz tam bywać?[17]

Zdecydowany poświęcić się swemu nowemu powołaniu, Chandler nie zamierzał szukać stałej pracy, zwłaszcza że kryzys zaczął w tym czasie łagodnieć. Kontynuował pracę pisarską, a jego opowiadania stawały się coraz lepsze. Osiem miesięcy po „Szantażystach" opublikowana została „Czysta robota" („Smart Aleck Kill") z prywatnym detektywem Johnnym Dalmasem w roli głównej, jak również z dodatkowymi atrakcjami, jak losowanie rewolwerów zabawek.

> Wyjął magazynek, wyrzucił łuskę z komory i wcisnął ją do magazynka. Dwoma palcami lewej ręki przytrzymał lufę, odwiódł kurek, przekręcił blokadę zamka i rozłożył broń. Podszedł z kolbą do okna[18].

Już w tym drugim utworze Chandlera wyraźnie zaczął dawać o sobie znać przyszły, łatwo rozpoznawalny styl jego prozy. Pisarz doszedł do przekonania, że choć czytelnikom wydaje się, że pragną wciągającej akcji, to tak naprawdę czekają nie na to, by ktoś zginął, „lecz aby w chwili śmierci jeszcze próbował chwycić spinacz do papieru leżący na wypolerowanej powierzchni biurka"[19].

Czytelnik oczekiwał, aby opowiadanie było napisane dowcipnie, toteż w „Czystej robocie" już widać przebłyski specyficznego chandlerowskiego poczucia humoru. W nocnym klubie Carliego pracuje odźwierny, który „dał już nawet spokój udawaniu, że jest zainteresowany tym, kto wchodzi". W hallu innego klubu pewien pijaczek wita Johnny'ego Dalmasa słowami: „Są już wszyscy oprócz kocura Papieża. Ale jest oczekiwany". Ta historia również kończy się z cicha pęk; to także stanie się w przyszłości znakiem firmowym Chandlera. Zanim Dalmas zdołał rozwiązać zagadkę, naraził się po drodze niemal wszystkim policjantom w Los Angeles. Na końcu jednak zostaje mu to wybaczone i z kapitanem Cathcartem zasiada do drinka. Za co pijemy? – pyta kapitan. Po prostu pijmy – mówi Dalmas.

W październiku trzydziestego czwartego roku ukazuje się trzecia z kolei, a pierwsza godna uwagi pozycje Chandlera. Nosiła ona tytuł „Finger Man", pisana była w pierwszej osobie i w twórczości pisarza stanowiła pewien przełom. Już w poprzednich dwóch utworach udało mu się wprowadzić coś swoiście własnego, tym razem jednak zademonstrował rzecz naprawdę odmienną i uczynił to ze sporą dozą śmiałości[20].

Opowiadanie rozpoczyna się typowo po chandlerowsku: „Jak na wtorek było całkiem tłumnie, ale nikt nie tańczył". Jego postaci nie są już tak sztuczne i dwuwymiarowe jak dotychczas, zwłaszcza główna bohaterka, panna Glenn, która „była cokolwiek bardziej niż ładna i cokolwiek mniej niż piękna". Jego obrazowanie także zyskało na dosadności. Obietnicę złożoną przez jedną z postaci określił jako „cieńszą niż warstewka złota na obrączce, która służy do weekendowych ślubów". Zwalniając nieco tempo akcji i stosując narrację w pierwszej osobie, Chandler odnajdywał swój własny rytm:

> Przyrządziłem sobie drinka, wypiłem połowę i zdałem sobie sprawę, że zanadto ją w sobie czuję. Nałożyłem kapelusz, zmieniłem zdanie co do drugiej połowy, zszedłem do samochodu[21].

Chandler, zanim postanowił przyśpieszyć tempo, by zarabiać jakieś sumy choćby zbliżone do życiowego minimum, utrzymywał stały rytm pracy, w wyniku którego Shaw dostawał od niego zaledwie dwa utwory rocznie. Mimo to, a raczej pewnie dzięki temu, jego pisarska ranga w kręgu „Czarnej Maski" w okresie 1934–35 szybko rosła. W każdym wydaniu magazynu ukazywało się pięć lub sześć nowych opowiadań, z których jedno reklamowane było ilustracją na krzykliwej okładce. Shaw był pod takim wrażeniem Chandlera, że, począwszy od „Finger Mana", każde jego opowiadanie było tak właśnie honorowane, a jego nadejście witano w biurze Capa na Madison Avenue jako główną pozycję następnej kampanii reklamowej.

W miarę jak przybywało opowiadań Chandlera, pojawiało się w nich coraz to więcej zwracających na siebie uwagę postaci. Niektóre z nich – jak dwaj gliniarze z Los Angeles, Violets M'Gee i Bernie Ohls – powracali w kilku różnych utworach. W innych przypadkach powtarzały się typy ludzkie: a to bogaty gangster, nieodmiennie wyglądający „jak wykidajło, który doszedł do pieniędzy"; a to dzielna dziewczyna, która wpadła w tarapaty („Jesteś załatwiona i po kolana wessana przez nicość, dziecinko"); a to znów przyzwoity facet, który znalazł się nie na swoim miejscu, trafiwszy do miasta cieszącego się złą opinią („Była to wielka, przystojna bestia z krowimi oczyma, w których dostrzegało się coś niewinnego i uczciwego").

W utworach Chandlera bohaterowie, którzy odznaczają się przyzwoitością i uczciwością, niemal zawsze mocno nadużywają alkoholu. Jednym z powracających typów osobniczych jest chudy kryminalista nieudacznik, który ciągle stara się „wspiąć na werandę", usiłując na własną rękę wykonać jakiś wielki numer, lecz za każdym razem tyle mu tylko z tego przychodzi, że ścigają go zarówno gliniarze, jak i ciemne typy.

Chandler stworzył także inne postaci, które szybko stały się znane jego pierwszym miłośnikom. Hotelowy nocny portier, który położył krzyżyk na swoim życiu; młoda sprzedawczyni papierosów, która flirtując z głównym bohaterem, udaje, że jest znudzona swoim zajęciem; ponad miarę zwalisty „żołnierz" mafii, którego cieszy każdy „dzień roboczy"; sypiący jak z rękawa cynicznymi żartami taksówkarz, którego nic już nie szokuje; zdradliwy psychiatra szarlatan; żigolak szukający śmierci; zmęczony życiem reporter prasowy; wdowa, która się rozpiła; milioner cierpiący na paranoję; żona milionera; no i niezawodnie – podły gliniarz.

Na wszystkie te typy ludzkie złożyły się zarówno własne doświadczenia autora z życia w Los Angeles, jak i wzorce zaczerpnięte z papki literackiej. Chandler doszedł do wniosku, że kiedy się pisze dla „Czarnej Maski", to nie ma czasu, by się zbytnio rozwodzić nad charakterystyką postaci; każda z nich winna być od chwili pojawienia się barwna i bez trudu rozpoznawalna, a także musi demonstrować cechy melodramatyczne.

Chandler nigdy nie przepuścił okazji wprowadzenia do opowieści tego rodzaju pewnej niezbyt związanej z akcją sceny, jeśli tylko dawała mu ona szansę twórczego rozbudowania jakiejś drugorzędnej postaci. Jako przykład podać można nowelę „Kłopoty to moja specjalność", napisaną w trzydziestym dziewiątym roku. W pewnym momencie detektyw próbuje się z kimś połączyć telefonicznie. Choć osoba ta nie ma dla opowieści żadnego znaczenia, to jednak dowiadujemy się, że „głos w słuchawce należał do grubego mężczyzny, słychać w nim było ciche sapanie, jakby człowiek ten wygrał właśnie konkurs jedzenia ciastek"[22].

W innej znów historii detektyw rusza na poszukiwanie drobnego wyłudzacza okupów nazwiskiem Lou Lid. Zaczyna od baru, w którym Lid miał zwyczaj często przesiadywać. Bar ten, podobnie jak ów zjadacz ciastek odbierający telefon, jest dla Chandlera jedynie pretekstem do wzbogacenia atmosfery; więcej się już w opowieści nie pojawi.

W odróżnieniu od innych autorów „Czarnej Maski", którzy niejako tylko z obowiązku i przy tym zdawkowo odnotowywali miejsca, w których działa się opisywana przez nich historia, Chandler i jego detektywi z wczesnego okresu papkowej twórczości dostrzegali każdy szczegół. Jak powiedział kiedyś Capowi, to co go interesowało, to była raczej atmosfera niż przebieg opowiadanej historii.

> Barman zabawiał się mechaniczną grą za pieniądze firmy, a mężczyzna w brązowym kapeluszu, zsuniętym na tył głowy, czytał jakiś list. Na lustrze za barem widniał wymalowany białą farbą cennik.
> Sam bar był całkiem zwyczajnym solidnym drewnianym kontuarem, a po obu jego końcach wisiały colty czterdziestkiczwórki w mocno podniszczonych tanich olstrach, jakich żaden rewolwerowiec nigdy by sobie nie przypiął. Na ścianach wisiały zadrukowane kartoniki, które informowały, że nie warto nawet prosić o kredyt, a także doradzały, czym najlepiej likwidować kaca oraz alkoholowy oddech; były także fotosy z kilkoma parami całkiem niezłych nóg.
> Ten lokal nie wyglądał nawet na to, żeby mógł zapewnić zwrot kosztów.
> Barman dał spokój maszynie i udał się na swoje miejsce za kontuarem. Był po pięćdziesiątce i miał kwaśną minę. Mankiety jego spodni były postrzępione, a poruszał, się jakby miał odciski. Facet na stołku nie przestawał się zaśmiewać, czytając list napisany zielonym atramentem na różowym papierze.
> Barman złożył plamiste ręce na kontuarze i spojrzał na mnie z wyrazem znudzonego aktora, więc powiedziałem: „Piwo”[23].

*

Literacka papka Chandlera z lat trzydziestych – w sumie było tych utworów dwadzieścia – niezmiennie zaczynała się lub kończyła w Los Angeles. Jednym z powodów, dla których rosła popularność amerykańskiej „twardej” literatury kryminalnej, był fakt, że rosła sama przestępczość, odznaczająca się taką samą twardością, a już na pewno działo się tak w południowej Kalifornii. Opowieści przygodowe, westerny i baśnie o zabarwieniu okultystycznym nie robiły już takiego wrażenia na publiczności, biorącej każdego dnia do rąk gazety pełne opisów rzeczywistych dramatów, w których występowały postaci przerastające wręcz zwykłe realia.

Chandler zastanawiał się, czyby nie zacząć pisać westernów – wielu autorów „Czarnej Maski” pisywało na boku i pod pseudonimem papkowe westerny – lecz ostatecznie nie zdecydował się na ten krok. „Kłopotliwa w westernie jako gatunku – stwierdził – jest, moim zdaniem, ta jego niemal przerażająca powaga w odniesieniu do spraw całkiem prostych”[24].

Także klasyczne powieści kryminalne, w których dobrze wychowany prywatny detektyw rozwiązuje zagadkę morderstwa, nie znajdowały już uznania u publiczności, coraz bardziej zafascynowanej bezwzględnymi poczynaniami szybko rosnących w siłę mafii, włoskiej i irlandzkiej, a równocześnie bombardowanej doniesieniami prasy, poświęcającej wiele miejsca zabójstwom bez powodu. Dżentelmeni w rodzaju Herculesa Poirot, którego Agata Christie stworzyła w dwudziestym roku, nie mogli liczyć na jakieś znaczący odzew w wyobraźni Amerykanów żyjących w miastach epoki depresji. Jak wyjaśni to później Chandler, „to nie jest ten rodzaj opowiadania [...] nie opiera się na zręczności i błyskotliwości. Jest mroczne i pełne krwi”[25].

Także i w Hollywood, w latach gdy nie istniała jeszcze zaostrzona cenzura, wydawało się, że podzielano ten pogląd. Portret Ala Capone ukazany w trzydziestym drugim roku w filmie Howarda Hughesa „Scarface” dał początek całej serii popularnych filmów o twardych gangsterach, które nakręcono w tym okresie.

Relacjonując poszczególne zbrodnie, kalifornijskie gazety lubowały się w drastycznych obrazach. Fotografie zmasakrowanych ofiar mordu ukazywały się równie często jak podobizny detektywów rozwiązujących zagadki słynnych morderstw. W Los Angeles prokuratorom nadzorującym śledztwa prasa poświęcała więcej miejsca niż niejednej filmowej gwieździe, przy czym najmniejszy nawet trop, na jaki udało im się wpaść, zawsze wydawał się dziennikarzom tak ważny, aby było warto się na jego temat się rozpisywać. W pewnym momencie Chandler zaczął się zastanawiać, czy nie dojdzie do tego, że nawet „twarda” literatura kryminalna wyda się przeciętnemu czytelnikowi w LA „jakby trochę nieważna”, zważywszy na rozgłos, jaki zyskiwały sobie prawdziwe morderstwa dokonywane w tym mieście.

Rozgłos ten przybierał szczególnie wielkie rozmiary, gdy dochodziło do spraw, w których sami policjanci zasiadali na ławie oskarżonych. W trzydziestym siódmym roku miejscowy prywatny detektyw, Henry Raymond, odniósł poważne obrażenia w następstwie wybuchu bomby podłożonej w samochodzie. Przygotowywał się właśnie do złożenia zeznań, które miały dowieść sądowi, że w trzydziestym trzecim roku, podczas kampanii przedwyborczej na stanowisko burmistrza Los Angeles, asystent jednego z kandydatów przyjął pieniądze od dwóch gangsterów.

Raymond został wynajęty przez lokalną grupę społecznego nadzoru CIVIC (Niezależny Obywatelski Komitet Nadzoru nad Zwalczaniem Przestępczości Obyczajowej). Wszczęte w sprawie zamachu śledztwo wykazało, że Wydział Wywiadowczy Policji Los Angeles prowadził całodobową obserwację zarówno detektywa, jak i krytycznie nastawionych wobec burmistrza albo policji dziennikarzy i polityków. Grek, który zajmował się handlem warzywami i mieszkał obok Raymonda, zapamiętał, że w noc poprzedzającą wybuch bomby w ogrodzie detektywa kręcił się mężczyzna, którego zidentyfikował jako oficera Wydziału Wywiadowczego. Oficer ten i jego pomocnik zostali skazani i wysłani do więzienia St. Quentin; w następnym roku burmistrz Shaw przegrał wybory i utracił stanowisko.

Inną sensacyjną zbrodnią – której notabene dokonano zaledwie półtora kilometra od mieszkania w Santa Monica, w którym Chandler pisał swoje opowiadania dla „Czarnej Maski" – było nigdy niewyjaśnione morderstwo gwiazdy filmowej Thelmy Todd. W grudniu trzydziestego piątego roku znaleziono ją martwą we własnym aucie, zaparkowanym w pobliżu jej domu przy Pacific Coast Highway. Ponieważ wciąż miała na sobie „kosztowną wieczorową suknię oraz futro z norek warte dwadzieścia tysięcy dolarów, a szyję i przeguby obwieszone biżuterią"[26] – wykluczony wydawał się rabunek jako motyw morderstwa.

Powszechne zainteresowanie, jakie wzbudziła ta sprawa, spowodowało wszczęcie zakrojonego na wielką skalę policyjnego śledztwa. Najpierw przypisano zgon gwiazdy działaniu trucizny, jednakże zgłosiła się wówczas żona Wallace'a Forda, także znanego hollywoodzkiego aktora, twierdząc, że rozmawiała z Thelmą Todd w dwanaście godzin po jej domniemanej śmierci. Pociągnęło to za sobą falę pogłosek mówiących o szantażu, jak również masę najróżniejszych wersji tej śmierci tworzonych według klasycznych scenariuszy w hollywoodzkim stylu. Tajemnica pozostała jednak nierozwiązana.

Pierwsze strony gazet zajmowała również w owym czasie sprawa mieszkającego w Santa Monica doktora George'a Dayleya, postawionego przed sądem pod zarzutem zamordowania swej żony, która, jak utrzymywał oficjalny komunikat sprzed pięciu lat, miała popełnić samobójstwo. Teraz prokuratura twierdziła, że w trzydziestym piątym roku Dayley odurzył żonę narkotykami, a następnie zaniósł ją do garażu i pozostawił w samochodzie z włączonym silnikiem, tak że w rezultacie zmarła na skutek zatrucia spalinami. Znaleźli się również świadkowie, którzy mieli jakoby słyszeć, jak Dayley chełpił się zbrodnią doskonałą, ponieważ jednak nie znaleziono żadnych dowodów rzeczowych, został on uniewinniony. Chandler, który w czasie tego procesu mieszkał w Santa Monica, posłużył się potem sprawą Dayleya jako ubocznym wątkiem jednej ze swych powieści[27].

Prasa Los Angeles w latach trzydziestych prześcigała się w barwnych opisach policjantów i bandytów. Drukowano fotografie gangsterów ubranych w najelegantsze garnitury oraz relacje reporterów, którzy skwapliwie notowali każdą cwaną odzywkę na sali sądowej. Stworzenie efektownej postaci fikcyjnego kryminalisty przestało być trudną rzeczą, odkąd tak powszechnie znani gangsterzy, jak Bugsy Siegel, stali się bywalcami hollywoodzkiego światka i sami zdawali się energicznie zabiegać o popularność. To samo odnosiło się do gliniarzy: szef policji LA, James Edgar Davis, nie przepuścił żadnej okazji, by znaleźć się w świetle reflektorów, zanim w trzydziestym ósmym nie utracił posady w następstwie zamachu bombowego na Henry'ego Raymonda. Taką opinię o Davisie potwierdza Joe Domanick, badacz historii Departamentu Policji Los Angeles:

> James Davis kochał być szefem. Kochał być szanowany. Kochał władzę. Kochał odgrywać swoją rolę i kobiety, jakie mu, dzięki niej, wpadły w ręce. Kochał witać VIP-ów. Kochał, by popluwano na ściereczkę, którą mu czyszczono do połysku buty. I kochał zamiłowanie, z jakim meksykańska policja federalna wysyłała do Los Angeles swoich generałów, aby podpatrywali JEGO policjantów[28].

Obsesyjne pragnienie Davisa, by zawsze pozostawać w świetle jupiterów, znajdowało swój wyraz między innymi w otwartych dla publiczności pokazach strzeleckich policjantów, na których on sam mógł celnie wysyłanymi pociskami gasić płomyki świec. (Przy czym i on sam, i jego podwładni, którzy organizowali te popisy, najpewniej wiedzieli, że nawet jeśli kula przeleci w odległości trzydziestu centymetrów od płomienia, to wytworzony przez nią powietrzny ogon i tak go zdmuchnie).

Szef policji urządzał na pięknie położonych terenach należących do Głównej Kwatery Policji LA przyjęcia dla ważnych osobistości miasta:

> Każdego tygodnia pojawiały się na nich nowe twarze, które często wymieniały się: bogaci ludzie interesu dzierżący miasto w swoich rękach,

adwokaci dokonujący w ich imieniu podziału władzy, ustosunkowani pośrednicy w spekulacyjnym handlu nieruchomościami, drobni przedsiębiorcy, producenci filmowi i gwiazdy tak sławne jak Shirley Temple czy Freddie Bartholomew. Każdy, o kim Davis sądził, że mógłby mu być w najmniejszym choćby stopniu użyteczny albo też przydałby blasku Policji LA, był na tych przyjęciach mile widziany[29].

Wiadomo, rzecz jasna, że sława ma swój odpowiednik po drugiej stronie medalu: złą sławę. Historia Departamentu Policji LA dodaje wiarygodności kreślonym przez Chandlera fikcyjnym sylwetkom skorumpowanych gliniarzy.

W roku trzydziestym siódmym dochodzenie federalnej Wielkiej Ławy Przysięgłych wykazało, że pod nosem funkcjonariuszy policji w Los Angeles działało co najmniej sześćset burdeli i osiemnaście tysięcy barów, które nie miały odpowiedniej licencji. Raport z tego dochodzenia stwierdzał również, że „część nielegalnych zysków służyła do finansowania kampanii wyborczych wysokich funkcjonariuszy miasta i hrabstwa. [...] Biura Prokuratora Okręgowego i Szeryfa, jak również Departament Policji Los Angeles działają w pełnej harmonii z podziemnym światkiem i nigdy nie ingerują [...] w poczynania jego ważnych osobistości".

Zarzuty te szczególnie przekonywająco potwierdziło w trzydziestym siódmym roku zamordowanie króla hazardu, Lesa Brunemana, na rozkaz Bugsy Siegela. Nie było w prasie ani w policji nikogo, kto by nie wiedział, że Siegel zamierzał przejąć w Los Angeles kontrolę nad hazardem i wydał mordercy odpowiedni rozkaz, ale nie podjęto żadnej próby postawienia go w stan oskarżenia.

Na podobną ochronę mogli też liczyć policjanci, którym zdarzyło się popaść w tarapaty: gdy w atmosferze skandalu James Edgar Davis utracił posadę szefa miejskiej policji, zaraz znaleziono mu zatrudnienie na stanowisku szefa ochrony w zakładach lotniczych Douglasa.

W latach trzydziestych bezprawie było w Los Angeles faktem. Broń była wszechobecna, a po uchyleniu prawa o prohibicji zorganizowana przestępczość zwróciła swe zainteresowanie ku narkotykom, hazardowi i prostytucji. Na skutek kryzysu tysiące mężczyzn znalazło się na ulicy bez jakiejkolwiek pomocy finansowej od państwa; wielu z nich gotowych było podjąć się okazjonalnych „prac" na rzecz prężnie zarządzanych organizacji przestępczych działających na terenie miasta.

Ale też jednocześnie stopień bezprawia bywał przeceniany. Ludzie Hollywood, dziennikarze oraz „papkowi" pisarze byli tak zafascynowani tym, co się działo, że sami dramatyzowali sytuację. Do narastania atmosfery zastraszenia, odczuwanej w owych czasach przez mieszkańców Los Angeles przyczyniały się zarówno rzeczywiste fakty, jak i fikcja literacka oraz filmowa, która we właściwy sobie sposób przedstawiała obraz szerzącej się w mieście przestępczości; z kolei owa, spotęgowana w ten sposób, atmosfera zagrożenia – w równym stopniu jak i sam wzrost przestępczości – przyczyniła się do tego, że do książek i filmów, jakie w tej epoce powstawały, ściśle i trwale przylgnęła etykietka „czarnej twórczości".

Chandler opatrzy w przyszłości antologię swych utworów tytułem „Zapach lęku", a we wstępie do niej zamieści drukowaną w „Czarnej Masce" prozę (nie tylko własną) w związku z potęgującym się poczuciem powszechnego zagrożenia.

Tworzyli postaci żyjące w świecie, który zszedł na manowce; w świecie, w którym na długo przed bombą atomową cywilizacja stworzyła machinę zdolną ją samą zniszczyć [...] Ciemność na ulicach była nie tylko ciemnością nocy[30].

*

Policjantów z Los Angeles występujących niemal we wszystkich papkowych utworach Chandlera, podzielić można na dwie kategorie: przepracowanych i prawie całkiem uczciwych „wołów roboczych" oraz zdeprawowanych sadystów. Żaden z tych typów nie stoi w całkowitej sprzeczności z wyrażonym przez pisarza przekonaniem, że w tym mieście władza jest tam, gdzie się ją kupuje; w opowiadaniach Chandlera nieraz natykamy się na policjanta mordercę. Jakkolwiek jednak jego prywatnym detektywom policja częściej rzuca kłody pod nogi niż przychodzi z pomocą, to – wprowadzając od czasu do czasu postać dobrego gliniarza – autor przyznaje, że przed uczciwym policjantem w Los Angeles stało zadanie niemal niewykonalne.

– Tak to właśnie z nami jest, kochanie – rzekł French. – Jesteśmy gliny i wszyscy nas nienawidzą. I zupełnie jakbyśmy nie mieli dosyć kłopotów, to mamy jeszcze ciebie. Jakby nie dość nas rozstawiali po kątach faceci z urzędów miejskich, gang z ratusza, dzienny szef, nocny szef, izba handlowa, jego wysokość burmistrz w swoim wykładanym boazerią gabinecie, cztery razy większym niż te trzy nędzne pokoiki, w których musi pracować cały wydział zabójstw. Jakbyśmy nie musieli w zeszłym roku załatwić stu czternastu zabójstw w tych pokojach, w których nie ma nawet dość krzeseł, żeby wszyscy na służbie mogli jednocześnie usiąść. Spędzamy życie, grzebiąc się w brudach i obwąchując zepsute uzębienie. Wspinamy się po ciemnych schodach, żeby złapać uzbrojonego świrusa naćpanego opium, i czasem nawet nie dochodzimy na samą górę, i nasze żony czekają na nas z kolacją tego wieczoru i przez wszystkie następne. Bo już nigdy nie wracamy do domu. A jeżeli wracamy, to jesteśmy tak cholernie wykończeni, że nie mamy siły ani jeść, ani spać, ani nawet czytać tych łgarstw, które wypisują o nas w gazetach. Leżymy więc w łóżku i nie możemy zasnąć – w obskurnym mieszkaniu na obskurnej ulicy – i słuchamy pijaków, co zabawiają się w sąsiedztwie. I właśnie w chwili kiedy zaczynamy zasypiać, dzwoni telefon, wstajemy, i wszystko zaczyna się od początku[31].

Chandler niejednokrotnie poddawał samoocenie krytycyzm, z jakim odnosił się do ówczesnego Los Angeles. Od początku pisał o prawdziwych ulicach w realnie istniejącym mieście, toteż było rzeczą nieuniknioną, że jego własne opinie na temat tego, jak rządzone było to miasto, przenikały do jego pisarstwa. Oburzało go, że policja w Los Angeles była przeżarta korupcją, ale też jeszcze bardziej oburzali hipokryci, którzy ją krytykowali, udając jednocześnie, że nie wiedzą, w jakim stopniu zdemoralizowana jest cała Ameryka. Przy czym zwykle ci sami ludzie, mówił Chandler, korzystali z usług prostytutek i bywali na zakotwiczonych daleko od brzegu statkach szulerniach, czyli sami czynili bogaczami mafijnych bossów. Jak można – zapytał pewnego razu – oczekiwać od szarego policjanta, że nie stanie się cynikiem w kraju, który nie potrafił skazać Ala Capone?

*

Chandler zyskiwał sobie coraz szersze uznanie i otrzymywał coraz wyższe honoraria (choć nigdy nie więcej niż trzysta pięćdziesiąt dolarów) za opowiadania pisane dla „Czarnej Maski". Nie było go jednak stać na przeniesienie się z taniego Santa Monica; nawet w trzydziestym szóstym roku, w którym opublikował pięć opowiadań, zarobił zaledwie półtora tysiąca dolarów.

W przeciwieństwie do elegancji Beverly Hills, leżąca w pobliżu Santa Monica zabudowana była tysiącami niewielkich drewnianych domków wzdłuż niemal identycznie wyglądających ulic rozrzuconych po obu stronach Pico Boulevard. W jej centrum handlowym znajdowały się bloki mieszkalne i tu właśnie zamieszkali Chandler i Cissy. W trzydziestym roku mieszkańcami tej dzielnicy byli prawie wyłącznie biali, zarabiający mniej niż średnio, o poglądach konserwatywnych; ta część miasta była reakcjonistyczna, bezpieczna i plotkarska. Chandler od samego początku jej nie znosił, gdyż bezustannie mu przypominała o upokarzającym stanie jego finansów.

Szczególną nienawiść budziło w nim to, że chlubiąc się wyznawaniem tradycyjnych wartości Starej Ameryki, Santa Monica bez protestów przyglądała się ze swych plaż zakotwiczonym statkom szuleraniom. Był przekonany, że jeśli w mieście panuje jaki taki spokój, to tylko dzięki temu, że cała policja siedziała w kieszeniach gansterów. Myślał nawet swego czasu o napisaniu nieliterackiego tekstu, który by ujawnił prawdziwe oblicze Santa Monica, do czego zachęcał go redaktor jednego z magazynów, a zarazem czytelnik jego prozy; w rezultacie jednak poprzestał na wprowadzeniu do swych utworów fikcyjnego Bay City, które stanowiło zjadliwy portret miasta Santa Monica.

> Któregoś dnia przypomniałem sobie pańską sugestię napisania artykułu o charakterze rozmyślnie obraźliwym w stosunku do policji Bay City (czyli Santa Monica). Otóż pewnego dnia dwaj inspektorzy dochodzeniowi z biura Prokuratora Okręgowego dostali cynk, że w Ocean Park, podłej mieścinie przylegającej do Santa Monica, działa szulernia. Udali się tam, zabierając po drodze dwóch gliniarzy z Santa Monica, którym powiedzieli, że zamierzają rozpirzyć tę budę, nie informując ich jednak, gdzie się znajdowała. Gliniarze, nie bez zrozumiałych oporów, zgodzili się w końcu im towarzyszyć w tej misji wdrażania prawa, ale kiedy wreszcie dowiedzieli się, o jaki lokal chodzi – jęknęli, że „zanim cokolwiek w tej sprawie zrobią, to muszą najpierw pogadać z kapitanem Brownem, bo, rozumiecie, chłopaki, kapitanowi Brownowi to się na pewno nie spodoba".
>
> Chłopaki z biura prokuratorskiego okazali się jednak bez serca i przymusili ich do nalotu na obskurną kafejkę, z której policyjna suka wywiozła paru facetów podejrzanych o grę, a ciężarówka – kupę sprzętu, który w charakterze dowodów rzeczowych trafił do pancernych szaf w siedzibie dowództwa lokalnej policji.
>
> Gdy obaj inspektorzy zjawili się tam następnego ranka, żeby cały ten łup przejrzeć i zewidencjonować – okazało się, że wszystko, oprócz paru garści pokerowych żetonów, zniknęło [...] I skończy się na niczym. Zawsze tak się kończy. A pan się zastanawia, czy ja kocham Bay City?[32]

Chandlerowi o wiele bardziej nienawistna była Santa Monica pozornie szanująca prawo niż występne centrum Los Angeles. Zamieszkujące ją niebieskie i białe kołnierzyki w sporej liczbie przystępowały do różnych ruchów „dobrych obywateli”, jak na przykład Moralne Dozbrojenie (Moral Rearmament); początkowo organizacja ta nosiła nazwę Oxford Group i wchodziła w skład międzynarodowego ruchu na rzecz duchowej i moralnej odnowy.

Chandler zarzucał tego rodzaju stowarzyszeniom pompatyczność i hipokryzję. Jeśli Bay City stanowi wzorcową próbkę działalności Moralnego Dozbrojenia – stwierdził kiedyś – to ja wezmę aspirynę.

Krytyki tego miasta nie opierał na jakichś badaniach, które mogłyby uzasadnić publiczny atak w jakiejkolwiek innej formie niż fikcja literacka. Krytyka ta była owocem podejrzeń potwierdzanych przez upowszechniane anegdoty, a pogłębianych przez spowodowaną przede wszystkim tym, że zmuszony był tam mieszkać.

Zresztą Chandler miał szczególny stosunek do wszelkiego rodzaju faktograficznych badań. Mawiał, że zgadza się w tym względzie z Robertem Louisem Stevensonem, który stwierdził, że kiedy chodzi o pisarskie opisywanie świata, doświadczenie jest w głównej mierze kwestią intuicji.

Wyglądało na to, że prawda ta w pełni odnosi się do Chandlera, który pewnego dnia tak się oto chwalił: „Jest dla mnie czymś absolutnie nadzwyczajnym to, jak wiele listów otrzymałem od najrozmaitszego rodzaju policjantów i byłych policjantów. Wśród ich autorów był nawet taki, który po dwudziestu ośmiu latach służby w policji Los Angeles oświadczył, że potrafi zidentyfikować każdego policjanta, którego kiedykolwiek opisałem jako postać literacką”[33].

Ale też trzeba przyznać, że Chandler miał oko do szczegółów. Fascynowały go zachowania innych ludzi: wyraz twarzy kogoś, kto składał swój podpis, lub sposób, w jaki ktoś obracał w palcach kieliszek. Wiedział, że jest świetnym obserwatorem i czasem nawet popisywał się tą zdolnością, przypominając na przykład komuś, jaki krawat miał na sobie dwa miesiące wcześniej. Po latach pewien dziennikarz miał napisać: „Zdawało się, że nic nie ujdzie jego spojrzeniu”. Cenił też innych pisarzy, którzy odznaczali się podobnym talentem. Czytywał powieści C.S. Forestera, których bohaterem był Hornblower, i uznał, że tym, co mu się w nich najbardziej podobało, były „szczegóły techniki prowadzenia okrętów, dokonywania manewrów bitewnych i wszystkie tego rodzaju rzeczy [które] wydawały mi się wielce fascynujące i z cudowną dokładnością opisane”.

Jako dowód tego upodobania posłużyć może fakt, że w czasie pracy nad jednym z opowiadań dla „Czarnej Maski" Chandler wyciął z „LA Times" z datą 4 października 1936 roku następującą satyrę na delikatesy w Beverly Hills:

> Bezcukrowe dżemy, galaretki i najlepsze roczniki marmolady z Oxfordu; miody z Grecji, Smyrny, Portugalii, Syrii i Wysp Jońskich; zupa żółwiowa z Karaibów i mrożone kasztany z Francji; z tego samego kraju ślimaki w eleganckich puszkach; ze Strasburga gęsie wątróbki w portwajnie; z Bar-le-Duc porzeczkowa galaretka [...] norweski pstrąg w galarecie; kawior przechowywany w temperaturze 28 stopni [Fahrenheita] od pierwszej chwili, gdy wyłonił się w Rosji z wnętrzności jesiotrowej matki; chińskie zupy z ptasich gniazd i z płetw rekina; także z Chin – ptaszki pieczone w ryżu w puszkach; z Indii popadomy, czyli kawałki mięsa, które po zanurzeniu w rozgrzanym maśle zwijają się w przedziwne kształty; z Turcji zakonserwowane pączki bergamotu i płatki róż; z Południowej Ameryki yerba mate, a do niej tykwy i bombile, przez które się ją pociąga[34].

Mający zamiłowanie do szczegółów, Chandler dawał temu wyraz w kolejnych „papkowych" historyjkach. Obserwacja stanowiła fundament jego pisarstwa, jak tego dowodzi początek „Czystej roboty":

> Za oknami Delmar Clubu padał deszcz. Portier w uniformie pomógł Hugo Candlessowi przywdziać ściągany paskiem biały przeciwdeszczowy płaszcz i udał się po jego samochód. Gdy go już podstawił przed wejściem, nad którym rozciągnięty był półokrągły baldachim, wzniósł parasol nad głową Hugona, który ruszył w stronę krawężnika, krocząc wyłożonym drewnem chodniczkiem. Jego samochód to była limuzyna marki Lincoln w kolorze królewskiego błękitu. Na tablicy rejestracyjnej widniał numer 5A6[35].

Wprawdzie jako pisarzowi był mu ten nawyk bezustannego przypatrywania się otoczeniu bardzo użyteczny, nie zawsze jednak był pomocny Chandlerowi jako człowiekowi. Stanowił on wyostrzoną formę samoświadomości, która bardzo mu utrudniała swobodne zachowanie, jak również przyjmowanie rzeczy i spraw takimi, jakimi się zdawały na pierwszy rzut oka. Był to swoisty czyściec na ziemi: niezdolność do wyłączenia się, chyba że znajdował się w stanie upojenia alkoholowego, czego za wszelką cenę chciał unikać w przyszłości[36].

Ten przymus obserwowania był oczywiście zaletą prywatnego detektywa, nawet gdy był on postacią fikcyjną, ułatwiającą mu zachowanie życia i zarabianie pieniędzy. Jeśli więc Chandler tracił energię, na drobiazgowe wypatrywanie pod powierzchnią nowoczesnej Kalifornii wszystkiego, co było w niej udawaniem i fałszem, to przynajmniej jego detektywom przynosiło to pożytek. Bohaterowie Chandlera umieli poza olśniewającą łuną świateł Los Angeles dostrzec „neony nędzy". Na tym między innymi polegał ich fach, podczas gdy w przypadku autora była to obsesja.

W jego wczesnych utworach Los Angeles zaczęło się jawić jako miejsce, w którym należało z góry nie ufać wszelkim instytucjom, wątpić w zeznania wszystkich świadków i nie wierzyć w nic, co zdawało się proste lub szczere. W większości chandlerowskich opowieści historia opowiedziana detektywowi przez osobę, która go wynajmowała, zawsze okazywała się kłamliwa. Nie zdarzają się w nich również proste rozwiązania kryminalnych zagadek; w miarę jak następują po sobie poszczególne wydarzenia, tożsamość mordercy staje się częstokroć najmniej istotnym problemem. Detektyw dochodzi w końcu do punktu, w którym jedyną osobą zasługującą na zaufanie jest on sam, toteż, nie dysponując żadnymi wiarygodnymi faktami, zwykle zmuszony jest działać wyłącznie na podstawie własnych odczuć.

Kreślenie takich właśnie sytuacji odróżniało Chandlera od innych pisarzy z kręgu „Czarnej Maski", włącznie z Hammettem, a zwłaszcza z Gardnerem; obaj oni trzymali się stosunkowo klarownego schematu „dobrego i złego faceta" i niezależnie od „twardości" stylu wciąż stosowali tradycyjną formułę zagadki kryminalnej, która przedkładała maskowaną premedytację ponad działanie pod wpływem impulsu. Chandler od początku odrzucał tę formułę:

> Chłopcy trzymający nogi na biurkach wiedzą, że najłatwiejszy do wykrycia jest sprawca zabójstwa, które ten usiłował bardzo sprytnie zaplanować. Zabójstwo naprawdę kłopotliwe, to takie, którego pomysł przyszedł komuś do głowy na dwie minuty przed jego popełnieniem[37].

Jedna z ulubionych metod Chandlera, która odróżniała jego wczesne opowiadania od tradycyjnej literatury kryminalnej trzymającej się zasady „po nitce do kłębka", to pisanie stonowanych zakończeń. Przekłuwały one niejako nadęte baloniki klasycznych finałów, w których detektyw objaśniał wreszcie zainteresowanym, jak doszedł do tego, „kto to zrobił", co każdy z piszących dla „Czarnej Maski" wciąż uważał za swój święty obowiązek.

Można się o tym przekonać, porównując zakończenie „Czerwonego wiatru" („Red Wind"), historii, którą Chandler napisał w trzydziestym siódmym roku, z finałem „The Golden Horseshoe" („Złotej podkowy") pióra Hammetta, opublikowanej w dwudziestym czwartym. W „Czerwonym wietrze" detektyw kończy swoją opowieść na brzegu Pacyfiku, wrzucając do oceanu fałszywe perły, a ostatnie zdanie narracji brzmi: „Wpadały do wody z cichym pluśnięciem, a mewy podrywały się z wody, rzucając się do miejsca, w którym rozległ się plusk".

Dla „Czarnej Maski" było to coś zupełnie nowego: Chandlerowi nie chodziło po prostu o to, by nakreślić ładny obrazek (w tym samym utworze znalazło się zdanie: „Zacznę rzygać, jeśli nie odsuniesz tej lufy od mojego gardła"). Chciał, aby rzecz miała jakiś wydźwięk szerszy niż tylko ten, że oto kolejna zagadka została rozwikłana; nie po to tylko pisał, by czytelnicy mogli się na końcu dowiedzieć, kto kogo zabił, żeby zagarnąć perły. A na tym właśnie w dużym stopniu opierało się docelowe myślenie Hammetta w „The Golden Horseshoe", która kończy się taką oto sentencją:

> – Nie mogę cię przygwoździć za morderstwo, które zorganizowałeś w San Francisco. Ale mogę cię wsadzić za tamto w Seattle, którego nie popełniłeś; tym sposobem sprawiedliwość nie zostanie wykiwana. Pojedziesz do Seattle, Ed, gdzie cię powieszą za samobójstwo Ashcrofta.
> I pojechał[38].

Niezależnie od eksperymentów, jakich Chandler dokonywał w prozie detektywistycznej, pisząc dla „Czarnej Maski", musiał się w niej jednak posługiwać również klasycznymi składnikami, których wymagała „twardość", a które określał jako „brutalność, sadyzm, seks i krew". Zważywszy na wysiłki czynione w celu wydobycia z kryminalnych historii czegoś bardziej wartościowego, nigdy nie miał większych problemów, by to osiągnąć.

Typowy pod tym względem był „Król w złotogłowiu", opublikowany w trzydziestym ósmym roku. Chandlerowi udaje się w tej opowieści zaspokoić oczekiwania czytelników papkowej literatury, dostarczając im sensacji, jednocześnie odciskając osobiste piętno poprzez język, jakiego w tym utworze użył. Samą historyjkę mógł był wymyślić jakikolwiek pisarz papkowy, ale styl, w jakim została opowiedziana, jest już wyraźnie chandlerowski.

Rzecz jest o hotelowym detektywie, nazwiskiem Steve Grayce, i jego polowaniu na mordercę, czarnego trębacza, Kinga Leopardiego, którego gra bardzo mu się podobała.

Opowieść rozpoczyna się od awantury, jaką Leopardi urządził na ósmym piętrze taniego hotelu, w którym Grayce pracuje. Detektyw udaje się więc na górę, żeby położyć kres hałasom: „Przycisz te ryki, ważniaku". Trębacz, który jest w towarzystwie dwóch zabawowych panienek, lekceważy to polecenie, więc Grayce zmuszony jest sprawę załatwić inaczej. „Jak chcesz mieć kłopoty, to akurat trafiłeś na kogoś, kto się na nich zna". Dochodzi do bójki, której szczegółami Chandler szczodrze dzieli się z czytelnikiem, a która zakończyła się, gdy Leopardi „bezwładnie padł na kolana i zwymiotował".

Z niewyjaśnionych powodów Grayce traci po tym incydencie posadę hotelowego detektywa, co budzi w nim wściekłość oraz podejrzenie, że coś w tym wszystkim śmierdzi. Udaje się do mieszkania, którego adres wypatrzył na karteczce w pokoju Leopardiego. Zastaje tam martwą dziewczynę w stanie, który Chandler szczegółowo opisuje: „Tam, gdzie kończyły się pończochy, widać było podwiązki, a dalej ciało i niebieską różyczkę na różowym tle. Dziewczyna miała na sobie niezbyt czystą sukienkę z dekoltem w karo, bez rękawów. Jej szyję znaczyły fioletowe sińce".

Grayce przepytuje Włocha, który zarządza budynkiem, ten jednak także pada ofiarą morderstwa, gdy na chwilę opuszcza detektywa, by załatwić jakąś sprawę. Grayce udaje się więc do klubu, w którym gra Leopardi, i stacza z nim kolejną walkę, z której tym razem wychodzi przegrany: „Z jego wargi ciekła krew, która spływała z kącika ust, pozostawiając za sobą ślad na podbródku".

Grayce korzysta z pomocy piosenkarza występującego w klubie; jego włosy mają „kolor płonącego buszu oglądanego przez obłok kurzu".

Jeszcze tej samej pomocy piosenkarz dzwoni do detektywa, prosząc go, by przyjechał do niego do domu. Drzwi otwiera czarnoskóra pokojówka w „krótkiej sukieneczce, pończochach z czystego jedwabiu i w pantofelkach na dziesięciocentymetrowych szpilkach". W domu jest martwy Leopardi, a piosenkarz nie ma pojęcia, jak się tam znalazł.

Grayce podejrzewa pokojówkę – która tymczasem już się udała do siebie – i jedzie do jej mieszkania, by jednak także i ją znaleźć martwą, uduszoną w samochodzie. Tu ponownie czytelnik otrzymuje rentgenowską kliszę ze szczegółami, z których w tych czasach słynęła papkowa literatura: „W księżycowym świetle widać było jej wykrzywione otwarte usta i wywalony język. Jej kasztanowe oczy wpatrywały się w dach samochodu".

Zakończenie tej historii następuje w typowo przyśpieszonym tempie; raz jeszcze Chandler dowiódł, że nie tyle interesuje go sama intryga, co atmosfera, w jakiej toczy się akcja. Grayce wraca do hotelu, z którego go wyrzucono, odnajduje starego kumpla i prosi, by się dowiedział, czy Leopardi już kiedykolwiek przedtem wynajmował tam pokój. Okazuje się, że owszem, przed dwoma laty, przy czym jedna z jego panienek popełniła wówczas samobójstwo, pierwsze w historii hotelu.

Grayce przypomina sobie ten wypadek i wiedziony przeczuciem jedzie w góry za miastem, gdzie zaszył się wraz ze swym bratem jego były hotelowy szef. Obaj wyznają, że samobójczynią była ich młodsza siostra i że to Leopardi doprowadził ją do tego desperackiego kroku, więc skorzystali teraz z okazji, by się na nim zemścić.

Grayce strzela do brata swego byłego szefa, zabijając go, jemu samemu zaś, w zamian za pisemne przyznanie się do winy, daje godzinę na ucieczkę. Winowajca pisze, co należy, po czym kieruje swój samochód prosto w przepaść. W finale tej powikłanej, lecz zajmującej historii Grayce odnajduje miejsce tragedii: „Dwieście pięćdziesiąt metrów niżej zobaczyłem to, co zostało z auta: leżało bezgłośne i pogięte w promieniach porannego słońca".

„Król w złotogłowiu", jakkolwiek szczodrze podlany krwią, jest dowodem, że Chandler potrafił jednocześnie wywiązywać się z obowiązków papkowego pisarza jako dostawca sensacji oraz osiągać coś, co miało trwalsze wartości. Papkowy erotyzm i przemoc sąsiadują w tym tekście z grą słów i dialogami, które odznaczają się oryginalnością; to swoisty szkicowy plan wszystkich jego utworów kryminalnych.

Należy przy tym wspomnieć, że w tym czasie Chandler pisywał już nie tylko dla „Czarnej Maski". Na rynku ukazywało się konkurencyjne pismo, które w dodatku lepiej płaciło: „Dime Detective Magazine" (czyli „Magazyn detektywistyczny za dziesięć centów"). Zachętą do jego powstania był sukces „Czarnej Maski". Chandler zaczął dla niego pisać w trzydziestym szóstym roku, z chwilą gdy Shaw podał się do dymisji. Przyczyniło się to pod koniec lat trzydziestych do złagodzenia finansowego reżimu, w jakim musieli żyć

Chandlerowie; Raymond wciąż jednak pracował w zbyt wolnym tempie, by osiągnąć wydajność miliona słów rocznie, a dopiero po przekroczeniu tej granicy papkowy pisarz był w stanie przyzwoicie zarabiać na utrzymanie. „Dime Detective" płacił Chandlerowi czterysta dolarów od kawałka, co jednak nie wystarczało, by wyprowadzić się z mieszkania w Santa Monica.

Przełom nastąpił wreszcie w trzydziestym ósmym roku, gdy nowojorski agent literacki, Sydney Sanders, pokazał kilka papkowych utworów Chandlera wydawcy Alfredowi Knopfowi. Lektura zrobiła na Knopfie dobre wrażenie, toteż powiedział Chandlerowi, że byłby zainteresowany jakąś jego powieścią.

I tak oto do pięćdziesięcioletniego pisarza znowu uśmiechnął się los. Udało mu się niegdyś uratować swe życie po utracie posady u Josepha Dabneya przed całkowitym rozpadem i doprowadzić je do punktu, w którym mógł się już czegoś spodziewać po przyszłości.

W 1932 roku był mężczyzną patrzącym na świat z goryczą, dręczonym poczuciem winy z powodu tego, jak traktował Cissy, i rozpaczliwie próbującym odzyskać szacunek dla samego siebie poprzez pisarstwo. Teraz szybko stawał się najlepszym papkowym pisarzem Ameryki.

Lecz zapłacił za to wysoką cenę: poświęciwszy się pisaniu, musiał wraz z Cissy na pięć lat odciąć się od świata, co odczuwał bardzo boleśnie. Przybladł, cierpiał na reumatyzm w prawej ręce i stał się niemal zupełnym samotnikiem.

Większość pisarzy – powie kiedyś – poświęca zbyt wiele człowieczeństwa dla zbyt małej sztuki.

Przyszła teraz chwila, by pisząc swą pierwszą powieść, mógł się przekonać, czy jego własne poświęcenie było czegoś naprawdę warte.

PRZYPISY

[1] Raymond Chandler, „Głęboki sen"; op. cit.

[2] Nie dość, że Cissy nie miała żadnych własnych pieniędzy, to Chandler będzie musiał z coraz większą pomocą przychodzić jej siostrze, Vinnie Brown, która teraz także zamieszkała w Los Angeles. (W pewnym momencie Vinnie wiodło się tak źle, że zmuszona była szyciem zarabiać na życie. „Trochę więcej pogody ducha – pisał do niej pewnego razu Chandler – nie bądź takim głupkiem").

[3] List do Hamisha Hamiltona, 10.11.1950; Bodleian, Chandler files.

[4] Bodleian, Chandler files.

[5] Notebooks; Bodleian, Chandler files.

[6] Ibid.

[7] List do Erle'a Stanleya Gardnera, 5.05.1939; UCLA Special Collections, Chandler.

[8] Choć Chandler (podobnie jak Shaw) zajął się pisaniem beletrystyki kryminalnej niemal przez przypadek, to zaczął mieć skrywaną obsesję na jej temat. Pod koniec życia niewiele czytał innych rzeczy niż zagadki kryminalne. Wprawdzie większość z nich uważał za dość okropne, ale nie ulega wątpliwości, że ten gatunek, o którym tak często wypowiadał się lekceważąco, stał się jego nałogiem. Zaczął nawet z upodobaniem czytywać klasyczne angielskie powieści detektywistyczne, które przedtem uważał za pozbawione życia, a nawet (prawie) polubił Sherlocka Holmesa. Gdy go pewnego razu oskarżono, że nie znosi bohatera Conan Doyle'a, Chandler odparł, że w istocie właśnie niedawno skończył ponowną lekturę „Studium w szkarłacie" i o konfuzję przyprawił go fakt, iż w pewnym momencie Holmes bardzo chce usłyszeć słynnego skrzypka Normana Nerudę grającego „ten kawałeczek Chopina":

> ...bo cóż w ogóle mógł kiedykolwiek Chopin skomponować na skrzypce? A nawet, jeśli już w tamtych stosunkowo (w porównaniu z naszymi) cywilizowanych czasach skrzypkowie zniżali się do wulgarnych zabiegów aranżowania na skrzypce utworów nie na nie skomponowanych, to trudno mi uwierzyć, by tak wyrafinowany miłośnik muzyki jak Holmes uznał coś takiego za warte wzmianki, a cóż dopiero wysłuchania. Czyż-

by więc ów wielki Sherlock Holmes równie mało w rzeczywistości wiedział o muzyce, co o zdolnościach węży do wspinania się po linie? (List do Jamesa Kaddiego, 29.09.1950; UCLA Special Collections, Chandler).

[9] List do Jamesa Sandoe, 17.12.1944; Bodleian, Chandler files.

[10] List do Jamesa Sandoe, 2.06.1949; UCLA Special Collections, Chandler.

[11] Zacytowane w książce Williama F. Nolana „The Black Mask Boys"; William Morrow 1985, s. 21.

[12] List Lestera Denta do Philipa Durhama, 27.10.1958; UCLA Special Collections, Chandler.

[13] Zacytowane przez Nolana; op. cit. s. 43.

[14] „Black Mask", grudzień 1933.

[15] Raymund Chandler, „Głęboki sen"; przeł. Mieczysław Derbień; Prószyński i S-ka, Warszawa 1997.

[16] Notebooks; Bodleian, Chandler files.

[17] „Improvisation for Cissy", 29.10.1935; Bodleian, Chandler files.

[18] Raymond Chandler, „Czysta robota", w zbiorze „Hiszpańska krew"; przeł. Robert Ginalski; Wydawnictwo Da Capo, Warszawa 1992.

[19] List do Fredericka Lewisa Allena, 7.05.1948; Bodleian, Chandler files.

[20] Gdy opowiadanie to zostało później włączone do antologii, za zgodą Chandlera nazwisko detektywa zostało zmienione na Philip Marlowe. Tak samo zdarzy się w przypadku innych opowiadań opublikowanych w „Czarnej Masce", w oryginale żadnego z nich nie występował detektyw Marlowe.

[21] Raymond Chandler, „Finger Man"; „Black Mask", październik 1934.

[22] Raymond Chandler, „Kłopoty to moja specjalność"; przeł. Michał Ronikier; Oficyna Wydawnicza „Graf", Gdańsk" 1990.

[23] Raymond Chandler, „Mandarin's Jade"; „Dime Detective Magazine", listopad 1937.

[24] List do Hardwicka Moseleya, luty 1955; UCLA Special Collections, Chandler.

[25] List do Jamesa Sandoe, 7.12.1950; UCLA Special Collections, Chandler.

[26] Zacytowane przez Edwarda Thorpe'a w książce „Chandlertown"; Vermilion 1983, s. 51.

[27] „Tajemnica jeziora" będzie książką, w której Chandler użyje pewnych wątków ze sprawy George'a Dayleya.

[28] Joe Domanick, „To Protect and to Serve"; Simon & Schuster 1994, s. 53.

[29] Ibid., s. 23.

[30] UCLA Special Collections, Chandler files.

[31] Raymond Chandler, „Siostrzyczka"; op. cit., s. 200.

[32] List do Charlesa Mortona, 12.10.1944; Bodleian, Chandler files.

[33] List do sierżanta Haysa z LAPD, marzec 1956; UCLA Special Collections, Chandler.

[34] Notebooks; Bodleian, Chandler files.

[35] Chandler, „Czysta robota"; w zbiorze „Hiszpańska krew" cytowany przez Toma Hineya fragment został pominięty.

[36] Nawet w latach pięćdziesiątych już jako sławny pisarz i w lepszym nastroju – Chandler nie mógł sobie dać z tym spokoju. Oto list, który napisał we wrześniu pięćdziesiątego pierwszego do Hamisha Hamiltona:

> Nie wiem, czy kiedykolwiek byłeś na ranczu dla frajerów. Ja nigdy przedtem na takim nie byłem. [...] To takie miejsce, gdzie ludzie, pracujący w biurze, noszą buty do konnej jazdy, a panie pojawiają się na śniadaniu w dżinsach nabitych miedzią, na lunchu – w bryczesach i krzykliwych koszulach, a wieczorem występują albo w eleganckich sukniach, albo znowu w bryczesach i kolorowych koszulach i szalikach. Najbardziej idealny szalik to taki, który ma szerokość sznurowadła, przebiega przez pierścień na froncie koszuli, by stąd swobodnie opadać na boki. Nie pytałem dlaczego, a zresztą nie poznałem nikogo na tyle dobrze, by zapytać. Panowie także stroją się w krzykliwe koszule, zmieniając wciąż modele; jedyni, którzy odbiegają od nich strojem, to prawdziwi spece od jazdy konnej: ci noszą raczej koszule z grubej wełny lub z nylonu, z długimi rękawami i z karczkiem z tyłu; coś, co można kupić tylko w prawdziwie ranczerskim miasteczku.
> (Bodleian, Chandler files).

[37] Raymond Chandler, „Skromna sztuka pisania powieści kryminalnych" w tomie „Mówi Chandler"; przeł. Ewa Budrewicz; Czytelnik, Warszawa 1983.

[38] Dashiell Hammett, „The Golden Horseshoe", w zbiorze „The Continental Op"; First Vintage 1992.

Rozdział 4

Philip Marlowe

– To pan jest Marlowe?
Skinąłem głową.
– Czuję się trochę rozczarowany. Spodziewałem się czegoś, co ma brud za paznokciami.
– Proszę do środka – powiedziałem. – Tam będzie pan mógł dowcipkować w pozycji siedzącej.

(„Wysokie okno"; sierpień 1942)

„Głęboki sen" powstawał latem trzydziestego ósmego roku w mieszkaniu w Santa Monica. Miejscem akcji stało się ponownie Los Angeles, a szkielet fabularny był swego rodzaju składanką z najlepszych rzeczy, jakie Chandler napisał dla „Czarnej Maski". Tym, co wyróżniało tę książkę spośród wszystkich pozostałych jego utworów, był jej bohater, Philip Marlowe, którego nazwisko miało bezpośredni związek z college'em w Dulwich, gdzie jeden z budynków nosił nazwę „Marlowe House".

Był on nie tylko główną postacią, lecz i narratorem powieści; miał trzydzieści lat i pozostawał w stanie wolnym: „Nie ożeniłem się, ponieważ nie podobają mi się żony policjantów". Czytelnik szybko mógł się zorientować, że tym razem nie ma do czynienia ze zwykłym prywatnym detektywem z literatury papkowej. Marlowe grywał sam z sobą w szachy i często miewał odczucia paranoiczne:

> Mój umysł przedzierał się przez zwały wspomnień – robiłem wciąż na nowo te same rzeczy, odwiedzałem te same miejsca, spotykałem tych samych ludzi, mówiłem do nich te same słowa, wciąż na nowo i na nowo, za każdym razem było to prawdziwe, tak jakby dopiero co się zdarzyło, jakby właśnie się działo[1].

Nie odznaczał się jednak Marlowe zbytnią wrażliwością psychiczną. Ten bohater zawsze był dobrze ubrany i dobrze sobie radził w życiu, a przy całej swej inteligencji pozostawał mężczyzną prawdziwie męskim:

> Wyszedłem do kuchni i wypiłem dwie filiżanki czarnej kawy [...] Kaca miewa się nie tylko po alkoholu. Ja miałem go po kobietach. Kobiety czynią mnie chorym człowiekiem.

Jego zachowania cechowała ostentacyjna pewność siebie, której jednak właściwa mu gburowata szorstkość dodawała niejako wiarygodności. Chandler powie o nim później, że jeśli w głębi duszy był idealistą, to „nienawidził się do tego przyznawać, nawet przed samym sobą".

Marlowe stawia czoło fizycznemu niebezpieczeństwu, „ponieważ uważa, że po to właśnie został stworzony". W jego osobie mamy do czynienia z twardzielem broniącym swej niezależności i zarazem mającym poczucie absurdalności życia, które go niemal nigdy nie opuszcza. A przy tym wszystkim powodowała nim, tak to przynajmniej wyglądało z zewnątrz, tradycyjna moralność papkowego detektywa.

> W dziennym świetle pokój wyglądał okropnie. Chińskie makaty na ścianach, dywan, pretensjonalne lampy, meble z drewna tekowego, dobrana bez gustu feeria barw, totem, flakon z eterem i laudanum – wszystko to w dziennym świetle miało przykry posmak dopiero co zakończonego przyjęcia[2].

„Głęboki sen" zaczyna się od tego, że Marlowe zostaje wezwany do rezydencji generała Sternwooda, który jest inwalidą. Dwie jego rozpieszczone i zepsute córki zadały się z bandą raketerów operujących w wyższych sferach. Starsza z nich, Vivian, wpadła w długi, uprawiając hazard, podczas gdy młodsza, Carmen, uzależniła się od opium, a nadto dała się fotografować nago i teraz gangsterzy proponują generałowi odkupienie negatywów[3].

Sternwood mówi detektywowi, że jest już za stary by chronić swoje córki, a poza tym nie ma zamiaru płacić draniom. Nie wie, kim oni są, ale żąda od Marlowe'a, żeby się z nimi rozprawił. Informuje go jednocześnie, że Shean Regan, irlandzki mąż Vivian, który cieszył się jego wielką sympatią, zniknął, choć jego zdaniem nie ma mowy, by miał coś wspólnego z żądaniem okupu w zamian za fotografie.

Marlowe przetrząsa kryminalny świat Los Angeles, płacąc ludziom za informacje i padając ofiarą rękojeści pistoletu, która wchodzi w kontakt z jego głową. Udaje mu się wykryć, że za sprawą Sternwooda stoi niejaki Eddie Mars, właściciel kasyna gry, który prawdopodobnie trzyma w garści obie siostrzyczki, a nadto dysponuje wystarczająco licznym oddziałkiem rewolwerowców, aby uniemożliwić detektywowi odkrycie, jakie były powody przemożnego wpływu na generalskie córki.

Marlowe załatwia sprawę długów Vivian i niszczy negatywy kompromitujące Carmen, ale, o dziwo, wszystko zdaje się dowodzić, że w następstwie tego detektywistycznego osiągnięcia Eddie Mars jeszcze ściślejszą siecią oplątał obie siostry.

One same skupiają całą swoją uwagę albo na piciu i próbach uwiedzenia detektywa, albo na podsuwaniu mu fałszywych tropów; ich ojciec zaś – teraz już na łożu śmierci – nalega na niego, by nie zaprzestawał dochodzenia. Marlowe nie jest pewien, jak postąpić, ale choć nie ma pojęcia, czego się po nim wszyscy spodziewają, to w dalszym ciągu daje się nokautować i ostrzeliwać, aż w końcu odkrywa, że osoba Sheana Regana ma jednak jakiś związek z tą aferą, tyle że nie można go odnaleźć.

Rozwiązawszy wreszcie zagadkę więzów łączących Eddiego i siostrzyczki – Marlowe może się tylko cieszyć, że generał jest już zanadto chory, by zrozumieć, w czym rzecz: oto okazuje się, że Carmen (jeszcze zanim rozpoczęła się opowieść) w opiumowym amoku zastrzeliła Regana, który nie chciał się z nią przespać; co zaś do Eddiego Marsa, to najpierw pomógł on obu siostrom skutecznie pozbyć się ciała i zatrzeć wszelkie ślady zabójstwa, a potem zaczął je szantażować.

Powieść, z racji swych rozmiarów, pozwoliła Chandlerowi na eksperymenty pisarskie, jakich w dotychczasowych utworach podejmować nie mógł. Wprawdzie w dalszym ciągu posługiwał się przemocą i zestawem typowych postaci, ale mógł już sobie pozwolić na pomniejszenie znaczenia elementu zagadki w stosunku do całości opowieści, dzięki czemu bardziej się mógł skoncentrować na atmosferze i postaciach. Ostatnia stronica powieści w większym stopniu poświęcona jest jej bohaterowi niż powodzeniu przeprowadzanego przez niego śledztwa:

> Jakie to ma znaczenie, gdzie się leży po śmierci? W brudnym bagnie czy w marmurowej wieży na szczycie wysokiej góry? Umarli śpią głębokim

snem, nie troszcząc się o takie różnice. [...] Po drodze do miasta zatrzymałem się przed barem, gdzie wypiłem dwie podwójne szkockie. Nic mi to jednak nie pomogło.

Tak zaczął się nowy rozdział w pisarskim życiorysie Chandlera: finałem kryminalnej historii, której bohater kwestionuje znaczenie śmierci.

Książka nie traktowała o tym, kto co zrobił, przynajmniej w tym ujęciu, jakie zastosował autor. (Chodzi raczej o to, co się, do cholery, stało – jak to sam sformułował – niż o to, kto był mordercą). Napięcie wprawdzie nie zniknęło, ale brało się teraz bardziej z atmosfery niż z zakamuflowanych wskazówek podsuwanych czytelnikowi. Nawet Hammett nie odważył się podjąć w swoich detektywistycznych utworach podobnego ryzyka; ale też Hammett nie stworzył takiej wizji beletrystyki kryminalnej, jaką realizował teraz Chandler, dla którego powieść detektywistyczna w pierwszym rzędzie powinna mówić o samym detektywie, a potem dopiero relacjonować fabułę:

...tymi nędznymi uliczkami musi chodzić ktoś, kto sam nie jest nędznikiem, ktoś, kto nie jest ani zdemoralizowany, ani tchórzliwy. Taki właśnie musi być detektyw w powieści kryminalnej. To on jest bohaterem, on jest wszystkim. Musi być człowiekiem pełnym, człowiekiem przeciętnym, a jednak niezwykłym. Musi być – jeśli użyć wyświechtanego wyrażenia – człowiekiem honoru, z instynktu, nieuchronnie, wcale o tym nie myśląc, a już z pewnością nie mówiąc. Musi być najlepszym człowiekiem w swoim świecie i dość dobrym dla każdego świata. Nie obchodzi mnie jego życie osobiste; nie jest ani eunuchem, ani satyrem; myślę, że mógłby uwieść księżniczkę, ale jestem zupełnie pewien, że nie zhańbiłby dziewicy. Jeżeli jest człowiekiem honoru w jednej dziedzinie życia, to jest nim we wszystkich innych. [...] Jest człowiekiem samotnym i dumnym z tego, że można go traktować tylko jako człowieka dumnego, albo zadowolonym ogromnie, że się z nim w ogóle spotkało. (...) Gdyby było pod dostatkiem ludzi takich jak on, świat byłby miejscem, w którym można by było żyć bezpiecznie, a zarazem miejscem dość ciekawym, aby żyć w nim było warto[4].

Tworząc postać Philipa Marlowe'a, Chandler połączył cechy własnego charakteru z cechami tradycyjnego bohatera papkowego. Widziany z zewnątrz, Marlowe był niechętnym kontaktom z ludźmi odludkiem i niejako swym własnym prześladowcą, podobnie jak Chandler; lecz pod tą zewnętrznością kryły się całe pokłady poczucia honoru, poczucia humoru i wielkiej wrażliwości. Pisząc w pierwszej osobie, Chandler był w stanie przekonać czytelnika, że to nie nawarstwiona w nim gorycz, ale sam ten świat uczynił jego bohatera samotnikiem i alkoholikiem (którym w istocie był, choć nie używał w odniesieniu do siebie tego słowa). Postać Philipa Marlowe'a stwarzała zatem Chandlerowi możliwość wyjaśnienia, dlaczego sam odsuwał się od świata.

Równocześnie zadbał on jednak o to, by nie okazywać swemu bohaterowi nadmiernego pobłażania, dlatego też pozostawił wolne pole jego odmienności. Jakiekolwiek bowiem zachodziły pomiędzy nimi podobieństwa w widzeniu świata, to przecież ich życiorysy nie były do siebie całkiem podobne.

Chandler opowiedział kiedyś wyimaginowaną historię życia swojego detektywa. Według niego Marlowe urodził się w Santa Rosa, osiemdziesiąt kilometrów na północ od San Francisco. Przez dwa lata uczęszczał do college'u, po czym podjął pracę w towarzystwie ubezpieczeniowym jako inspektor dochodzeniowy, a następnie był przez jakiś czas detektywem w Biurze Prokuratora Okręgowego w Los Angeles. Mając „nieco ponad metr osiemdziesiąt", był trochę wyższy od Chandlera, mając trzydzieści lat, był od niego młodszy, a paląc papierosy, najchętniej camele – choć „zadowalała go prawie każda marka" – także różnił się od swego twórcy, który pozostawał wierny dunhillowskiej fajce.

Ten sam wymyślony życiorys ujawniał także wiele rzeczy, które łączy obu mężczyzn. Podobnie jak Chandler, Marlowe nigdy nie wspominał o swoich rodzicach, jak również wyglądało na to, że nie ma żadnych żyjących krewnych. Na pytanie, jak to się stało, że trafił do Los Angeles, Chandler potrafił tylko odpowiedzieć, że „w końcu większości ludzi to się zdarza". Marlowe również został wylany z posady i również podjął wówczas pracę na własny rachunek („Dobrze znane mi są okoliczności, w jakich zwolniono go z roboty, ale nie mogę się nad tym zanadto rozwodzić"). Co do jego alkoholowych upodobań, to Chandler przyznał, że praktycznie wypije wszystko pod warunkiem, że nie jest słodkie.

Te właśnie cechy Raymonda Chandlera zaszczepione osobowości Philipa Marlowe'a sprawiły, że postać detektywa ukazuje się nam w tak pełnym, trójwymiarowym ludzkim kształcie, jakiego nie osiągnął żaden papkowy bohater; z kolei Chandler w równym stopniu zawdzięcza swemu detektywowi wszystko najlepsze, co się w nim samym objawiło.

Przed przystąpieniem do pisania „twardych" opowiadań detektywistycznych nie dokonał na dobrą sprawę niczego, co można by określić jako twórcze. Dopiero ten gatunek literacki pomógł mu „ustawić ogniskową" w jego niegdyś zbyt przemądrzale pogmatwanych wierszach, a z czasem stopniowo także w pisanych przez siebie listach. „Czarna Maska" zmusiła go do wyzbycia się samozadowolenia i pobłażania wobec swego pisarstwa, toteż zasiadając do pierwszej książki, wiedział już, że rolą powieściopisarza jest „podbić czytelnika swoim pisaniem, nie olśniewając go swoim myśleniem".

Philip Marlowe usytuował Chandlera pośrodku drogi między zadufanym w sobie angielskim poetą a taśmowym producentem amerykańskiej papki. Jak tego dowiódł „Głęboki sen", obaj byli w stanie idealnie się uzupełniać, wzajemnie sobie służąc w walce z ogranymi schematami i wszelką przesadą.

W przekonaniu Chandlera, jego książka tak bardzo odbiegała od wszystkiego, co do tej pory napisał, że nie miał żadnych skrupułów, adaptując na jej potrzeby poszczególne elementy swoich papkowych opowiadań. Na skutek tych zabiegów rozwiązanie intrygi „Głębokiego snu" nie zaskoczyłoby nikogo, kto przeczytał wcześniej w „Czarnej Masce" z września trzydziestego szóstego roku rzecz zatytułowaną „Kurtyna". Z kolei, jeden z ubocznych wątków „Głębokiego snu", szantaż za pomocą zdjęć pornograficznych, pojawił się już wcześniej w „Deszczowym zabójcy", opublikowanym w „Czarnej Masce" w trzydziestym piątym. Także wiele bójek zostało niemal dosłownie przeniesionych do powieści z wcześniejszych historii napisanych dla „Czarnej Maski". Niech to zilustrują dwa poniżej przytoczone fragmenty; jeden wyjęty z „Deszczowego zabójcy", a drugi z „Głębokiego snu":

> Blondyna wbiła zęby w moją rękę, po czym plunęła we mnie moją własną krwią. Z kolei rzuciła się na moją nogę, żeby i ją także ukąsić. Przyłożyłem jej lekko w głowę lufą pistoletu i spróbowałem się podnieść. Stoczyła się z moich nóg i oplotła mi kostki ramionami. Ponownie upadłem na tapczan. Dziewczyna była silna szaleństwem przerażenia[5].

> Blondyna plunęła na mnie, po czym rzuciła się na moją nogę, próbując ją ugryźć. Przyłożyłem jej po głowie pistoletem, niezbyt mocno, i spróbowałem się podnieść. Stoczyła się z moich nóg i oplotła mi kostki ramionami. Ponownie upadłem na tapczan. Blondyna była silna szaleństwem miłości albo przerażenia, albo mieszaniny jednego i drugiego, albo może po prostu była silna[6].

Chandler uważał ten proceder „kanibalizacji" (jak go sam nazwał) za w pełni uzasadniony i nie przejmował się tym, że niektórym czytelnikom mogło to zepsuć zabawę odgadywania dalszego ciągu. Mając do dyspozycji powieściową obojętność, uważał, że tym sposobem przenosi niejako produkty jednorazowego użytku do trwałej sfery literackiej[7].

Zmiana w jego sposobie pisania najbardziej była widoczna w tym, jak posługiwał się w powieści dowcipem. Naśladując innych pisarzy „Czarnej Maski", używał „odzywek" jako czegoś oczywistego; w latach trzydziestych celnie sformułowane powiedzonka i repliki stały się w tym gatunku obowiązkowe i zgoła fundamentalne. „Czarna Maska", żądając, by wiele i bez przerwy się działo, równocześnie oferowała za mało miejsca, by Chandler mógł w swojej papce w pełni wykorzystać dar wypatrywania absurdu. Dostatek miejsca w powieści zaowocował zwiększoną dawką dowcipu.

Przykłady tego znajdujemy w przedłużonych dialogach, często zresztą luźno tylko związanych z akcją, na które teraz pisarz mógł sobie już bez obawy pozwolić. Jakkolwiek nieodmiennie w centrum owego dowcipkowania znajdował się Marlowe, to jego stwórca zdawał sobie sprawę z tego, że nie można mu pozwalać na zbyt wiele. Gdy w przyszłości jego powieści zaczną być adaptowane dla radia, Chandler napisze do jednego z producentów słuchowisk list, w którym wyjaśni:

> Proszę zadbać, by Marlowe nie mówił czegoś tylko w tym celu, aby zabłysnąć kosztem jakiejś innej postaci. Jeśli wyskakuje z jakąś śmieszną odzywką, to niech się ona w nim zrodzi spontanicznie, jako próba rozładowania jakiegoś napięcia emocjonalnego, nie zaś z rozmyślnej chęci zgaszenia kogoś kąśliwą ripostą. [...]
> Należy go ustrzec od jakichkolwiek przejawów smakowania [własnych odzywek] [...] Zbyt wiele postaci pisanych w pierwszej osobie sprawia drażniące wrażenie zarozumialstwa, i to niedobrze. Aby tego uniknąć, trzeba dbać o to, by nie za każdym razem to on zwycięsko wychodził z wymiany zdań i żeby nie za każdym razem do niego należało ostatnie słowo. Niech to się wręcz zdarza raczej rzadko[8].

Sam Chandler w „Głębokim śnie"[9] stosował się do swych własnych dobrych rad. Czarne charaktery, jak gangster Eddie Mars, zostaną wprawdzie na końcu pokonane przez Marlowe'a, ale przedtem mogą stawiać czoło jego zgryźliwości:

– Do diabła, kim pan właściwie jest, przyjacielu?
– Nazywam się Marlowe, jestem detektywem.
– Nigdy o panu nie słyszałem. Kim była ta dziewczyna?
– Klientką. Geiger próbował jej zacisnąć pętlę na szyi. Szantażykiem. Przyszliśmy tutaj, żeby z nim o tym pomówić. Nie było go. Drzwi były otwarte, więc weszliśmy, żeby poczekać. Nie mówiłem panu o tym?
– To bardzo wygodne – powiedział. – Otwarte drzwi. Zwłaszcza, jak się nie ma klucza.
– Owszem. A jak pan wszedł w posiadanie swojego?
– Czy to pańska sprawa, przyjacielu?
– Mógłbym z tego zrobić moją sprawę.
Zaśmiał się oszczędnie i podniósł rondo kapelusza, przesuwając go na tył głowy.
– A ja mógłbym pańską sprawę zamienić na moją sprawę!
– To się panu nie będzie opłacało. Honorarium jest zbyt niskie – odparłem.
– W porządku, Sokole Oko. Dom należy do mnie. Geiger jest moim lokatorem. No, jak pan teraz wygląda?
– Zna pan bardzo miłych ludzi – stwierdziłem.
– Biorę ich takimi, jakimi są. Przychodzą do mnie różni[10].

Choć Chandler dowiódł w „Głębokim śnie", że jest dobry w tego rodzaju scenkach, to tym, co go naprawdę wyróżniało spośród kolegów papkowców (jego samego z poprzedniego okresu wliczając), były powiązania między poszczególnymi scenami, kiedy to nie dzieje się nic godnego uwagi.

Jego wspomniany już zwyczaj pisania na małych kartkach mieszczących około dwunastu linijek sprawiał, że każda scena musiała czymś czytelnika „wziąć". W „Głębokim śnie" każda z nich stanowiła niejako całostkę samą w sobie, i jako taka budziła osobne zainteresowanie. Kosztem ogólnej płynności narracji Chandler przedkładał filmowy zgoła nacisk na mocne sceny ponad mocną strukturę całości.

Marlowe mógł po prostu czekać na klienta albo parzyć sobie kawę, a Chandler przypatrywał się jego codziennym gestom i czynnościom z taką samą uwagą, jaką poświęcał momentom pełnym dramatyzmu:

Było około wpół do jedenastej. Mała meksykańska orkiestra była wyraźnie zmęczona graniem ściszonych rumb, których nikt nie tańczył. Jeden z muzykantów ocierał koniuszki palców, tak jakby sprawiały mu ból, wkładając jednocześnie do ust papierosa tym samym, niemal bolesnym ruchem. Czterech innych pochylało się jednocześnie jakby na dany znak, wyciągało spod krzeseł kieliszki, pociągało z nich łyk, oblizywało usta i błyskało oczami. Tequila – miało to znaczyć. Najprawdopodobniej pili wodę mineralną. To przedstawienie było tak samo niepotrzebne jak muzyka. Nikt na nich nie patrzył[11].

*

Otrzymawszy od Chandlera jesienią trzydziestego ósmego roku maszynopis „Głębokiego snu”, Alfred Knopf wykupił całą okładkę „Tygodnika Wydawniczego”, aby zareklamować swój nowy pisarski nabytek. Był zachwycony książką i nie miał wątpliwości, że wzbudzi zainteresowanie, które wykroczy daleko poza rynek twardego kryminału. Był przekonany, że udało mu się odkryć nową gwiazdę na firmamencie „twardzieli”.

Ogłoszenie pojawiło się w Wigilię trzydziestego ósmego roku i zawierało zaledwie trzy linijki:

1929 – Dashiell Hammett
1934 – James M. Cain
1939 – Raymond Chandler

Porównanie z Jamesem M. Cainem było nieuniknione. Był on autorem powieści „Listonosz zawsze dzwoni dwa razy”, którą Knopf opublikował pięć lat wcześniej, odnosząc ogromny wydawniczy sukces. Była to brutalna, lecz dobrze napisana rzecz o ulicznym sprzedawcy, Franku, który w okresie depresji znajduje posadę w przydrożnym pensjonacie na obrzeżach Los Angeles. Właściciel, grecki imigrant, odnosi się do niego przyjaźnie, lecz Frankowi nie trzeba wiele czasu, by zacząć cudzołożyć z jego żoną:

Oderwałem się od niej i z całej siły walnąłem ją pięścią w oko. Upadła. Leżała teraz u moich stóp z błyszczącymi oczyma, z falującymi piersiami, których sterczące czubki wpatrywały się prosto we mnie. Leżała tak, a mój oddech przeciskał się przez krtań chrapliwie, jak gdybym był jakimś zwierzem, i język miałem całkiem obrzmiały i pulsowała w nim krew.
– Tak! Tak, Frank, tak!
A potem już leżałem na niej i wpatrywaliśmy się sobie w oczy, i zaciskaliśmy wokół siebie ramiona, i wytężaliśmy siły, żeby być jeszcze bliżej siebie. Choćby miał wtedy do mnie strzelać, to nic by to nie zmieniło. Musiałem ją mieć, choćby mi za to przyszło wisieć.
Wziąłem ją[12].

Kochankowie postanawiają zamordować Greka, żeby zagarnąć jego pieniądze, i planują wszystko tak, by zbrodnia nie została wykryta; w wyniku śledztwa zostają jednak aresztowani i skazani na śmierć.

Cain nie wyszedł ze szkoły „Czarnej Maski". Zanim napisał „Listonosza" kształcił się na zwodowego muzyka, a potem był szanowanym w Baltimore dziennikarzem specjalizującym się w problematyce przemysłowej. Jedyną rzeczą, jaką wydał przed „Listonoszem", była rozprawka pod tytułem „Nasz rząd", która ukazała się nakładem Knopfa w trzydziestym roku.

Jego powieść wywarła ogromne wrażenie na amerykańskich czytelnikach. Nawet ci krytycy, którzy nienawidzili pisarskich „twardzieli" (a wciąż była ich wtedy większość), zmuszeni byli odnotować ukazanie się tej książki i przyznać, że niektóre jej partie zostały doskonale napisane.

Mimo że powieść zawierała wszystkie charakterystyczne elementy „twardego" stylu nowej amerykańskiej prozy (seks, przemoc, krótkie zdania, slang), to wywołała wielki oddźwięk. Następnymi swoimi książkami Cain nie zdołał jednak powtórzyć sukcesu „Listonosza" i Knopf miał teraz nadzieję, że zastąpi go Chandler. Był w każdym razie przekonany, że „Głęboki sen" jest książką na tyle dobrą, by z punktu wyrobić autorowi nazwisko.

Tego samego zdania był londyński wydawca, Hamish Hamilton, toteż zakupił on prawa do jej wydawania na obszarze Imperium Brytyjskiego. Powieść miała więc zostać opublikowana po obu stronach Atlantyku, i to prawie równocześnie: w lutym trzydziestego dziewiątego roku w Ameryce, a w marcu – w Wielkiej Brytanii. Oba wydawnictwa pokładały w niej duże nadzieje.

*

Po opublikowaniu „Głębokiego snu" zajęli się nim krytycy i zaraz stało się widoczne, że jest jedna istotna przeszkoda, która pojawiła się na drodze do wielkiego sukcesu. Wprawdzie Cain także odmalował w „Listonoszu" plugawą nędzę tego świata, lecz nie tak hojnie szafował jej przejawami jak Chandler. Oprócz zbrodni, szantażu i skorumpowanych policjantów, „Głęboki sen" mieścił w sobie również portrety paru alkoholików, postać psychotycznej narkomanki i nimfomanki zarazem, producentów pornografii, liczne cudzołóstwa, szczegółowo opisywane trupy oraz zabójcę, który był homoseksualistą. Wprawdzie Chandler obstawał przy tym, że wszystko to wzięte zostało z rzeczywistości, o czym świadczyły w latach trzydziestych choćby wychodzące w Los Angeles gazety, ale przecież żaden pisarz przed nim, ani Gardner, ani Hammett czy też Cain, nie zaprezentował opowieści, których tło było tak jawnie niemoralne.

Żaden też pisarz tej niemoralności nie ukazywał z pozycji chłodnego obserwatora. To, co przedstawił w swej książce Cain, miało na celu wywołanie u czytelnika szoku, podczas gdy chandlerowski Marlowe zdawał się podobne sytuacje traktować jako coś zwykłego, a nawet na swój ponury sposób zabawnego. I otóż ta właśnie cecha „Głębokiego snu" miała w oczach recenzentów raczej niewielką wartość. Zarówno brytyjscy, jak i amerykańscy krytycy uznali, że powieść Chandlera nie zasługuje na większą uwagę. Wiele gazet w ogóle pominęło ją milczeniem, zaś te, które odnotowały jej wydanie, potępiały ją jako wręcz szkodliwą. W parę dni po ukazaniu się „Głębokiego snu" na amerykańskim rynku, Chandler powiedział Knopfowi:

> [Krytycy] zwracają więcej uwagi na to, co w tej książce jest zdeprawowane i odrażające, niż na cokolwiek innego. Muszę przyznać, że przysłana mi przez agencję wycinków recenzja, która ma się dopiero ukazać na łamach „New York Timesa", dość skutecznie wypuściła ze mnie powietrze. Ja przecież nie chcę pisać „zdeprawowanych książek"[13].

Jedyną pochlebną ocenę zyskał sobie „Głęboki sen" w krótkiej recenzji zamieszczonej przez „Los Angeles Times" 19 lutego trzydziestego dziewiątego roku. Opatrzono ją tytułem „Młody Raymond Chandler przecainował Caina swoją dynamiczną, twardym stylem napisaną powieścią o środowisku hollywoodzkich gangsterów". (W rzeczywistości Chandler był o cztery lata starszy od Caina, ale Knopf świadomie tego faktu nie eksponował, zdając sobie sprawę z tego, że debiut w wieku pięćdziesięciu lat nie jest atutem z handlowego punktu widzenia). Nawet ta jedyna pozytywna recenzja ograniczyła jednak komplementy pod adresem książki do stwierdzenia, że stanowi ona dobry materiał na scenariusz filmowy; Hollywood wszakże, podobnie zresztą jak wszyscy, pod koniec lat trzydziestych z wielką ostrożnością podchodziło do utworów przesyconych drażliwymi scenami, toteż nie okazało najmniejszego zainteresowania zakupem praw do sfilmowania powieści Chandlera.

Książka rozeszła się w osiemnastu tysiącach egzemplarzy – wliczając w to rynek brytyjski, i przyniosła autorowi zaledwie dwa tysiące dolarów, co stanowiło sumę w najmniejszym nawet stopniu nieporównywalną z zarobkami Hammetta i Caina; w trzydziestym drugim, w ciągu pierwszych trzech tygodni po ukazaniu się „Thin Man" sprzedano dwadzieścia tysięcy egzemplarzy tej książki, a ponadto wytwórnia filmowa MGM kupiła od Hammetta prawa filmowe za dwadzieścia jeden tysięcy dolarów.

*

I tak oto Chandler zmuszony był dalej pisać papkę, by zarobić na życie, ale przynajmniej stać go już było na to, żeby wyprowadzić się z Santa Monica. Dzięki pieniądzom za „Głęboki sen" mogli wraz z Cissy opuścić ciasne mieszkanko, w którym spędzili pięć ostatnich lat. Nie oznaczało to jednak, że odtąd nie będą się już musieli liczyć z każdym centem: jeszcze przez pięć kolejnych lat wynajmowali mieszkania w różnych miasteczkach Wybrzeża, na przedmieściach Los Angeles i w kalifornijskich miejscowościach wczasowych.

W dalszym ciągu prawie nikogo nie widywali poza sobą. Gdy opuszczali Santa Monica, Cissy zbliżała się już do siedemdziesiątki i bardzo była wycieńczona nawracającymi zapaleniami płuc. „Głęboki sen" sposobał jej się „nieszczególnie", jak powiedział Chandler. On sam w dalszym ciągu nie pił i w dalszym ciągu nie znosił towarzystwa innych ludzi.

> Człowiek, który był alkoholikiem i całe życie przeżył w cieniu ojca alkoholika (nawet jeśli go nie widywał), co nawet sprawiło, że był zadowolony, nie mając własnych dzieci (a nuż byłyby naznaczone tą samą skazą?) – nigdy nie pozbędzie się pogardy wobec siebie samego za porażki, jakimi opłacił swój nałóg, a niekiedy nawet – choćby najniesłuszniej – przenosi to uczucie na ludzi, którzy w żadnej mierze na to nie zasługują[14].

Co najbardziej uderza w życiu Chandlerów bezpośrednio po tym, jak opuścili Santa Monica, to nie tyle ich cygańska egzystencja, ile fakt, że udawało im się mieszkać w tak wielu miejscach, a przy tym nigdzie wystarczająco długo, by kogokolwiek spotkać.

Od chwili gdy Chandler stracił pracę, z własnego wyboru żyli na walizkach i jak gdyby na całkowitym bezludziu. W marcu trzydziestego dziewiątego roku – miesiąc po ukazaniu się „Głębokiego snu" – Raymond i Cissy mieszkali w małym domku w Riverside, „mieście biedaków" leżącym o sześćdziesiąt pięć kilometrów na wschód od Los

Angeles. W sierpniu tego samego roku już wynajmowali chatę w kalifornijskich górach, w Big Bear Lake, o dwie godziny drogi na północny wschód od LA. To małe miasteczko nad brzegiem jeziora, ze zgrabnymi hotelikami, do których na stałe angażowano zespoły muzyczne, było popularnym miejscem wypoczynku. „Przed estradą był parkiet taneczny, na którym kilka par o mętnym wzroku szurało nogami bez zapału, z rozchylonymi wargami i z oczami wypełnionymi nicością”[15].

Za miastem znajdowały się leżące na odludziu chaty, które po przytłaczających upałach w Santa Monica Chandler uwielbiał.

> Dobiegł mnie chropawy głos jakiejś dziewczyny, która śpiewała „Piosenkę dzięcioła”. Przejechałem obok niej i melodia zaczęła zacichać, a droga była pełna wybojów i kamieni. Zostawiłem za sobą chatę nad brzegiem jeziora. I za nim nic już nie było prócz sosen i krzewów jałowca i lśnienia wody. Zatrzymałem samochód i podszedłem do pnia potężnego zwalonego drzewa, którego korzenie sterczały na cztery metry w górę. Usiadłem na wyschniętej na pieprz ziemi, oparłem się plecami o pień i zapaliłem fajkę. Było spokojnie i cicho, i wszystko pozostało gdzieś daleko[16].

Przystępując do pracy nad kolejną powieścią, Chandler zmuszony był w dalszym ciągu do pisania papkowej literatury. W przeciągu osiemnastu miesięcy po ukazaniu się „Głębokiego snu” napisał sześć kawałków, z których pięć to klasyczne „twarde” historie; w żadnej z nich nie wystąpił detektyw Philip Marlowe[17]. Zapłacono mu za nie po czterysta dolarów od sztuki.

Szóste opowiadanie było zupełnie odmienne. „Spiżowe drzwi”, to opowieść fantastyczna, usytuowana w postwiktoriańskim Londynie, którą opublikował magazyn pod nazwą „Unknown”, płacąc autorowi zaledwie sto dolarów.

Mimo iż historia ta działa się – zarówno w przestrzeni, jak i w czasie – daleko od Los Angeles, była najbardziej autobiograficzną opowieścią, jaką Chandler napisał w tym przejściowym okresie swego życia. Nie bez znaczenia był fakt, że bohater tej opowieści bliższy jest wiekiem i sytuacją Chandlerowi z trzydziestego dziewiątego roku niż którykolwiek inny ze stworzonych przez niego detektywów. Podczas gdy perypetie Marlowe'a i innych jego odpowiedników pomagały pisarzowi uciec od poniżających wspomnień alkoholicznych upadków, to postawa Suttona-Cornisha zdaje się dowodzić, że dawne rany bynajmniej się jeszcze nie zabliźniły. „Spiżowe drzwi” nie mają prawie żadnej akcji poza historią duchowych cierpień bohatera, widoczna jest za to nostalgiczna tęsknota autora za Londynem.

Rzecz zaczyna się od tego, że pewnego popołudnia żona znajduje pana Suttona-Cornisha, alkoholika, w mieszkaniu, kompletnie pijanego. Postanawia zostawić go w tym stanie i wychodzi z domu.

> Przed kominkiem stał pan Sutton-Cornish. Stał i patrzył na swoje ponure odbicie, majaczące w lustrze na ścianie.
> – Chodźmy na mały spacer – szepnął z wykrzywioną twarzą. – Ty i ja. Zawsze było nas tylko dwóch, prawda?[18]

Cornish pije dalej. „Nie był już całkiem zdrowym na umyśle człowiekiem. Gdy pozostawiony samemu sobie wybuchnął swym jadowitym śmiechem, to śmiech ów mógł przywieść na myśl odgłos walących się murów".

Ląduje w końcu w barze, w otoczeniu podobnych sobie popołudniowych pijaków, wśród których znajdował się również pewien irytująco gadatliwy mężczyzna. Przybył on z jakiejś dalekiej tropikalnej placówki do Londynu, by spędzić tu urlop.

Nietrudno w tej drugorzędnej postaci dojrzeć drugie wcielenie samego Chandlera. Gadatliwy człowieczek wpadł w tropikach w nałóg samotnego picia; jego angielskość jest jedyną formą podtrzymywania szacunku dla samego siebie, jaką jeszcze dysponuje, i jedyną rzeczą, o której chce rozmawiać. Obnosi dumnie krawat swojej starej szkoły, który zawsze ma pod ręką niby talizman; zresztą przechowuje go w metalowej puszce, „żeby go nie zżarły stonogi".

Cornish nie ma ochoty na rozmowę i wyobraża sobie, jak ten żałosny człowieczek wraca do swoich tropików, gdzie będzie „spędzał bezsennie noce w dżungli, rozmyślając o Londynie".

W swojej pijackiej wędrówce Cornish trafia do sklepu, w którym kupuje drzwi z brązu odznaczające się tą właściwością, że ktokolwiek przez nie przejdzie – znika bez śladu. W drzwi wkracza jego małżonka, za nią policjant, a za policjantem – sam Cornish.

*

Chandler nie był w trzydziestym dziewiątym roku jedynym człowiekiem w Ameryce, którego myśli zwracały się ku Londynowi. Jego książkowy debiut, który nie spełnił pokładanych w nim nadziei, przypadł na luty; w marcu uwaga całego niemal świata skupiła się na Europie. Adolf Hitler najechał i zaanektował Czechosłowację, a jego plany sięgały dalej. Wielka Brytania i Francja zareagowały na tę agresję, dając Polsce, która czuła się zagrożona przez niemieckiego sąsiada, gwarancje bezpieczeństwa. Wytworzył się stan napięcia, który rozciągnął się na lato trzydziestego dziewiątego roku; Brytyjczycy i Francuzi zaczęli się intensywnie dozbrajać, z obawy przed wybuchem nowego konfliktu na ogólnoeuropejską skalę. „Wysiłki, jakie czyniłem, by nie myśleć o wojnie, doprowadziły do tego, że umysłowo cofnąłem się do poziomu siedmiolatka", zwierzył się w sierpniu Chandler Alfredowi Knopfowi. Wrześniowa agresja wojsk Hitlera na Polskę dała początek wojnie, która zajęła umysł pisarza w tym samym stopniu co każdego.

Podobnie jak w 1917 roku, pisarz zgłosił się do armii kanadyjskiej, ale dwudziestego siódmego września otrzymał odmowę uzasadnioną jego wiekiem: miał wszak pięćdziesiąt jeden lat. Z wielką jednak uwagą śledził wydarzenia w Europie, przy czym początkowo z optymizmem przewiduje ich dalszy rozwój: „Żołnierz brytyjski co najmniej nie ustępuje niemieckiemu – pisał do jednego z byłych kolegów z „Czarnej Maski" – a wojska kolonialne biją się nawet o wiele lepiej".

> Co się tyczy nalotów bombowych, to jest to broń obosieczna. Jeśli Hitler dokona ataku gazowego na Londyn, to zbombardowany zostanie Berlin. A brytyjskie samoloty lepiej są przystosowane do nocnych bombardowań niż niemieckie, ponieważ Anglicy od dwudziestu pięciu lat specjalizują się w nocnych atakach. Do tego wszystkiego trzeba jeszcze wziąć pod uwagę to, że angielscy cywile są najbardziej w świecie odporni na panikę. Potrafią brać ciężkie baty, a jednocześnie dalej sadzą w ogródkach swoje kwiatki. Niemcy są w końcu ludźmi takimi samymi jak wszyscy i perspektywa prowadzenia nieskończonych wojen i znoszenia wojennych racji żywnościowych – w imię sprostania wielkim ambicjom tego wrednego człowieczka i jego gestapowskiej bandy – po jakimś czasie zrodzi w nich uczucie rozgoryczenia[19].

*

Obojętność, z jaką spotkał się „Głęboki sen", nie tylko zawiodła jego nadzieje na szybkie zdobycie sobie popularności; oznaczała ona także porażkę finansową. Wydanie książki w twardych okładkach miało dla niego nie tylko prestiżowy walor, ale i stanowiło znaczną zachętę pieniężną; Chandler po prostu nie był w stanie pracować wystarczająco szybko, aby pisaniem papki zapewnić sobie i Cissy życie na przyzwoitym poziomie, nawet gdyby miały to być papkowe książki, a nie kawałki drukowane w magazynach. (Książkowi wydawcy papki, jak na przykład Pocket Books, płaciły autorom zaledwie siedemset pięćdziesiąt dolarów od stu tysięcy sprzedanych egzemplarzy w cenie dwudziestu pięciu centów[20]).

Tylko więc książka w twardych okładkach, która by się dobrze rozeszła, mogła mu opłacić czas niezbędny na pisanie, jak się to działo w przypadku Hammetta czy Caina; kluczowe znaczenie dla powodzenia lub niepowodzenia takiej książki miały jednak recenzje, choćby dlatego, że poinformowałyby one o objawieniu się nowego pisarza publiczności znacznie szerszej niż tylko krąg czytelników literatury kryminalnej. Ci bowiem zanadto byli nastawieni na kupowanie swoich ulubionych książek w tanich wydaniach kieszonkowych albo na wypożyczanie ich z publicznych bibliotek; nie zwykli wydawać dwóch dolarów na książkę w sztywnych okładkach. Hammett i Cain w większym stopniu zawdzięczali swoje dochody ogólnemu rynkowi czytelniczemu niż entuzjastom kryminałów[21].

W rezultacie skąpej informacji o „Głębokim śnie" w twardym wydaniu, sprzedano go w Ameryce w liczbie zaledwie dwunastu i pół tysiąca egzemplarzy. Gdy w rok później powieść ukazała się w eleganckim wydaniu kieszonkowym i w cenie jednego dolara – znalazła tylko trzy i pół tysiąca nabywców, co przyniosło Chandlerowi żałosnych sto siedemdziesiąt pięć dolarów. Tymczasem Knopf odmawiał wydawcom książkowej papki sprzedania praw do „Głębokiego snu", uważając, że opublikowanie go w takiej formie jeszcze bardziej zaszkodziłoby Chandlerowi w oczach krytyków.

Sytuacja autora kryminałów, który został wydany w pełnej formie książkowej, ale nie zdobył sobie uznania recenzentów na samym początku pisarskiej kariery, stawała się wręcz niebezpieczna. Nie mógł on liczyć na to, że książka dobrze się rozejdzie w twardym wydaniu, dopóki nie zdobędzie sobie reklamowego wsparcia krytyki, ponieważ na ryzyko poniesienia wydatków na samodzielną promocję i reklamę mogli sobie pozwolić jedynie ćwierćdolarowi wydawcy w rodzaju Pocket Book czy Avon.

Problemy te w mniejszym stopniu odnosiły się do rynku brytyjskiego, tam bowiem dzięki istnieniu gazet ogólnokrajowych reklama była łatwiejsza i tańsza. W Ameryce jednak był to rodzaj samonapędzającego się mechanizmu: im większą obojętność okazywała jakiemuś twórcy kryminałów krytyka, tym szybciej dostawał się on w ręce wydawców papki, co z kolei sprawiało, że jego twórczość kojarzona była z tandetną taniochą, pośpieszną pisaniną i krzykliwymi okładkami, czego pierwszym ważnym następstwem była jeszcze bardziej lekceważąca postawa tych krytyków, których głos liczył się na rynku. Erle Stanley Gardner postanowił w pewnym momencie stać się swym własnym wydawcą, jednakże dla Chandlera w trzydziestym dziewiątym roku takie rozwiązanie było zanadto kosztowne.

*

Musieli wiec żyć wraz z Cissy w dalszym ciągu bardzo skromnie. Pod koniec lata przeprowadzili się do Monrovii, przedmieścia „niebieskich kołnierzyków" na północy Los Angeles. Zamieszkali w niewielkim domku przy West Duarte Street. Chandler wciąż trwał w abstynencji. Pewien wgląd w jego samopoczucie z tego okresu życia daje kolejna opowieść z gatunku fantastyki, podobna w tonacji do „Spiżowych drzwi", które napisze dziesięć lat później.

„Professor Bingo's Snuff", to opowieść o pięćdziesięciodwuletnim mężczyźnie (tyle lat miał Chandler w 1940 roku), który budzi się pewnego ranka w swoim mieszkaniu, położonym w taniej dzielnicy Los Angeles, z uczuciem głębokiego przygnębienia.

> Dziesiąta rano i już muzyka. Taneczna. I to głośno. Buum, buum, buum. Gałka regulująca natężenie basów przekręcona na maksimum. Aż podłoga od tego wibrowała. Podłoga i ściany. Joe Pettigrew czuł to, sunąc po twarzy cichutko warkoczącą maszynką do golenia. [...] Sąsiedzi na pewno szaleją z radości.
> Dziesiąta rano, a w szklankach już kostki lodu. Dziesiąta rano, a policzki już zaróżowione, wzrok lekko szklisty, na twarzy głupkowaty uśmiech, perlisty chichot przy byle okazji.
> Wyciągnął wtyczkę i warkot maszynki do golenia ustał. Kiedy przesuwał czubkami palców po szczęce, napotkał spojrzenie ponurych oczu w lustrze.
> – Jestem trup – rzucił przez zaciśnięte zęby. – Masz pięćdziesiąt dwa lata i zgrzybiały starzec z ciebie. Dziwię się, że w ogóle jeszcze tam jestem, że cię jeszcze widzę...[22]

W progu staje jakiś mężczyzna, który handluje magiczną substancją pozwalającą ludziom stać się niewidzialnymi. Joe Pettigrew kupuje trochę czarodziejskiego środka, po czym wdycha odpowiednią jego porcję. W swej niewidzialnej postaci przyłapuje żonę z innym mężczyzną, zabija ich oboje i aby nie wpaść w ręce policji, zażywa co jakiś czas następne dawki. W pewnym momencie jednak wyczerpuje mu się zapas magicznej substancji i w końcu Pettigrew zostaje zastrzelony przez policję.

Ówczesny nastrój Chandlera ilustruje też fragment listu, napisany do londyńskiego wydawcy, Hamisha Hamiltona, z okazji urodzin:

> To smutne, że jesteś już pięćdziesięcioletnim staruszkiem. Współczuję ci. To fatalny wiek. Pięćdziesięcioletni mężczyzna nie jest ani młody, ani stary, ani też nie przynależy do wieku średniego. Wiatr już nie dmucha w jego żagle, a starcza godność jeszcze zwleka z nadejściem. Młodym wydaje się stary i ociężały. Dla prawdziwie starych jest nadętym i chciwym tłuściochem. Dla bankierów i inspektorów podatkowych stanowi po prostu łatwy łup. Czy nie lepiej się zastrzelić?[23]

*

Fakt, że amerykańscy i brytyjscy krytycy potraktowali „Głęboki sen" nieprzychylnie, sprawił, że wśród tych czytelników, którzy zaczęli go teraz czytać, zrodził się swoisty „kult Chandlera". To właśnie przekazywane z ust do ust zachwyty bardziej niż jakikolwiek inny czynnik zachęcały ludzi do przeczytania jego debiutanckiej powieści. Wśród tych pierwszych admiratorów znaleźli się także i pisarze: Chandler otrzymał listy z zachętą do dalszego pisania od Johna Steinbecka i S.J. Perelmana.

Inni papkowi pisarze uprzedzili go wprawdzie, że krytyka ze szczególną niechęcią podchodzi do „twardych" kryminałów, Chandler sądził jednak, że „Głęboki sen" jest książką wystarczająco dobrą, by zmusiła „intelektualnych dandysów" do uznania jej wartości. Gdy okazało się, że się przeliczył, załamał się. Napisał list do Erla Stanleya Gardnera, który także przez sześć lat był ignorowany przez krytyków, i zapytał go, jak sobie z tym poradził, mając świadomość, że jest „oczywiście" lepszym pisarzem niż intelektualiści, których książki krytyka chwali i tym samym lansuje na rynku czytelniczym:

> [Wielka proza] to doskonałość kontroli nad przebiegiem opowieści, porównywalna z tą, jaką w baseballu wielkiej klasy miotacz sprawuje nad piłką. Miał ją Dumas, miał ją – jeśli wziąć pod uwagę wiktoriańskie poplątanie – Dickens; ale za pańskim pozwoleniem pozwalam sobie stwierdzić, że Edgar Wallace nawet się nie zbliżył do tej sztuki. Jego historie co

chwila zamierały i musiał je reanimować. Inaczej niż pańskie. Każda stronica jest w nich zahaczona o następną. Jest to w moim mniemaniu zgoła genialna umiejętność [...] to oczywiste, że jeśli leży obok mojego fotela tuzin nieprzeczytanych książek, a wśród nich jest pański Perry Mason i ja sięgam właśnie po niego, to musi to być książka wartościowa[24].

Chandler uważał, że nawet jeśli „przemądrzali krytycy" akceptowali Hammetta, to zawsze z pewną dozą protekcjonalności, i choć poruszyła ich pierwsza powieść Caina, to potem go już ignorowali. Nie chcieli nawet poczynić rozróżnienia pomiędzy dobrą „twardą" prozą kryminalną a złą.

Chandler zdecydowany był przełamać ten opór krytyków swoją następną książką. W grudniu trzydziestego dziewiątego roku wyrzucił cały maszynopis powieści „Żegnaj, laleczko" (zaczął ją pisać w czerwcu) i rozpoczął pisanie od nowa. Na dobrą sprawę nie mógł sobie pozwolić na taki gest, ale – nie mając na utrzymaniu dzieci – gotów był podjąć takie ryzyko. „Musiałem wyrzucić moją drugą książkę – powiedział staremu znajomemu z „Czarnej Maski", George'owi Harmonowi Coxe'owi – żeby przez następne pół roku nie mieć nic do pokazania, a przez następne pół może również i nic do jedzenia"[25].

Na krótko przed Bożym Narodzeniem trzydziestego dziewiątego roku Chandlerowie udali się z Monrovii do pięknego miasteczka La Jolla, leżącego nad oceanem, nieco powyżej San Diego, w pobliżu meksykańskiej granicy. Spędzili tam święta, a Chandler obiecał Cissy, że gdy tylko będzie go na to stać – przeniosą się tam na stałe.

To właśnie podczas tych świąt, które każdego roku stanowiły dla niego okres najbardziej niemiły, postanowił, że zacznie swoją drugą powieść od nowa.

Po Nowym Roku Chandlerowie przeprowadzili się na południowo-wschodnie przedmieście Los Angeles, zwane Arcadią, i zamieszkali w domu przy Arcadia Avenue[26]. Wprawdzie było tam równie nudno jak w Monrovii, i w przyszłości pisarz ani razu nie nawiąże w swym pisarstwie do tych dwóch miejsc, w których zamieszkiwał, ale to właśnie w Arcadii udało mu się wiosną czterdziestego roku ukończyć swoją drugą opowieść o Marlowe.

„Żegnaj, laleczko" zaczyna się od tego, że Marlowe zostaje wynajęty przez zwalistego eksprzestępcę, znanego jako „Moose" Malloy, który właśnie wyszedł z więzienia. Malloy zleca mu odszukanie pewnej byłej tancerki rewiowej imieniem Velma, z którą niegdyś wiązało go uczucie; detektyw, który od tygodni pozostawał bez zajęcia, przyjmuje to zlecenie.

Zaczyna od odszukania adresu człowieka, który był szefem klubu przy Central Avenue, w czasie gdy występowała tam Velma; ten jednak już nie żyje, a wdowa alkoholiczka mówi, że nie pamięta żadnej Velmy. Marlowe wraca do swojego biura mocno niespokojny, obawia się bowiem reakcji znanego z gwałtowności Malloya na wieść o tym, że dochodzenie utknęło w martwym punkcie.

W biurze czeka go kolejna oferta pracy. Bogaty elegancik, nazwiskiem Marriott, potrzebuje ochroniarza, który by mu towarzyszył w drodze do kanionu Purissima. Jednej z jego panienek skradziono bezcenną biżuterię, a teraz złodzieje chcą mu ją odsprzedać za osiem tysięcy.

Marlowe powątpiewa w prawdziwość tej opowiastki, jednak także i to zlecenie przyjmuje. Udają się więc obaj w odludne miejsce umówionego spotkania ze złodziejami i detektyw wysiada z samochodu, mając ze sobą żądaną sumę. Niestety, Marlowe zostaje ogłuszony, Marriott zabity, a pieniądze skradzione.

Sumienie zawodowca nakazuje detektywowi podjęcie próby odzyskania klejnotów, ponieważ Marriott zapłacił mu z góry. Udaje się do przyjaciółki zamordowanego zleceniodawcy, pięknej pani Lewin Grayle, która ma za męża starego, lecz bogatego bankiera i mieszka pośród wzgórz wznoszących się nad Santa Monica. Pani Grayle radzi detektywowi, by dał sobie spokój z całą sprawą, ale jemu coś w tym wszystkim śmierdzi, więc postanawia kontynuować swoją misję.

Dalej następuje cała seria najróżniejszych incydentów z udziałem opłacanych gliniarzy, środków uspokajających, gangsterów, psychiatrycznych cel tudzież Malloya, który przejawia coraz większą gwałtowność. Marlowe jest kompletnie zdezorientowany i w dodatku odczuwa paranoiczne objawy, ale mimo to w nagłym przebłysku uświadamia sobie, że Velma i pani Grayle to jedna i ta sama osoba. Wiedział o tym Marriott, który przez lat ją szantażował, grożąc, że ujawni jej niechlubną przeszłość mężowi. Gdy doszły do niego słuchy o detektywie poszukującym Velmy, zgłosił się do niego z bajeczką o spotkaniu w kanionie, gdzie w istocie to Marlowe miał zginąć z rąk jego kumpli. Kumple jednakże dowiedzieli się w międzyczasie o jego zyskownym szantażu i zamiast detektywa zastrzelili Marriotta, licząc na przejęcie jego dojnej krowy.

Cała ta skomplikowana historia kończy się sceną spotkania Malloya z Velmą. Moose wciąż ją kocha, ona jednak, wściekła na myśl, że wyszła na jaw przeszłość pani Grayle, pakuje w niego śmiertelną kulkę. Marlowe, zbyt wycieńczony przejściami, by go to wszystko naprawdę obchodziło, pozwala jej uciec przed powiadomieniem policji.

„Żegnaj, laleczko" to kolejne potwierdzenie tego, jak bardzo oddalała się proza Chandlera od rygorów i wymagań stawianych przez „Czarną Maskę". Wprawdzie wciąż jeszcze używał sposobów wypracowanych w trakcie pisania papki, ale jego Marlowe w jeszcze mniejszej mierze przypomina papkowych bohaterów niż w „Głębokim śnie": oto na pierwszych sześćdziesięciu stronach powieści traci on osiem tysięcy dolarów, patrzy, jak zamordowany zostaje klient, którego miał mieć pod opieką i wydusza informacje z wdowy alkoholiczki, wlewając w nią whisky. Nie ma w nim nic z niezawodności detektywa Perry'ego Masona, którego stworzył Gardner: dwukrotnie zostaje znokautowany, a raz nafaszerowany narkotykami, gdy odmawia zaniechania swego dochodzenia.

Ocknąwszy się z narkotykowego oszołomienia, Marlowe dowiaduje się, że umieszczono go w wymoszczonej materacami celi pewnej prywatnej kliniki w Santa Monica.

> Nie wiedziałem, co w tym śmiesznego, ale wybuchnąłem śmiechem. Leżałem na łóżku i śmiałem się. Nie podobało mi się brzmienie własnego śmiechu. Brzmiał jak śmiech wariata. [...] Gardło miałem obolałe, ale palce nic na nim nie wymacały. Zupełnie jakbym zamiast nich posługiwał się kiścią bananów. Przyjrzałem się im. Wyglądały jak palce. To na nic. Palce wysyłamy za zaliczeniem. [...] Po półgodzinie chodzenia kolana mi się trzęsły, ale w głowie mi się rozjaśniło. Wypiłem więcej wody, morze wody. Płakałem w umywalkę, ale piłem[27].

Na końcu opowieści Marlowe odzyskuje pełnię władzy umysłowej, a to dzięki napędzającej go nienawiści, jaką zapałał wobec głównego czarnego charakteru całej historii, psychiatry z Los Angeles, Julesa Amthora. Amthor wykorzystywał swoją pozycję konsultanta różnych bogaczy, sprzedając informacje o ich mieniu i tajemnicach ludziom pokroju Marriotta.

Są pewne pośrednie dowody na to, że sam Chandler także szukał pomocy u lekarzy psychiatrów w okresie alkoholizmu, gdy był dyrektorem u Dabneya; dla ludzi, którzy w jego powieści korzystają z konsultacji doktora Amthora, ma jednak tylko pogardę i szyderstwo:

...silne, zdrowe chłopy, ryczące jak lwy w swoich salonach i ukrywające pod bielizną sflaczałe muskuły. Głównie są to jednak kobiety, pulchne i zasapane albo chude i zżerane ogniem, stare i rozmarzone, a także młode, podejrzewające się o kompleks Elektry [...] Pan Jules Amthor nie będzie się parał czwartkowymi godzinami przyjęć w szpitalu stanowym. Jego interesuje gotówka. Jemu płacą w gotówce i bez zwłoki te bogate suki, które trzeba molestować o zapłacenie rachunku za mleko[28].

Marlowe kończy swoją opowieść w towarzystwie Anne Riordan, dziewczyny, która z całą sprawą nie miała nic wspólnego. Raczej atrakcyjna niż ładna („To była miła twarz. Taka twarz, którą mógłbyś polubić"), utrzymywała z detektywem ciepłe stosunki, choć nie sypiali ze sobą. Prosi teraz Marlowe'a, żeby jej wyjaśnił, na czym polegała praca, którą właśnie zakończył. Detektyw (którego zbyt wiele razy okłamano, pobito i wpuszczono w zasadzkę, aby teraz nie miał się czuć znużony) wprowadza ją w całą historię, używając słów niezbyt eleganckich. Anne, która czuje do niego wielką sympatię, bardzo nie lubi jego przekleństw: „Czy naprawdę musisz posługiwać się takim językiem?" – pyta. Na co słyszy: „To z Szekspira. Chodźmy na przejażdżkę". (Odzywka bynajmniej nieprzypadkowa: Chandler coraz bardziej skłonny, był sądzić, że amerykański angielski wszedł w równie ekscytującą fazę rozwoju jak angielski w epoce Szekspira. Był to, jego zdaniem, tętniący życiem, zgoła proteuszowy język, którym się bawiono, który tworzono od nowa i który w mowie potocznej twórczo kaleczono).

Powieść „Żegnaj, laleczko" ukazała się drukiem w maju czterdziestego roku i podzieliła los „Głębokiego snu" – krytyka ją zignorowała. Mimo że Knopf wyjątkowo duże sumy poświęcił na reklamę, książka nie miała recenzji i sprzedała się jeszcze gorzej niż poprzednia (jedenaście tysięcy egzemplarzy w Ameryce i cztery tysiące w Wielkiej Brytanii). Chociaż dzięki propagandzie „z ust do ust" krąg czytelników Chandlera ciągle się poszerzał – wskutek braku rozgłosu w prasie autor znowu zarobił tylko dwa tysiące dolarów. Większość brytyjskich i amerykańskich gazet ograniczyła się do odnotowania „Laleczki" w rubrykach poświęconych nowościom na rynku literatury kryminalnej, a niektóre nawet tam jej nie umieściły.

Najpochlebniejsza recenzja ukazała się w Los Angeles. Krytyk „Hollywood Citizen-News" zachwycał się powieścią Chandlera w niebudzących wątpliwości słowach: „Jestem absolutnie gotów założyć się o całą reputację, jaką się cieszę dzisiaj jako krytyk, a także o tę, jaką sobie może zdobędę w przyszłości, że tego autora czeka świetna przyszłość [...] Boże, jakież to wspaniałe uczucie, gdy znowu można zobaczyć uczciwość i ból, i piękne ludzkie odruchy"[29].

Knopf był tego samego zdania, toteż w dalszym ciągu odmawiał sprzedaży powieści Chandlera papkowym wydawcom.

*

Wkrótce po wydaniu książki Chandlerowie znowu się przeprowadzili, tym razem ponownie do Big Bear Lake.

Tymczasem wojna weszła w nową fazę: brały w niej już udział także Włochy i Rosja, a jednocześnie powstała groźba, że konflikt rozszerzy się na Bliski Wschód oraz na Afrykę. Również i Japonia zdawała się gotowa do dalszego poszerzenia teatru wojny.

Ponieważ Ameryka poczęła zmierzać ku ingerencji po stronie aliantów, doniesienia o przebiegu działań zbrojnych w Europie rozchodziły się po całych Stanach w sposób, w jaki nigdy jeszcze nie relacjonowano tam żadnej wojny. Magazyny fotograficzne w rodzaju „Life'u" i kroniki filmowe ukazywały niemieckie ataki bombowe na angielskie miasta. Chandler zaczął wysyłać paczki żywnościowe swemu dawnemu nauczycielowi klasyki w Dulwich, H.F. Hose'owi, od którego dowiedział się, że Great Hall doznał poważnych szkód w wyniku bombardowania.

Pewien wpis w notesie Chandlera, dokonany tuż przed wybuchem wojny, daje dobre wyobrażenie o niepokoju, z jakim musiał on śledzić eskalację walk. Pamiętamy wszak, że już w latach dwudziestych wymarzył sobie, że razem z Cissy wraca do Londynu:

> Skoro snucie jakichkolwiek planów jest głupotą, zaś te, które się przeleje na papier, nigdy nie mogą się ziścić, więc dziś, 16 marca 1939, w Riverside, stan Kalifornia, zapiszmy plan następujący: [pozostać w LA] przez resztę 1939 roku, przez cały 1940 i wiosnę 1941, a wtedy – jeśli wojna się już skończy, nie skończą się jeszcze pieniądze – udać się do Londynu, aby tam gromadzić materiał[30].

To podczas pobytu w Big Bear Lake latem czterdziestego roku Chandler napisał swoją ostatnią, jak się miało okazać, papkową opowieść, po której miał przystąpić do pracy nad trzecim Marlowe'em. W opowiadaniu zatytułowanym „Nie ma zbrodni wśród górskich szczytów" („No Crime in the Mountains") pewien prywatny detektyw z Los Angeles rozbija niemiecko-japońską grupę sabotażystów, którzy sieją wśród ludności wrogą propagandę, ukrywając się w okolicach Big Bear Lake. W historii tej godne uwagi są jedynie postaci głównych czarnych charakterów i nic więcej. Jej finałem jest strzelanina w chacie, w której dwaj złoczyńcy drukowali antybrytyjską bibułę, pragnąc powstrzymać Amerykanów przed przystąpieniem do wojny:

> Japoniec wrzasnął i rzucił się do wyjścia. My dwaj z Baronem przeskoczyliśmy przez stół. Wyciągnęliśmy rewolwery. Na mojej dłoni rozprysnęła się krew i Luders powoli osunął się po ścianie.
> Baron już był na zewnątrz. Gdy stanąłem za nim, zobaczyłem, jak mały Japoniec zbiega, ile sił w nogach, zboczem, kierując się ku kępie krzewów.
> Baron rozstawił nogi, podniósł swojego colta, po czym go znowu opuścił. „Jest jeszcze za blisko – powiedział. – Jak zawsze daję im czterdzieści metrów for"[31].

*

„Głęboki sen" dostępny był już tylko w bibliotekach, tych popularnych cmentarzach kryminałów. Zainteresowanie nimi było ogromne – w latach czterdziestych co czwarta książka wypożyczona w amerykańskich bibliotekach reprezentowała ten właśnie gatunek – lecz równie ogromna była ilość powieści, które wydawano, by temu zapotrzebowaniu sprostać, a ponieważ większość z nich była tandetna, to wiele dobrych książek po prostu gubiło się w tej masie.

Niewielu czytelników gotowych był kupować kryminały w twardych okładkach, skoro większości z nich nikt nie zamierzał zachować ani przeczytać więcej niż raz. Jeśli dodać do tego powszechną dostępność tych książek za dwadzieścia pięć centów (można je było równie łatwo kupić na położonej na odludziu stacji benzynowej, jak i w wielkomiejskim drugstorze), to widać z tego, że literatura kryminalna padła ofiarą własnego sukcesu. Żaden inny gatunek nie korzystał z tak szerokiej dystrybucji tanich wydań lub z takiej łatwości wypożyczenia.

Przeciętna powieść kryminalna w sztywnych okładkach rozchodziła się w Ameryce średnio w trzech tysiącach egzemplarzy. Mimo że dwie pierwsze powieści Chandlera znalazły trzykrotnie więcej nabywców, to latem czterdziestego roku wciąż był on pisarzem praktycznie nieznanym i nadal mieszkał w tanich miejscowościach wypoczynkowych[32].

Po spędzeniu drugiego już lata w Big Bear Lake, na Boże Narodzenie czterdziestego roku Chandlerowie raz jeszcze wrócili do Santa Monica, do czteropokojowego mieszkania przy San Vincente Boulevard. W lutym następnego roku przeprowadzili się w inne miejsce nad oceanem, bardziej na północ. Miasteczko Pacific Palisades leżało na południe od Malibu, a mieszkanie pisarza mieściło się na Illif Street, przy której „był przyjemny ogród". Nie minęły wszelako dwa miesiące, a już odnajdujemy Chandlerów na Shetland Lane w Brentwood, w lipcu zaś – w leżącej pośród pustyni miescowości wypoczynkowej Idyllwild[33]. W październiku w dalszym ciągu mieszkają na pustyni, tym razem jednak w taniej wypoczynkowej mieścinie Cathedral Springs, w której przepędzają całą zimę.

Na początku grudnia samoloty startujące z japońskich lotniskowców bombardują Pearl Harbour, bazę amerykańskiej marynarki wojennej na Hawajach, czego następstwem jest decyzja prezydenta Roosevelta o przystąpieniu Stanów Zjednoczonych do drugiej wojny światowej.

Boże Narodzenie czterdziestego pierwszego roku i odludny żywot w Cathedral Springs miały przygnębiający wpływ na Chandlera, potęgowany dodatkowo przez wprowadzenie racjonowania żywności.

> To miejsce mnie nudzi. Dałem się już prawie namówić na przetrzymanie całego następnego roku w górach i na pustyniach, ale potem już, do diabła z klimatem, trzeba będzie wreszcie zacząć spotykać jakichś ludzi. Mieszkamy w dziurze, w której jest tylko jeden sklep [...] We czwartek o dziesiątej mieszkańcy przynoszą do niego swoje bronchity i nieświeże oddechy, ustawiają się wzdłuż mięsnej lady i czekają, aż murzyńskim obyczajem wywołany zostanie ich numer. Nasz numer jest bardzo daleki, więc kiedy wreszcie dopychamy się do lady z rozpapraną hamburgerową masą, wita nas nerwowy uśmieszek przywołujący na myśl diakona, którego przyłapano z ręką w pieniądzach zebranych na tacę, i w rezultacie opuszczamy sklep, dźwigając taką ilość mięsa, że starczyłaby zaledwie dla kota. To się zdarza raz w tygodniu i – jeśli chodzi o mięso – jest to wszystko, co tu się zdarza[34].

Chandler poznał już do tej pory niemal wszystkie dzielnice i przedmieścia Los Angeles. Osiemnaście lat przemieszkał w centrum, pięć w satelickiej Santa Monica i trzy na coraz to różnych przedmieściach lub w pobliskich miasteczkach wypoczynkowych. Był w tym mieście w latach prosperity i w latach Wielkiej Depresji, poznając w tym czasie zarówno smak zamożności, jak i dotkliwej biedy. Poznawał je jako młody rachmistrz, jako przeważnie nietrzeźwy menedżer naftowy w średnim wieku, a wreszcie jako trwający w abstynencji pisarz, i pozostawał w LA wystarczająco długo, by przeżyć dwa trzęsienia ziemi – w tym jedno silne, na Long Beach w trzydziestym piątym – oraz olimpiadę w trzydziestym drugim roku.

Jak wielu innych, zdumiony był przemianami, które uczyniły z Los Angeles kolosalną metropolię. Liczące już miliony mieszkańców miasto zaczynało przerastać swe własne bogactwo osiągnięte dzięki ropie naftowej i zdawało się zmierzać ku swemu przeznaczeniu, jakim miało być objęcie roli „centrum cywilizacji [...] jeśli cokolwiek z niej jeszcze pozostało".

Rozkwit ten był w dużej mierze efektem ogólnokrajowego wzrostu gospodarczego, który nastąpił po Wielkiej Depresji. A gdy Ameryka zaczynała z powrotem inwestować w samą siebie, korporacje Wschodniego Wybrzeża okazywały coraz większe zainteresowanie zdecydowanie antyzwiązkową tradycją Los Angeles.

Także wojna odegrała decydującą rolę w procesie odradzania się tego regionu: w miarę jak przybierała coraz większe rozmiary, Stany Zjednoczone stawały się czołowym producentem uzbrojenia zarówno na swoje potrzeby, jak i na potrzeby aliantów. Niedostatek siły roboczej oraz surowców, dotkliwie odczuwany przez Wielką Brytanię, jak również skutki bombardowania jej fabryk amunicji, otworzyły ogromne możliwości przed amerykańskim przemysłem zbrojeniowym. Pragnąc zrekompensować Los Angeles ciężkie straty, jakie poniosło w epoce depresji, Waszyngton postanowił nagrodzić je kontraktami na dostawy ciężkiego sprzętu wojskowego. Poprawiło to nie tylko położenie tysięcy tamtejszych wykwalifikowanych robotników, którzy dzięki temu dostali dobrze płatną pracę, ale też sytuację licznych przedsiębiorstw usługowych, które pośrednio także zyskiwały na rządowych zamówieniach. W połączeniu z zaletami klimatu przyniosło to w rezultacie takie polepszenie standardu życiowego w południowej Kalifornii, że zaczął on być przedmiotem zazdrości całego kraju.

Nie wpływało to jednak na osobistą sytuację Chandlera. Widział wokół siebie rodzącą się kulturę masową; widział sponsorowaną przez wielkie korporacje „cywilizację papierosów z filtrem", która wyzbywała ludzi ich indywidualnych upodobań i prymityzowała ich osobiste ambicje. Podejrzewał, że wszystko to prowadzi do „bezstekowych steków smażonych na niewydzielających ciepła rusztach i spożywanych przez bezzębne widma". Wciąż marzył o powrocie do Anglii, lecz Anglia biedniała i w dodatku groziła jej zagłada na skutek tej samej wojny, która wzbogacała Kalifornię.

Nieustające przeprowadzki Chandlerów z jednego na drugie przedmieście Los Angeles miały jeszcze trwać przez cztery lata. Samotność w gruncie rzeczy nie cieszyła pisarza, lecz ilekroć obrócił spojrzenie w stronę kalifornijskiej socjety – dochodził do wniosku, że kontakty z nią może utrzymywać wyłącznie w stanie nietrzeźwości. Powiedział kiedyś:

> Lubię ludzi, ktorzy mają dobre maniery, wdzięk i wykształcenie nieco lepsze niż przeciętny czytelnik „Reader's Digest"; ludzi, którzy dumni są ze swego życia, nie tylko dlatego, że mają kuchnie i samochody wyposażone w najmodniejsze gadżety [...] Lubię wszystko, czego niegdysiejsi Amerykanie wypatrywali w Europie, ale równocześnie nie chcę być przymuszany do poddania się powszechnie obowiązującym standardom. Teraz, gdy widzę to przed sobą napisane, wydaje mi się, że troszkę jednak przesadziłem[35].

Cissy wciąż marzyło się jako miejsce stałego osiedlenia La Jolla, nieco snobistyczne miasteczko nad brzegiem Pacyfiku, sto sześćdziesiąt kilometrów na południe od Los Angeles, w którym spędzili oboje Boże Narodzenie trzydziestego dziewiątego roku i do którego czasami wyprawiali się samochodem. W Chandlerze La Jolla budziła pewną nieufność, gdyż w jego mniemaniu oprócz klimatu miała do zaoferowania jedynie bezwartościową paplaninę, on zaś chciał mieszkać gdzieś, gdzie miałby kontakt z jakimiś bystrymi umysłowościami. „La Jolla to nie jest miejsce do życia – uskarżał się. – Nie ma tam do kogo ust otworzyć: sami starcy i ich rodzice". Ponieważ jednak Cissy przez lata tak cierpliwie znosiła klaustrofobiczną monotonię życia w Santa Monica, Chandler uważał za swój obowiązek dzielić z nią marzenie o stałym domostwie w La Jolla. Klimat jest tam doskonały – stwierdził.

> ...najwspanialsza część wybrzeża Ameryki od strony Pacyfiku, żadnych przydrożnych tablic reklamowych, żadnych koncesji ani chałupek na

plażach, za to w miarę przyzwoicie umiarkowana temperatura i przyzwoite maniery, które jak na Kalifornię są zgoła zdumiewające. Można też polubić panującą w sąsiedztwie atmosferę nieskrępowanej swobody, która objawia się na przykład szkłem po rozbitych na chodniku butelkach. Co skądinąd, w samej rzeczy jest bardzo praktycznym obyczajem[36].

Niestety, przez jakiś jeszcze czas La Jolla pozostanie daleko poza zasięgiem jego finansowych możliwości.

Choć powieść „Żegnaj, laleczko" w żadnym istotnym stopniu nie polepszyła stanu jego finansów, to Chandler nie zamierzał już zrezygnować z prób wyrwania się z zaczarowanego koła samotniczego życia, jakie wiódł przez ostatnich osiem lat. Był w lepszym nastroju i nawet pozwalał sobie na pewne złagodzenie życiowego gorsetu, który sobie nałożył, zrywając w trzydziestym drugim roku z piciem. Gdziekolwiek z Cissy mieszkali, to wstawał wczesnym rankiem i siedział przy maszynie do pisania aż do lunchu, który oznaczał koniec dnia pracy. Uznał bowiem, że: ważne jest, abyś sobie wyznaczył jakąś czasową przestrzeń, powiedzmy, co najmniej cztery godziny dziennie, podczas których zawodowy pisarz nic innego nie robi poza pisaniem. Nie musi pisać, i jeśli nie jest w nastroju, to nawet nie powinien próbować. Może wyglądać przez okno, stać na głowie albo gimnastykować się na podłodze, ale nie wolno mu się aktywnie zajmować czymkolwiek innym.

Popołudnia zajmowały Chandlerowi a to drzemki, a to lektura czasopism, a to podwożenie Cissy na zakupy. Wieczorami małżonkowie wspólnie słuchali radiowych koncertów muzyki klasycznej, jak to zawsze mieli w zwyczaju, a o wyznaczonej przez angielską tradycję popołudniowej porze niezmiennie zasiadali do obowiązkowej herbatki.

Lecz Cissy znów źle się czuła. Mając już siedemdziesiąt jeden lat, cierpiała na zwłóknienie tkanki płucnej i często musiała się uciekać do silnych środków przeciwbólowych. Pod ich wpływem popadała w stan pewnego oszołomienia, często znieruchomienia, albo zasypiała. Dla Chandlera, który wciąż cierpiał na bezsenność, oznaczało to coraz więcej i więcej godzin spędzanych samotnie.

Bez możliwości wypicia kieliszka Raymond nie bardzo był skłonny do wychodzenia z domu. Całkowita abstynencja doprowadziła go do stanu, w którym unikał wszelkiego towarzystwa i tęskniąc za ludźmi, jednocześnie lękał się nietrzeźwości. Bądź co bądź to alkohol pozbawił go pracy i zmusił do tego, by tak długo żyć z Cissy w bardzo upokarzających warunkach.

Odosobnienie, które mu pomagało bronić się przed nałogiem, sprawiło, że zaczął wpadać w inną manię: pisania listów. Wysyłał je nawet do ludzi, których nigdy przedtem nie spotkał lub widział się z nimi tylko przelotnie. Wydawcy i czytelnicy, którzy do niego napisali, otrzymywali teraz długie i zabawne odpowiedzi, mające charakter niemal osobisty. Dla kogoś, kto tak jak on odwykł od bezpośrednich kontaktów z ludźmi z krwi i kości, listy były idealną sposobnością, by zawrzeć z kimś bliższą znajomość; sposobnością, z jakiej w owym czasie na płaszczyźnie rzeczywistej nie był w stanie korzystać.

Listy te zaczynały się zwykle od tego, co łączyło go z danym korespondentem na jakiejś płaszczyźnie bądź to merytorycznej, bądź też ogólniejszej natury, po czym zaczynały przybierać charakter przyjacielskiej pogawędki. Z dystansu, jaki wytyczał list – pisarz stawał się nowym, zajmującym przyjacielem adresata.

Wśród pierwszych odbiorców owej kompulsywnej korespondencji znajdował się Alfred Knopf oraz jego żona, Blanche. Listy zawsze zaczynały się od spraw zawodowych:

> Przepraszam, że wciąż jeszcze nie dysponuję fotkami, które mógłbym wysłać. Nie wiem, ile mi na to pozostaje czasu. Moja żona próbuje mnie sfotografować, co dla nas obojga jest wręcz paraliżującym przeżyciem, jako że ona ma swoje szczególne przywary, ja zaś bywam nieznośny. Zdjęcia robione u zawodowych fotografów wychodzą niedorzecznie. Zbliżam się do wieku, w którym nie da rady osiągnąć pożądanego efektu bez jakiegoś artystycznego retuszu. Faceci, którzy posiadają tę umiejętność, za drogo sobie za nią liczą, ja zaś, szczerze mówiąc, powątpiewam w wagę całej tej sprawy. Gdybym musiał pod naciskiem opinii publicznej uznać, że jestem jednym z najprzystojniejszych mężczyzn mojego pokolenia, to musiałbym zarazem pogodzić się z opinią, że pokolenie to jest cokolwiek podniszczone, więc i ja także[37].

Następnie zaczynał Chandler pisać o sobie, o swoich bieżących lekturach, o stanie zdrowia Cissy, o tym, gdzie mieszka i jakie jest w tym momencie jego samopoczucie. Wyrażał także zainteresowanie życiem tych, do których pisał. Alfreda Knopfa zapytał, na jaki dzień przypadają urodziny jego żony, po czym tego dnia wysłał jej bukiet żółtych tulipanów.

Pisał również o swoim rozumieniu pisarstwa:

> Nie jest już daleki czas, gdy zostanie wynaleziona maszyna do pisania powieści. Czyż bowiem często zdarza mi się wziąć do ręki jakąś książkę

i powiedzieć sobie: „To dzieło osobowości innej niż wszystkie”? Praktycznie nigdy.

Lecz proszę nie brać mnie nazbyt serio. Staję się dość skwaszonym obywatelem tego kraju. Zawiodłem się nawet na Hemingwayu [...] ze strony na stronę pogłębia się w człowieku wrażenie, że jest on czymś bezustannie przejęty, aż w końcu zaczyna to przyprawiać o mdłości. Przychodzi w życiu każdego taki moment, gdy limeryki wypisywane na ścianach publicznych toalet tracą swój obsceniczny walor, a za to stają się po prostu horrendalnie nudne. Ten człowiek pisze wciąż o jednym i tym samym, co go czyni wręcz śmiesznym. Przypuszczam, że gdyby miał sam sobie wybrać epitafium, brzmiałoby ono następująco: TU SPOCZYWA MĘŻCZYZNA, KTÓRY BYŁ CHOLERNIE DOBRY W ŁÓŻKU. SZKODA, ŻE LEŻY TU TERAZ SAMOTNIE. Rzecz jednakowoż w tym, że jeśli o mnie chodzi, to zaczynam wątpić, czy on kiedykolwiek takim mężczyzną był. Nie sądzę, by trzeba było aż tak się skupiać na czymś, w czym było się naprawdę dobrym. A pani?[38]

W równie przyjacielskim tonie pisywał Chandler do pewnego bibliotekarza z Nevady, Jamesa Sandoe, który listownie pogratulował mu „Głębokiego snu”. Fakt, że nawet z nieznajomymi mógł nawiązywać kontakty, niewątpliwie przynosił mu coś w rodzaju ulgi. Z Jamesem Sandoe wymienia w sumie ponad sto listów, w których omawia książki, które im się spodobały, i przekazuje wieści o tym, jak się każdemu z nich wiedzie w życiu.

„Twoja rodzina – napisał pewnego razu Chandler – wydaje mi się wspaniała”. Jego własna rodzina składała się z Cissy i z perskiej kocicy, która się wabiła Taki. Taki towarzyszyła im we wszystkich kolejnych mieszkaniach i Chandler bardzo się przywiązał do jej stałej obecności. Tak o niej pisze do Jamesa:

Nie ma w naturze nic gorszego niż przyglądanie się kotu, który stara się sprowokować na pół martwą mysz do jeszcze jednej próby ucieczki. Mój przeogromny szacunek dla naszej kotki bierze się z tego, że nie ma ona w sobie nic z owego szatańskiego sadyzmu. Chwytając myszy, ma zwyczaj przynosić je do mnie żywe i w pełni sił, a następnie czeka, aż je wyjmę z jej pyszczka. To było tak, jakby chciała mi powiedzieć: „No to masz tę swoją cholerną mysz. Ja miałam obowiązek ją złapać, ale tak naprawdę to jest to twój problem. Zabieraj ją sobie natychmiast”. Taki regularnie przeprowadza okresowe inspekcje wszystkich szaf i kredensów w poszukiwaniu myszy. Nigdy nie zdarza się, żeby jakąś znalazła, ale widać uważa, że między innymi na tym właśnie polega jej robota[39].

Oto więc wreszcie ludzie wsłuchiwali się w jego myśli, nie traktując go już, jak to bywało niegdyś u Dabneya, jako namolnego ekscentryka. Krytycy mogli go w dalszym ciągu ignorować, ale od miłośników swej prozy otrzymywał słowa zachęty.

Bardzo żywą korespondencję utrzymywał Chandler ze słynnym felietonistą ze Wschodniego Wybrzeża, S.J. Perelmanem, do którego tak, na przykład, pisał:

> Jest mi szczerze obojętne seksualne niezaspokojenie, które daje się panu we znaki na Florydzie. Przecież nikt pana nie zmuszał do osiedlenia się na Florydzie. I proszę mi nie mówić o konieczności zarabiania na życie, bo pańskie dzieci są już z pewnością wystarczająco dorosłe i bystre, żeby pana wesprzeć, nawet gdyby pańska małżonka dalej wzdragała się przed podjęciem jakiejś pracy. Bo z pańskich listów wnoszę, że jej główne zajęcia, to skrapianie fryzury perfumami oraz paradowanie w norkowym futrze i sportowych spodniach[40].

W jednym ze swych listów Chandler radził Perelmanowi, by nie przeprowadzał się do Kalifornii, jeśli zależy mu na tym, by jego dzieci otrzymały wykształcenie: „Kalifornijskie szkoły średnie plasują się na skali jakości szkolnictwa pomiędzy kategorią nadpsutych a kategorią przegniłych. [...] Mam pewnego, na szczęście dalekiego kuzyna, który ukończył liceum Fairfax w Los Angeles, i mimo to wciąż boryka się z alfabetem".

Perelman ze swej strony wysyłał listy – gdyż żaden z nich nigdy nie wystąpił z inicjatywą spotkania – zawierające scenki ze swego życia na Florydzie, opisywane niekiedy z humorem zgoła wisielczym: „Siedzę w motelu, który jest cały z plastiku, widzę za oknem inny plastikowy motel, za którym płynie Golfstrom, ale oprócz pana nie ma w Ameryce (a w tym przypadku z pewnością i na całym świecie) nikogo, kto potrafiłby oddać przerażający urok tego miejsca"[41].

Pewnego razu Perelman przysłał Chandlerowi pastisz prozy detektywistycznej, który napisał dla magazynu „New Yorker". W hołdzie dla drugiej powieści Chandlera nadał swemu kawałkowi tytuł „Żegnaj, mój kochany aperitifie":

> Szedłem korytarzem szóstego piętra gmachu Arbogasta, mijając po kolei drzwi Wszechświatowej Korporacji Makaronowej, Księgowości Zwingera i Rumseya oraz Usług Sekretarialnych („Kopiowanie to nasza specjalność"). Na kolejnych drzwiach widniała wprawdzie tabliczka:

„ATLAS, Agencja Detektywistyczna Noonana i Driscolla", ale ponieważ Snapper Driscoll wycofał się z interesu już dwa lata temu, z wysłanym mu przez pewnego niebieskiego ptaszka z Tacomy pociskiem kalibru .38 między łopatkami, więc teraz ja sam reprezentowałem to, co pozostało w firmie z pozytywnej gotowości do działania. Wkroczyłem do przeładowanej meblami poczekalni, która miała robić wrażenie na klientach i wyburczałem „dzień dobry" w stronę Birdie Claflin, która natychmiast zauważyła:
– Oho, słowo daję, że wyglądasz trochę jak ofiara zalotów jakiegoś kocura!
Miała ostry języczek. Miała też dwoje oczu jak przymglone kamyki lapis lazuli, bujną fryzurę oraz figurę, która do mnie różnym swymi elementami bardzo przemawiała. Za pomocą kopnięcia otworzyłem dolną szufladę jej biurka, przechyliłem butelkę, wlałem w siebie jakieś pięć centymetrów żytniówki, złożyłem całusa na jej soczystych czerwonych wargach i zapaliłem papierosa.
– Mógłbym na ciebie polecieć, cukiereczku – powiedziałem nieśpiesznie.
Jej twarz przybrała nieprzenikniony, czujny wyraz. Patrzyłem w jej oczy, podziwiając sposób, w jaki zostały osadzone w jej głowie. Była w nich jakaś doskonałość; wiedziałeś, że te oczy są po to, by wszystko zagarniać. Kiedy się jest prywatnym detektywem, dobrze jest wiedzieć, jak sprawy stoją[42].

Trzecia z kolei zima, spędzona pośród pustyni na staraniach o zakup podłego mięsa, sprawiła, że Chandler poczuł się zmęczony. W dalszym ciągu z nikim się nie spotykał i mimo epistolograficznej aktywności zaczynała go dręczyć nuda. Odbiło się to na jego trzeciej książce, którą dostarczył Knopfowi w marcu czterdziestego drugiego roku, z góry go uprzedzając: „Obawiam się, że nie będziesz miał z tej książki żadnego pożytku. Nie ma w niej akcji. Nie ma w niej sympatycznych postaci. Nie ma w niej nic. I detektyw też nic nie robi".

W „Wysokim oknie" Marlowe zostaje zaangażowany przez pewną kobietę z Pasadeny, która zleca mu odnalezienie cennej monety skradzionej z jej sejfu. „Była wdową po starym durniu, nazwiskiem Jasper Murdock, który miał bokobrody i furę pieniędzy zarobionych na działaniu ku pożytkowi społecznemu". Pani Murdock podejrzewała o kradzież swoją synową, tancerkę rewiową, której nigdy nie potrafiła zaakceptować i która zresztą rzuciła jej synalka.

Marlowe odszukuje dziewczynę („Z odległości trzech metrów wyglądała jak coś, co zostało stworzone do tego, by je oglądać z odległości dziesięciu metrów"), ona jednak zdaje się o niczym nie mieć pojęcia. Marlowe kontynuuje dochodzenie i jak zwykle odkrywa, że sprawa jest bardziej pogmatwana, niż się spodziewał: jest śledzony, ostrzeliwany, a także perfidnie wmanewrowywany w sytuacje, w których to on staje się podejrzanym.

Znajduje w końcu monetę, ale zaraz zdaje sobie sprawę, że w grucie rzeczy to nie o nią chodziło pani Murdock, która jest kobietą nader wyrachowaną i najwyraźniej ukrywa prawdziwe powody szukania pomocy u prywatnego detektywa, a nadto ma wrogów w środowisku, w którym nie zwykło się patyczkować z nieprzyjaciółmi. Mówi mu wprawdzie teraz, że nie potrzebuje już jego usług, ale Marlowe postanawia jednak dociec prawdy. Wkrada się z powrotem do domu pani Murdock z zamiarem wyciśnięcia czegoś z jej sekretarki, której z miejsca stawia parę istotnych pytań, po czym nie może pojąć, dlaczego sekretarkę do tego stopnia paraliżuje lęk przed chlebodawczynią, że boi się nawet rozmawiać o całej sprawie.

> Była blada, ale bladością naturalną i nie wyglądała na słabowitą [...] miała w sobie coś z nieharmonijnego, neurotycznego uroku, któremu brakło tylko odpowiedniego makijażu, aby stał się frapujący[43].

I dalej, w tej samej scenie:

> Jej nerwy zawsze będą pozostawać na najwyższym poziomie napięcia, a jej uczucia nigdy nie zejdą do poziomu zwierzęcych reakcji. Zawsze będzie oddychała czystym górskim powietrzem, a jej zapach będzie zawsze równie intensywny jak zapach śniegu. Byłaby idealną zakonnicą. Jakiś sen o charakterze religijnym, z jego tematyczną ograniczonością, stylizacją emocjonalną i surową czystością, byłby dla niej doskonałą formą samowyzwolenia. To wszystko pozwala przypuszczać, że w przyszłości stanie się jedną z tych bezustannie skwaszonych dziewic, które siedzą za stolikami publicznych blibliotek, wstemplowując datę wypożyczenia książki.

Po dwóch nieudanych próbach detektyw zdołał wreszcie przełamać opory sekretarki i dowiedzieć się paru rzeczy. Oto już od dzieciństwa pozostawała ona pod opieką Murdocków, ale w pewnym momencie przeżyła załamanie nerwowe w następstwie gwałtu, którego się na niej dopuścił Jasper Murdock.

Gwałciciel przypłacił swój czyn śmiercią, gdyż pani Murdock, mszcząc się na nim, wypchnęła go z okna. Policja wprawdzie doszła do wniosku, że był to nieszczęśliwy wypadek (Murdock miał się zanadto wychylić, przypatrując się przechodzącej właśnie przed domem procesji), jednakże pani Murdock wykorzystała ówczesny stan psychiczny dziewczyny i wmówiła jej, że to ona była sprawczynią śmiertelnego upadku. Dziewczyna, przekonana, że jest odpowiedzialna za śmierć Murdocka, podporządkowała się całkowicie swojej chlebodawczyni z wdzięczności, że ta zataiła jej uczynek przed policją.

W dalszym ciągu swego dochodzenia Marlowe odkrywa przyczynę niepokoju dręczącego panią Murdock. Otóż wśród uczestników procesji, która przechodziła pod domem w chwili, gdy Jasper Murdock wypadł z okna, znajdował się pewien fotograf. Usłyszawszy krzyk ofiary, zrobił on zdjęcie, na którym widoczne były wyciągnięte ręce morderczyni. Fotografia wpadła w ręce szajki szantażystów, którym w przekonaniu pani Murdock szefują gangsterzy pozostający w bliskich stosunkach z rozrywkową żoneczką jej syna. Pod pretekstem kradzieży monety, która w istocie stanowiła część zapłaty dla szantażystów, wynajęła więc prywatnego detektywa, mając nadzieję, że dzięki temu dowie się, kto się za tym wszystkim kryje.

Marlowe demaskuje szantażystów, a w zakończeniu powieści odwozi dziewczynę na Środkowy Wschód, do domu jej rodziców. Pani Murdock, świadoma, że poznał prawdę, nie próbuje mu w tym przeszkodzić, on zaś w zamian niszczy obciążającą fotografię.

Zamykający książkę opis długiej podróży samochodowej na Środkowy Wschód stanowił być może echo podróży, którą odbył sam Chandler, udając się z Los Angeles do Nebraski, aby odwiedzić Fittów; nie ma wszakże żadnych pewnych danych co do daty tej wyprawy. Marlowe opowiada: „Zajęło mi to dziesięć dni. [...] Jej rodzice byli z gatunku ludzi trudnych do określenia, lecz mili i cierpliwi. Mieszkali w starym drewnianym domku przy cichej, zacienionej uliczce [...] Gdy odjeżdżałem stamtąd, patrząc, jak dom stopniowo oddala się i znika mi z oczu, ogarnęło mnie jakieś dziwne uczucie: jak gdybym napisał bardzo dobry wiersz, a potem go zgubił i nigdy już nie był w stanie go sobie przypomnieć".

„Wysokie okno" nie ma takiej werwy i dynamiki, jaką odznaczały się poprzednie utwory Chandlera. Napisanie tej powieści zabrało mu aż dwa lata i brak entuzjazmu ze strony autora jest w niej wyraźnie widoczny: Marlowe jest znudzony i sfrustrowany swoim zajęciem, a także ludźmi, których przy tej okazji spotyka. Charakterystyka jednej z pomniejszych postaci książki mogłaby posłużyć za dowód, iż w czterdziestym drugim roku Chandler, któremu tak długo udawało się nie pić, znowu zaczyna tęsknić za alkoholem:

Breeze spojrzał na mnie nieprzeniknionym wzrokiem. Westchnął. Potem wziął szklankę, spróbował drinka, znowu westchnął i z leciutkim uśmiechem poruszył głową na boki, jak człowiek, który bardzo potrzebuje się napić i skosztowawszy, stwierdza, że to trunek, jaki właśnie lubi, a ten pierwszy łyk jest dla niego jak spojrzenie na czyściejszy, pogodniejszy, radośniejszy świat[44].

Intryga „Wysokiego okna" opiera się na owej przypadkowej i dość nieprawdopodobnej fotografii i, jak na Chandlera, jest niezbyt pomysłowa. Jednocześnie narracja coraz wyraźniej koncentruje się na osobie samego detektywa, który z właściwym sobie cynizmem i dystansem wobec samego siebie toruje sobie drogę wśród kłamców i morderców, rodem z LA, mając o sobie równie krytyczną opinię, jak i o pozostałych uczestnikach opowiadanej historii. Z każdej stronicy książki wyziera jego głęboka frustracja: „Nabiłem i zapaliłem fajkę i siedziałem sobie, paląc. Nikt nie wszedł, nikt nie zadzwonił, nic się nie działo, nikogo nie obchodziło, czy zmarłem albo pojechałem do El Paso. [...] Wróciłem do Hollywood, kupiłem pół litra, wynająłem pokój w hotelu Plaza, usiadłem na brzeżku łóżka i patrząc na własne stopy, popijałem wprost z butelki. Jak zwykły pijak, który bez alkoholu nie może zasnąć[45].

W trzeciej powieści o przygodach Marlowe'a pojawia się nowa wątpliwość, która się zrodziła w umyśle detektywa. Zaczął on mianowicie stawiać sobie pytanie, czy rzeczywiście rozporządza umiejętnościami, dla których ludzie go wynajmują. Ciągłe pretensje klientów nie były dla niego niczym nowym, teraz jednak zaczął popełniać poważne profesjonalne błędy. Sam siebie obrzucał w „Wysokim oknie" takimi epitetami jak „zezowaty", „nieostrożny", „koślawy" i „rozkojarzony". Odnosi się wrażenie, że ani Chandler, ani jego bohater nie byli specjalnie zainteresowani prowadzonym śledztwem. „Gadanie z tobą to strata czasu", rzuca detektywowi w twarz jedna z postaci książki. „Wszystko, na co cię stać, to dowcipkowanie"[46].

„Wysokie okno" nie było powieścią, która mogłaby spowodować zmianę w postawie, jaką przyjęła wobec jej autora krytyka. Tylko w brytyjskiej prasie znalazła pewne odbicie rosnąca popularność Chandlera. „Times Literary Supplement" zamieścił krótką recenzję, która tak oto zachęcała czytelników do lektury książki: „Nasze uznanie zyskuje sobie nie tyle to, co często pobudza do śmiechu, ile niczym niewzruszona pewność siebie, jaka bije z każdej linijki".

Była jakaś ironia w pochwałach pod adresem książki, której pisanie nie sprawiało Chandlerowi radości. Powie kiedyś: „Niektórym podobała się bardziej niż inne moje rzeczy. Niektórym o wiele mniej. Lecz ani jednych, ani drugich nie sprowokowała do jakiegoś głośnego wyrażenia swoich opinii".

W Ameryce rozeszło się dziesięć tysięcy egzemplarzy książki, w Wielkiej Brytanii osiem i pół tysiąca. Większość z nich, jak ze smutkiem skonstatował Knopf, trafiło do bibliotek.

Dla autora oznaczało to zaledwie trzy tysiące dolarów za dwa lata pracy.

*

W tym samym nastroju co „Wysokie okno", utrzymywana jest czwarta powieść Chandlera. Pisana w Big Bear Lake i w Cathedral Springs, opublikowana w czterdziestym trzecim roku, „Tajemnica jeziora" także ukazuje gnębiące Marlowe'a uczucie głębokiego zawodu i rozczarowania. Nic nie jest go w stanie uczynić szczęśliwym, wszystko jest pozorne i fałszywe, „wszystko jest na sprzedaż w stanie Kalifornia". Ta książka ukazuje Chandlera i jego bohatera w ich najbardziej mizantropijnym stanie ducha.

Śmierć zbiera w niej obfitsze niż w poprzednich powieściach żniwo; od trupów, o które raz za razem Marlowe się potyka, aż po ciało kobiety, która go wynajęła, by odkrył jakiegoś topielca rozkładającego się w jeziorze przez cały czas trwania akcji.

Tymczasem trupy nie stanowią już dla Marlowe'a ani zaskoczenia, ani szoku; cudza śmierć zdaje się go tylko utwierdzać w jego zniechęceniu i samotności. „Siedziałem bardzo nieruchomo", opowiada o znalezieniu trupa pod prysznicem, „i słuchałem, jak za oknami pogłębia się spokój wieczora. Wraz z nim także ja sam z wolna się uspokajałem".

Detektyw nikomu już nie ufa i z góry dyskwalifikuje zeznania świadków, doszedł bowiem do przekonania, że to, co ludzie myślą, i to, co mówią, „nie musi się nawet znajdować na tej samej mapie".

Spośród wszystkich miejsc, w których zdarzyło mu się dotychczas przemieszkiwać z Cissy, Big Bear Lake wciąż cieszy się największą sympatią Chandlera. Pomimo pewnych związanych z tym uciążliwości („tłum ziejących gorzałką dżentelmenów w sportowych strojach i ubranych w spodnie lub szorty paniuś, które odznaczały się krwawoczerwonymi paznokciami i brudnymi rękoma") chętnie mieszkałby tam przez cały rok, gdyby nie stan zdrowia Cissy.

Jest w „Tajemnicy jeziora" opis samochodowej wyprawy Marlowe'a w góry; daje on obraz jednej z nielicznych chwil, które odstają od ponurej tonacji, w jakiej utrzymana jest ta czwarta czarna powieść Chandlera:

> San Bernardino smażyło się i błyszczało w popołudniowym upale. Gorące powietrze wprost parzyło mi język. Jechałem, dysząc, zatrzymałem się na chwilę, by kupić butelkę czegoś mocniejszego, na wypadek gdybym zasłabł, zanim dojadę do gór. Potem zacząłem się wspinać po wielkiej pochyłości. Na przestrzeni piętnastu mil droga wzniosła się o pięć tysięcy stóp, ale nadal nie było bynajmniej chłodno. Trzydzieści mil górskiej jazdy doprowadziło mnie do wysokich sosen i miejscowości, zwanej Bubbling Springs. Mieścił się tu sklep w drewnianym budynku i pompa benzynowa, a człowiek czuł się tu jak w raju[47].

Choć nie ma w tej książce żadnej wzmianki o toczącej się wojnie, to myśl o niej w dalszym ciągu nurtowała Chandlera. Prawdę mówiąc, niewiele było innych rzeczy, którymi mógłby się przejmować, jako że niewiele się działo w jego ówczesnym życiu. Zniszczenia, jakich doznał Londyn w czterdziestym drugim roku, bardzo go przygnębiły, podobnie jak i działania militarne podejmowane przez alianckich dowódców, które oceniał jako poważne błędy taktyczne. W tej sytuacji wszelkie martwienie się o książki i ich wydawnicze powodzenie wydawało się czymś zgoła niestosownym. „Sprawy, którymi żyjemy", napisał w liście do Alfreda Knopfa, „są jak odległe migotanie owadzich skrzydełek".

W „Tajemnicy jeziora" Marlowe ani trochę nie czuje się już herosem: „Przegarnąłem włosy i przypatrzyłem się widniejącym w nich plamkom siwizny. Było ich już całkiem dużo. Poniżej była twarz o niezdrowym wyglądzie. Nie było w niej nic, co mogłoby mi się spodobać".

Na początku opowieści niejaki Derace Kingsley, dyrektor firmy produkującej perfumy, wynajmuje Marlowe'a, zlecając mu odszukanie żony, która go opuściła. Czekając na pierwsze spotkanie z nowym klientem pod drzwiami jego biura, detektyw przypatruje się półce zastawionej flakonikami perfum. Był to nazbyt wyrazisty symbol kalifornijskiego udawactwa, by Marlowe nie poczynił na ten temat jakiejś uwagi: „Gillerain Regal wśród perfum to jak szampan wśród win. A więc coś, co absolutnie trzeba mieć. Wystarczy jedna kropelka tej mikstury w zagłębieniu twej szyi, aby natychmiast, niby letnia ulewa, spadł na ciebie deszcz pereł".

Detektyw od samego początku przyjmuje postawę obronną; Los Angeles przyprawia go o mdłości, a klient wzbudza w nim nieufność.

Ostatnie wieści o zbiegłej żonie przyniósł Kingsleyowi nadany w El Paso telegram, w którym Crystal komunikowała mu, że zamierza uzyskać w Meksyku szybki rozwód, a następnie wyjść za niejakiego Chrisa Lavery'ego, dobrze znanego Kingsleyowi i jego przyjaciołom żigolaka, który działał w środowisku wyższych sfer. Tym, co nie daje porzuconemu mężowi spokoju, jest fakt, iż Lavery przebywa w tym momencie w LA i przysięga, że nic nie wie o telegramie ani o tym, co się dzieje z Crystal.

Marlowe odwiedza go w jego mieszkaniu, z miejsca nabiera do niego antypatii, ale podejrzewa, że jego zapewnienia są przynajmniej częściowo zgodne z prawdą.

Ponieważ Crystal Kingsley po raz ostatni widziano w górach w pobliżu jeziora Big Bear, Marlowe udaje się tam, by się rozejrzeć w okolicach chaty, którą wynajmowała. Nie znajduje tam nic godnego uwagi, ale poznaje mieszkającego w pobliżu na stałe niejakiego Billa Chessa, który jest w trakcie zapijania się do nieprzytomności, gdyż jego świeżo poślubiona żona Muriel także go opuściła po jakiejś małej sprzeczce. Zniknęła przed miesiącem, zabierając swoje rzeczy, a miejscowa policja odmawiała zajęcia się tą sprawą; wszakże tylko do chwili gdy w jeziorze znaleziono zwłoki topielczyni, które zidentyfikowano jako ciało Muriel Chess. Bill zostaje aresztowany jako domniemany sprawca jej śmierci.

Po przebyciu typowej dla kryminalnej papki drogi usłanej przeszkodami w osobach nieuczciwych policjantów, trupów i typków spod ciemnej gwiazdy, Marlowe odnajduje Muriel Chess żywą w jednym z hoteli w Los Angeles. Okazuje się, że jej prawdziwe nazwisko brzmi Mildred Haviland i że już po raz drugi dokonała morderstwa. Przyznaje się do zabicia Crystal Kingsley, której ciało przyodziała następnie we własne ubranie i wrzuciła do jeziora, słusznie przypuszczając, że gdy zostanie odnalezione, to już tylko ubranie stanowić będzie mogło podstawę do zidentyfikowania ofiary. Uporawszy się z tym, wysłała do Kingsleya z El Paso ów podpisany imieniem Crystal telegram, a to w tym celu, by mieć czas na opróżnienie konta bankowego zamordowanej kobiety.

Powieść kończy się tym, że Mildred Haviland zostaje uduszona przez skorumpowanego gliniarza, zwanego Degarmo, który następnie popełnia samobójstwo, nie omieszkawszy jednak przedtem zdrowo poturbować Marlowe'a, a nadto spróbować go obciążyć podejrzeniem, że to on jest mordercą Muriel.

„Tajemnica jeziora" była jedyną powieścią, której Chandler nigdy nie był później w stanie ponownie przeczytać; była na zbyt niskim poziomie w jego pisarskiej karierze. Marlowe wymykał mu się spod kontroli; zanadto przyćmiewał pozostałe postaci i za bardzo mu było wszystko jedno.

Zabrakło też w tej książce napięcia, którym odznaczały się dwie pierwsze jego powieści, ponieważ rozwiązanie intrygi pozostawało niejako bez związku z osobą detektywa. Co więcej – w czasie pisania tej powieści Chandler zaczął odczuwać coś w rodzaju znużenia, równego znudzeniu manifestowanemu przez swego bohatera. Nie przykładał nawet większej wagi do faktu, że książka odbiła się w prasie bardzo nikłym echem, albowiem sam uważał, że jako autor wcale na nie nie zasługuje.

A jednak zyskiwał sobie coraz większe zainteresowanie publiczności. W czterdziestym trzecim roku, na krótko przed wydaniem „Tajemnicy jeziora", po raz pierwszy pojawiła się w Ameryce dwudziestopięciocentowa edycja „Głębokiego snu". Alfred Knopf, ostatecznie przekonany, że Chandler nigdy już nie zdobędzie sobie uznania krytyki, zgodził się wreszcie sprzedać prawa do jego pierwszej powieści wydawnictwu Avon. W formie kieszonkowej powieść błyskawicznie rozeszła się w trzystu tysiącach egzemplarzy, a dalszych sto pięćdziesiąt tysięcy w specjalnym wydaniu zakupiła amerykańska armia. Knopf wykorzystał ten sukces i zgodził się by z kolei Pocket Books opublikowały w cztery miesiące później ćwierćdolarową kieszonkową wersję „Laleczki". Ta książka zyskała sobie już ponad milion czytelników. Na fali tych dwu sukcesów udało się wydawcy rozsprzedać „Tajemnicę jeziora" lepiej niż którąkolwiek z poprzednich powieści Chandlera, a choć liczba czternastu tysięcy egzemplarzy nie była wcale oszałamiająca, to jednak autor zarobił na niej trzy i pół tysiąca dolarów. Okazało się, że papkowe wydania, których się Knopf tak wystrzegał w trosce o reputację Chandlera jako poważnego autora, sprawiły że – przeciwnie – jego pisarski status uzyskał wyższą rangę.

Rozpęd, jakiego nabierała popularność Chandlera, sprawił, że w Wielkiej Brytanii „Tajemnica jeziora" stała się pierwszym jego dziełem, które szeroko odnotowała krytyka. Redaktor działu literackiego „Sunday Timesa", Desmond MacCarthy, całą swą cotygodniową rubrykę poświęcił ukazaniu się tej książki, jak również rosnącemu popytowi na amerykańską powieść kryminalną. „Co do jednego mam pewność – zaczął swą recenzję MacCarthy. – Pan Raymond Chandler musi być grubą rybą na detektywistycznym łowisku;

co stwierdziwszy, zdradzam swój osobisty sekret. Tak, proszę państwa, w tym tygodniu występuję w roli outsidera; jakąkolwiek wagę mogłyby dla kogoś mieć moje uwagi o »Tajemnicy jeziora«, to nie będą to uwagi prawdziwego konesera. [...] To rzecz brutalnie realistyczna. Tu i ówdzie zdała mi się zgoła obrzydliwą. [...] Napisana została w najwłaściwszym dla niej stylu; akcja rozwija się w oszałamiającym tempie. To kryminał wielce błyskotliwy"[48].

Ostatecznie książka rozeszła się w Wielkiej Brytanii w trzynastu i pół tysiąca egzemplarzach, na czym Chandler zyskał kolejne cztery tysiące dolarów. W międzyczasie „Głęboki sen" został przełożony na duński i norweski. Z wolna zaczynała się więc toczyć śniegowa kula uznania, i to, paradoksalnie, właśnie w chwili gdy Chandlera pisanie zaczynało nudzić.

Ukończywszy wiosną czterdziestego trzeciego roku „Tajemnicę", pisarz nie bardzo wiedział, co dalej ze sobą począć. W maju jednak, całkiem nieoczekiwanie, ale w najfortunniejszym możliwym momencie, zadzwonił do niego niejaki Joe Sistrom, producent wytwórni Paramount. Rozglądał się za kimś, kto zaadaptowałby na potrzeby filmu powieść Jamesa Caina zatytułowaną „Podwójne odszkodowanie" (Double Indemnity), do której wytwórnia Paramount zakupiła prawa filmowe. Przeczytawszy „Wysokie okno", Sistrom podsunął książkę swemu reżyserowi, którym był Billy Wilder, sugerując mu wypróbowanie Chandlera. Wilder nigdy o Chandlerze nie słyszał, lecz po lekturze powieści wyraził zgodę; gotów był zresztą współpracować przy pisaniu scenariusza z każdym, kogo wybierze wytwórnia.

Obaj filmowcy wytropili pisarza w Pacific Palisades i zadzwonili do niego z pytaniem, czy nie interesowałaby go praca w Hollywood.

Nazajutrz Chandler pojechał do studia na Melrose Avenue i przyjął propozycję.

Epoka cygańskiego życia i całkowitej abstynencji dobiegła końca.

PRZYPISY

[1] Raymond Chandler, „Głęboki sen"; op. cit.

[2] Ibid.

[3] Analogie między Carmen Sternwood a Cissy, używającej laudanum w czasie kariery modelki w Nowym Jorku, są oczywiste.

[4] Z eseju „Skromna sztuka pisania powieści kryminalnych"; op. cit.

[5] Raymond Chandler, „The Killer in the Rain"; „Black Mask", styczeń 1935.

[6] Raymond Chandler, „Głęboki sen"; op. cit.

[7] Chandler uważał, że nie ma nic złego w wykorzystywaniu własnych wcześniejszych utworów, mimo to jednak miał mieszane uczucia, gdy wydawcy „Czarnej Maski" opublikowali antologię opowiadań swych współpracowników pod tytułem „The Hard-Boiled Omnibus". Jak się okazało, otrzymał tylko jeden list od skarżącego się na to czytelnika (był nim amerykański dyplomata w Mexico City). Pisarz odpowiedział długim listem, w którym wyjaśnił, że ma prawo do dysponowania swymi dawnymi utworami, do niego bowiem w dalszym ciągu należy tzw. copyright. Publiczność nie została wprowadzona w błąd, gdyż „rzecz ukazała się ponownie w innej formie". (Ironia losu sprawiła, iż owym oburzonym dyplomatą był Howard Hunt, który w przyszłości, jako doradca prezydenta Nixona, będzie zamieszany w aferę Watergate).

[8] W liście Raya Starka (hollywoodzkiego agenta literackiego) do „Screen Writer Magazine", datowanym 11 października 1948 roku: „Myślę, że mogą pana zainteresować wskazówki, jakie otrzymałem od Raymonda Chandlera w związku z mającą się rozpocząć słuchowiskową adaptacją Philipa Marlowe'a. Dla wszystkich, którzy związani byli z tym przedsięwzięciem, wskazówki te okazały się niebywale pomocne". Bodleian, Chandler files.

[9] Niektórzy krytycy Chandlera wyrazili pogląd, że wszystkie „kwitujące odzywki" w jego książkach, niezależnie od tego, która postać je wypowiada, brzmią tak, jak gdyby wyszły z ust samego Marlowe'a, i że komizm Chandlera ograniczył się do stworzenia głównej postaci z jej charakterystycznym poczuciem humoru. Jest to zarzut po części słuszny (z pewnością Chandlerowi brak było wielobarwności Dickensa w rysowaniu postaci), częściowo jednak

jest to wynik przeoczenia faktu, iż wszystkie postaci książek Chandlera wywodzą się z tego samego środowiska; bez względu na to, po której stronie prawa się znajdują, i bez względu na płeć, wszyscy są w podobnym wieku, wszyscy są cyniczni i wszyscy pochodzą z Los Angeles.

[10] Chandler, „Głęboki sen", op. cit.

[11] Ibid.

[12] „The Five Great Novels of James Cain"; Picador 1985, s. 134.

[13] List do Alfreda Knopfa, 19.02.1939; Bodleian, Chandler files.

[14] Z listu do Natashy Spender (bez daty), zacytowanego w książce „The World of Raymond Chandler" pod red. Miriam Gross; Weidenfeld & Nicolson 1977, s. 134.

[15] Fragment jednego z opowiadań napisanych przez Chandlera po „Głębokim śnie". Miało ono tytuł „No Crime in the Mountains"; opublikował je „Dime Detective Magazine" we wrześniu 1941.

[16] Ibid.

[17] Pięć opowiadań napisanych po pierwszej powieści, to: „Tajemnica jeziora" (której fragmenty zamieści Chandler w swej czwartej powieści wraz z tytułem: „The Lady in the Lake"); „Perły to tylko kłopot"; „Kłopoty to moja specjalność"; „I'll Be Waiting"; „No Crime in the Mountains".

W istocie Chandler wykorzystał trzy z tych opowiadań w swoich powieściach. „Perły to tylko kłopot" w „Wysokim oknie"; „The Lady in the Lake" oraz „No Crime in the Mountains" - w „Tajemnicy jeziora". Za każde z tych opowiadań, włącznie z „Kłopotami" Chandler otrzymał od trzystu pięćdziesięciu do trzystu siedemdziesięciu dolarów.

„I'll Be Waiting", to nastrojowa opowieść o detektywie hotelowym, napisana dla słynnego „nieporównanego" magazynu „Saturday Evening Post" w październiku trzydziestego dziewiątego roku. Nie zawierała elementów przemocy, choć zagrożenie czuje się w całym opowiadani. Chandler otrzymał za nią sześćset dolarów; „Post" zainteresowany był dalszą z nim współpracą, nie chciał jednak rzeczy zbyt „twardych". „Niezbyt sobie ceniłem to opowiadanie", powiedział Chandler. „Wydawało mi się sztuczne, nieprawdziwe i emocjonalnie nieuczciwe, jak cała gładka wykreowana beletrystyka".

[18] Raymond Chandler, „Spiżowe drzwi", w zbiorze „Bay City Blues"; op. cit.

[19] List do George'a Harmona Coxe'a, 27.06.1940; UCLA Special Collections, Chandler.

[20] Pocket Books płaciły piętnaście tysięcy dolarów za milion sprzedanych egzemplarzy, jednakże połowa tej sumy należała się pierwszemu wydawcy, w tym przypadku Knopfowi. Rozwścieczy to Chandlera, gdy jego powieści ukażą się w końcu w wydaniach papkowych, jak to opisał Erle'owi Stanleyowi Gardnerowi:

> Ja i pan możemy nigdy nie napisać bestsellera w twardych okładkach, nawet umiarkowanego bestsellera [...] a jednak w kolejnych edycjach nasz towar sprzedaje się o wiele lepiej niż jakikolwiek inny. Myślę, że jesteśmy rolowani w przedrukach. Ktoś, czyja książka sprzedaje się w liczbie ćwierć lub pół miliona egzemplarzy, powinien z tego mieć istotny dochód. My go nie mamy.
> (List do Erle'a Stanleya Gardnera, 4.04.1946; Bodleian, Chandler files.)

[21] Wydawcy w rodzaju Knopfa mogliby publikować własne kieszonkowe edycje, także i one byłyby jednak prawie niemożliwe do sprzedania bez reklamy prasowej.

[22] Raymond Chandler, „Używka profesora Bingo", w zbiorze „Bay City Blues"; op. cit.

Innym niedetektywistycznym opowiadaniem napisanym przez Chandlera było „A Couple of Writers", historia o powieściopisarzu pijaku i jego żonie, neurotycznej dramatopisarce, żyjących w nieszczęśliwym i oddalonym od ludzi związku. Opowiadanie zaczyna się od zdania: „Bez względu na to, jak bardzo się Hank Burton upił poprzedniego wieczora, zawsze wstawał bardzo wcześnie i boso chodził po domu, czekając, aż zaparzy się kawa". Rzecz kończy się przygnębiająco: żona opuszcza Hanka po kłótni, w której mówi mu, że jego życie, to żadne życie; wraca jednak do niego, gdy zdaje sobie sprawę, że i jej dotyczy ta sama prawda. Opowiadanie to nigdy nie ukazało się drukiem.

[23] List do Hamisha Hamiltona, data nieznana; Bodleian, Chandler files.

[24] List do E.S. Gardnera, 29.01.1946; Bodleian, Chandler files.

[25] List do George'a Harmona Coxe'a, 19.12.1939; UCLA Special Collections, Chandler.

[26] Pełny adres brzmiał: 1155 Arcadia Avenue.

[27] Raymond Chandler, „Żegnaj, laleczko"; przeł. Ewa Życieńska; Prószyński i S-ka, Warszawa 1997.

[28] Ibid.

[29] Cytowane przez Franka MacShane'a w „The Life of Raymond Chandler"; Jonathan Cape 1976.

[30] Notebooks; Bodleian, Chandler files.

[31] Chandler, „No Crime in the Mountains"; op. cit..

[32] Chandler (a także inni) uważał, że powodem popularności tego gatunku był fakt, iż w latach trzydziestych beletrystyka „literacka" stała się nazbyt introspektywna, by mogła interesować przeciętnego czytelnika. Wobec literatury nadmiernie zintelektualizowanej czytelnicy licznie i „z uczuciem ulgi zwracali się ku ludziom, którzy potrafili opowiedzieć dobrą historię". Nie zwracali się jednak ku wydaniom w sztywnych okładkach.

[33] Dokładne adresy brzmiały: 857 Illif Street i 12216 Shetland Lane.

[34] Bodleian, Chandler files.

[35] List do George'a Harmona Coxe'a, 19.12.1939; Bodleian, Chandler files.

[36] List do George'a Harmona Coxe'a, 9.04.1939; Bodleian, Chandler files.

[37] List do Alfreda i Blanche Knopfów, 14.06.1940 (gdy Chandler mieszkał w Arcadii); Bodleian, Chandler files.

[38] List do Blanche Knopf, 27.03.1946; Bodleian, Chandler files.

[39] List do Jamesa Sandoe, 23.09.1948; UCLA Special Collections, Chandler.

[40] List do S.J. Perelmana, 9.01.1952; Bodleian, Chandler files.

[41] List od Perelmana do Chandlera, 24.10.1951; UCLA Special Collections, Chandler.

[42] W zbiorze „The Most of S.J. Perelman"; Simon & Schuster 1958.

[43] Raymond Chandler, „Wysokie okno"; przeł. Wacław Niepokólczycki; Czytelnik, Warszawa 1986, (następny fragment cytatu w tym wydaniu pominięty).

[44] Ibid.

[45] Ibid.

[46] W „Wysokim oknie" Marlowe bezustannie prześladowany jest przez ludzi, którzy uważają, że wykonuje on podły zawód. Rozbieżność między ich wyobrażeniem o prywatnych detektywach, a tym, jaki naprawdę jest Marlowe, stanowiła zamierzoną przez Chandlera analogię z jego własną sytuacją. Każdy we własnym świecie, obaj jednak – zarówno Chandler, jak i Marlowe – uważani byli za dobrych fachowców w swoich dziedzinach, ale też o obu myślano, że w tym, co robią, nie będą w stanie wykazać wszystkich swoich możliwości. Wykształceni miłośnicy jego książek pytali Chandlera, dla-

czego nie napisze „prawdziwej" powieści; Marlowe zaś wciąż musiał znosić żarty na temat własnej kariery. „Prywatny detektyw", powiada jeden z dowcipnych klientów, wchodząc do zagraconego biura Marlowe'a, „można powiedzieć, podejrzany interes. Podglądanie przez dziurkę od klucza, grzebanie się w skandalach i takie rzeczy". „Pan w jakiejś sprawie", Marlowe na to, „czy po prostu z misją charytatywną?"

[47] Raymond Chandler, „Tajemnica jeziora"; op. cit.

[48] „Sunday Times", 29.10.1944.

Chandler jako kilkuletni chłopczyk podczas letnich wakacji w Irlandii, prawdopodobnie rok 1896.

Zbiorowa fotografia w Dulwich College, prawdopodobnie rok 1902; Chandler zaznaczony kółeczkiem.

Chandler podczas rocznego pobytu w Europie; południowe Niemcy, 1907.

Pierwsza wojna światowa: Chandler w mundurze pułku Canadian Gordon Highlanders, 1917.

Florence Chandler, matka Raymonda, po przyjeździe do Los Angeles.

Po wojnie:
Chandler z powrotem w Kalifornii.

Cissy Pascal (z domu Pearl
Eugenie Hurlburt)
przed ślubem z Chandlerem.

Daleko od Dulwich: lata dwudzieste, Chandler na kalifornijskiej plaży.

W gronie kolegów na polach naftowych Dabneya: Chandler zakreślony kółeczkiem; w środku, z kapeluszem w ręku, Joseph Dabney.

Chandler z matką w okolicach Los Angeles, na krótko przed jej śmiercią.

Chandler, zakreślony kółeczkiem, na dorocznym bankiecie naftowców, 1927.

Fred MacMurray, Barbara Stanwyck i Edward G. Robinson w scenie z „Podwójnego odszkodowania", 1946, pierwszego filmu nakręconego na podstawie scenariusza Chandlera, z którym współpracował reżyser Billy Wilder.

Humphrey Bogart i Lauren Bacall w klasycznej ekranizacji powieści Chandlera „Wielki sen", 1946.

Cissy, która przez ponad trzydzieści lat
była żoną Chandlera.

Chandler w kalifornijskiej
miejscowości wypoczynkowej
La Jolla, z kotką Taki.

Czujni cenzorzy potrafili nawet wypatrzyć pewne kobiece cechy, jakie zdradzała w scenariuszu jedna z męskich postaci („Zakładamy, że w postaci Marriotta nie znajdzie się nic, co by w najmniejszym choćby stopniu sugerowało jego »zniewieściałość«), a także zwrócić uwagę na nadmierną skłonność do alkoholu okazywaną przez jedną z postaci kobiecych.

Do wszystkich tych szczegółowych zastrzeżeń została dołączona ogólna opinia, jakoby cały projekt filmu w dalszym ciągu przesycony był „przemocą":

> Jeśli uważnie przeanalizujecie ten scenariusz, to przekonacie się, że niemal każda z postaci posiada broń i wydaje się, że gotowa byłaby jej użyć pod najdrobniejszym pretekstem. Wywołanie jakiegokolwiek tego rodzaju wrażenia jest absolutnie niedopuszczalne[6].

W tych okolicznościach, gdy niemal cały repertuar i rekwizytornia chandlerowskiego dyżurnego zestawu, jak ciemne typy, whisky i dalekie od salonowych dialogi, musiały paść ofiarą cenzorskich nożyczek – okazało się niemożliwe ukazanie takiego Los Angeles, jakim je widział Marlowe.

Podczas gdy twórcom większości innych filmów cenzorzy zwracali uwagę jedynie na szczegółowe, konkretne występki, to „Sokół" został niemal w całości zalany potopem zastrzeżeń. Stróże Kodeksu wykryli w scenariuszu nawet to, że Marlowe (pod filmowym nazwiskiem Gaya Lawrence'a) włamuje się do pewnego domu; nakazali więc cięcie, gdyż sztuczka, której użył, by otworzyć zamek, mogła być naśladowana; z potępieniem spotkał się nawet taki zwrot, jak „w czułych objęciach koktajlu i klawej blondynki".

Krótko mówiąc – Kodeks Produkcyjny w osobach cenzorów traktował „twarde" historie jako przejaw tego właśnie, przed czym mieli obowiązek chronić Amerykę. Toteż nic dziwnego, że gdy wreszcie w czterdziestym drugim roku „Sokół" z George'em Sandersem w roli tytułowej został nakręcony, to wypadł nader blado. Chandler nie zadał sobie nawet trudu, by go obejrzeć, podobnie zresztą jak nie obejrzał jeszcze słabszego „Time to Kill".

*

W takiej właśnie atmosferze cenzorskiego nadzoru i daleko posuniętej ostrożności zaproponowano Chandlerowi pracę przy „Podwójnym odszkodowaniu"; historii, która nie tylko odznaczała się właściwą Cainowi bezpośredniością w kwestii seksu (bądź co bądź już w trzydziestym czwartym roku powieścią „Listonosz zawsze dzwoni dwa razy" autor wzbudził podejrzliwość Kościoła), ale i zdawała się zachęcać do pewnej sympatii dla cudzołożnej pary morderców.

Już samo to wystarczająco odstraszyło większość grubych ryb w wytwórni Paramount przed jakimkolwiek angażowaniem się w ten film, gdy tymczasem konieczność uzyskania aprobaty Urzędu do spraw Kodeksu Produkcji Filmowej dla każdej kolejnej wersji scenariusza przed rozpoczęciem zdjęć – wymagała żmudnych negocjacji z cenzorami. Zbyt wiele, nieporównanie bardziej niewinnych niż „Podwójne odszkodowanie", filmów padło ofiarą przerw i opóźnień, spowodowanych ingerencjami, aby w wytwórni nie zdawano sobie sprawy z tego, że całe przedsięwzięcie zapowiada się jako długotrwałe i wyczerpujące.

Jak potem wspominał sam James Cain, już wstępna propozycja filmowej adaptacji jego książki spotkała się ze strony cenzorów „z jedną z tych rzeczy, co to zaczynają się od: W ŻADNYM RAZIE, a kończą na: SPOSOBIE, KSZTAŁCIE lub FORMIE"[7]. Główny scenarzysta wytwórni, Charles Brackett, nie był bynajmniej jedynym, który się przestraszył; żaden z czołowych aktorów także nie chciał wystawić na szwank swej reputacji, grając mordercę.

Takie właśnie pesymistyczne przewidywania sprawiły, że „Podwójne odszkodowanie" dostało się w ręce mniej doświadczonych i jeszcze nie „ustawionych" ludzi Paramountu: Billy'ego Wildera, który miał na swoim koncie tylko jeden film nakręcony dla Hollywoodu, oraz debiutującego w roli scenarzysty Raymonda Chandlera.

Podobnie jak wielu ludzi, Billy Wilder nie słyszał o istnieniu kogoś noszącego nazwisko Chandler, ale lektura „Wysokiego okna" zrobiła na nim piorunujące wrażenie. „Jak często zdarza ci się przeczytać opis postaci, w którym znajdujesz zdanie, że z jego uszu wyrastały włosy wystarczająco długie, żeby zaplątała się w nich ćma? Niewielu potrafi coś takiego napisać"[8] – powie później Wilder.

Tymczasem zarówno on, jak i jego producent, Joe Sistrom, dzwoniąc do Pacific Palisades, spodziewali się, że słuchawkę podniesie ktoś mający około trzydziestki. Wilder wspominał później, że Chandler przybył do wytwórni w garniturze z tweedu i ani razu nie odłożył swej fajeczki.

Od pięćdziesiątych piątych urodzin dzieliły go wówczas tylko dwa miesiące. W odczuciu Wildera, gdy pisarz pojawił się w biurze Sandersa, miał wygląd rachmistrza, mówił wolno i co chwila odruchowo marszczył brwi. Filmowcy wręczyli mu egzemplarz książki Caina i poprosili, by się z nią zapoznał. Przeczytawszy powieść, Chandler zgodził się wziąć udział w zaproponowanym mu przedsięwzięciu, prosząc tylko, by pozwolono mu przypatrzyć się kopii jakiegoś typowego scenariusza. Nie miał najmniejszego pojęcia, jak się to robi – wspominał potem Wilder.

> Pamiętam, co nam wtedy powiedział: „Jeśli uznacie, panowie, że jestem odpowiednim człowiekiem, to sprawa by mnie interesowała; ale dziś mamy już wtorek, toteż nie mogę obiecać, że scenariusz będzie gotowy wcześniej niż na poniedziałek". Więc patrzyliśmy na niego jak na wariata. Nie wiedział wtedy jeszcze, że to ze mną będzie pracował. W końcu powiedział: „Chcę za to tysiąc dolarów." Na co my tylko popatrzyliśmy po sobie[9].

Wyjaśniono Chandlerowi, że będzie dostawał siedemset pięćdziesiąt dolarów tygodniowo, że będzie pracował z Wilderem i że praca ta zajmie im około czternastu tygodni; że zostaną obaj zainstalowani w Budynku Pisarzy, osobnej siedzibie na podobieństwo klasztoru, wydzielonej na terenie należącym do wytwórni Paramount, i że budynek ten składa się z identycznie umeblowanych pomieszczeń, wyposażonych w biurka, fotele i telefony.

Billy Wilder, impulsywny trzydziestosiedmiolatek austriackiego pochodzenia, który nie rozstawał się ze swoją laseczką i bezustannie kręcił nią młynka, swój pierwszy film wyreżyserował przed dziesięcioma laty w Paryżu, a przedtem, w latach dwudziestych, pracował w Wiedniu jako korespondent specjalizujący się w sprawach kryminalnych. Był od Chandlera młodszy, niższy i o wiele bardziej pobudliwy, ale równie jak on uparty.

Od samego początku stosunki między dwoma współscenarzystami źle się układały. Po raz pierwszy od czasów Dabneya Chandler był zmuszony do codziennych bliskich kontaktów z kimś, kto nie był Cissy, Wilder zaś ze swej strony początkowo uznał go za „osobliwego, jakby nieco skwaśniałego człowieka", by przy bliższym poznaniu wręcz dojść do wniosku, że scenarzysta go nienawidzi.

Ponieważ musieli siedzieć w tym samym pokoju, Wilder coraz bardziej Chandlera irytował. Pewnego ranka, gdy pracowali już nad scenariuszem czwarty tydzień, pisarz po prostu nie pokazał się w wytwórni. Wilder udał się do biura producenta, gdzie zastał Sistroma nad listem od Chandlera.

> Była to pisemna skarga na mnie. Nie mógł ze mną dalej pracować, ponieważ: byłem nieokrzesany; piłem; pieprzyłem panienki; z czterema bez przerwy rozmawiałem przez telefon, przy czym raz – namierzył mnie dokładnie – zdarzyło mi się z którąś gadać przez dwanaście i pół minuty; a do tego wszystkiego poprosiłem go o zaciągnięcie żaluzji, nie dorzucając słowa „proszę". Po prostu cała lista żalów.
> Więc ściągnęliśmy go do wytwórni i mówię: „Dobra, daj sobie spokój z takim chrzanieniem, człowieku. Na miłość boską, daj spokój, przecież tu nie obowiązują dworskie maniery!" I przeprosiłem go, i obiecałem, że nigdy już nie będę gadał, nigdy więcej nie będę pił w jego obecności, i tak dalej. No i udało nam się skończyć ten scenariusz[10].

Chandler znowu zaczął pić. Był nawróconym alkoholikiem – powie o tym w przyszłości Wilder. – A potem wypadł z wagonu dla abstynentów.

Następnym filmem Wildera miała być rzecz traktująca właśnie o alkoholizmie, toteż natychmiast zdał on sobie sprawę z nawrotu nałogu, choć Chandler nie ustawał w zapewnieniach, że zachowuje całkowitą trzeźwość. Autor biografii Wildera odnotował fakt, że reżyser dobrze wówczas widział, co się dzieje:

> Ilekroć Wilder wychodził do toalety, tylekroć Chandler sięgał do swojej teczki. Wyjmował z niej piersiówkę whisky. Nigdy się z nią nie rozstawał. To była pojemna, brązowa teczka podzielona na trzy części. Nosił w niej mały pulpit do pisania, kartki poprzycinanego żółtego papieru maszynowego i zapasik gorzałki. Chandler miał zwyczaj włóczyć się po mieście i wstępować do barów, w których przesiadywał, rozglądając się dookoła[11].

Wilder nie lubił Chandlera, lecz szybko docenił jego scenopisarskie umiejętności: „Pisaliśmy scena po scenie, zaczynając od dialogu, a potem pracowaliśmy nad przejściami, i był w tym bardzo dobry. Po prostu bardzo, bardzo dobry".

Po wielu latach Wilder określi Chandlera jako „jednego z najbardziej twórczych umysłów, jakie kiedykolwiek zdarzyło mi się spotkać", a także jako „naiwnego, słodkiego, pełnego ciepła człowieka". Wyznał również, że ów autor kryminałów „sprawił mi więcej kłopotu niż jakikolwiek inny pisarz, z którym zdarzyło mi się pracować"[12].

Mimo dzielących ich różnic, reżyser i scenarzysta musieli jednak być w jakimś stopniu solidarni wobec Kodeksu, którego stróże przepatrywali ich scenariusz ze szczególną czujnością. Joseph Breen, w owym czasie przewodniczący rady cenzorskiej, sformułował trzy wstępne zastrzeżenia wobec projektowanego filmu: po pierwsze, zarówno jego bohater, jak i bohaterka to mordercy; po drugie, zarazem cudzołożnicy; a wreszcie po trzecie, historia zawiera zbyt wiele „szczegółów do naśladowania".

Ten ostatni zarzut był szczególnie ważki w oczach funkcjonariuszy cenzorskiego biura, co zresztą z dużym naciskiem podkreślali, zwracając Wilderowi i Chandlerowi w połowie lipca czterdziestego trzeciego roku drugą wersję scenariusza.

W odczuciu cenzorów w filmie znalazłoby się o wiele za dużo przestępczych wskazówek, z których mogliby potem skorzystać potencjalni kryminaliści. Na przykład, pewna scena musiała być wykreślona z tekstu („zgodnie z przyjętą przez nasze Stowarzyszenie stałą zasadą w odniesieniu do pobierania odcisków palców"), ponieważ pokazywała przestępcę używającego rękawiczek. Do skreślenia przeznaczono także „wzmiankę o konkretnych rodzajach trucizn".

Negocjacje między Josephem Breenem a producentem z ramienia Paramountu, Sistromem, ciągnęły się aż do ostatnich dni listopada. Chandler skwitował to następująco: „Wchodzi się tam z marzeniami, a wychodzi się pod eskortą Stowarzyszenia Rodziców i Nauczycieli".

Dla niego samego walka z przepisami Kodeksu była tym bardziej kłopotliwa, że prywatnie on także potępiał nadmiar seksu w książkach Caina, choć jednocześnie nie zawahał się posługiwać przemocą jako środkiem wyrazu, czego najlepszym dowodem był fakt, że niektóre spośród najgwałtowniejszych scen, jakie pojawiły się w „Czarnej Masce" były jego autorstwa; przesadne jednak eksponowanie seksu było, w jego mniemaniu, zarazem nudne i niebezpieczne w skutkach.

> Syntetyczne ogiery w rodzaju Jamesa Caina nadały rangę fetyszu orgazmowi, który klasa średnia zdaje się uważać jedynie za godny pewnego szacunku dodatkowy element w procesie wychowywania rodziny. Artystyczna gloryfikacja żądzy prowadzi do uczuciowej impotencji, ponieważ opowiadanie o miłości ma niewiele lub zgoła nic wspólnego z pożądaniem. Historie miłosne nie mogą się rozgrywać na tle pieczonych serników i wielokrotnych małżeństw.

Ostatecznie Wilder i Chandler uzyskali akceptację Breena dla scenariusza dzięki temu, że to, co w książce Caina było niecenzuralne, przesunęli niejako ze świata grzesznych czynów do sfery przesyconej jedynie samą atmosferą grzechu, a to już cenzorom łatwiej było przełknąć.

Ponieważ scenariusz „Podwójnego odszkodowania” ma dwóch współautorów, trudno stwierdzić, którą część napisał Chandler; są w nim jednak sceny, które zawierają pewne charakterystyczne elementy bez wątpienia zdradzające jego rękę.

Dowcip jest tu o wiele mniej wymyślny niż w takich późniejszych filmach Wildera jak „Pół żartem, pół serio” czy „Bulwar Zachodzącego Słońca”, i większość krytyków, podobnie zresztą jak sam reżyser, dostrzegało w tym zasługę Chandlera; Woody Allen określił kiedyś „Podwójne odszkodowanie” jako najlepszy film Wildera, a „praktycznie w ogóle najlepszy, jaki ktokolwiek nakręcił”.

To zrozumiałe, że na premierze cała uwaga krytyki skupiła się na osobie Wildera jako reżysera i współscenarzysty filmu; mało kto zauważył i odnotował nazwisko Chandlera w czołówce, a zresztą bardzo niewielu krytyków filmowych w ogóle przedtem o nim słyszało.

Jedna z typowo chandlerowskich scen w „Podwójnym odszkodowaniu” to pierwsze spotkanie Freda MacMurraya (aktora komediowego, którego kariera przybrała całkiem nowy obrót dzięki temu, że przyjął główną rolę, odrzuconą przez wszystkich gwiazdorów Paramountu) z Barbarą Stanwyck w roli Phyllis Dietrichson. Zmysłowość, która zdominowała stronice książki Caina, tu przeobraziła się w coś w rodzaju nasyconego podtekstami przekomarzania się obu postaci.

MacMurray gra w filmie Waltera Neffa, agenta ubezpieczeniowego, który przybywa do rezydencji Dietrichsonów, aby przedłużyć ubezpieczenie samochodu pana domu. Nie zastaje go, poznaje za to jego piękną małżonkę. Phyllis z rozmysłem flirtuje z Neffem, który podejmuje wyzwanie we właściwy sobie sposób. W końcu jednak posuwa się w tej grze za daleko i pani Dietrichson żartobliwym tonem go przyhamowuje:

Dietrichson: W tym stanie obowiązuje ograniczenie prędkości. Do czterdziestu pięciu mil na godzinę.
Neff: A jak szybko ja jechałem, pani władzo?
Dietrichson: Gdzieś tak około dziewięćdziesiątki.

Neff: To może zejdzie pani z tego motocykla i wręczy mi mandat?
Dietrichson: A może zamiast mandatu udzielę panu tylko ostrzeżenia?
Neff: A jeśli to nie poskutkuje?

Gdy Neff odjeżdża, Phyllis mówi mu, by przyjechał następnego popołudnia, wtedy będzie mógł porozmawiać z jej mężem o ubezpieczeniu.

Neff: Pani też będzie obecna?
Dietrichson: Pewnie tak. Zwykle można mnie tu zastać.
Neff: Ten sam fotel? Te same perfumy? Ta sama obrączka?
Dietrichson: Nie jestem pewna, czy zrozumiałam, co pan ma na myśli.
Jeff: Nie jestem pewien, czy naprawdę nie jest pani pewna.

Wkrótce flirt przekształci się w namiętność, po czym zakochana para zacznie planować pozbycie się Dietrichsona w taki sposób, aby morderstwo nie zostało wykryte, dzięki czemu będą mogli zgarnąć pieniądze za ubezpieczenie na życie ich ofiary.

Plan dwojga kochanków nie do końca zostanie zrealizowany. Oto Neff i pani Dietrichson (która mu się w międzyczasie sprzeniewierzyła) spotykają się po raz ostatni. Neff kieruje w jej stronę lufę swego pistoletu, ona zaś jeszcze raz próbuje go uwieść. Scena, która w czytaniu nie robi tak silnego wrażenia jak potem na ekranie, stanowi jednak dobrą ilustrację późniejszej tezy Chandlera, iż najlepsze filmowe sceny to takie, w których pada najmniej słów[13]. „Przykro mi, dziecinko – mówi Neff, w dalszym ciągu celując w nią z pistoletu. – Tego już nie kupuję". „Nie proszę, żebyś cokolwiek kupił – błaga Phyllis. – Po prostu mnie przytul".

Neff obejmuje ją, kamera skupia się na jej rozszerzonych przerażeniem oczach.

Potem rozlega się odgłos wystrzału.

Podobnie jak w przypadku owej dwuznacznej przekomarzanki, podczas której erotyka została tylko zasygnalizowana, bez pokazywania jakichś miłosnych gestów, tak i w tej finałowej scenie widzimy, w jaki sposób Wilder i Chandler potrafili osiągnąć nastrój grozy i przerażenia, nie uciekając się do widoku lejącej się krwi. To dzięki takiemu właśnie zręcznemu przenoszeniu punktu ciężkości w poszczególnych scenach para scenarzystów zmusiła strażników Kodeksu do wyrażania zgody na kręcenie filmu.

Chandler zmuszony był także do stosowania delikatnych zabiegów w stosunku do postaci Keyesa, odtwarzanej przez Edwarda G. Robinsona, który miał pewne cechy upodobniające go do Marlowe'a.

Keyes jest kolegą a zarazem swego rodzaju Nemezis Neffa: pracuje w tym samym towarzystwie ubezpieczeniowym, lecz jako główny inspektor odpowieda za weryfikację zasadności roszczeń odszkodowawczych. W powieści Caina jest to drugorzędna postać o szerokich urzędowych uprawnieniach, ale w scenariuszu Keyes przybiera pełny ludzki wymiar jako cyniczny stary kawaler. Lubi Neffa, ale darzy instynktowną nieufnością wszystkie kobiety, co akurat w przypadku pani Dietrichson okaże się w pełni uzasadnione.

Na początku filmu Keyes próbuje nakłonić Neffa do zmiany zajęcia, proponując mu, by przeszedł do jego działu i podjął pracę inspektora dochodzeniowego. Byłby to dla Neffa awans, on jednak odmawia, gdyż po prostu lubi sprzedawać ubezpieczenia. Keyes jest rozczarowany: „Myślałem, że jesteś odrobinę mądrzejszy od reszty tych matołów. Widać się myliłem. Nie jesteś od nich bystrzejszy. Jesteś po prostu większy".

Keyes, pięćdziesięcioparoletni jak Chandler, nieufny w stosunku do ludzi ekscentryk i, tak jak on, przez cały film pali fajkę. Pewien krytyk wystąpił nawet z przypuszczeniem, że zarysowane w scenariuszu wzajemne stosunki Neffa i Keyesa stanowiły podświadome odwzorowanie relacji między Chandlerem a Wilderem, którzy zmuszeni byli ze sobą współpracować mimo wzajemnej antypatii, neutralizowanej wszakże, choć obaj niechętnie to przyznawali, przez odczuwany do siebie szacunek[14].

Chandler twierdził, że praca nad pierwszym filmem ani przez chwilę nie sprawiała mu przyjemności. Była to dla niego wymagająca nadludzkiego wysiłku próba cierpliwości, z powodu ciągłej obecności innego człowieka z jednej strony, oraz konieczności akceptowania kompromisów narzucanych przez cenzorów i producentów z drugiej. Pisarz odrzucał zarzut, jakoby chciał być scenopisarską primadonną, niemniej było to dla niego „zabójcze doświadczenie, które zapewne skróciło mi życie; lecz o scenopisaniu nauczyło mnie wszystkiego, co tylko zdolny byłem pojąć, czyli, szczerze mówiąc, nie tak znów wiele. [...] Mądry scenarzysta to taki facet, który – mówiąc metaforycznie – zakłada tylko swój zapasowy artystyczny garnitur i niczego zanadto nie bierze sobie do serca. Powinien mieć w sobie trochę cynizmu, ale tylko trochę. Totalny cynik jest nieużyteczny dla Hollywoodu tak samo, jak nieużyteczny jest dla samego siebie"[15].

W świecie filmowej produkcji było powszechnie przyjęte, że z chwilą gdy zostanie zaakceptowana ostateczna wersja scenariusza, jej autor, zwłaszcza gdy jest debiutantem, przestaje otrzymywać cotygodniowe czeki. Na żądanie Wildera Chandlerowi płacono jednak także przez cały dziesięciotygodniowy okres zdjęciowy, przy czym nie wprowadzono do scenopisu żadnej zmiany bez jego uprzedniej zgody. Oczywiście, nie przyczyniło się to do zawieszenia broni w bezpardonowej wojnie między współscenarzystami: po pierwszym przedpremierowym pokazie filmu w Westwood Village zachwycony James Cain czekał w hallu, by wyściskać obu twórców; ale Chandler już wcześniej wsiadł do samochodu, umykając schodami przeciwpożarowymi.

Po latach będzie twierdził, że nie został zaproszony na uroczystą premierę „Podwójnego odszkodowania". Wilder ze swej strony zapewniał, że owszem, Chandler był zaproszony, ale nie mógł przybyć na galę, gdyż „leżał pijany pod stolikiem w Lucey's, restauracji, w której w tym samym mniej więcej czasie zwykł był wchodzić w swe alkoholiczne ciągi Humphrey Bogart.

Zimą czterdziestego trzeciego roku, gdy trwała jeszcze produkcja „Podwójnego odszkodowania", Paramount podpisał z Chandlerem stały kontrakt: jako przypisany do wytwórni scenarzysta miał on otrzymywać tysiąc dwieście pięćdziesiąt dolarów tygodniowo.

Zachwyt, z jakim producenci przyjęli film, znalazł swoje potwierdzenie w salach kinowych: „Podwójne ubezpieczenie" stało się wielkim przebojem natychmiast po wejściu na ekrany w czterdziestym czwartym roku. Od lat trzydziestych, gdy zaczął obowiązywać prewencyjny Kodeks Produkcyjny, nie pojawił się w Ameryce film równie obfitujący w czarny humor, a zarazem tak współczesny, toteż „Podwójne odszkodowanie" wywołało tyle samo zachwytów, co i głośnych wyrazów moralnego oburzenia.

Chandler był pod wrażeniem faktu, że prasa specjalizująca się w dziedzinie filmiu poświęcała „Podwójnemu odszkodowaniu" aż tyle miejsca i krytycznej uwagi; recenzenci książkowi nigdy nie okazali podobnego zainteresowania jego książkom z Marlowe'em.

„New York Herald Tribune" pisała po premierze o nadzwyczajnym filmie mającym „taką wymowę, płynność i napięcie, że stał się on czymś więcej niż tylko fascynującym thrillerem". Sekundowała jej „Variety" stwierdzeniem, że dzieło to ustaliło nowy standard w dziedzinie filmu kryminalnego i że „jako owoc ekranowej biegłości" stanowiło dowód mistrzostwa zarówno pisarskiego, jak i reżyserskiego.

„Podwójne ubezpieczenie" odnosiło tak wielki sukces zarówno w kasach kinowych, jak i na łamach prasy, że pod jego wpływem inne hollywoodzkie wytwórnie filmowe zaczęły się stopniowo wyzbywać nadmiernej ostrożności wobec rygorów Kodeksu Produkcyjnego.

Ziarna „twardego" kina już wcześniej padły na hollywoodzką glebę, ale dopiero film Wildera sprawił, że zaczęto o takim kinie myśleć jako o czymś zarówno możliwym do zrobienia, jak i dochodowym. Szóstego grudnia czterdziestego piątego roku, blisko w rok po premierze „Podwójnego ubezpieczenia", gazeta „Daily News" tak oto komentowała wpływ, jaki dzieło to wywarło na Hollywood:

> Ponieważ stał się on jednym z największych sukcesów kasowych ostatniego roku, wszystkie wytwórnie podjęły produkcje filmów realistycznie ukazujących historie kryminalne. Im obraz brutalniejszy i krwawszy, tym lepszy. [...] Ten rok może wejść do historii Hollywoodu jako przełomowy, gdyż przyniósł ponowne odkrycie i odrodzenie gatunku, na który tak długo spoglądano lekceważąco, jak na niegodne większej uwagi wyświechtane „pewniaki" klasy B.

„Podwójne ubezpieczenie" otrzymało dwie nominacje do Oscara: za najlepszy film i najlepszy scenariusz. Oscara mu jednak nie przyznano, gdyż Akademia wciąż nie była pewna, jaką postawę przyjąć pod czujnym spojrzeniem katolickich cenzorów wobec tego rodzaju filmu.

W rezultacie oba te Oscary otrzymał inny film Paramountu: „Going The Way" (Krocząc własną drogą), komedia muzyczna z Bingiem Crosbym w roli księdza. W światku filmowym mówiono, że Akademia wręcz usprawiedliwiała się przed bossami Paramountu, iż nie czując się w stanie uhonorować „Podwójnego ubezpieczenia" w obecności przedstawicieli Urzędu do Spraw Kodeksu Produkcji Filmowej, postanowiła w końcu przyznać obie główne nagrody innemu filmowi tej samej wytwórni.

Jeśli „Podwójne ubezpieczenie" było filmem aż za bardzo odpowiadającym Chandlerowi jako debiutantowi w pisaniu scenariuszy, to dwie kolejne produkcje, do których go Paramount wyznaczył, dalekie były od kategorii „twardego" kryminału: Chandler postrzegany był teraz przede wszystkim jako „lekarz dialogów", a potem dopiero jako scenarzysta, toteż oddelegowano go do ratowania słabych scenariuszy.

Pierwszy z nich posłużył do nakręcenia filmu z Alanem Laddem i Lorettą Young „Na zawsze" („And Now Tomorrow"), który wszedł na ekrany w czterdziestym czwartym roku. Była to umiejscowiona w Nowej Anglii barwna opowieść o pięknej, lecz głuchoniemej dziedziczce wielkiej fortuny, którą opiekuje się młody miejscowy lekarz, Vance. Dziewczyna zostaje wyleczona, a lekarz się w niej zakochuje; trudno sobie wyobrazić mniej sprzyjającą dowcipnym odzywkom scenerię i tło wymyślone dla filmu, toteż, nawet jeśli trafiały się w scenariuszu zabawne momenty, były one zaledwie cieniem tego, co można znaleźć w książkach Chandlera:

Vance: Kawa.
Mężczyzna za kontuarem: Jaką pan lubi?
Vance: Lubię, żeby była gorąca, mocna i zaparzona nie dawniej niż w tym roku.
Mężczyzna za kontuarem: W takim razie nasza panu nie posmakuje.
Vance: Ma pan zapałki?

Jeszcze gorsze było aktorstwo. „Bardzo głupiutki filmik – informował po premierze „New York Times". – Jakkolwiek by nazwać to coś, czego brakowało tej aktorce, to nie ma ona tego w dalszym ciągu".

Film mimo wszystko miał powodzenie, w dużej mierze dzięki temu, że dla publiczności Alan Ladd stanowił w owym czasie największy magnes.

Chandler zaczynał lubić dni spędzane w biurze Paramountu. Praca nad „Podwójnym ubezpieczeniem" była dla niego wyczerpująca, a ponadto sama atmosfera współpracy była niezwykle intensywna; „leczenie dialogów" było natomiast dla Chandlera zajęciem o wiele mniej klaustrofobicznym.

Gdy pisarz samotnik ponownie przywykł do obecności innych, ich towarzystwo zaczęło mu sprawiać przyjemność: „Scenarzysta spotyka bystrych i interesujących ludzi, a nawet może zawrzeć z nimi trwałe przyjaźnie. [...] Nasłuchałem się tam tak dobrych dowcipów jak jeszcze nigdy w życiu. Niektórzy chłopcy najlepsi są wtedy, kiedy nie piszą".

Z czasem i ludzie Paramountu zaczęli Chandlera darzyć sympatią; wśród nich był szef reklamy, Teet Carle, który stwierdził: „Był on niewiarygodnie przyjazny ludziom; często wymykałem się ze swojego biura, żeby z nim pogadać".

Także Robert Presnell, inny pisarz wytwórni, potwierdza, że Chandler miał w sobie dużo życzliwości:

> Ilekroć zajrzałem do jego biura, będąc w nastroju przygnębienia, zawsze gotów był oderwać się od swojej własnej pracy i poświęcić mi czas na rozmowę. Mawiał, że ponad wszystko uwielbia, by mu przerywano, ponieważ to, co się robi w czasie, gdy powinno się robić coś innego, staje się zabawniejsze: dygresja jest przyprawą życia. Radził mi pisać wszystko, co mi przyjdzie do głowy, bo i tak żaden z facetów na górze tego nie przeczyta[16].

Chandler i Cissy mieszkali teraz przy Drexel Avenue, bardziej na południu Hollywood, w pobliżu La Cienega. Była to wprawdzie równie tania dzielnica jak ta, w której zamieszkiwali przedtem, ale ich dom pod numerem 6320 usytuowany był na zadrzewionym odcinku Drexel Avenue i w pewnym od niej oddaleniu, a ponadto miał własny ogród. W tym samym czasie Chandler kupił duży, szarozielony i szykowny kabriolet Packarda, którym podczas weekendów jeździli z Cissy nad ocean.

Gdy dobiegła końca praca nad filmem „Na zawsze", zlecono mu ratowanie „Unseen" („Niewidzialnego"), melodramatycznego horroru, którego scenariusz został w trzech czwartych napisany, a następnie zarzucony. Także i ta historia umiejscowiona została na Wschodnim Wybrzeżu, w sennym, przyzwoitym miasteczku; w pewnym obszernym domu, w którym mieszka dwoje niegrzecznych dzieci, ich nadęty ojciec, jego podejrzany przyjaciel oraz przerażona nowa opiekunka dziatek, zaczynają się dziać zagadkowe rzeczy.

W pierwotnym zamyśle „Niewidzialny" miał być kontynuacją innego, nieco lepszego filmu Paramountu pod tytułem „Uninvited" („Nieproszony gość"); okazało się jednak, że stanowi on zaledwie swego rodzaju składankę z doszczętnie zużytych schematów, którym nie można już było przywrócić jakiejkolwiek oryginalności. Ładna jesteś – słyszy zastraszona guwernantka obejmując nową posadę. – Ta przed tobą też była ładna.

Jak gdyby na potwierdzenie lichoty tego scenariusza nie wywołał on ani jednego zastrzeżenia cenzorów, którym został przedłożony w czterdziestym czwartym roku. Udział Chandlera jest w tym przedsięwzięciu zupełnie niewidoczny, a jedyną rekompensatą za ten bezowocny trud było poznanie sympatycznego młodego angielskiego producenta, Johna Housemana, który debiutował w „Niewidzialnym” jako reżyser.

Sam Houseman przyznał potem, że jedynym powodem, dla którego film ten w ogóle wszedł na ekrany, był fakt, iż w gruncie rzeczy w latach czterdziestych każda hollywoodzka produkcja niejako musiała przynieść zysk. Wojna w Europie wzbogaciła wprawdzie Amerykę, ale zarazem skazała ją na racjonowanie benzyny; ludziom niewiele więc pozostało rozrywek poza chodzeniem do lokalnego kina, a że hollywoodzcy producenci byli zarazem właścicielami sal, to Amerykanie, chcąc nie chcąc, oglądali wszystko, co im wyświetlano.

Wśród scenarzystów Paramountu Chandler stał się już popularną postacią. To był taki klub, któremu przewodniczył Chandler – powie w przyszłości Robert Presnell.

W lodówce na czwartym piętrze pisarskiej siedziby Paramountu (tam pracował Chandler) zawsze można było znaleźć szampana, a gdy jakaś grupka zaczęła go popijać od samego rana, to rozmowy przeciągały się aż do lunchu; ówczesna niewiarygodna zamożność Hollywoodu rozluźniała sztywne ramy wszelkich wyznaczonych i przyjętych terminów. Wytwórnie, to były wtedy miejsca, w których panowała duża swoboda – mówił Presnell. – Mogliśmy sobie pozwolić na pisanie scenariusza przez sześć czy osiem miesięcy.

Bywało, że pisarze całą gromadką zasiadali do lunchu w kantynie Paramountu, a wówczas starano się rozruszać Chandlera, który był tak żywy, tak bezpośredni i tak świadom tego, że uczestniczy w nieskończonej Komedii Ludzkiej. Ubrany w swoje tweedy, z nieodłączną fajką w zębach, a przy tym wyposażony w całkiem nowoczesne poczucie humoru, zarazem bawił i zdumiewał tych, którzy go otaczali.

Hollywood to był przemysł, ale przyciągał do siebie wystarczająco wielu ekscentryków, by Chandler mógł sobie pozwolić na dawanie nieskrępowanego upustu swym własnym dziwactwom. Napisze kiedyś:

> Jedyna firma, w jakiej kiedykolwiek dobrze się czułem, to był Paramount, gdzie jako rzecz oczywistą przyjmowano fakt, że ktoś rozpoczyna swój dzień pracy od zakomunikowania wszystkim, żeby sobie poszli do diabła. Przynajmniej ja tak robiłem. I zdaje się, że im się to nawet podobało[17].

W 1944 roku Chandler miał romans z pewną sekretarką wytwórni. Podobnie jak u Dabneya był to przelotny związek, a jeśli dzisiaj o nim wiadomo, to tylko ze wspomnień jego kolegów. Nie wiadomo natomiast, jak Cissy zareagowała na jego miłostkę oraz na fakt, że znowu zaczął pić. Możliwe jednak, że jako trzykrotnie zamężna i w podeszłym wieku kobieta, która w przeszłości była modelką, pozowała nago do zdjęć i paliła opium, wybaczała, nie dostrzegała lub nazbyt była chora, żeby się przejmować postępowaniem męża.

On tymczasem niemal każdego wieczora wracał do domu, zamiast wybrać się gdzieś z kolegami z wytwórni. Podobnie jak u Dabneya, w pracy był bardzo ożywiony, poza nią jednak najczęściej niezwykle skryty; przy tym, zaczął planować następną powieść z Marlowe'em.

John Houseman wspomni po latach: „W Hollywood, gdzie często wybór żony był mylony z obsadzaniem kobiecej roli w filmie, Cissy traktowana była jako swoisty fenomen. Ray miał za sobą ciężkie życie i wyglądał na kogoś starszego o dziesięć lat niż w rzeczywistości. Jego żona wyglądała na starszą od niego o dwadzieścia lat, a ubierała się jak kobieta o trzydzieści lat młodsza".

Houseman był jednym z bardzo nielicznych hollywoodzkich znajomych, którego Chandlerowie zabierali ze sobą na niedzielne wycieczki wzdłuż wybrzeża.

Po jedenastu latach ciągłego liczenia się z każdym groszem Chandler rozkoszował się nową sytuacją, w której był przez Paramount świetnie opłacany, a przy tym wcale nieprzeciążany pracą. Wprawdzie nie znosił otaczającej go atmosfery próżności, która towarzyszyła takim rzeczom jak choćby kolejność serdecznych powitań, dyktowana miejscem, jakie ktoś zajmował w filmowych czołówkach („ten bezustanny lęk przed utratą całego tego baśniowego złota i staniem się nikim, choć w istocie tym właśnie przez cały czas byli"), jednakże traktował to jako jeden z elementów tego zawodu. Bardziej oburzało go marnotrawstwo i nieefektywność poczynań Hollywoodu, będącego w jego oczach po prostu bałaganiarsko zarządzanym przedsiębiorstwem, któremu zysk zapewniała jedynie pozycja monopolisty, jaką sobie zdołało zapewnić.

Lecz zarazem ten właśnie aspekt komercjalnej drapieżności Hollywoodu był dla niego fascynujący. W powieści, nad którą zaczął teraz pracować podczas weekendów, Marlowe natyka się na filmowego bossa, nazwiskiem Oppenheimer, który uczuciem darzył tylko swoje psy.

Zdaje się, że znowu miałem ten sam idiotyczny wyraz twarzy. Machnął ręką, wskazując patio.
– Potrzebujesz tylko mieć tysiąc pięćset kin. To łatwiejsze niż hodowla czystej rasy bokserów, nie ma porównania. Film to jedyny biznes na świecie, gdzie można popełnić wszystkie błędy, jakie przyjdą człowiekowi do głowy, i mimo to tłuc kasę.
– To pewnie także jedyny biznes na świecie, gdzie można mieć trzy psy, które siusiają na biurko – powiedziałem.
– Trzeba mieć tysiąc pięćset kin.
– Z tego wynika, że początek nie jest łatwy – oceniłem[18].

Były też inne aspekty hollywoodzkiej prosperity, które budziły nieufność Chandlera. – Kiedyś było tak, że aktorzy korzystali z tylnych drzwi – powiedział po swoim pierwszym filmie – i większość z nich powinna dalej stosować się do tego zwyczaju.

Wyłączeni spod tej reguły byli w jego oczach tylko dwaj aktorzy: Cary Grant – także Angloamerykanin, który zawsze był dla Chandlera najlepszym kandydatem do roli Marlowe'a – oraz Humphrey Bogart.

Producenci to, jego zdaniem, najczęściej „niewielkiej miary osobnicy o moralności capa, których artystyczna uczciwość równa była uczciwości jednorękiego bandyty", choć byli też pośród nich ludzie dostatecznie „kompetentni i ludzcy", by w nich pokładać nadzieję.

W tych samych proporcjach uczciwość zdarzała się jego zdaniem w szeregach agentów, reżyserów i ludzi reklamy; było ich tak wielu, że od Hollywood bił smród, ale zawsze można było jednak znaleźć wystarczająco dużo ludzi przyzwoitych, przyjaznych i zabawnych, dzięki którym praca w Hollywood mimo wszystko mogła sprawiać przyjemność. Bez tego, twierdził stanowczo Chandler, żadne pieniądze nie potrafiłyby go tam zatrzymać.

> Za pieniądze można kupić w Hollywood żałośnie mało rzeczy, jeśli nie liczyć przyjemności, jaką sprawia życie w nierealnym świecie, w zetknięciu z niewielką grupką ludzi, którzy myślą i rozmawiają tylko o jednym: o filmach, i to w większości niedobrych. Można sobie jeszcze kupić wątpliwą przyjemność przyglądania się, jak w restauracjach, które zaliczają się do najmniej szykownych na całym świecie, chleją i żrą sławne gwiazdy filmowe[19].

*

Po sukcesie „Podwójnego ubezpieczenia" na hollywoodzkim rynku poszły w górę akcje nie tylko Chandlera, ale i pośrednio Philipa

Marlowe'a. Z punktu widzenia cenzuralnych ograniczeń, film ten dokonał tak znaczącego przełomu, że pojawiła się wreszcie możliwość wierniejszego niż w poprzednich adaptacjach przeniesienia postaci detektywa na ekran, a nadto jeszcze całe Hollywood zaczęło się interesować tym, co napisał Chandler, zanim trafił do Paramountu.

Jeszcze przed wprowadzeniem na ekrany kin „Podwójnego ubezpieczenia" wytwórnia Warner Brothers kupiła za dziesięć tysięcy dolarów prawa do „Wielkiego snu", i teraz postanowiła przystąpić do opracowania planu wysokobudżetowego filmu opartego na tej powieści.

Równocześnie RKO, uświadomiwszy sobie, jakim błędem było uprzednie zmarnotrawienie „Żegnaj, laleczko" (wciąż jednak zachowując prawa do tej książki), przystąpiła do pracy nad nową adaptacją, w której Dick Powell miał po raz pierwszy odtworzyć na ekranie postać Marlowe'a[20]. Związany kontraktem z wytwórnią Paramount, Chandler nie miał z tym filmem nic wspólnego, ale ze strony RKO była to znacząca zmiana w podejściu do jego twórczości.

Realizacja „Laleczki" napotkała te same trudności, które przedtem stały się udziałem „Podwójnego ubezpieczenia": żaden z uznanych aktorów stajni RKO nie chciał narazić na szwank swej reputacji, grając mordercę, co spowodowało, że po raz kolejny dramatyczna rola odegrała funkcję trampoliny w karierze hollywoodzkiego komika Powella:

> To było zwieńczenie moich dziesięcioletnich wysiłków, jakie czyniłem, żeby uciec od musicali. [...] Z chwilą gdy film wszedł do rozpowszechniania, posypały się propozycje zagrania „twardziela" i otworzyły się przede mną perspektywy nowej kariery[21].

Mimo że filmowi mocno przetrącono kręgosłup, ponieważ cenzorzy wzmogli swą czujność, zorientowawszy się w narastającej aktywności wytwórni filmowych, które zaczęły krążyć wokół twórczości Chandlera – w sumie został on dobrze zrobiony dzięki uzyskaniu budżetu kategorii „A". Ponieważ jednak jego twórcy nie mieli zręczności Wildera i Chandlera, która by im umożliwiła skuteczne zbicie z tropu strażników Kodeksu, przeto scenariusz zaowocował dziełem, które było bardziej kryminalną zagadką niż „twardym" kryminałem, niemniej jednak przedstawiło dość przekonywający portret Marlowe'a.

Jego autorzy posłużyli się głosem Narratora, dzięki czemu mogli wykorzystać cytaty z powieściowego oryginału:

„Okay, Marlowe", powiedziałem sobie, „jesteś twardym facetem. Dwa razy zdrowo dostałeś; dusili cię, walili cię kolbą pistoletu w głupi łeb i wpakowali ci kulkę w ramię; aż w końcu dostałeś zajoba niby dwie myszki, które postanowiły zatańczyć walca. Zobaczmy teraz, czy potrafisz zrobić coś, na co powinien się w tej sytuacji zdobyć prawdziwy twardziel. Spróbuj na przykład założyć spodnie".

Film wszedł na ekrany w czterdziestym czwartym roku pod tytułem „Murder My Sweet" (Morderstwo, moje kochanie) (w ostatniej chwili musiano zmienić tytuł, ponieważ okazało się, iż „Farewell My lovely" (Żegnaj, laleczko) kojarzy się ludziom z musicalem) i zrobił na Chandlerze spore wrażenie, co jednak w żadnej mierze nie pomniejszyło jego podejrzliwości w stosunku do cenzury. Podejrzliwość tę potęgowała w nim generalna nieufność wobec Kościoła katolickiego, zrodzona w tak odległej już przeszłości w duszy angloirlandzkiego chłopca, żyjącego w Waterford:

Jestem głęboko przekonany, że Hollywood dopóty się nie odnajdzie, dopóki nie zdobędzie się na to, żeby wysłać do diabła katolików. Mam nadzieję, że nikogo tu nie obrażam, ale naprawdę sądzę (i myślę, że sami zainteresowani są tego świadomi), że polityczna władza, jaką sprawuje Kościół katolicki, to rzecz zła, i że przy tym używana jest ta władza bez żadnych skrupułów, jak również z lekceważeniem wszelkich zasad przyzwoitości, wyłącznie w tym celu, by Kościół jej nie utracił[22].

*

Do tego, co zarabiał teraz Chandler w Hollywood, dochodziły jeszcze stale napływające należności z tytułu praw autorskich do kolejnych wznowień jego pierwszych czterech powieści, jak również coraz liczniejsze zaliczki od zagranicznych wydawców. Z wolna i stopniowo jego popularność i uznanie dla książek, które napisał, zaczynały zataczać coraz szersze kręgi: w 1945 roku „Newsweek" naszkicował na swoich łamach jego literacką sylwetkę, a w 1946 gazeta wydawana przez uniwersytet w Toronto nazwała go wręcz geniuszem.

Po długich latach swoistego wygnania z własnego wyboru – Chandler na nowo nawiązywał kontakty ze światem. W Hollywood otaczali go ludzie o nietuzinkowych i dalekich od ponuractwa umysłach, podobnie jak on odznaczający się skłonnością do nieco cynicznego widzenia rzeczywistości.

Chandler lubił spędzać czas w towarzystwie scenarzystów, doszedł bowiem do wniosku, że środowisko filmowe Hollywood ulega totalnej degeneracji, mimo wysokiego mniemania o sobie, czerpanego z niegdysiejszej przynależności do intelektualnej elity Wschodniego Wybrzeża. „Środowisko pisarzy – stwierdził Chandler – sprawia na mnie wrażenie nadwrażliwości i duchowego niedożywienia. Jeśli chodzi o stopień egotyzmu, to pisarze dorównują pod tym względem aktorom, tyle że rzadko odznaczają się równie atrakcyjną urodą. [...] Jest wszakże coś, co mi się w Hollywood podoba: pisarz objawia się tu w całej swej gotowości do zaakceptowania najdalej posuniętego przekupstwa; nie oczekuje żadnych pochwał, gdyż pochwały spływają na niego w postaci czeków. Przeciętny hollywoodzki pisarz nie jest ani młody, ani uczciwy, ani odważny, ani choćby odrobinę za dobrze ubrany. Ale cholernie fajnie jest przebywać w jego towarzystwie”[23].

Co się tyczy samego Chandlera, to choć nigdy nie potrafił się oprzeć skłonności do przesadnej elegancji, z pewnością dobrze teraz zarabiał: w czterdziestym szóstym roku musiał zapłacić pięćdziesiąt tysięcy dolarów podatku.

Lecz mimo tej zamożności on i Cissy nadal mieszkali w domu przy Drexel Avenue. Sam Chandler komentował to tak: „Żadnych prywatnych basenów, żadnych futer ze srebrnej kuny dla rozrywkowych panienek w hotelowych apartamentach, żadnego kredytu u Romanoffa, żadnych prywatek ani rancz z wierzchowcami [...] mniej przyjaciół, za to o wiele więcej pieniędzy”.

Wraz zakończeniem pracy nad scenariuszem „Niewidzialnego” dobiegł końca kontrakt zawarty przez wytwórnię Paramount z Chandlerem. Równocześnie jednak wejście na ekrany filmu „Murder My Seet” spowodowało kolejny wzrost sprzedaży jego powieści w wydaniach Pocket Books; liczba ich nabywców zbliżała się do dwóch milionów.

Chandler zdobył już taką pozycję, że jego nazwiska nie można było dłużej drugorzędnie traktować w filmowych czołówkach. A do tego wszystkiego trafił mu się hollywoodzki agent, który był zbyt sprytny, by nie wykorzystać sprzyjającej chwili. Był nim H.N. Swanson.

Dostać się na listę podopiecznych Swansona w tak szybkim czasie, już samo w sobie niemal wystarczało, by utrwalić czyjąś reputację w Hollywood, „Swaniego" otaczała bowiem sława potężnego gracza przy stoliku rynkowej władzy; bądź co bądź zajmował się interesami tej miary pisarzy co F. Scott Fitzgerald i William Faulkner. W przyszłości weźmie on także pod swe skrzydła Elmora Leonarda, autora kryminałów, który tak o nim pisał:

> Każdy, kto ma cokolwiek wspólnego z filmem lub rynkiem wydawniczym, zna go pod przezwiskiem „Swanie". I każdy ci powie: „Swanie? Jasne, że go znam. To od lat mój serdeczny przyjaciel". Po czym taki ktoś uśmiechnie się i parokrotnie potrząśnie głową ze wzrokiem zwróconym ku dalekiej przeszłości, kiedy to odbywał ze Swaniem rozmowy na temat warunków kontraktu. [...]
>
> [Spotkałem go po raz pierwszy] wspinając się po schodach SWANSON BUILDING, gdzie na pierwszym piętrze mieścił się jego wyłożony ciemnym drewnem gabinet z malowidłami na ścianach, z weneckimi storami i z tysiącem książek.
>
> Dżentelmen ze srebrzystą czupryną, ubrany w trzyczęściowy garnitur w prążki, w którego butonierce tkwił goździk, zwrócił się do mnie ze słowami: „Jak się masz, chłoptasiu! Witaj w Hollywood!"

Chandler polubił Swansona. „Spore wrażenie wywarło na mnie to – powiedział kiedyś – że Swanie był w stanie prowadzić w Hollywood swój interes przez wszystkie te lata, a przy tym ani nie spadł do poziomu małego pośrednika, ani też nie wyrósł na wysokiej klasy gangstera"[24].

Swanson znany był w Hollywood ze swego stylu, ostentacyjnego prezentowania garniturów z Savile Row, a zarazem z umiejętności twardego pilnowania własnych interesów; jedno i drugie Chandler obserwował z dużą przyjemnością. Często jadał z nim lunch w restauracji Lucey's i był dla niego pełen, podszytego pewną ironią, szacunku, którym mu się zresztą Swanson w podobnym tonie rewanżował.

Chandler twierdził, że ze Swaniem zawsze wiedział, na czym stoi. Gdy otrzymał od niego bożonarodzeniowy prezent – krawat typu „Sherlock Holmes", wysłał mu dziękczynną kartkę z następującym postscriptum: „Facet, który ciężko pracował, żeby w końcu dojść do poziomu zegarka na rękę, a potem z powrotem obsuwa się do poziomu krawata, zyskuje doskonałą świadomość swojej pozycji w rankingu".

Swanson był agentem z wyobraźnią i miał co do Chandlera wielkie plany. Wśród rozmaitych projektów, jakie próbował zrealizować w Hollywood z myślą o swym nowym kliencie, był między innymi pomysł z Joan Crawford jako siłą napędową nowego filmu, western klasy A, thriller rozgrywający się we Francji na tle wyścigów, a także kontrakt z brytyjskim producentem filmowym. Swanson myślał również o tym, by Chandler napisał scenariusz oparty na „Wielkim Gatsbym", książce, którą obaj uwielbiali.

Nowo pozyskany agent umiał się obchodzić ze swoim pisarzem, który czasem bywał wybuchowy, a często podejrzliwy: Swanie wypracował sobie własną metodę, która polegała na ignorowaniu sporej części tego, co Chandler mówił, i równoczesnym uważnym przysłuchiwaniu się całej reszcie.

Mając doświadczenie, które zdobył jako agent tak notorycznych pijaków jak Fitzgerald i Faulkner, Swanson potrafił także zrozumieć charakter Chandlera. „Wśród najlepszych pisarzy, jakich znałem – wyzna w 1989 roku – byli tacy, którzy, jak się zdaje najlepiej pisali w czasie odsuszania po jakimś alkoholicznym ciągu. Być może powodowała nimi chęć nadrobienia straconego czasu i dokończenia przerwanej pracy".

Do takiej właśnie też subkategorii pisarzy alkoholików zaliczał Chandlera.

Swanson odznaczał się zdroworozsądkowym podejściem do życia, co Chandler umiał docenić. Swanie, ilekroć zapytano go, jaki rodzaj pisarstwa daje największy zysk, niezmiennie odpowiadał: Luźne notatki.

Nowy opiekun rozpoczął z Paramountem negocjacje w sprawie warunków, na jakich Chandler zgodziłby się napisać oryginalny scenariusz: własny pisarski gabinet, żadnych nieuzasadnionych ponagleń oraz tysiąc dolarów tygodniowo, w zamian za co wytwórnia miałaby prawo odrzucić każdą pierwszą ofertę kupienia czegokolwiek, co wyszłoby spod jego pióra.

Chandler był zachwycony taką umową i już pod koniec czterdziestego czwartego roku zaczął obmyślać swój przyszły scenariusz; jednakże w styczniu czterdziestego piątego Alan Ladd otrzymał drugie już powołanie do wojska i wytwórnia Paramount wpadła w panikę: wprawdzie Ladd nie był największym gwiazdorem tamtych czasów, ale utrzymanie go na stałym kontrakcie kosztowało jednak masę pieniędzy. Wiadomość, że armia Stanów Zjednoczonych po raz drugi wezwała go do stawienia się w jej szeregach i że jeszcze tylko przez trzy miesiące będzie on mógł pozostawać na amerykańskiej ziemi, spowodowała lawinę służbowych pism, w których szefowie wytwórni żądali gwałtownego przyśpieszenia realizacji filmu, ponieważ jego powodzenie miało zależeć od udziału Ladda w roli głównego bohatera.

Jak twierdził John Houseman, gdy rozeszła się wieść o sytacji gwiazdora, Chandler zgłosił gotowość napisania scenariusza na podstawie do połowy zaledwie doprowadzonej nowej powieści. Houseman zapoznał się z maszynopisem powieści, zakupił prawa do filmu za dwadzieścia pięć tysięcy dolarów, po czym natychmiast ruszyła machina produkcyjna.

„The Blue Dahlia" opowiadała o żołnierzu, który wróciwszy z wojny w towarzystwie dwóch towarzyszy frontowej niedoli, dowiaduje się, że podczas gdy on narażał swe życie, jego żona pocieszała się piciem, gangsterami i wszelakim balowaniem.

I oto w dniu jego powrotu do domu pada ona ofiarą morderstwa. Zdemobilizowany żołnierz (Alan Ladd) staje się rzecz jasna głównym podejrzanym. Jest tylko jeden sposób, by mógł dowieść swej niewinności: kryjąc się przed policją, która chce go aresztować, musi znaleźć prawdziwego mordercę. Co mu się w końcu udaje dzięki pomocy, jaką znajduje w osobie żony kochanka swojej zamordowanej żony (Veronica Lake), i film ma szczęśliwe zakończenie: miłość.

Gdy w końcu udało się ustalić reżysera, obsadę i studio filmowe, scenariusz Chandlera był już na takim etapie rozwoju, że można było przystąpić do zdjęć zaplanowanych całodobowo. Niestety, Chandlerowi akurat w tym momencie przydarzyła się pisarska „pustka w głowie". Grube ryby Paramountu obiecały mu wówczas pięciotysięczną premię za ukończenie scenariusza na czas; to jednak tylko jeszcze bardziej sparaliżowało wyobraźnię pisarza, a na dobitek Marynarka Wojenna Stanów Zjednoczonych zaczęła się domagać, by film miał inne zakończenie, co już Chandlera wpędziło w stan totalnej paniki.

Otóż według jego pomysłu mordercą miał się okazać „Buzz", jeden z dwóch wojennych przyjaciół, z którymi bohater filmu wrócił z Europy. Miał on popełnić morderstwo w czasie jednej z „czarnych dziur", które mu się zdarzały w następstwie szoku przeżytego podczas ciężkiego bombardowania, sam więc nie wiedział nawet, że dopuścił się zbrodni. Wojenna cenzura działająca w Hollywood nie mogła jednak pogodzić się z tym, że oto w nakręconym z wielkim rozmachem amerykańskim filmie żołnierz armii Stanów Zjednoczonych okazuje się mordercą, toteż Paramount polecił Chandlerowi jak najszybciej zmienić to niestosowne zakończenie.

Nie dość na tym: oto już zrealizowane zdjęcia dowiodły, że Veronica Lake (którą Chandler przechrzcił na „Moronicę”, czyli „niedorozwiniętą”, Lake) oraz Alan Ladd są aż tak bardzo nieprzekonujący jako para zakochanych „desperados”, że kilka miłosnych scen trzeba było poddać gruntownej przeróbce.

Tego już było Chandlerowi za wiele. Pod koniec drugiego tygodnia kręcenia filmu wyleciał ze swego pisarskiego gabinetu na czwartym piętrze i pobiegł do Housemana, któremu zakomunikował, że ani myśli zmieniać zakończenia, a poza tym bezzwłocznie udaje się do domu.

Co w samej rzeczy uczynił.

Następnego ranka jednak ponownie zjawił się w pogrążonym w kompletnym chaosie biurze Housemana, by po nieprzespanej nocy, podczas której powziął pewne niezłomne postanowienie, oświadczyć mu, co pewnie producentowi było zresztą wiadome, że jest byłym alkoholikiem; ale ponieważ nie chce sprawić zawodu innemu byłemu uczniowi brytyjskiej szkoły publicznej (Houseman pobierał nauki w Clifton College w pobliżu Bristolu), gotów jest przełamać swą pisarską blokadę. Zdolny jest to uczynić w jeden tylko sposób: powracając do jawnego picia, chociaż zdaje sobie sprawę z tego, że może na tym ucierpieć jego własne zdrowie, a w konsekwencji zapewne i życie. Aby jednak uratować scenariusz, uważał za niezbędną pracę u siebie, a nie w biurze przydzielonym mu przez wytwórnię.

Houseman wyraził zgodę, a wówczas Chandler przedłożył mu listę dalszych swoich żądań, które sobie spisał podczas bezsennej nocy. W swoich pamiętnikach Houseman przytoczył ową listę:

A.
Przed moim domem mają dzień i noc stać dwie limuzyny, których kierowcy w każdej chwili gotowi będą:

1. Przywieźć lekarza (do Cissy, do mnie samego lub do nas obojga).
2. Przewozić poszczególne stronice scenariusza pomiędzy moim domem a siedzibą wytwórni.
3. Podwozić na targ naszą służącą.
4. Sprostać nieprzewidzianym okolicznościom tudzież nagłym wypadkom.

B.
Przez całą dobę, na trzech dwuosobowych zmianach, w pełnej gotowości i całkowicie sprawne mają dyżurować sekretarki, gotowe w każdej chwili do stenografowania bądź do wykonania każdego innego mojego polecenia.
C.
Za dnia otwarta ma być linia telefoniczna łącząca mój dom z biurem wytwórni, w nocy zaś mam mieć zapewniony nieskrępowany dostęp do centralki.

Houseman zgodził się na wszystko.

Ray z miejsca wpadł w niebywale dobry nastrój. Dochodziło południe, więc zaproponował, abym dał mu dowód pokładanej w nim wiary, udając się z nim do najdroższej restauracji w całym Los Angeles, w której będziemy mogli oblać naszą ugodę.
Opuściliśmy więc teren wytwórni i pojechaliśmy do Perino's, gdzie dane mi było zobaczyć Chandlera, jak wychylał trzy podwójne martini przed spożyciem starannie wybranego z karty posiłku, po którym zamówił jeszcze trzy podwójne doprawiacze. Po czym pojechaliśmy do jego domu, pod którym stały dwa cadillaki, w środku zaś zainstalowane były już dwie sekretarki gotowe do pracy. [...]
Zaglądałem tam potem od czasu do czasu, aby uścisnąć jego roztrzęsioną trupiobladą dłoń i zobaczyć, jak kwitował wyrazy mej wdzięczności tym swoim skromnym uśmiechem wojennego bohatera, który wykazał się odwagą wykraczającą poza jego zwykły żołnierski obowiązek[25].

Chandler ukończył swój scenariusz w domu przy Drexel Avenue. „Blue Dahlia" była gotowa po czterdziestu dwóch dniach i okazała się nieprzerwanym pasmem sukcesów. Zrealizowany w stylu „daj mu w zęby", jak to określił krytyk „Hollywood Reporter", film ten zewsząd zbierał pochwały, a w kilku recenzjach podkreślono szczególną w tym zasługę Raymonda Chandlera.

Wytwórnia Paramount nie posiadała się z zachwytu, a swemu opornemu wybawcy zaproponowała cztery tysiące dolarów tygodniowo, byle tylko zechciał dalej dla niej pracować. Chandler zgodził się, mimo zmagania się z dobrze sobie znanym cierpieniem, które powodowało nadmierne spożywanie alkoholu.

Choć gra aktorów miejscami nie była przekonująca, to jednak niektóre jego dialogi dobrze były w filmie interpretowane. W pewnym momencie rachmistrz nocnego klubu tak oto próbuje przemówić do rozumu swemu pracodawcy: „Posłuchaj, Eddie. Po co mamy sobie komplikować życie? Jak tylko ktoś się robi za bardzo skomplikowany, to zaraz się robi nieszczęśliwy. A jak tylko się staje nieszczęśliwy, to z punktu opuszcza go szczęście".

Veronice Lake (która w filmie nazywa się Joyce Harwood) oraz Alanowi Laddowi (Johnny Morrison) także udało się dobrze zagrać w paru mocnych scenach:

Joyce: Chyba mnie już przedtem widziałeś.
Morrison: Tak sądzisz?
Joyce: Tak mi się zdaje. Tańczyłam przedtem w sali balowej przy głównej ulicy.
Morrison: Dobra, już cię kiedyś widziałem. Jak najbardziej. Ale nie na żadnej sali balowej ani na żadnej głównej ulicy.
Joyce: Więc gdzie?
Morrison: Nie ma faceta, który by cię gdzieś przedtem nie widział. Cały dowcip w tym, żeby cię znaleźć. Tylko że jak się to już komuś uda, to zwykle okazuje się, że za późno.

Chandler wyposażył postać Buzza w kilka swoich własnych cech oraz w pewne elementy ze swego osobistego życiorysu. W notatkach do scenariusza napisał, że Buzz miał ojca, „którego znajdowano pijanego, jeśli w ogóle dało się go znaleźć. Buzz nie chciał go w niczym przypominać. Myślał o tym, żeby znaleźć jakąś pracę w Los Angeles i zabrać do siebie matkę. Myślał o wielu rzeczach".

Podobnie jak Chandlerowi w okresach intensywnego picia, Buzzowi zdarzały cię „czarne dziury", które autor tak opisywał w notatkach: „Cierpi na bóle głowy, chorobliwie reaguje na hałas, a co jakiś czas zdarza się, że pod wpływem podniecenia traci świadomość. Nie może sobie potem przypomnieć, co zaszło. Są ludzie, którym zdarza się to samo na skutek nadmiernego picia"[26].

Wprawdzie opisany przez Housemana heroiczny gest Chandlera, który poświęcił własne zdrowie, a nawet zaryzykował życiem, by powstała „Blue Dahlia", stał się w Hollywood czymś w rodzaju legendy (BBC nadała nawet słuchowisko oparte na tej anegdocie), lecz jest także inna, nie tak imponująco melodramatyczna wersja wydarzeń.

W roku 1978 jeden z magazynów opublikował artykuł opatrzony podtytułem „Jak Raymond Chandler nabrał Hollywood". Jego autorem był biograf Wildera, Maurice Zolotow, który napisał, że owo „poświęcenie" było w rzeczywistości wyreżyserowanym przez Chandlera „numerem tak śmiałym i błyskotliwym, że bogaci weterani scenopisarstwa do dziś, popijając późnym popołudniem swoje martini na patiach Brentwood", z podziwem opowiadają tę historię.

Zolotow twierdzi, że gdy „Blue Dahlia", która była w tym momencie napisana tylko w połowie, a przy tym w wersji powieściowej, została kupiona przez wytwórnię Paramount za dwadzieścia pięć tysięcy dolarów – napisanie filmowego scenariusza stanowiło dla Chandlera poważny problem, bo już wtedy wrócił do picia. Według Zolotowa pił tak dużo, że na długo przed słynną sceną wtargnięcia do biura Housemana miewał już kłopoty z dotarciem rano do wytwórni. Nie było więc w tym nic dziwnego, że stanął przed Housemanem bardzo zdenerwowany i z nieco dzikim wyrazem twarzy, pisze Zolotow, bo „tak by wyglądał każdy, kto by pił na okrągło".

W wersji Zolotowa cała sprawa polegała na tym, że Chandler po prostu chciał pracować w domu, co było absolutnie sprzeczne z regułami obowiązującymi w wytwórni, więc wymyślił sobie plan, zgodnie z którym rozpowszechniał „tę wstrząsającą historyjkę, że gdyby po latach abstynencji znów zaczął intensywnie pić, to groziłoby mu to śmiercią".

Krótko mówiąc, Chandlerowi udało się, dzięki limuzynom, sekretarkom i lekarzom gotowym na każde wezwanie, stworzyć sobie takie warunki pracy, które dla każdego alkoholika byłyby spełnieniem jego marzeń. „Zachlewał się swoim burbonem – pisze Zolotow. – Tracił przytomność i zasypiał. Budził się. Strzelał sobie klina. Coś niecoś podyktował sekretarce. Zasypiał na nowo"[27].

Nie ulega wątpliwości, że „Blue Dahlia" była pisana pod wpływem alkoholu: łatwo ten wpływ dostrzec w samym tekście scenariusza. Gdy cenzura po raz pierwszy go odrzuciła, to w uzasadnieniu znalazło się aż trzynaście zastrzeżeń odnoszących się do nadmiernego eksponowania alkoholu. Jedno z nich sformułowane zostało następująco: „Prosimy o radykalne zminimalizowanie nacisku na fakt, że wszyscy uczestnicy przyjęcia piją". Inny punkt zawiera żądanie, by z tekstu usunąć określenie „podwójna szkocka".

A jednak, mimo tych zastrzeżeń, opowieść zaczyna się w barze i kończy w drodze do innego baru. Trójka bohaterów filmu, w towarzystwie Veroniki Lake, opuszcza posterunek policji w Los Angeles. – To co, rozejrzymy się za jakimś miejscem, gdzie można by się napić, nie? – mówi Buzz. – Musimy zaczekać na Johnny'ego – zauważa jego kumpel, wskazując na Veronikę i Alana Ladda, którzy przywarli do siebie w pocałunku. – Zaczekać na Johnny'ego? Myślisz, że co ja jestem? Jakiś wielbłąd, czy co?"

Ta właśnie kwestia Buzza zajmuje ostatnią linijkę scenariusza.

Można by sobie zadać pytanie, czy Zolotow nie przeoczył pewnej istotnej właściwości Chandlera, a mianowicie tego, że potrafił on wierzyć we własne zmyślenia. Biograf Wildera posądza Chandlera o przebiegłość, podczas gdy najczęściej bywało tak, że jego kłamstwa były po prostu sposobem oszukiwania samego siebie.

Prawda jest taka, że gdy przyszło mu tłumaczyć się ze swego alkoholizmu lub z innych sprawek, o których wolałby zapomnieć, często uciekał się do zmyśleń. W przyszłości, gdy przybędzie na jakieś spotkanie spóźniony, a w dodatku wyglądać będzie niechlujnie, to jako przyczynę poda napad, którego jakoby miał paść ofiarą; co więcej – zdarzało się, że opowiadając taką historyjkę, już był na nowo pijany.

Jest faktem niezaprzeczalnym, że Chandler powrócił do picia jeszcze przed podjęciem pracy nad scenariuszem, jednak fakt, że nie chciał się do tego przyznać, mógł mieć przyczyny o wiele bardziej skomplikowane niż tylko te, których można by się było dopatrywać, przyjąwszy założenie, że po prostu chciał wymusić na wytwórni zgodę na pozostawanie w domu. Zgodnie z tym, co stwierdził Swanson, Chandler rzeczywiście był trudny do rozgryzienia, ale interpretowanie jego uporu w kwestii ochrony własnej prywatności jako przejawu życiowego sprytu, byłoby absolutnym uproszczeniem.

> Ray Chandler był osobliwym człowiekiem, który lubił zmyślać różne historyjki dla własnej zabawy. [...] Ray kochał swoją kotkę i mógł do niej przemawiać całymi godzinami. Ta kotka wiedziała o nim więcej niż jakikolwiek człowiek. Chandler był samotnikiem. Był nieśmiałym człowiekiem, którego ludzie uważali za osobę chłodną, oschłą i grubiańską. Był dobry dla swojej kotki i dla swej żony, chorej i umierającej. Sam się nią opiekował. Nie pozwoliłby jej dotknąć jakiejś pielęgniarce. Kiedyś kupił jej samochód. Była zbyt chora, by móc prowadzić, on jednak chciał, żeby wiedziała, że jeśli tylko poczuje się lepiej, ten samochód będzie na nią czekał[28].

*

Gdy „Blue Dahlia" została zakończona, Chandler postanowił powrócić do pisania powieści. Myślał także o tym, by w trosce o Cissy przenieść się poza Los Angeles, jak to jej od dziesięciu już lat obiecywał. Zabrał ją na trzy miesiące do Big Bear Lake, ale gdy powrócili do domu w lipcu czterdziestego piątego roku, wytwórnia MGM zleciła mu adaptację jego czwartego Marlowe'a, „Tajemnicy jeziora". Chandler doszedł wszakże do wniosku, że książka jest nudna, więc najpierw zaczął wymyślać nowe sceny, aż w końcu, po trzech miesiącach pracy, za którą otrzymywał tysiąc dolarów tygodniowo, ostatecznie skapitulował.

> Pracowałem kiedyś w MGM, w tej fabrycznej lodowni, którą nazywają Gmachem Thalberga. [...] Mniej więcej w tym czasie jakiś kapuściany łeb, chyba Mannix [Edgar Mannix, zastępca szefa MGM] wymyślił sobie, że scenarzyści będą wydajniej pracowali, jeśli zabierze im się z pokojów sofy, na których można się było położyć. No i zostałem bez sofy. [...] Więc zabieram z samochodu dywanik, rozkładam go na podłodze i tak sobie na nim poleguję. [...] Powiedziałem, że mógłbym pracować w domu. Odpowiedzieli mi, że Mannix zarządził, że żadnemu scenarzyście nie wolno pisać w domu. Powiedziałem na to, że tak wielkiemu człowiekowie jak Mannix należałoby przyznać prawo do zmiany zdania. No i pisałem w domu, a do nich zajrzałem tylko trzy czy cztery razy[29].

MGM zapłaciła za prawa do książki trzydzieści pięć tysięcy dolarów. Dokończenie scenariusza zlecono Steve'owi Fisherowi, a reżyserem filmu został Robert Montgomery, który zarazem grał Marlowe'a. Zastosował on technikę znaną jako „kamera-oko": widzimy tylko to, co widzi Marlowe, a jego samego udaje się zobaczyć tylko w lustrze.

Stara sztuczka – powiedział o tym zabiegu Chandler. – Podczas lunchów w Hollywood zawsze przy którymś stoliku ktoś prędzej czy później powie: „Zróbmy z kamery postać". Odmówił zatem zgody na umieszczenie swego nazwiska w czołówce.

Zrezygnowawszy z pisania scenariusza, Chandler ponownie zabrał Cissy nad jezioro Big Bear. „Udawaliśmy się do lasu, gdzie odcinałem siekierą konary powalonych drzew i rozłupywałem twarde pniaki, które potem paliły się w kominku jak węgiel".

Oficjalnie był wciąż związany kontraktem z wytwórnią Paramount, ale w pewnym momencie po prostu przestał się tam pokazywać. Szefowie firmy obiecali nawet Swansonowi, że jeśli jego podopieczny z powrotem się pojawi w wytwórni, to pozwolą mu być reżyserem lub producentem własnych filmów, ale Chandler i na to się nie skusił.

W styczniu czterdziestego szóstego roku wytwórnia postanowiła go zawiesić za, jak to zostało sformułowane w oficjalnym piśmie, „niepowodzenie, zaniechanie i odmowę kontaktów z kierownictwem"; jednakże w maju ponownie spróbowano go nakłonić do pracy, proponując mu półtora tysiąca dolarów tygodniowo i pełną swobodę w wyborze materiału do scenariusza. Tym razem Chandler zaakceptował ofertę wytwórni i przystąpił do pracy nad adaptacją powieści Elizabeth Sanxay Holding, zatytułowanej „The Innocent Mrs Duff" (Niewinna pani Duff), ale ostatecznie to także go znudziło, i film nigdy nie został nakręcony. Kosztowało to Paramount w sumie pięćdziesiąt trzy tysiące dolarów, w tym osiemnaście dla Chandlera za siedemdziesiąt dwa dni zaniechanej w końcu pracy.

Zaproponował mu wówczas spotkanie Samuel Goldwyn, który usiłował go nakłonić do ponownego związania się z MGM (spotkanie to rozbawiło pisarza, który skomentował je następująco: „Myślę, że każdy powinien kiedyś spotkać Samuela Goldwyna po tej stronie raju"), lecz Chandler powziął już postanowienie o definitywnej wyprowadzce z Los Angeles, gdyż poza wszystkim innym potrzebował odpoczynku.

Kupił wreszcie posiadłość w pobliżu San Diego, w miasteczku, w którym od tak dawna chcieli z Cissy zamieszkać, La Jolla. Świeżo zbudowany i luksusowy dom był zaledwie o kilkanaście kilometrów oddalony od granicy meksykańskiej, a z jego okien rozciągał się widok na Pacyfik. Przeżyją w nim z Cissy dziewięć lat.

Zanim jednak Chandler opuścił LA, w listopadzie 1945 roku opublikował w „Atlantic Monthly" esej, zatytułowany „Hollywood a scenarzysta", w którym dał upust swym uczuciom w stosunku do byłych pracodawców:

> Hollywood daje do zrozumienia, że potrzebni mu są tacy pisarze, którzy w czasie każdej dyskusji nad scenariuszem gotowi będą w obronie swych pomysłów popełnić samobójstwo; zatrudnia zaś takich, którzy najpierw ryczą niby jelenie podczas rui, a potem podcinają sobie gardła przy pomocy banana. Ryk znamionuje artystyczną czystość ich dusz, banana zaś mogą zjeść, czekając, aż ktoś odbierze ich telefon w sprawie jakiegoś innego scenariusza[30].

Mimo że ten artykuł świadczył o głębokim wyczerpaniu Chandlera, Hollywood zareagowało bardzo ostro. „We wszystkich eleganckich lokalach traktują mnie jak wyklętego", oświadczył Chandler wkrótce po publikacji eseju.

W „Atlantic Monthly" jednak artykuł się spodobał i zlecono jego autorowi napisanie relacji z ceremonii wręczania Oscarów. Ta wielka gala nasunęła Chandlerowi liczne wątpliwości. Postawił on pytanie: co właściwie świętowano w kinie? Ameryka, jego zdaniem, marnowała swoją największą kulturalną szansę.

> Nasze współczesne malarstwo, muzyka i architektura w porównaniu z największymi osiągnięciami przeszłości nie mają nawet drugorzędnej rangi. Nasze rzeźbiarstwo jest po prostu śmieszne. Nasza proza nie dość, że nie ma stylu, to jeszcze nam samym nie starcza zaplecza oświatowego i historycznego, by wiedzieć, co to w ogóle jest styl. [...] Gdy jakaś powieść zyskuje sobie miano „znaczącej", to wiadomo, że jest to produkt okolicznościowej propagandy; gdy zaś na takie określenie nie zasłuży, stanie się naszą lekturą do poduszki. Lecz film jest tym środkiem artystycznego przekazu, który dni chwały ma dopiero przed sobą.

Właśnie to, że Hollywood wciąż nie potrafiło sobie zdać sprawy z możliwości, jakie daje kino, sprawiło, że ceremonia Oscarów, ów „doroczny taniec plemienny", wręcz obraża uczucia Chandlera. Aby dowieść swoich racji, używa on w artykule formy pastiszu, przy czym jako wzorzec posłużył mu wiersz Kiplinga, zatytułowany „Jeśli" („If"):

> Jeśli potrafisz przejść przed teatrem obok tych strasznych wypacykowanych twarzy obojętnie, nie wiedząc, że oto rozpada się ludzka inteligencja; jeśli jesteś w stanie wytrzymać tysięczne błyski fleszy strzelających w twarze tych biednych cierpliwych aktorek i aktorów, którzy, podobnie jak królowie i królowe, nie mają prawa okazać znudzenia; jeśli zdolny jesteś przyjrzeć się uczestnikom tego zgromadzenia, reprezentującego jakoby elitę Hollywood, i powiedzieć sobie bez uczucia rozpaczy: „W rękach tych ludzi spoczywa los jedynej sztuki, jaką stworzył nowoczesny świat"; jeśli pobudzą cię do śmiechu – a tak się zapewne stanie – rzucane przez aktorów ze sceny dowcipy, które niegdyś ze względu na ich lichotę wykreślili ze scenariuszy nawet twórcy radiowych programów komediowych; jeśli zniesiesz udawane wzruszenie i prostactwo oficjeli oraz afektowaną wymowę królewien ekranowego czaru (powinieneś ich posłuchać, kiedy są już po czwartym martini); jeśli przyjdzie ci do głowy, by w środku nocy wyjść z domu i zobaczyć, jak połowa policji miasta Los Angeles ochrania bożków i boginie przed tłumem zajmującym stojące miejsca, ale nie potrafi ich uchronić przed wydawanym przez ten tłum potwornym jękliwym wyciem, przywołującym na myśl głos przeznaczenia, który rozchodzi się przez wydrążoną muszlę – jeśli okażesz się zdolny, by przez to wszystko przejść, a następnego ranka dalej będziesz uważał, że branża filmowa zasługuje na zainteresowanie jednego choćby inteligentnego, artystycznego umysłu, to tylko taki możesz z tego wyciągnąć wniosek, że, niewątpliwie, sam należysz do owego światka[31].

Te ataki na Hollywood sprowokowały reakcję ze strony Charlesa Bracketta, scenarzysty, którego Chandler zastąpił jako współpracownik Wildera przy pracy nad „Podwójnym odszkodowaniem". Brackett powiedział Swansonowi, że, jego zdaniem, książki Chandlera nie są aż tak dobre ani jego scenariusze aż tak złe, by to usprawiedliwiało tak daleko idący krytycyzm. Na co Chandler odparł, że „gdyby moje książki były gorsze niż są, to w ogóle nie zostałbym zaproszony do Hollywood, gdyby zaś były lepsze, to bym tego zaproszenia nie przyjął".

Tak się paradoksalnie złożyło, że rok czterdziesty szósty, w którym Chandler pożegnał się z Hollywood, był zarazem rokiem jego największego triumfu. Wejście na ekrany kin „Wielkiego snu", z Humphreyem Bogartem i w reżyserii Howarda Hawksa, przyniosło zarówno Chandlerowi, jak i postaci Marlowe'a światową sławę. Mimo że na skutek interwencji cenzury scenariusz w wielu miejscach odbiegał od powieści, to jednak w filmie znalazło się sporo przeniesionych z książki fragmentów, które uniknęły ingerencji cenzorów.

Chandler asystował przy filmowaniu kilku ujęć i wyznał Hawksowi i Bogartowi, że wywarło to na nim spore wrażenie; o Bogarcie powiedział, że jest to „oryginalny towar".

Scenariusz „Wielkiego snu" był wspólnym dziełem Williama Faulknera i młodej autorki kryminałów, Leigh Brackett. Podobnie jak spółka Wilder–Chandler, oni także potrafili usuwać grunt spod nóg stróżom Kodeksu, i to najczęściej skutecznie, przenosząc niecenzuralne powieściowe fakty w sferę trudnej do ocenzurowania atmosfery. Gdy uda ci się zobaczyć „Big Sleep" – powiedział Chandler w Londynie Hamishowi Hamiltonowi – to zrozumiesz, co może z tego rodzaju opowieścią zrobić reżyser, który ma dar tworzenia nastroju i nieodzowny zmysł skrywanego sadyzmu.

Wszelkie wzmianki o narkotykach, nimfomanii i pornografii musiały być wprawdzie usunięte, ale udatnie została odtworzona erotyczna dwuznaczność gry, jaka odbywała się między parą bohaterów, granych przez Bogarta i Lauren Bacall. Gdy przedpremierowe pokazy dla stacjonujących za granicą żołnierzy amerykańskich wykazały, jak wielkim powodzeniem cieszyły się u widzów sceny z udziałem tych dwojga, do ostatecznej wersji filmu dodano jeszcze jedną scenę:

Bogart: Podobasz mi się. Już ci to mówiłem.

Bacall: Lubię, kiedy mi to mówisz. Niewiele w tej sprawie zrobiłeś.
Bogart: Ty też.
Bacall: Cóż, kiedy chodzi o konie, to ja także lubię obstawiać. Tylko że przedtem staram się im przyjrzeć podczas treningu, żeby zobaczyć, czy starają się trzymać na czele, czy finiszują z dalszej pozycji, jaką mają naturę, co je skłania do biegu.
Bogart: Rozpracowałaś mojego?
Bacall: Wydaje mi się, że nie lubi być karcony, lubi wyjść na czoło, przez jakiś czas poprowadzić stawkę, a potem trochę odpocząć na dalszej pozycji, żeby w końcu tuż przed metą wysunąć się przed rywali.
Bogart: Ty także nie lubisz być karcona.
Bacall: Jeszcze nie spotkałam nikogo, kto by się na to ośmielił. Może ty miałbyś jakąś sugestię?
Bogart: Cóż, musiałbym cię najpierw zobaczyć na torze. Widać po tobie pewną klasę, ale nie wiem, na ile cię stać.
Bacall: Dużo zależy od jeźdźca. Więc nie poddawaj się, Marlowe, bo podoba mi się to, co robisz. Gdybyś sam na to nie wpadł, to wiedz, że dobrze ci idzie.

Chandler uznał, że Bogart jest niezrównany w roli Philipa Marlowe'a: – Bogart potrafi być twardzielem bez broni. Ma również poczucie humoru, w którym jest zawsze ten zgryźliwy akcent pogardy. Ladd jest twardy, zgorzkniały i od czasu do czasu ujmujący, w sumie jednak gra wyobrażenie małego chłopca o tym, jak powinien wyglądać prawdziwy twardziel.

Bogart zgodził się zagrać w filmie, gdyż wcześniej już czytał powieść. Jak to w przyszłości będą podkreślać jego biografowie, rola Marlowe'a była dla niego po prostu wymarzona: Bogart odczuwał pewien związek z tą postacią detektywa, który nie mając wiele czasu na jedzenie, potrafi przeżyć obiady nie poprzedzone lunchem i dni bez obiadu dzięki butelce burbona. Zapytał kiedyś: „Dlaczego ten facet nie stracił głowy dla jakiejś dziewczyny?", na co Chandler odparł: – Marlowe coś by stracił, gdyby ulegał każdej dziewczynie. Wiem, że nie może tak jak dotychczas w nieskończoność mówić „nie" – w końcu gość jest tylko człowiekiem – i będzie od czasu do czasu musiał się poddać, ale nie chciałem, by kiedykolwiek sprawy seksu wzięły górę nad nim samym albo nad przebiegiem wydarzeń, w których uczestniczy.

Sposób, w jaki Bogart zagrał Marlowe'a, Chandler skomentował następująco: „Bogart jest zawsze nadzwyczajny jako Bogart". Lecz w chwili ukończenia „Wielkiego snu" w Bogarcie pozostało coś z Marlowe'a. I nigdy już tego nie utracił[32].

Gdyby nawet pominąć zdolność wcielenia się w osobowość Marlowe'a oraz własną skłonność do picia, to pozostaje jeszcze inna przyczyna, dla której Bogart tak wiarygodnie grał chandlerowskiego detektywa. Otóż, pracując razem, zakochali się w sobie z Lauren Bacall i pobrali wkrótce po premierze „Wielkiego snu". „Kiedy skończyliśmy kręcić wspólne sceny – wyjawi potem Bogart – powiedziałem sobie: Oto moja Dziecinka. Od tej chwili nigdy nie nazwałem jej inaczej".

Na Howarda Hawksa, który poźniej nakręci „Rio Bravo", praca nad „Wielkim snem" także wywarła trwały wpływ. Mimo że Paramount zabronił Chandlerowi jakiegokolwiek poważniejszego udziału w realizacji filmu wytwórni Warner Brothers, pisarz nawiązał przyjazne stosunki z Hawksem, z którym parokrotnie się przy różnych okazjach spotkał. Pewnego razu w czasie zdjęć Hawks zatelegrafował do niego z pytaniem, kto był w powieści mordercą kierowcy generała Sternwooda. Chandler odtelegrafował: „Nie mam pojęcia"; zawirowania akcji nigdy nie były dla niego sprawą pierwszorzędnej wagi, a historia śmierci szofera (która nastąpiła jeszcze przed pojawieniem się Marlowe'a) była nader powikłana.

Tym, co najbardziej pociągało w prozie Chandlera, były jego postaci, styl oraz ogólna atmosfera, z czego Hawks w końcu zdał sobie sprawę. Powie potem: – Nigdy nie zrozumiałem, o co właściwie w tym wszystkim chodzi, ale gdy uświadomiłem sobie, że główny wątek zawiera wspaniałe sceny, a przy tym daje rozrywkę, powiedziałem sobie: „Nie będę już więcej przejmował się logiką".

Chandler ujawnił, że w pewnym momencie rozważali wspólnie z Hawksem możliwość zmiany zakończenia filmu, na co jednak nie zezwolił Kodeks Produkcyjny. W tej wersji Marlowe miałby się znaleźć w pułapce, nie mogąc opuścić domu i dziewczyny, o której już wie, że jest morderczynią. Przed domem czekają zabójcy gotowi zastrzelić tego, kto pierwszy z niego wyjdzie, i Marlowe nie wie, co robić.

> Zdał się więc na Pana Boga, rzucając monetę. Chciał, żeby decyzję podjęła ta sama siła, która pozwoliła, by doszło do tej cholernej sytuacji. Je-

śli wypadnie awers, pozwoli dziewczynie wyjść. Podrzucił monetę i upadła awersem do góry. Ona jednak sądziła, że Marlowe gra w ten sposób na zwłokę, by dać szansę policji. Poszła do wyjścia. W ostatniej chwili, gdy już ujęła za klamkę, Marlowe zmiękł i ruszył w jej stronę, aby ją powstrzymać. Zaśmiała mu się w twarz i wycelowała w niego lufę pistoletu; widać było, że gotowa jest strzelić i że w ogóle cała ta sytuacja ją zachwyca. W tym momencie rozległ się terkot pistoletu maszynowego i seria pocisków rozerwała na strzępy frontowe drzwi[33].

Mimo że próba ominięcia przepisów hollywoodzkiego Kodeksu Produkcyjnego zakończyły się w dużej mierze powodzeniem, „Wielki sen" z przyczyn cenzuralnych nie mógł wejść na ekrany Irlandii, Szwecji, Danii i Finlandii. Irlandzki cenzor nie przebierał w słowach:

Jest to film głęboko niemoralny w najszerszym rozumieniu tego słowa. Szantaż i morderstwa to zaledwie drobne incydenty na tle całości obrazu. Ogólna jego atmosfera jest plugawa, a przy tym przedstawia on wiele sugestywnych sytuacji oraz dialogi, których dwuznaczność niewiele budzi wątpliwości. W sumie – niesmaczny film, któremu nie można udzielić zgody na rozpowszechnianie[34].

W Wielkiej Brytanii „Wielki sen" został na ekrany kin dopuszczony, jakkolwiek tamtejsza Rada Cenzorska zażądała usunięcia jednego z amerykańskich niezbyt cenzuralnych powiedzonek.

Także i w Ameryce nie obeszło się bez dodatkowych ingerencji cenzorskich. Przyjęta w Stanach Zjednoczonych i w Kanadzie praktyka pozwalała na stosowanie lokalnych przepisów wobec każdego zatwierdzonego już przez urząd cenzorski filmu. Skorzystano z tej możliwości w kilku stanach Środkowego Zachodu i w kilku prowincjach kanadyjskich. W Ontario, na przykład, kinomani nie mogli się zgorszyć widokiem Bogarta wyjmującego rewolwer ze schowka pod deską rozdzielczą samochodu, gdyż władze prowincji zażądały wycięcia tej sceny z kopii przeznaczonych na tamtejszy rynek.

Większość lokalnych ciał cenzorskich działało pod auspicjami departamentów policji – co sprawiło, że aż do lat sześćdziesiątych postać złego policjanta była w amerykańskich filmach rzadkością, powiedzonko Marlowe'a „śmierdzę gliną" zostało więc większości kopii usunięte[35].

Choć wejście „Wielkiego snu" na ekrany w czterdziestym szóstym roku okazało się ogromnym sukcesem kasowym, to jednak dla licznych krytyków film ten był zanadto „twardy". „New York Times" wytknął mu „gloryfikowanie brutalności i nienawiści" i przypomniał swym czytelnikom, że „takie właśnie filmy dominowały na ekranach kin niemieckich w okresie międzywojennym"[36].

Mimo tego rodzaju ocen prasy mającej ambicje intelektualne (jak również i tego, że „Wielki sen" nie doczekał się żadnego Oscara) film okazał się najbardziej niespodziewanym przebojem całego dziesięciolecia, tak w Ameryce, jak i w innych krajach; zdawać by się mogło, że widzieli go niemal wszyscy i niemal wszędzie. Dwunastego października czterdziestego szóstego roku wytwórnia Warner Brothers wydała następujący komunikat prasowy:

> Angielska para monarsza, Król Jerzy i Królowa Elżbieta, zwrócili się z prośbą o wyświetlenie „Wielkiego snu" dla całej rodziny królewskiej na zamku Balmoral, królewskiej rezydencji w pobliżu Edynburga, w Szkocji.

*

Chandler definitywnie opuścił Hollywood, lecz jego scenopisarska sława rosła. W trzy lata później w specjalistycznym piśmie „Sequence" ukazał się artykuł podsumowujący wpływ, jaki wywarł on na Hollywood:

> Tak jak Chandler pisarz znalazł wielu naśladowców, tak też i w filmie jego dokonania wpłynęły na sposób, w jaki zaczęto ukazywać zbrodnię i przemoc. [...] Przyczynił się on do przywrócenia kinu trochę zdrowego realizmu, od którego tak lekkomyślnie odstępowało na początku lat trzydziestych, ulegając żądaniom cenzury narzuconej przez mniejszość. W każdym razie nie ulega wątpliwości, że od czterdziestego czwartego roku dorobek Chandlera wielce się przysłużył powstawaniu podstaw nowej szkoły filmowej, która dała w rezultacie gatunek tak samo rdzennie amerykański jak western, komedia obyczajowa, musical i film gangsterski[37].

Chandler w dalszym ciągu będzie w pewien, nie pozbawiony jednak niechęci sposób zafascynowany Hollywoodem, mimo że już się z nim rozstał i opuścił Los Angeles. Często udaje się z Cissy do kina. Oto jak pisał o „A Place on the Sun" (Miejsce pod słońcem), z Montgomerym Cliftem i Elizabeth Taylor: „Ten obraz życia wyższych klas jest niemal tak śmieszny, jak tylko można by sobie było wyobrazić. Powinni byli ten film zatytułować »Motorówki na śniadanie«".

Nic jednak bardziej go nie irytowało niż filmy, które podejmowały wielkie lub aktualne tematy, by wykorzystać panującą modę; określał je jako „rąbnięte na punkcie Znaczenia".

> Proszę Boga, by Hollywood przestało dążyć do posiadania Znaczenia, ponieważ gdy sztuka naprawdę zyskuje znaczenie, to jest to zawsze w takim czy innym stopniu niezamierzony przez artystę produkt uboczny jego twórczości.

Chandler nie mógł zrozumieć, dlaczego wytwórnie, które miały do dyspozycji tak wspaniałe środki, także ogromne pieniądze i tak chłonny rynek, wypuszczały tak wiele niedobrych filmów. Jego zdaniem, nawet z czysto finansowego punktu widzenia nie było w tym żadnego sensu: – Skoro Hollywood robi pieniądze na złych filmach, to jeszcze większe mogłoby zarobić na dobrych.

Doszedł wreszcie do wniosku, że była to źle zarządzana branża, która roztrwoniła wielki potencjał. Przed rozstaniem z Los Angeles pod koniec lata czterdziestego szóstego roku, Chandler napisał do Knopfa, że kończy z Hollywood i powraca do swoich powieści:

> To jest jak w jakiejś południowoamerykańskiej pałacowej rewolucji, na której czele stoją oficerkowie w mundurach prosto z opery komicznej; dopiero kiedy jest już po wszystkim i widzisz podziurawionych kulami ludzi leżących w szeregu pod murem – nagle uświadamiasz sobie, że to nie zabawa: że to raczej coś jak arena starorzymskiego cyrku i że cholernie stąd blisko do końca cywilizacji[38].

PRZYPISY

[1] John Houseman, „Unfinished Business"; Columbus Books 1988.

[2] Raymond Chandler, „Siostrzyczka"; op. cit.

[3] Raymond Chandler, „Writers in Hollywood"; „Atlantic Monthly", listopad 1945.

[4] „Podwójne ubezpieczenie" nie było oczywiście pierwszym od początku lat trzydziestych filmem, który oparto na „twardej" historii; „Sokół maltański" Johna Hustona z Humphreyem Bogartem w roli głównej (1941) był adaptacją powieści Dashiella Hammetta i utorował drogę zarówno adaptacji Caina, jak i Chandlera. Chociaż ten film był znakomity, to jednak zaznaczyć trzeba, że był on bardziej historią tajemniczą niż historią morderstwa. Podobnie ma się sprawa ze słynną „Casablanką" (1942): to raczej romantyczny i muzyczny dramat wojenny niż „twardy" thriller. „High Sierra", w którym gwiazdą był również Humphrey Bogart i który ukazał się w tym samym roku, był kolejnym filmem, który utorował drogę „Podwójnemu ubezpieczeniu" (Bogart gra tam bankowego rabusia, który staje się mordercą). Powszechnie jednak uznawany jest pogląd, iż „Podwójne ubezpieczenie" okazało się ową przysłowiową słomką, która złamała grzbiet Kodeksu Produkcyjnego, ponieważ po tym właśnie filmie do jego biur napłynął istny potop ryzykownych scenariuszy.

[5] Cytowane za książką Iana Hamiltona „Writers in Hollywood"; Heinemann 1991.

[6] Szczegóły wszystkich negocjacji między urzędnikami Kodeksu Produkcyjnego a wytwórnią z tego okresu znaleźć można w zapisach przechowywanych w bibliotece Margaret Herrick w Academy of Motion Picture Arts and Sciences w Los Angeles.

[7] Cytowane w książce Paula Skenazy'ego „James M. Cain"; Continuum 1989.

[8] Wyjęte z wywiadu z Billym Wilderem, opublikowanego w książce „The World of Raymond Chandler" pod red. Miriam Gross; Weidenfeld & Nicolson 1977.

[9] Ibid.

[10] Ibid.

[11] Maurice Zolotow, „Through a Shot Glass Darkly: How Raymond Chandler Screwed Hollywood"; „LA Herald Examiner", 20.07.1980. Rzecz została opublikowana po raz pierwszy w styczniowo-lutowym wydaniu „Action" 1978.

[12] Wilder podzielił się swymi refleksjami na temat Chandlera z dyrektorem do spraw reklamy Paramountu, Teetem Carlem, który powtórzył je w liście do Paula McClunga z Dell Publishing. Fragment rozpoczyna się od: „[Wilder] powiedział mi któregoś dnia przez telefon: Talenty Raymonda Chandlera jako pisarza były znakomite – wspaniałe [...]"; Bodleian, Chandler files.

[13] Najlepsze sceny, jakie kiedykolwiek napisałem, były praktycznie monosylabiczne – powiedział Chandler. – A najlepszą krótką sceną przeze mnie napisaną była, w mojej ocenie, ta, w której dziewczyna powtórzyła trzy razy „Aha", za każdym razem z różną intonacją, i to było wszystko.

[14] Richard Schickel, „Double Indemnity"; British Film Institute 1992.

[15] List do Hamisha Hamiltona, 10.11.1950; Bodleian, Chandler files.

[16] Za książką Franka MacShane'a „The Life of Raymond Chandler"; Jonathan Cape 1976.

[17] Z notki, którą Chandler napisał do Juanity Messick. Znalazła się ona w odkrytych po śmierci Juanity papierach, które w czasie pisania tej książki zostały wystawione na aukcję na rzecz jej spadkobierców, zorganizowaną przez kilku amerykańskich kolekcjonerów rzadkich książek.

[18] Raymond Chandler, „Siostrzyczka"; op. cit.

[19] UCLA Special Collections, Chandler.

[20] Twentieth-Century Fox poszła za przykładem RKO i sfilmowała nową wersję „Wysokiego okna", kupioną niegdyś od Chandlera, zanim osiągnął on sławę. Film wszedł na ekrany w czterdziestym siódmym roku pod tytułem „The Brasher Doubloon", z George'em Montgomerym (były kaskader, który zaczął karierę jako dubler Lone Rangera) w roli Marlowe'a. Okazało się, że film nie był dużo lepszy niż pierwsza wersja Foxa.

[21] Cytowane z wywiadu z Dickiem Powellem, który ukazał się (data nieznana) w „Saturday Evening Post".

[22] List do Jamesa Sandoe, 15.08.1949; UCLA Special Collections, Chandler.

[23] List do Lenore Offord, 6.12.1948; UCLA Special Collection, Chandler.

[24] List do Hamisha Hamiltona, 13.11.1953; Bodleian, Chandler files.

[25] Z wywiadu z Johnem Housemanem, który pojawił się w „Sight And Sound", jesień 1962.

[26] Margaret Herrick Library, Academy of Motion Picture Arts and Sciences, LA.

[27] Zolotow, op. cit.

[28] H.N. Swanson, „Sprinkled with Ruby Dust: A Hollywood Memoir"; Warner 1989.

[29] List do Carla Brandta, 26.11.1948; Bodleian, Chandler files.

[30] Raymond Chandler, „Writers in Hollywood", op. cit.

[31] Raymond Chandler, „Oscar Night in Hollywood"; „Atlantic Monthly", marzec 1948.

[32] Jonathan Hill and Jonah Ruddy, „Bogart: The Man and the Legend"; Mayflower Bell 1966.

[33] List do Hamisha Hamiltona, 30.05.1946; Bodleian, Chandler files. Zarówno Chandler, jak i Hawks uważali, że gra Marthy Vickers w „Wielkim śnie" była znakomita, toteż Hawks rozstał się z wytwórnią Warner Brothers wskutek tego, jak film został zmontowany: „Dziewczyna, która grała siostrę nimfomankę, była tak dobra – powiedział Chandler – że kompletnie wstrząsnęła Miss Bacall. Więc tak zmontowali film, żeby wypadły wszystkie jej najlepsze sceny z wyjątkiem jednej. W rezultacie wyszła z tego bzdura i Howard Hawks groził wytwórni procesem sądowym".

[34] Margaret Herrick Library, Academy of Motion Picture Arts and Sciences, LA.

[35] Niepochlebne zwroty na temat policji także sprzeczne były z Kodeksem Produkcyjnym, toteż próbowano je wycinać. Z oryginalnej wersji zdjęciowej „Wielkiego snu" wycięto na przykład taki fragment dialogu:

Bogart: Z ciebie też mógłby być dobry gliniarz.

Bacall: Pod warunkiem, że nosiłabym ciemne okulary.

[36] „New York Times", 1.09.1946.

[37] „Sequence", nr 7, wiosna 1949.

[38] List do Alfreda Knopfa, 12.01.1946; Bodleian, Chandler files.

Rozdział 6

Prywatnym okiem

Ten świat nigdy nie słyszy o swych prawdziwie wielkich; ludzie, których nazywa wielkimi, na tyle tylko wyrośli ponad przeciętność, by się od niej wyróżniać, ale nie aż tak się ponad nią wznieśli, aby się od niej oddalić.

(List z kwietnia 1955)

La Jolla, jak ci to może wiadomo, powstała na północnym krańcu San Diego i nigdy nie jest tu ani gorąco, ani chłodno. [...] W naszym salonie jest okno widokowe, które wychodzi na południe i daje obraz całej zatoki, aż po Point Loma, najbardziej na zachód położoną część San Diego, tak że wieczorem zdaje się, jakbyśmy długą rozświetloną linię jego wybrzeża mieli przed sobą na wyciągnięcie ręki.
Przyjechał tu kiedyś do mnie pewien scenarzysta radiowy; usiadł przy oknie i płakał z zachwytu nad pięknem tego widoku. Ale my tu przecież mieszkamy, więc do diabła z widokiem[1].

Chandler odczuwał pewną osobistą satysfakcję, przeprowadzając się z Cissy pod koniec lata czterdziestego szóstego roku do La Jolla. Dziesięć lat wcześniej, w trzydziestym szóstym, żyli w ciasnym czyśćcu mieszkanka w Santa Monica. Chandler zarobił tamtego roku trzema papkowymi opowieściami raptem dziewięćset pięćdziesiąt dolarów. Teraz był właścicielem domu za czterdzieści tysięcy, a za sąsiadów miał rodzinę Kelloggów.

La Jolla była odosobnioną częścią San Diego, wyniesioną ponad nie niby jakaś tropikalna wyspa; w owym czasie łączyła ją z miastem linia tramwajowa, ale jeszcze nie było żadnej szosy.

Osiedlając się w tak wspaniałym miejscu, Chandler odczuwał jednak bardziej wyczerpanie niż radość. Przeżycia w Hollywood pozostawią w nim jeszcze na jakiś czas uczucie pustki i skłonność do irytacji. Neil Morgan, reporter dziennika „San Diego Daily Journal", otrzymał zadanie przeprowadzenia wywiadu z pisarzem z okazji jego osiedlenia się w La Jolla:

Miał w sobie coś absolutnie onieśmielającego; był zupełnie trzeźwy, ożywiony, zachowywał się w najlepszym stylu wychowanka angielskiej szkoły publicznej i szybko dał mi do zrozumienia, że absolutnie nie ma nic pożytecznego do zaoferowania społeczności, której stał się właśnie członkiem. Zapewniał mnie, że Izba Handlowa nie ma z niego żadnej korzyści, mówił, że La Jolla to dla niego pozłacane przedmieście pełne wyjałowionych starych kobiet i artretycznych miliarderów, a ja wszystko to skrupulatnie notowałem, dopóki w końcu na jego twarzy nie pojawił się uśmiech, a wtedy zaczęła się nareszcie normalna rozmowa. Kochał mówić o pisarstwie[2].

Morgan także mieszkał w La Jolla i w przyszłości miał się stać najbliższym przyjacielem Chandlera w tym miasteczku.

W niedziele pisarz nienawdził tej miejscowości. Już jako osamotnione dziecko, a potem jako bezdzietny mężczyzna, źle znosił dni świąteczne, z wyjątkiem okresów, gdy mieszkał w Los Angeles, które wszak znajdowało się w nieustannym ruchu; w porównaniu z LA niedziele w La Jolla były dla niego nazbyt ciche i nazbyt spokojne. Powie potem, że „to było tak, jakbyś był pogrzebany".

Dom Chandlerów mógł się szczycić swoim adresem: numer 6005, Camino de la Costa. Była to – jak pisał Morgan w „San Diego Journal" – ulica prywatnych plaż i pretensjonalnych bogaczy. Rezydencja leży na wzniesieniu, z którego rozciąga się widok na jedną ze skał, wbijających się stromymi urwiskami w brzeg oceanu, obleganych przez pływaków i płetwonurków, którzy mają do nich otwarty dostęp.

Rezydencja Chandlerów to obłożony białymi stiukami bungalow, do którego prowadzą z chodnika ceglane stopnie; jest tam ocieniony dziedziniec z geraniami w doniczkach, z fuksjami w wiszących koszykach i z uczepionymi okapów purpurowymi pnączami tropikalnej bugenwilli.

Wnętrze domu zawsze pachniało lawendą i magnolią, a także odznaczało się niejednolitym wystrojem: od tanich akwarel po telewizor marki Dumont, który kosztował siedemset dolarów. Lata przepędzone w kolejnych umeblowanych mieszkaniach nie zachęcały pary lokatorów do gromadzenia własnych sprzętów (nawet w czasach gdy Chandler dobrze zarabiał u Dabneya), toteż większość z nich kupili dopiero teraz: mieli chromowane krzesła w kuchni i obszerne złociste sofy w salonie.

Chandler kupił Cissy fortepian Steinwaya za trzy tysiące dolarów, choć w wieku siedemdziesięciu sześciu lat nie bardzo już była w stanie na nim grać; gdy jednak grała, to utwory Chopina.

Miała teraz swą własną sypialnię, która stała się najbardziej eleganckim pomieszczeniem w całym domu: były tam szezlongi i wymyślne francuskie lampy, tam też przechowywała platynową i złotą biżuterię, którą kupował jej Chandler za hollywoodzkie pieniądze. On sam sypiał w małym pokoju sąsiadującym z jego gabinetem.

Dom usytuowany był na rogu ulicy, wzdłuż której ciągnęły się bardziej okazałe posiadłości bogatych rodzin odznaczających się – jak mawiał Chandler – członkostwem ekskluzywnych klubów tenisowych oraz opalenizną, co stanowiło widoczny dowód, że ludzie tej klasy nie muszą zarabiać na życie.

Posiadanie własnego pięknego gabinetu do pracy korzystnie wpłynęło na samodyscyplinę pisarza. Wschodnie okno wychodziło na mały dziedziniec, który rozsłoneczniał się rankami, a więc właśnie wtedy, gdy dawnym zwyczajem Chandler pracował najwięcej. Morganowi powiedział, że zwykle spędza każdego dnia sześć godzin na myśleniu o tym, co ma do napisania, i cztery – na samym pisaniu, cztery godziny poświęca na lekturę – „za dużo tych magazynów” – sześć – na sen, i dwie na posiłki.

Morgan opisał go jako człowieka nieco burkliwego, lecz bynajmniej nie ponurego.

> Cenił życie i, żyjąc, znał jego wartość. Kochał pisarstwo, kochał sam proces pisania, kochał lektury i kochał być nimi otoczony. Lecz to Cissy stanowiła centrum jego świata.
>
> Była niegdyś piękną, a teraz kruchą i bladą kobietą. Chandler wielokrotnie mówił mi, że chciałby, abym ją poznał, lecz ona zawsze pozostawała w swojej sypialni z tyłu domu. Gdy wreszcie pewnego wieczora uznała, że jest w stanie spotkać się ze mną – ja zaś jak zwyke przeżywałem dominującą w tym domu atmosferę aromatu magnolii, starych koronek i pewnej rycerskości, która być może stanowiła echo dawnego amerykańskiego Południa – Chandler eskortował ją w drodze do salonu tak, jakby była dzieckiem.
>
> Zabijało ją stopniowo wyniszczające jej organizm zwłóknienie tkanki płucnej, przypuszczam, że często znajdowała się w stanie odurzenia środkami uśmierzającymi ból. Tego wieczora jednak włożyła na siebie jedwabną suknię i wyszła z sypialni, by zasiąść na taborecie przed swym koncertowym steinwayem i zagrać dwa lub trzy walce Chopina.
>
> Był to recital; był to występ estradowy, podczas którego Chandler krążył wokół niej niespokojnie, aż w końcu powiedział: Już wystarczy, moja droga – po czym pomógł jej wstać i odprowadził do sypialni.

Chandler przygotowywał jej posiłki i obsługiwał ją przy stole, nikomu nie ufając na tyle, by mu powierzyć opiekę nad Cissy. W istocie to z owej konieczności opiekowania się umierającą żoną czerpał życiową siłę[3].

Mimo że porzucił MGM, nie ukończywszy pracy nad „Tajemnicą jeziora", a po „Blue Dahlia" przestał się nawet pokazywać w wytwórni Paramount, Chandler w dalszym ciągu otrzymywał oferty od kilku wielkich producentów. Opuszczając Los Angeles, zapowiedział wprawdzie Swansonowi, że film go już nie interesuje, lecz zapowiedź ta dodatkowo podbiła jego cenę w Hollywood.

W lutym czterdziestego siódmego roku Swanson wynegocjował dla Chandlera jednorazowy kontrakt, któremu pisarz się nie oparł: Universal Studios zaoferowały mu cztery tysiące dolarów tygodniowo za napisanie oryginalnego scenariusza, przy czym nie musiał opuszczać domu w La Jolla, zagwarantowano mu udział w zyskach z rozpowszechniania filmu, a ponadto zgodzono się z góry zaakceptować scenariusz.

Nigdy jeszcze nie udało się Swansonowi wymóc na jakiejś hollywoodzkiej wytwórni warunków, które dawałyby twórcy tak wielką swobodę, a jednocześnie zapewniały tak wielki dochód.

Chandler przesłał Swansonowi szkic historii zatytułowanej „Playback", który Universal zaakceptował: „Decydujący tydzień w życiu dziewczyny, która postanawia go spędzić w apartamencie mieszczącym się w wieży pewnego hotelu, pod przybranym nazwiskiem, aby nikt nie odkrył jej tożsamości. Chciała przeżyć ów tydzień bez żadnego planu, tak jak to sprawią okoliczności, a zakończyć go śmiertelnym skokiem z wieży"[4].

Do tego szkicu Chandler dołączył notkę: „Swanie, czuję, że to śmierdzi. Ray".

Pracował nad tym scenariuszem aż do października czterdziestego siódmego roku i otrzymał za niego w sumie sto czterdzieści tysięcy dolarów, czterokrotnie więcej, niż kosztował go dom w La Jolla.

Akcja planowanego filmu koncentrowała się wokół postaci Elizabeth Mayfield, która opuszcza Wschodnie Wybrzeże i udaje się do Vancouver w Kanadzie. Powodem tej decyzji jest rozgłos wokół procesu, podczas którego była sądzona (i niewiele brakowało, by została skazana) za zamordowanie męża alkoholika, który pijany wypadł z okna pierwszego piętra; do końca nie wiadomo, czy w rzeczywistości była, czy też nie była winna.

W wybranym przez nią w Vancouver hotelu popełniona zostaje zbrodnia, której wyjaśnienia podejmuje się kanadyjski detektyw, Jeff Killaine. Podejrzenie o dokonanie morderstwa pada na Elizabeth, gdyż nie tylko wychodzi na jaw jej przeszłość, ale w dodatku, usiłując wyrwać się ze stanu nerwowego załamania, zaczęła ona pić, w skutek czego wpadła w towarzystwo miejscowych podejrzanych typów.

Ostatecznie Killaine ratuje Elizabeth zarówno przed zamierzonym samobójstwem, jak i przed spiskiem przestępców, którzy próbowali ją wrobić w niepopełnione morderstwo w hotelu; dochodzi do efektownego, prowadzonego przy pomocy motorówki i helikoptera pościgu wzdłuż wybrzeża Vancouver, po którego pomyślnym zakończeniu Killaine i pani Mayfield padają sobie w ramiona.

We wrześniu czterdziestego siódmego roku Chandler poinformował Jamesa Sandoe: „Zbliżam się wreszcie do końca tego scenariusza. Pisząc, nienawidziłem go mocniej niż czegokolwiek, co dotychczas robiłem". Gdy jednak u schyłku roku praca nad „Playbackiem" została definitywnie zakończona, okazało się, że boom, jaki przeżywało Hollywood dzięki toczącej się wojnie, wszedł w fazę zmierzchu. Branża filmowa zaczęła odczuwać skutki zniesienia racjonowania paliwa: załamywały się rozdęte budżety takich wytwórni jak Universal, które znalazły się na krawędzi bankructwa.

Już w pierwszej fazie przygotowań do realizacji scenariusza Chandlera pojawiły się kłopoty finansowe wynikające z faktu, że akcja została usytuowana w Kanadzie. Zła pogoda i zadłużenie wytwórni doprowadziły w końcu do zaniechania projektu, którego koszty Universal odpisał sobie od podatku jako poniesione straty.

Chandler, nie zamierzając zrezygnować ani ze swojej niebywałej stawki, ani ze swego przekonania, że złe zarządzanie jest w przypadku Hollywood chorobą nieuleczalną, postanowił nie przyjmować już więcej propozycji filmowych i powrócić do Marlowe'a; coraz mocniej go zresztą naciskano, by doprowadził do końca powieść, której pisanie rozpoczął jeszcze w okresie Paramountu.

Był teraz sławny, choć trzeba przyznać, że Marlowe stał się jeszcze sławniejszy. W późnych latach czterdziestych amerykańska prasa traktowała go jako jedyny w swoim rodzaju fenomen, zaś świat literacki – jako kuriozum: zarówno „Time", jak i „Newsweek" (który w czterdziestym piątym roku przepowiedział, że „chandleryzm, jeszcze rok temu zaledwie zaczątek rodzącego się kultu, obecnie bliski jest zawładnięcia całym krajem") zaplanowały okładki poświęcone pisarzowi i przysłały do La Jolla swoich fotoreporterów, choć idea obszernego zaprezentowania sylwetki Chandlera przez żaden z tych tygodników nie została w końcu zrealizowana.

Poważnemu zainteresowaniu krytyki twórczością Raymonda Chandlera dał początek artykuł Edmunda Wilsona, opublikowany w czterdziestym piątym roku przez magazyn „New Yorker". Wprawdzie krytyk wyrażał w nim przekonanie, że popularność powieści detektywistycznej nie osiągnie w Ameryce wielkich rozmiarów, jednakże nie odnosił tej tezy do Chandlera, który w jego mniemaniu był duchowo bliższy Grahamowi Greene'owi niż jakiemukolwiek pisarzowi detektywistycznemu.

Stwierdzenie to w równej mierze Chandlera rozzłościło, co i pochlebiło mu. Beletrystyka detektywistyczna, napisał w liście do Jamesa Sandoe, jest jedyną, która odznacza się obecnie wyższą jakością niż w przeszłości. „Literatura »literacka« stała się zbiorem banialuk" – stwierdził Chandler – ponieważ tworzą ją „błyskotliwe chłoptasie, zalotni spryciarze, paniusie i jegomoście od strumieni podświadomości oraz powieściopisarze od wstępniaków [...] którzy powinni wrócić do szkoły i nie opuszczać jej, dopóki nie będą w stanie napisać czegoś, co by miało w sobie życie".

Po artykule Wilsona, w „Partisan Review" (piśmie intelektualistów ze Wschodniego Wybrzeża) ukazał się w maju czterdziestego siódmego roku esej, zatytułowany „Katon brutalności", ukazujący Philipa Marlowe'a w kontekście coraz modniejszego wśród przedstawicieli amerykańskiej klasy średniej egzystencjalizmu: świat Marlowe'a miałby w tym ujęciu być postawionym na głowie „światem liberalizmu opartego na zasadzie *laissez-faire*".

Autor tego tekstu, R.W. Flint zauważył, że Marlowe'a lepiej się ogląda na ekranie, niż czyta. Jego zdaniem, nawet jeśli książki były udane, to odmalowywały one „dantejski" świat. W eseju wspomniany zostanie „Hamlet", a także Camus i Marks, nim wreszcie autor zakończy go konkluzją, iż Marlowe jest przedstawicielem przegranej amerykańskiej lewicy lat czterdziestych.

James Sandoe po zapoznaniu się z tym tekstem przesłał Chandlerowi jego kopię; lektura pobudziła pisarza do następujących refleksji:

Wszystkie te pisma sieją zniszczenie; nigdy nie dotykając życia, głoszą jedynie niesmak, jaki budzą w nich ludzie, którzy widzą to życie na swój sposób. Są one krytyczne tylko w najprostszym znaczeniu tego określenia, a inteligentne tylko w tym sensie, że nie ustają w swym zaiste ciężkim trudzie wyszukiwania takich znaczeń rzeczy, które by się różniły od już odkrytych przez innych[5].

Pod koniec lata czterdziestego siódmego roku inne amerykańskie pismo z intelektualnymi ambicjami, „Chimera", cały numer poświęciło prozie detektywistycznej, doszukując się w jej amerykańskim wydaniu europejskich korzeni, klasycznej tradycji „pościgu" tudzież podświadomego stosowania surrealizmu przez jej autorów.

Uwaga, jaką „Chimera" poświęciła współczesnemu pisarstwu detektywistycznemu, oznaczała przynajmniej uznanie faktu, że gatunek taki istnieje, jednakże w niektórych zamieszczonych w tym numerze artykułach część krytyków zdawała się traktować tę prozę jako coś w rodzaju literackiego schorzenia. „Dla każdego, komu nie jest obojętny ogólny stan zdrowia literatury – napisał jeden z nich – rozwój beletrystyki detektywistycznej jest alarmujący".

Podobnie jak wszelka pozostała przy życiu literatura popularna, także i ta może być rozpatrywana tylko na poziomie socjologii i religii, a oceniać ją można jedynie wedle potrzeb, które ją zrodziły.

Autorzy tacy jak Chandler, czytamy dalej w tym artykule, nie są w istocie powieściopisarzami, lecz jedynie zabawiaczami tłumu, toteż gdy wywołują zainteresowanie ludzi inteligentnych, zaczynają zagrażać samemu istnieniu inteligentnej kultury.

Zamiast pobudzać nas do wspinania się na wyższy poziom percepcji, na którym moglibyśmy z całą uczciwością rozpatrywać gnębiące nas problemy, powieść detektywistyczna stara się nas podstępnie przywieść do zaakceptowania swojej oszukańczej wersji rzeczywistości. Sprowadza ona najgłębsze ludzkie przeżycia do wspólnego mianownika pospolitości i krążąc bezustannie wokół wielkiej tajemnicy śmierci, tylko jedno stawia pytanie: „Kto zabił?"[6]

W oczach Chandlera autorami takich wywodów byli ludzie żyjący „w raju głupców [...] rozpychający się łokciami profesorowie, którzy z rozmysłem uskarżają się płaczliwie na każdego, komu starczyło rozumu i ikry, by zarobić dziesięć centów". Mówił on, że nie jest jego zadaniem opowiadać się za przeciwnikami intelektualizmu (określił kiedyś magazyn „Picture Post" jako pismo dla „takich, co czytając, poruszają wargami"), jednocześnie jednak uważał, że amerykańscy krytycy cierpią na „pseudoliteracką pretensjonalność".

Chandler był zdania, że literacki establishment, do którego adresowali swoje teksty tego rodzaju krytycy, znajdował się w stanie pomieszania i lęku o własne przetrwanie; że utraciwszy świadomość kierunku, w jakim winni kroczyć, ludzie ci szukali ratunku w błyskotliwym pesymizmie.

W jego mniemaniu intelektualiści nie byli już w stanie zaoferować ludziom żadnych snów ani marzeń, toteż każde uczucie, które nie było uczuciem rozczarowania, wprawiało ich w zakłopotanie.

> Epoka, która niezdolna jest do poezji, niezdolna jest stworzyć jakąkolwiek literaturę, z wyjątkiem takiej, która rodzi się ze sprytu i dekadencji. Ci chłopcy potrafią wszystko ubrać w słowa; napisane przez nich sceny są niemal męcząco zgrabne; oni znają wszystkie fakty i wszystkie odpowiedzi, tylko że są zarazem małymi ludzikami, którzy zapomnieli, jak się modlić [7].

Chandler nie chciał tracić czasu na współczesnych sobie „literackich" pisarzy, których, jego zdaniem, zadowalało trzymanie się suchej, wyzbytej z poczucia humoru intelektualnej tradycji[8]. O „Sednie sprawy" Grahama Greene'a powiedział, że ma w sobie wszystko, co jest niezbędne, by książka była dobra, „z wyjątkiem werwy, dowcipu, smakowitości, muzyki i czaru". Eugene O'Neill był dla niego „w najwyższym stopniu sztuczny"; Auden go „pozostawia ślepym"; Gertruda Stein „grała na wielkim boisku, lecz gdy osiągnęła dziewięćdziesiątkę, to przeniosła piłkę gdzie indziej"; Osbert Sitwell był „człowiekiem epoki edwardiańskiej, który zbyt późno się usunął ze sceny", zaś krytycy, płaszczący się przed T.S. Eliotem, to bezpłodni neurotycy wypatrujący „stęchłego ciastka", które mogliby „zapakować w jakiś wymyślny tytuł i sprzedać ludziom udającym snobizm".

Zdaniem Chandlera, cały ten intelektualny światek znajdował się w przedśmiertnej fazie samooszukiwania się, odcięty od publiczności, którą gardził. Takim ludziom, mawiał, wydaje się, że mogliby pisać „bo przeczytali wszystkie książki", podczas gdy w rzeczywistości byli tylko pismakami. „Więcej jest życia w najgorszych rozdziałach, jakie kiedykolwiek napisali Dickens lub Thackeray, a zdarzyło im się napisać parę zgoła okropnych".

Czytam te głębokie dysputy, powiedzmy w takim „Partisan Review", na temat, co to jest sztuka, co to jest literatura, i dobre życie, i liberalizm, i jakie miejsce należy się Rilkemu i Kafce, i kawałek na temat nagrody Bollingena dla Ezry Pounda, ale wszystko to wydaje mi się tak strasznie bez znaczenia. Kogo to obchodzi? Zbyt wielu wartościowych ludzi od zbyt dawna już nie żyje, aby przejmować się takimi jak ci[9].

Całkiem inaczej oceniano Chandlera w Wielkiej Brytanii, gdzie był przez krytyków i intelektualistów niemal aż za bardzo wychwalany. Nie uważali go za zagrożenie dla sztuki, lecz za jej przedstawiciela. Po przeczytaniu czterech pierwszych powieści z Marlowe'em W.H. Auden stwierdził, że „nie należy ich traktować jako okazy literatury rozrywkowej, ale jako dzieła sztuki". Stephen Spender, Cyril Connolly, J.B. Priestley, Somerset Maugham i T.S. Eliot – wszyscy oni byli wielbicielami chandlerowskiego detektywa.

Jego stwórca był wszelako podziwiany nie tylko za swoją prozę. Krytyk filmowy „Sunday Timesa", pani Dilys Powell, jako jedna z pierwszych zwróciła uwagę na nazwisko scenarzysty w czołówkach hollywoodzkich filmów.

W czterdziestym szóstym roku znany powieściopisarz Somerset Maugham złożył Chandlerowi wizytę w La Jolla, poprosiwszy uprzednio podczas pobytu w Los Angeles ich wspólnego przyjaciela, George'a Cukora (który wyreżyserował „Philadelfia story", a później „My fair lady"), aby zaaranżował to spotkanie. Chandler chętnie się zgodził.

Maugham wydał w dwudziestym ósmym roku książkę pod tytułem „Ashenden", którą Chandler uważał za najlepszą powieść szpiegowską, jaką kiedykolwiek napisano, mówiąc:

„Klasyk jakiegoś gatunku robi na mnie większe wrażenie niż największe płótno klasycznego malarza. »Carmen«, tak jak ją napisał Merimée, »Herodias«, »Un coeur simple«, »The Captain's Doll«, »The Spoils of Poynton«, »The Wings of the Dove« i tak dalej, i tym podobne (a także, na Boga, »A Christmas Holiday«), to wszystko utwory perfekcyjnie napisane"[10].

Chandler docenił zainteresowanie okazane przez angielskiego gościa, a przy tym, jak wynika z relacji samego Maughama, także ze swojej strony wykazał niezwykłą jak na siebie otwartość.

W rozmowie, która odbywała się w jego gabinecie, mówił między innymi o tym, jak ten dom i nowe otoczenie stały się dla niego, choć na krótki tylko czas, dodatkowym bodźcem do pracy:

W głębi duszy, panie Maugham, zawsze byłem cyganem przywykłym do wędrownego trybu życia. Wygląda na to, że potrzebuję coraz to nowych miejsc i nowych ludzi. Tu, pośród tych starzejących się bogaczy na emerytu-rze i srebrnowłosych zamożnych wdów – poczułem się trochę jak w pułapce. [...] Wciąż szukam miejsc, w których tętni życie, gdyż i ja sam się wtedy ożywiam. W ciągu ostatnich dziesięciu lat musiałem mieć chyba z tuzin adresów. I tutaj także żyjemy jednak z żoną raczej na osobności, podobnie jak czyniliśmy to wszędzie indziej; głównie po to, by uniknąć nudy[11].

Maugham był zafascynowany Cissy, która przypominała teraz amerykańską Miss Havisham.

Była to delikatna kobieta, która pomimo ufarbowanych na blond włosów i dość frywolnej sukni wyglądała na wiele starszą od Chandlera. W swym żółtym, trochę niedopasowanym wieczorowym stroju sprawiała wrażenie kogoś, kto właśnie opuścił bal opisany przez Fitzgeralda w „Wielkim Gatsbym". W młodych latach, gdy Chandler wyrwał ją z nieudanego małżeństwa, musiała być oszałamiającą pięknością. Nawet teraz, mimo wszystkich śladów postępującej choroby, pełne ekspresji spojrzenie jej błyszczących oczu robiło spore wrażenie. W jej postawie i zachowaniu było coś z teatralnej godności[12].

Maugham przybył do Chandlerów w towarzystwie George'a Cukora, którego Cissy zaprosiła do zwiedzenia ogrodu, aby dać pisarzom możliwość, jak to określiła, „pogaduszki". Gdy oboje opuścili pokój, Chandler powiedział swemu gościowi, że Cissy była niegdyś w Nowym Yorku modelką, że przeniosła się do Los Angeles z nadzieją na aktorską karierę, i że nadzwyczajnie się cieszyła na spotkanie z Cukorem, którego filmy bardzo się jej podobały.

W pewnej chwili widać było przez okno gabinetu, jak Cissy przyciska dłoń do piersi. Maugham zapamiętał, że w tym momencie głos Chandlera nagle się zmienił: „Musi pan wiedzieć, że moja Cissy jest śmiertelnie chora na zwłóknienie tkanki płucnej. Wysiłki schwytania oddechu wręcz rozrywają jej płuca, a to jej cierpienie mnie z kolei zabija. Kocham ją głęboko. Nie sądzę, abym dobrze sobie dawał radę, gdyby mi przyszło ją utracić".

Gdy Cissy i Cukor powrócili do domu, Chandler przystąpił do opowiadania historyjek z Hollywood, które Maughama niesłychanie rozbawiły: „Wkrótce skręcałem się ze śmiechu. Łzy ściekały mi po policzkach i nie byłem w stanie wyrwać się z mocy jego kapitalnej mimiki, gestów i sposobu, w jaki operował głosem. Gdyby pan

Chandler nie został pisarzem, to z pewnością potrafiłby przyzwoicie zarabiać jako artysta estradowy".

To wrażenie Anglika potwierdził potem Cukor, którego Chandler również wprawił w podziw swoim repertuarem anegdot. Reżyser wyjawił także, iż Cissy bardzo się martwiła myślą o tym, jak jej mąż zareaguje w chwili, gdy trzeba ją będzie ostatecznie umieścić w szpitalu. Bała się, że Chandler całkowicie utraci wówczas grunt pod nogami – powiedział Cukor.

Po tej wizycie u Chandlerów Maugham pozostawał z nimi w kontakcie i próbował ich nawet nakłonić, by przenieśli się do Francji, gdzie sam mieszkał. Chandler wprawdzie postanowił pozostać w La Jolla, ale jego koresponencja z Maughamem utrzymana była w ciepłej tonacji. „Nie zdarzyło mi się nigdy polubić kogoś, kto nie lubił kotów – napisał w jednym z listów, [...] ponieważ w ich upodobaniach jest zawsze pewien element samolubstwa. Owszem, przyznaję, że kot nie darzy człowieka tak samo gorącym uczuciem jak pies. To prawda, że kot nigdy nie zachowuje się tak, jak gdyby człowiek stanowił jedyny jasny punkt w jego niewesołej egzystencji. Lecz to jest tylko forma konstatacji, że kot nie jest sentymentalny, nie zaś tego, że w ogóle nie jest zdolny do uczucia".

Chandler pod pewnym względem współczuł Maughamowi, uważał bowiem, że krytycy nigdy mu nie wybaczyli tego, że swoim pisarstwem zarobił tak dużo pieniędzy. Lubił go jako człowieka, w którym nie dostrzegł „żadnego szaleństwa ani głupoty". Choć o trzynaście lat od niego młodszy, to jednak odczuwał pewne łączące ich podobieństwo, mianowicie taką samą skłonność do pozostawania na uboczu.

Opowiadając w przyszłości Hamishowi Hamiltonowi o pewnym liście, jaki napisał do niego Maugham, Chandler na dobrą sprawę pisał o sobie samym:

> Opisał mi swoje siedemdziesiąte urodziny, i jest to opis dość przygnębiający. Powinienem był się domyślić, że tak naprawdę, to miał on za sobą samotne życie, a jego zapewnienia, iż z uczuciowego punktu widzenia ludzie niewiele go obchodzą, to był jedynie zabieg obronny, gdyż nie cechuje go owo robiące wrażenie na zewnątrz ciepło, które przyciąga ludzi, lecz równocześnie jego człowiecza mądrość mówi mu, że jakkolwiek większość przyjaźni zawierana jest przypadkowo i ma jedynie powierzchowny charakter, to bez tych przyjaźni życie jest nader smutne[13].

*

Aby mieć więcej czasu na kontynuowanie przerwanej powieści, do której trudno mu było powrócić, Chandler postanowił scedować na innych pozostałe swoje obowiązki, których szybko przybywało, w miarę jak jego twórczość zdobywała sobie coraz większe uznanie: zaangażował menedżera, sekretarkę i księgowego.

Wznowienia jego książek ukazywały się teraz jednocześnie w twardych okładkach, w formie kieszonkowej oraz w wersjach papkowych, a także adaptowane były dla radia i filmu. Tłumaczono je również w Europie, w Ameryce Łacińskiej i na Dalekim Wschodzie, choć z jakością przekładów bywało różnie.

Tej nowej sytuacji nie sprostał w przekonaniu pisarza ani jego nowojorski agent, ani wydawca, toteż postanowił z oboma rozwiązać kontrakty. Już od czterdziestego trzeciego roku Chandler miał zastrzeżenia zarówno wobec Sandersa, jak i wobec Knopfa, z którym jeszcze w okresie pracy dla Hollywood miał zatarg w związku ze sprawą o plagiat.

Otóż jeden z jego miłośników dał mu znać, że angielski autor kryminałów, James Hadley Chase, wstawił do swojej powieści, zatytułowanej „Requiem dla blondynki" fragmenty przepisane w całości z różnych książek z Marlowe'em. Knopf okazał wówczas oburzającą bierność. (Hamish Hamilton, zdając sobie sprawę, jak poważnie potraktował tę sprawę Chandler, zmusił Chase'a do opublikowania przeprosin na łamach „Booksellera").

Po Knopfie przyszła kolej na Sandersa, którego Chandler pozbył się bez żadnych ceremonii, stwierdzając przy tym, że: „Pisarze mogą przepraszać wydawców, a wydawcy mogą przepraszać pisarzy, lecz jeśli chodzi o agentów, to powinni być zadowoleni, że udało im się ujść z życiem". Jako nowego agenta wybrał sobie innego nowojorczyka, Carla Brandta, zaś jako wydawcę – Houghtona Mifflina z Bostonu.

W czterdziestym siódmym roku radio zaczęło nadawać serial osnuty na przygodach Marlowe'a, co przynosiło Chandlerowi siedemset pięćdziesiąt dolarów tygodniowo. Kontrakt dawał mu prawo do odrzucenia scenariusza przed emisją danego odcinka, toteż autorzy radiowi często do niego telefonowali, a nawet przyjeżdżali do La Jolla z pytaniami.

To przewidujące zastrzeżenie, wprowadzone do kontraktu pod naciskiem Chandlera, bardzo mu się opłaciło: serial nie schodził z anteny – najpierw NBC, a potem CBS – przez cztery lata, nadawany był w porze największej słuchalności, o siedemnastej trzydzieści, a postać detektywa odtwarzali sławni gwiazdorzy radiowi jak „Van" Heflin czy Gerald Mohr. W czterdziestym dziewiątym roku Marlowe ustanowił ogólnoamerykański rekord w kategorii seriali słuchowiskowych liczbą dziesięciu milionów trzystu tysięcy odbiorców[14].

Tymczasem w La Jolla pisarz borykał się z problemem służby domowej: w przyszłości wyliczy, że w czasie przeżytych tam dziewięciu lat przyjął do pracy i zwolnił około dziewięćdziesięciu osób personelu kuchennego, sekretarek i pokojówek, wśród których „tylko troje lub czworo warte było prochu potrzebnego, żeby je wystrzelić do piekła".

Jego najulubieńszą i najdłużej zatrudnianą sekretarką była Juanita Messick, niewiasta w średnim wieku i matka dzieciom, która zdawała się rozumieć trudny charakter pracodawcy, łączący w sobie równocześnie poczucie humoru ze skłonnością do dogmatyzmu, lenistwa i psychicznych zapaści.

Juanita organizowała mu dzień, pisała na maszynie listy, które dyktował, a także czytała produkty jego pisarskiej pracy. Przybywając do domu przy Camino de la Costa, często zastawała na swoim biurku liściki od Chandlera.

> We czwartek i w piątek biuro będzie nieczynne. W piątek powinnaś trzy godziny spędzić w kościele. We czwartek niech ci sumienie dyktuje, co robić, jeśli je w ogóle masz. Leonora [pokojówka] będzie nieobecna: jakieś cholerne idiotyzmy w związku z córeczką, która ma być poślubiona. Domyślam się, że ma zostać oblubienicą Chrystusa. Czy katolicy są bierzmowani w wieku ośmiu lat? Przyszło mi do głowy, że ty powinnaś wiedzieć, o co w tym wszystkim chodzi. Mnie bierzmował biskup Worcesteru. Miał brodę[15].

Będąc w ponurym nastroju, co zdarzało mu się coraz częściej, w miarę jak pogarszał się stan zdrowia Cissy, Chandler dochodził do wniosku, że zatrudnianie sekretarki to idiotyzm, ponieważ zakłada, że jego twórcza wyobraźnia w ogóle coś jest warta, w co od czasu do czasu sam zaczynał powątpiewać. Mawiał, że w normalnym biurze sekretarka pracowałaby w tym samym celu co i on, podczas gdy pisarz pracujący we własnym domu był jednocześnie i środkiem, i celem. „Aby korzystać z sekretarki, trzeba mieć poczucie wartości tego, co się robi. Mój charakter, który czyni mnie równie sceptycznym wobec samego siebie co i wobec innych, nie jest w stanie pogodzić się z odgrywaniem takiej roli"[16].

Co się tyczy kuchni, to Chandler był taki sam jak Marlowe: lubił potrawy proste, smaczne i szybko przyrządzane. Kalifornijska kuchnia obu ich wielce zastanawiała:

> Udałem się do pobliskiego barku, zjadłem kanapkę i napiłem się kawy. Kawa była lurowata, a kanapka miała smak starej podeszwy. Amerykanie zjedzą wszystko, o ile tylko jest to podane na grzance, przekłute paroma wykałaczkami, a z boku wystaje sałata, najlepiej trochę zwiędnięta[17].

Często postanawiał sam sobie coś przyrządzić, a nawet rozważał swego czasu ideę napisania „Książki kucharskiej dla idiotów". Miały się w niej znaleźć takie, na przykład, hasła jak:

> JAK USMAŻYĆ STEK (NIE PRÓBUJ);
> JAK ZAPARZYĆ KAWĘ, KTÓRA NIE BĘDZIE SMAKOWAŁA JAK PRZYCZERNIONA WODA;
> TO PIEKIELNE ZMYWANIE NACZYŃ, KTÓRE ZABIERA CAŁY DZIEŃ;
> NAPRAWDĘ DOBRE TŁUCZONE ZIEMNIAKI SĄ TAKĄ SAMĄ RZADKOŚCIĄ JAK DZIEWICE, ALE KAŻDY GŁUPEK NAUCZY SIĘ JE GOTOWAĆ, JEŚLI TYLKO BĘDZIE PRÓBOWAŁ[18].

Od czasów pracy u Dabneya Chandler był przekonany, że za większością prywatnych lub municypalnych instytucji kryło się coś w rodzaju nieuczciwego chaosu. Myślał w ten sposób także o urzędzie podatkowym, toteż walczył z nim bez żadnych skrupułów, „ponieważ federalny podatek dochodowy uważam za swego wroga, a egzekwujących go urzędników – za brutalną, bezwzględną bandę"[19].

Do kategorii wrogów Chandler zaliczał także urząd Prokuratora Generalnego. Po drugiej wojnie światowej w stanie Kalifornia uległy zaostrzeniu przepisy imigracyjne i pisarza oficjalnie uprzedzono, że jego prawo do pobytu na terytorium Stanów Zjednoczonych może zostać zakwestionowane ze względu na posiadanie podwójnego obywatelstwa. Zwrócił się więc w czterdziestym szóstym roku do sądu w San Diego z prośbą o potwierdzenie jego statusu jako obywatela Stanów Zjednoczonych. Za pierwszym razem jego wniosek został odrzucony, gdyż sędzia, który go rozpatrywał, wydał już wcześniej decyzję w podobnej sprawie – chodziło o japońskich Amerykanów – która właśnie została uchylona przez Waszyngton, a sędzia postanowił twardo obstawać przy swoim. Wprawdzie po dwóch latach sąd apelacyjny potwierdził amerykańskość Chandlera, ale, po pierwsze, cała sprawa utwierdziła go w przekonaniu, że sądownictwo jest w Ameryce niekompetentne, a po drugie, ten korzystny dla niego wyrok oznaczał zarazem, że przestał być obywatelem brytyjskim.

Można by więc dojść do wniosku, że Chandler miał szczególną zdolność ściągania na siebie kłopotów. Po śmierci perskiej kotki Taki („odgrywała dużą rolę w naszym życiu" – napisał Hamiltonowi) kupił kociaka, któremu nadali z Cissy to samo imię. Wkrótce jednak w umyśle pana domu pojawiła się wątpliwość co do prawdziwego wieku nowego lokatora, zwrócił się więc z pismem do hodowcy: „Nie jestem skłonny wierzyć w możliwość jakiejkolwiek pomyłki co do tej daty, chciałbym jednak by została ona potwierdzona, gdyż kociak wygląda na dużo starszego i jest o wiele bardziej dojrzały, a także dużo większy, niż można by się tego spodziewać w trzecim miesiącu życia".

Chandlerowie zatrzymali Takiego, choć w niewielkim tylko stopniu zdołał on ukoić ich smutek po zgonie ulubienicy, która towarzyszyła im w życiu od trzydziestego pierwszego roku, gdy jeszcze Chandler pracował u Dabneya. Taki często układała się na biurku zajętego pisaniem pana, który tak to opisywał wydawcy pisma „Atlantic Monthly", Charlesowi Mortonowi:

> Czasami przygląda mi się w dość szczególny sposób (jest to jedyny znany mi kot, który patrzy prosto w oczy) i podejrzewam, że prowadzi pamiętnik, ponieważ jej spojrzenie zdaje się mówić: „Braciszku, wydaje ci się, że większość tego, co piszesz, wychodzi całkiem nieźle, prawda? Ciekawa jestem, jak byś się czuł, gdybym postanowiła opublikować parę kawałków tego, co ja napisałam na temat niektórych niezwyczajnych rzeczy". Od czasu do czasu powtarza pewien osobliwy gest: unosi jedną łapkę i przypatruje się jej z jakimś szczególnym zastanowieniem. Zdaniem mojej żony, daje nam ona w ten sposób do zrozumienia, że życzyłaby sobie zegarka na rękę; wprawdzie do niczego by się on jej nie przydał, ponieważ i bez niego potrafi określić dokładny czas lepiej niż ja, ale w końcu – każdy lubi mieć jakąś biżuterię[20].

Nie ulega wątpliwości, że wobec braku dzieci Taki odgrywała kluczową rolę w życiu małej rodziny Chandlerów.

*

Gdy czasem Cissy czuła się na tyle dobrze, by można ją było zostawić samą, Chandler udawał się do pobliskiego baru El Toro, gdzie spotykał się z grupką swych miejscowych znajomych. Należał do nich w pierwszym rzędzie Neil Morgan, a ponadto jego przyjaciele z La Jolla: John Latimer, autor kryminałów i scenarzysta filmowy, Max Miller, także scenarzysta, oraz Theodor Geisel, autor serii komiksów pod tytułem „Doktor Seuss".

Spotykali się wczesnym wieczorem i często popijali aż do drugiej w nocy. Chandler był bardzo, bardzo zabawny, wspominał Morgan, a i Max Miller też był niezłym komikiem amatorem.

Barmanem w El Toro był Albert Hernandez, z którym cała piątka dobrze się znała i którego lubiła. Gdy niedługo po osiedleniu się Chandlerów w La Jolla, syn Hernandeza wywalczył w Michigan tytuł tenisowego mistrza Stanów Zjednoczonych w kategorii juniorów, ta grupka zaprzyjaźnionych klientów uczciła sukces syna, doszczętnie upijając szczęśliwego ojca szampanem.

Dwa lata później chłopak zmarł na raka w miejscowym szpitalu i Chandler odwiedził Hernandeza w domu. „Pan Chandler, wiecie, on był bardzo miły dla mnie i dla mojej kobity", wspominał potem Hernandez. „A z niem i Neil Morgan, i Max Miller tyż. To byli wszystko bardzo dobre ludzie i oni wiedzieli, jak się wypada zachować"[21].

Zdarzały się popołudnia, gdy Chandler samotnie udawał się do El Toro. Wtedy jednak, jak wspomina Hernandez, nie siadał, lecz przechadzał się tam i z powrotem po pustym lokalu, rozmawiając z barmanem.

Jego ulubionym trunkiem był wówczas tak zwany gimlet: dwie porcje dżinu zmieszane z porcją soku limonowego, z dużą ilością lodu.

Do El Toro przylegała restauracja La Plaza; oba te lokale odbywały rolę przystanku trolejbusowego na linii łączącej La Jolla z San Diego. Gdy Cissy dobrze się czuła, Chandler zabierał ją ze sobą do restauracji na wspólny posiłek. Kiedy razem gdzieś wychodzili, nigdy się nie upijał; zawsze wybierał jakiś ustronny stolik i dla własnej rozrywki surowo strofował kelnerki za pomyłki w daniach, które stawiały przed Cissy. Budziło to w dziewczynach lęk tym większy, że pisarz nigdy nie zdejmował białych rękawiczek, które osłaniały i skrywały zarazem skórę na jego dłoniach, boleśnie dotkniętą skutkami jakiejś choroby. (Chandler poddał się nawet medycznym testom, po których powiedziano mu tylko tyle, że to rezultat jakiejś trudnej do określenia alergii).

„Ludzie starali się trzymać z dala od pana Chandlera z powodu jego manier – powiedziała dziennikarzowi po śmierci pisarza jedna z kelnerek Plazy – ale w gruncie rzeczy był on sympatycznym człowiekiem”[22].

Kiedy pogarszał się stan zdrowia Cissy, Chandler wpadał w rozpacz, ale gdy dochodziła do siebie, jego nastrój ulegał natychmiastowej poprawie. „Jestem bardzo szczęśliwym człowiekiem – napisał w liście z grudnia czterdziestego ósmego – w głowie nie mam ani mózgu, ani żadnych pomysłów, a w duszy żadnych tęsknot, może z wyjątkiem marzenia o kabriolecie”.

Gdy Cissy czuła się wystarczająco silna, zapraszali oboje Morgana, Millera i pozostałych członków zaprzyjaźnionej grupki do domu, gdzie panowała wówczas atmosfera całkiem odmienna od tej, w jakiej mężczyźni zwykli spędzać wieczory w barze. Najczęściej były to zaproszenia na tradycyjną herbatę. Oto, jak wspominał te herbatki Latimer: „Bardzo angielskie, bardzo nudne posiedzenia. Rozmowa utrzymana w uprzejmym, miarkowanym tonie – najgłośniejszy dopuszczalny dźwięk, to było stuknięcie srebrnego imbryka o srebrną tacę – dotyczyła zwykle spraw znikomej wagi: gdzie można najtaniej kupić warzywa albo jak tutejsza gęsta mgła wpływa na stan czyjejś błony śluzowej. Te przyjęcia miały okropnie formalny charakter”.

Cissy zwykle milczała, a Chandler nie spuszczał z niej uważnego spojrzenia. „Kiedy się rozmawiało z Cissy – wspominała Juanita Messick – to jakby się było w tysiąc dziewięćset dziesiątym”[23]. Latimer zauważył kiedyś żartem, że tego rodzaju wielce cywilizowane maniery obowiązywały w domu człowieka, który pewnego razu powiedział o orchideach, że mają w sobie „zgniłą słodkawość prostytutki”.

Bardzo niewielu ludzi zdawało sobie w owym czasie sprawę z tego, jak wielka była różnica wieku między Cissy a Chandlerem: w roku czterdziestym szóstym ona miała siedemdziesiąt sześć lat, on zaś pięćdziesiąt osiem.

W La Jolla przechowała się legenda, wedle której to właśnie w restauracji La Plaza Raymond Chandler miał kiedyś utrzeć nosa niesławnej pamięci Edgarowi Hooverowi, ówczesnemu dyrektorowi FBI. Jeśli wierzyć tej anegdocie, to w pewnym momencie Hoover rozpoznał przy jednym ze stolików Chandlera w towarzystwie Cissy i za pośrednictwem kelnerki zaprosił go do swego stolika, aby go oficjalnie poznać. Chandler, przez tę samą kelnerkę, odpowiedział mu, że jeśli chce go poznać, to może sam się pofatygować do jego stolika. Hoover wpadł we wściekłość i głośno zakomunikował swoim współbiesiadnikom, że zarządzi wobec pisarza „dochodzenie".

Jakkolwiek to było, nie ulega wątpliwości, że Chandler nie żywił wobec Federalnego Biura Śledczego przyjaznych uczuć:

> FBI, to banda przereklamowanych typów, a sam Hoover jest pierwszej klasy łowcą reklamy. Wszystkie tajne policje kończą tak samo. Założę się, że ten sukinsyn ma teczkę na każdego, kto mógłby mu zaszkodzić. Federalni roztaczają taką dymną zasłonę propagandy, że ludzie zapominają o tych wszystkich twardzielach, których nigdy nie udaje im się dopaść. Zastanawiam się nawet czasami, czy w ogóle kiedykolwiek udało im się złamać jakiegoś prawdziwego twardziela. Jak tylko zaczynają mieć z kimś takim problemy, to po prostu dają mu spokój, a ludziom zakładają gadkę o braku jurysdykcji[24].

Wprawdzie Chandler większość instytucji darzył nieufnością, ale politycznie nie opowiadał się po niczyjej stronie. Wierzył, że armia powinna być silna, lecz uważał, że alianccy generałowie nie popisali się podczas wojny. Nie lubił Kościoła, zarazem jednak twierdził, że naukowców otacza nadmierny podziw: „To święte krowy naszych czasów". Gdy pewien czytelnik oskarżył jego Marlowe'a o to, że jest marksistą, usłyszał w odpowiedzi, że Marlowe „dysponuje społeczną wrażliwością na poziomie konia pociągowego. Ma wprawdzie swoje własne sumienie, ale to całkiem inna sprawa. [...] Ani jego, ani mnie nie obchodzi, kto jest prezydentem, bo i tak wiemy, że musi to być polityk"[25]. O powojennym Waszyngtonie Chandler mawiał, że jest po prostu nudny, a w jednym z listów napisał: „Odczuwam głód czegoś, co by miało smak brudnej irlandzkiej polityki".

W półtora roku po przeprowadzce Chandlera do La Jolla, stojący na czele antykomunistycznej kampanii senator Joseph McCarthy zwrócił swe czujne spojrzenie ku jego niegdysiejszemu pracodawcy: Hollywood.

Po zakończeniu wojny, gdy Stany Zjednoczone i sowiecka Rosja objawiły się jako dwie największe potęgi militarne świata, w Waszyngtonie zrodziła się obawa, że wielu prominentnych Amerykanów sympatyzuje z ekspansjonistycznymi ambicjami Związku Radzieckiego.

Senatora McCarthy'ego szczególnie niepokoiło to, że „antyamerykanie" przeniknęli do hollywoodzkiego świata filmu, aby rozpowszechniać swe poglądy za pośrednictwem filmów wyświetlanych w całej Ameryce. Przeciw kilku osobistościom Hollywoodu wdrożono dochodzenia i komisja McCarthy'ego badała, jakie są ich poglądy polityczne.

Dziesięciu scenarzystów i aktorów spośród tych, którzy zostali wezwani na takie przesłuchania – wśród nich Dashiell Hammett – postanowiło nadać dochodzeniom publiczny rozgłos. Powołując się na Piątą Poprawkę do Konstytucji (która stwierdza, że nikt nie może być przymuszany do zeznawania przeciwko samemu sobie), zadeklarowali odmowę udzielenia odpowiedzi na pytania McCarthy'ego; w 1948 roku musieli stanąć przed senacką Komisją do Badania Działalności Antyamerykańskiej.

Chandler był zdania, że zarówno „hollywoodzka dziesiątka", jak i jej prześladowcy zajęli postawę melodramatyczną. Uważał on, że komunizm był w Ameryce zwyczajną modą, a przy tym przeżarty był korupcją tak samo jak baza katolicyzmu.

> ...choć nie mam dla nich [Hollywoodzkiej Dziesiątki] żadnego współczucia i nie sądzę, by miało ich spotkać coś strasznego poza tym, że wydadzą masę pieniędzy na adwokatów, to zastrzegam sobie prawo do prawdziwej pogardy dla filmowych bossów, którzy wspólnie ustalili, że trzeba ich usunąć z branży. Na czele tak potężnego przemysłu jak produkcja filmów powinno stać paru facetów z ikrą[26].

Stosunek Chandlera do wszelkich wiadomości podawanych przez media nacechowany był nieufnością, jaką budziło w nim to, że dziennikarze byli w stosunku do swych czytelników „podżegaczami strachu"; on sam uważał, iż odziedziczył tę nieufność po Anglikach. Brytyjczycy, przypominał, „byli najmniej histeryczną nacją na świecie".

W samej rzeczy właściwa mu anglofilia jeszcze bardziej się w nim umocniła po drugiej wojnie światowej. Obraz Wielkiej Brytanii jako triumfującej potęgi kolonialnej został w jego umyśle zastąpiony przez postać biednego, sponiewieranego, lecz dzielnego bohatera w rodzaju Marlowe'a. „Kraj, który sam siebie wyniszczył w dwóch wojnach", odpowiedział w liście znajomemu, który wrócił z powojennego Londynu z budzącymi grozę opowieściami na temat fatalnego działania hotelowej kanalizacji, „nie może sobie natychmiast zafundować kuchni w amerykańskim stylu".

Podziwiał Winstona Churchilla, mając nadzieję, że „teraz, kiedy wojna się skończyła, nie zrobi z siebie osła”, gdyż „wszyscy ci wielcy ludzie mogą się okazać strasznymi głupcami w stanie zdziecinnienia. Po nas, zwykłych ludziach, tego nie widać. Nikt się nam nie przygląda”[27].

Nie ulega wątpliwości, że w oczach Chandlera Wielka Brytania błyszczała pewnym romantycznym blaskiem, spotęgowanym odległością dzielącą go od kraju młodości, ale nie była to tylko zwykła tęsknota. Niemal co tydzień Chandler otrzymywał pocztą londyńskiego „Observera”, mógł więc na bieżąco śledzić zmiany następujące w Wielkiej Brytanii i jak zmieniało się do niej nastawienie świata. Zastanawiał się nawet niekiedy, jaka byłaby jego postawa polityczna, gdyby tam pozostał: „Nie mogę sobie wyobrazić siebie głosującego za socjalizmem teraz, kiedy objawił on swoją wredną biurokratyczną duszę. [Ale z drugiej strony] na co właściwie głosujesz, oddając głos na konserwatystów? Więc nie głosujesz. Po prostu głosujesz przeciw”[28].

*

Osiadłszy w La Jolla, Chandler pozostawał w listownym kontakcie z wieloma ludźmi. Szczególnie ożywioną korespondencję prowadził ze swoim brytyjskim wydawcą, Hamishem Hamiltonem, i z księgarzem z Nevady, Jamesem Sandoe. W miarę upływu czasu dołączali nowi adresaci, a wśród nich Charles Morton, naczelny redaktor „Atlantic Monthly”, pisma, z którym współpracowały tej miary postaci co Bertrand Russell i Albert Einstein.

Będąc wielkim miłośnikiem Marlowe’a, Morton poprosił jego twórcę o napisanie artykułu na temat prozy detektywistycznej. Rzecz została opublikowana w grudniu czterdziestego czwartego roku pod tytułem „Skromna sztuka pisania powieści kryminalnych”:

> Hammett wydobył zbrodnię z wazy weneckiej i wrzucił ją do swojego ciemnego zaułka. Nigdzie nie jest powiedziane, że musi tam pozostać na zawsze, ale pomysł jest dobry. [...] Hammett przywrócił zabójstwo ludziom, którzy popełniają je nie po to, żeby dostarczyć powieści trupa, lecz z jakichś konkretnych powodów i nie za pomocą ręcznie kutych pistoletów do pojedynku, kurary czy ryby tropikalnej, ale środkami, które mają pod ręką. Opisywał ich takich, jacy są, i kazał im mówić i myśleć językiem, jakiego zwykle w tym celu używają. [...] Był oszczędny, powściągliwy, twardy, ale raz po raz dokonywał czegoś, czego w ogóle po-

trafią dokonać tylko najlepsi pisarze. Pisał sceny i całe ustępy, przy których czytaniu miało się wrażenie, że nikt dotychczas nic podobnego nie napisał[29].

Po ukazaniu się tego artykułu, Chandler i Morton „nawiązali serdeczną korespondencję, a nadto Chandler zrelacjonował w „Atlantic Monthly" ceremonię wręczania Oscarów za rok 1948, jak również pisał inne artykuły poświęcone detektywom (opatrzone wspólnym tytułem „Ten Per Cent of Your Life" (Dziesięć procent twojego życia) oraz sztuce konstruowania scenariuszy[30].

Pisząc do kogoś list, Chandler lubił coś wiedzieć o jego wyglądzie, toteż poprosił Mortona, by ten przysłał mu swoje zdjęcie. Zwierzył mu się przy okazji, że zamierza pewnego dnia urządzić wystawę fotografii ludzi, z którymi utrzymywał korespondencję, przy czym pod każdą z nich umieści krótką charakterystykę danej osoby, jaką podsunęła mu wyobraźnia, zanim jeszcze poznał ją w rzeczywistej postaci: „Zaproszę na tę wystawę jakiegoś psychiatrę i będę patrzył, jak popada w obłęd".

Ulubionym tematem Chandlera w listach pisanych do Mortona i innych korespondentów było pisarstwo. W La Jolla znowu miał czas na lekturę. Wyznał Mortonowi, że nie rozumie, na czym polega moda na nowoczesne ponure powieści, które tylko przypominają czytelnikowi, iż „życie ma swoje brudne chwile i nikt nie próbuje temu zaradzić", i które z artystycznego punktu widzenia nie znaczą więcej niż „kichnięcie Kafki".

Nie były także w jego guście książki posługujące się przynętą „nieuniknionej katastrofy", gdy „wszyscy po prostu czekają, aż wydarzy się coś bardzo niedobrego". Nudziły go, pisał Mortonowi, książki, w których każdemu zdaniu lub myśli jakiejś postaci towarzyszą dwa akapity analiz tego ewenementu. Pod tym względem najgorsze były jego zdaniem kobiety, którym nigdy nie wystarczało samo opowiedzenie jakiejś historii; „one muszą ci w minutowych odstępach dokładnie tłumaczyć, co masz o tym myśleć".

Wspominał Johna Betjemana, który określenie pewnego recenzenta „myśląca proza" przetłumaczył jako „dzieło kobiece i nudne", po czym zastanawiał się, dlaczego kobiety piszą takie zwyczajne książki. Ich opisy pospolitych, codziennie spotykanych ludzi są wspaniałe, ale ma się wrażenie, że autorki nigdy nie potrafią dodać im jakiegoś koloru. Jest w tym jakiś swoisty efekt szarości[31].

Broniąc beletrystyki kryminalnej, Chandler przekonywał Mortona, że niewielu ludzi zdaje się rozumieć, iż większość światowego dorobku literackiego, który przetrwał próbę czasu, traktuje o gwałtownej śmierci, a nie o „salonowych neurozach i wyświechtanym intelektualizmie". Jego zdaniem, problem polegał na tym, że po wojnie kultura zachodnia została zdominowana przez pierwsze w historii pokolenie intelektualistów, którzy nie mieli zaplecza w klasycznym wykształceniu. Nie mając za sobą Boga ani bohaterskich wzorców, dowodził Chandler, generacja ta okazywała większy podziw samej sztuce pisania niż temu, co mówi się w pisarstwie o rzeczach mających jakieś istotne znaczenie. Ze znawstwem napisaną „notkę do Pana Listonosza" gotowa była owa generacja uznać za bardziej wartościową niż opowieść ukazującą jakąś postać lub postaci w pełni człowieczej prawdziwości.

Zdaniem Chandlera, prawdziwą mądrość zastąpił nerwowy pościg za modą. „Dzisiejsi krytycy", pisał do Mortona, „to znużeni bostończycy jak Van Wyck Brooks lub intelektualni spryciarze jak Fadiman, albo nawet zgoła uczciwi ludzie w rodzaju Edmunda Wilsona, których jednak po prostu ogłupiła daremność ich pracy". Tym, co ich podtrzymywało, była z jednej strony składnia, a z drugiej pesymizm, „owo opium klasy średniej".

Większość „literackich" powieściopisarzy, wyjaśniał Chandler Mortonowi swój punkt widzenia, zdawała się akceptować „kult niepowodzenia". To, że nie udało im się stworzyć jakiegoś dzieła o nieprzemijającej wartości, tłumaczyli tym, że obecna epoka zbyt sobie ceniła przyziemne wartości, by wielka sztuka miała jakąkolwiek szansę. Dla Chandlera było to fałszywe historyzowanie: „Wydaje mi się, że w historii cywilizacji cholernie mało było okresów, które żyjący w nich ludzie mogliby uważać za prawdziwie wielkie".

Nostalgiczna tęsknota za minionym Złotym Wiekiem stanowiła, jego zdaniem, niewłaściwy punkt odniesienia, gdy szło o tworzenie nowoczesnej kultury:

> Jeśli w naszej sztuce zawarta jest jakakolwiek cnota, choć może nie ma żadnej, to nie polega ona na podobieństwie do czegoś, co obecnie należy do tradycji, ale nie należało do niej w chwili, gdy stworzono je po raz pierwszy[32].

Talent twórczy nie idzie w parze z „bezkrwistymi intelektualistami, którzy siedzą na samym obrzeżu rzucanego przez lampę kręgu światła i drobiazgowo wszystko analizują, przemawiając beznamiętnym tonem". Ludzie ci wielbili Szekspira, kontynuował Chandler, lecz zostali odcięci od ducha, w jakim Szekspir pisał: ducha otwarcia na wszystko, co składało się na życie, a nie tylko na rozum. Przywłaszczali sobie Szekspira, lecz gdyby wypadło im żyć w epoce elżbietańskiej, to „twierdziliby, że jego sztuki grzeszą oklepanymi intrygami i nazbyt kunsztowną retoryką". Gdyby jednak dzisiaj żył geniusz na miarę Szekspira, pisał Chandler, to nie uważałby naszego wieku za niezdolny do tworzenia wielkiej sztuki.

> Szekspir dałby sobie radę w każdej generacji, ponieważ nie zgodziłby się na umieranie na uboczu; sięgnąłby po fałszywych bożków i poddał ich przeróbce; sięgnąłby po obowiązujące formuły i przetworzył je w taki sposób, jaki ludzie mniejszego wymiaru uważali za niemożliwy. Gdyby żył w dzisiejszych czasach, to niewątpliwie pisałby i reżyserował filmy, sztuki teatralne i Bóg wie co jeszcze. Zamiast mówić: „To jest niedobre medium sztuki", posługiwałby się nim, czyniąc je dobrym. Gdyby pewni ludzie zarzucili niektórym jego dziełom „taniość" (a niektóre rzeczywiście na to zasługują), to ani trochę by się tym nie przejął, mając świadomość, że nie jest pełnym człowiekiem ktoś, kto wyzbyty jest wszelkiej pospolitości[33].

Krytycy „Atlantic Monthly", przekonywał Chandler Mortona, byli równie marni jak wszyscy inni: „Ani trochę nie jest dla nich ważne to, o czym opowiada książka. W każdym momencie każdego wieku za jedyną prawdziwą prozę uważają tę, w której słowa są rezultatem magicznych sztuczek. [...] Myślę, że wszyscy jesteście szaleni"[34].

Chandler uwielbiał ujawniać prawdę o Nowych Szatach Króla. Za typowy produkt beztalencia uznał powieść Jamesa Agee „A Death in the Family" (Śmierć w rodzinie), którą krytyk Dwight Macdonald wychwalał pod niebiosa. Przytoczył on, między innymi, zdanie z tej powieści, którego rytm i dobór słów uznał za „perfekcyjne". Zdanie owo brzmiało: „Dobrze, Mary, to straszne, że muszę odejść, ale to rzecz nieunikniona".

Chandler nie mógł nie zwrócić uwagi na ten komplement: „Tyle samo w tym perfekcji, co w takim na przykład zdaniu jak: Jeśli się pośpieszymy, to może uda się nam złapać następny autobus"[35].

Zdaniem Chandlera, pewni ludzie nie mają pojęcia, co jest naprawdę dobre, ponieważ odcięci są od rzeczywistości: „Literatura stanowi dla nich w mniejszej lub większej mierze centrum egzystencji, podczas gdy dla ogromnej rzeszy jako tako inteligentnych ludzi jest ona po prostu jedną z mniej ważnych rzeczy z ubocza życia: odprężeniem, wytchnieniem, niekiedy nawet źródłem inspiracji. O wiele łatwiej byłoby się im jednak bez niej obejść niż bez kawy albo whisky"[36].

Chandler nie potępiał w czambuł całej literatury współczesnej. Sztukę Tennessee Williamsa „Tramwaj zwany pożądaniem" (opublikowaną w czterdziestym siódmym roku) uznał za „cudowną"; tego samego określenia użyje również wobec „Buszującego w zbożu" Salingera i stwierdzi, że „Każdy odczuwa potrzebę jakichś awangardowych kawałków".

Mortonowi wyzna, że wielkie i trwałe wrażenie zrobił na nim „Dzień szarańczy" Nathaniela Westa, powieść o Los Angeles, która ukazała się w tym samym roku co „Głęboki sen", dłużej jednak czekała na powszechne uznanie, w dużej mierze dlatego, iż jej autor wkrótce po wydaniu książki zginął w wypadku samochodowym. „Dzień szarańczy" zafascynował Chandlera, który stwierdził: „Cała ta książka to list samobójcy. Nie jest ani tragiczna, ani przepełniona goryczą, ani nawet pesymistyczna. Jest jak obmycie rąk z życia"[37].

*

W życiu prywatnym pisarz popadał w coraz głębszą depresję z powodu stanu zdrowia Cissy. Doświadczała teraz takich cierpień, że niekiedy przez kilka dni z rzędu trzeba ją było poddawać działaniu środków odurzających.

Gdy jej stan ulegał pogorszeniu, jedynymi gośćmi w domu Chandlerów bywali lekarze. Tylko lektura pozwalała wówczas Chandlerowi znosić bezsenność i osamotnienie, a także bolesną świadomość, że Cissy leży w swoim pokoju, pogrążona w sztucznie wywołanym śnie. Pisał do Jamesa Sandoe:

> Mam ten fatalny zwyczaj, że zabieram się do jakiejś książki, czytam ją do momentu, gdy mam już pewność, że chcę ją przeczytać i że później doczytam ją do końca, po czym odkładam ją na bok, aby zawrzeć znajomość z dwiema innymi książkami. Dzięki temu jednak, ilekroć ogarnia mnie uczucie pustki i załamania, co zdarza mi się o wiele za często, wiem, że będę miał co czytać do późnej nocy, jak to się zdarza z większością moich lektur, i nie będę skazany na to potworne uczucie wewnętrznej pustki, której nie mogę wypełnić obecnością kogoś, do kogo mógłbym mówić i kogo mógłbym słuchać[38].

Trudno mu było również skoncentrować się na niedokończonej „Siostrzyczce", którą zaczął pisać w okresie współpracy z Paramountem, po czym przerwał i wciąż nie był w stanie jej podjąć.

Akcja tej powieści usytuowana była w Hollywood, toteż trudności z jej pisaniem mogły stanowić potwierdzenie jego obawy, iż dobra powieść o Hollywood jest prawie niemożliwa, gdyż samo to miejsce było już swoistą powieścią.

Chandler próbował pisać o Los Angeles, o którym z wolna zaczął już zapominać, i o branży filmowej, o której nie chciało mu się już nawet słuchać. Pragnął dokończyć tę książkę przed zabraniem się do następnej, lecz nie miał już do niej żadnego emocjonalnego stosunku. W sierpniu czterdziestego ósmego roku tak wyjaśniał swoje położenie Hamishowi Hamiltonowi:

> Mój umysł jest bardzo, bardzo zmęczony. Nie potrafię ocenić tego, co piszę, i nie potrafię pisać z jakąkolwiek regularnością. Ta hollywoodzka bzdura doprowadziła mnie do prawdziwego wyczerpania. [...] Piszę jakąś scenę, czytam, co napisałem, i dochodzę do wniosku, że to do niczego. Mijają trzy dni (podczas których w głowie mam kompletny zamęt i nie potrafię nawet ruszyć palcem), ponownie czytam ten kawałek i tym razem wydaje mi się świetny. Oto jak sprawy stoją. Być może jestem już całkowicie wypalony.
>
> Ostatnio próbuję uprościć moje życie. [...] Nie mam już menedżera ani sekretarki. Ale nie jestem szczęśliwy. Trzeba mi wypoczynku, a nie potrafię odpoczywać, dopóki nie dokończę tej rzeczy, choć czasem myślę sobie, że nawet gdy ją dokończę, to będzie po niej widać takie samo zmęczenie, jakie ja teraz odczuwam.
>
> Zakładając w tym momencie, że będzie to cokolwiek warte, wydaje mi się, że możesz się za miesiąc spodziewać jakiegoś maszynopisu. Będzie on może wymagał dalszej obróbki, ale da ci sposobność ustalenia, czy jestem szalony, czy też nie. Zapewne Carl Brandt mógłby ci to w jakimś stopniu objaśnić. Mam nadzieję, że to jakaś pomoc.
>
> Ray[39]

W powieści, o której tu mowa, Marlowe poszukuje Orrina Questa, chłopca, który uciekł ze Środkowego Wschodu do Los Angeles. Detektyw został wynajęty przez siostrę uciekiniera, Orfamy. Idąc tropem wyznaczanym przez tanie pensjonaty, Marlowe odkrywa, że wkrótce po przybyciu do LA Orrin zadał się z bandą szantażystów. Sfotografował w pewnej restauracji hollywoodzką gwiazdkę, Mavis Weld, w towarzystwie znanego gangstera, po czym zażądał pieniędzy od jej agenta, i od tej pory ślad po nim zaginął.

Fotografia była tym bardziej kompromitująca, że widniejący na niej gangster powinien był w tym samym czasie, zamiast w restauracji, przebywać w więzieniu, jednakże przekupił policjantów, którzy pozwolili mu spędzić cały dzień na wolności. (Chandler prawdopodobnie oparł tę intrygę na głośnym skandalu, jaki wywołało ujawnienie przez prasę faktu, iż słynny gangster Bugsy Siegel kilkakrotnie spędzał cały dzień poza murami więzienia, w którym odsiadywał wyrok, pod pozorem wizyty u swojego dentysty).

Nieszczęściem dla Orrina, uwieczniony na zdjęciu gangster dowiedział się o całej sprawie i polecił zabić chłopca tuż przedtem, nim Marlowe miał go odnaleźć, a następnie wysłał swoich zabójców w pościg za detektywem, będącym teraz w posiadaniu fotografii. Także policja, odpowiedzialna za postępowanie funkcjonariuszy, którzy brali od gangstera łapówki, poszukuje Marlowe'a oraz kompromitującego zdjęcia.

Tymczasem detektyw zaczyna być nieufny wobec siostry zabitego chłopca, Orfamy Quest, której reakcja na wieść o śmierci brata budzi w nim wątpliwość co do szczerości jej rozpaczy. Spotkawszy się z Mavis Weld, Marlow nagle uświadamia sobie w czym rzecz: to panna Weld była prawdziwą „siostrzyczką", którą dwoje jej rodzeństwa, Orrin i Orfamy, postanowiło wspólnie szantażować.

Powodem przyjazdu Orrina do Los Angeles był fakt, że Mavis nie odpowiadała na ich listowne prośby o pieniądze; nie wpadł on bynajmniej w sidła szantażystów, lecz z własnym aparatem fotograficznym przybył do LA z zamiarem znalezienia okazji do szantażowania sławnej i bogatej siostrzyczki, a to, że Orfamy zwróciła się do Marlowe'a z prośbą, by go odszukał, wynikło z jej obawy, iż Orrin umyślił sobie, że zagarnie cały spodziewany zysk dla siebie.

Hollywood jest w tej powieści nieustannie obecne. „Mówiła przeciągając głoski, tonem chłodnym i wyniosłym", czytamy o pewnej aktorce, „lecz jej oczy zdradzały coś innego. Zdobyć ją byłoby prawie tak samo trudno, jak zamówić strzyżenie u fryzjera". Marlowe nie miał jednak na nią najmniejszej ochoty.

> – Bodaj na pół godziny – poprosiłem – zostawmy na boku seks. To naprawdę świetna rzecz, jak melba ze świeżymi owocami. Ale bywają takie chwile, że człowiek wolałby sobie poderżnąć gardło. I dlatego myślę, że chyba sobie jednak poderżnę[40].

Marlowe nie ukrywa zgorzknienia. Jest starszy i bardziej osamotniony niż kiedykolwiek przedtem. W jednej ze scen jedzie wieczorem do domu Bulwarem Zachodzącego Słońca, gdy nagle ogarnia go przygnębienie na myśl o tym, kim jest. Pod wpływem impulsu skręca i przez przełęcz La Cahuenga jedzie ku północnym wzgórzom Los Angeles.

> Zjadłem kolację w jakimś lokalu niedaleko Thousand Oaks. Kiepsko, ale szybko. Dać żreć i kopa w tyłek. Za dużo zachodu. Nie mamy czasu na to, żeby pan tu tak siedział nad drugą filiżanką kawy, proszę pana. Zajmuje pan miejsce, a miejsce kosztuje. Widzi pan tych ludzi tam, za przegródką? Chcą zjeść. W każdym razie wydaje się im, że muszą, zresztą, Bóg wie dlaczego, chcą zjeść akurat tutaj. Lepiej by się najedli w domu z puszki. Po prostu nie mogą usiedzieć na miejscu. Jak i pan. Muszą wyprowadzić ten swój samochód z garażu i gdzieś pojechać. Zwierzyna łowna dla oszustów, co opanowali restauracje. Znowu zaczynasz. Nie jesteś dziś człowiekiem, Marlowe. Może nigdy nie byłem istotą ludzką i nigdy nią nie będę. Może jestem tylko ektoplazmą z licencją prywatnego detektywa. Może wszyscy dochodzimy do takiego stanu w tym zimnym, mrocznym świecie, w którym zawsze zdarzają się tylko złe rzeczy, a nigdy nic dobrego[41].

Podobne momenty wewnętrznego znieruchomienia zdarzają się chandlerowskiemu detektywowi w „Siostrzyczce" wielokrotnie: „Byłem tylko pozorem mężczyzny. Nie miałem twarzy, nie miałem w sobie żadnego poczucia sensu, nie miałem własnej osobowości i było tak, jakbym nie miał nawet imienia. Nie chciało mi się jeść. Nie chciało mi się pić. Byłem niby wczorajsza kartka z kalendarza, zmięta i wyrzucona do kosza na śmieci".

Powieść, która ukazała się na amerykańskim rynku w październiku czterdziestego dziewiątego roku, spotkała się z niejednoznacznym przyjęciem. „Time" stwierdził, że Chandlerowi „groziło niebezpieczeństwo zatrzymania się na poziomie zdradzającej pewien talent pisaniny". Recenzent „Atlantic Monthly" przyznał, że jest on dobrym autorem książek kryminalnych, ale że najświetniejsze momenty jego prozy, to „jedynie upiększające ozdobniki; elementy nie na tyle ważkie, by mieć wpływ na przeobrażenie tego gatunku".

Brytyjska reakcja była jednak i tym razem przychylna. Powieściopisarka Elizabeth Bowen napisała w magazynie „Tatler", że próbując wydać osąd o nowoczesnej literaturze amerykańskiej, nie można nie brać tego pisarza pod uwagę, a Evelyn Waugh nazwał Chandlera najlepszym pisarzem Ameryki.

W Ameryce sprzedano siedemnaście tysięcy egzemplarzy w sztywnych okładkach, w Zjednoczonym Królestwie dwadzieścia siedem tysięcy. Poza tymi dwoma krajami największym wzięciem cieszył się teraz Chandler we Francji, gdzie wydano tę powieść w ramach taniej „Série Noire" (Czarnej serii) i sprzedano czterdzieści dwa tysiące egzemplarzy. Warto przy tym zauważyć, że choć pierwszeństwo w przekładach wcześniejszych powieści z Marlowe'em przypadło Norwegii i Danii (1942) oraz Hiszpanii (1944), to właśnie jego francuski debiut w czterdziestym siódmym roku przyniósł detektywowi największy europejski sukces[42].

W „Czarnej serii" wydawano takich autorów jak Hammett i Georges Simenon, i to z ogromnej popularności, jaką sobie ona zdobyła, zrodził się termin „film noir". „Czarna seria" pobudziła wyobraźnię wielu francuskich pisarzy, w tym najsławniejszego wśród nich Alberta Camusa, który wyznał, że na powstanie postaci bohatera „Obcego" (1942) amerykańskie książki detektywistyczne miały większy wpływ niż twórczość któregokolwiek z „literackich" powieściopisarzy.

Książki Chandlera nie tylko cieszyły się popularnością wśród francuskich miłośników kryminałów, ale też uznaniem krytyki. On sam odpowiadał na listy tamtejszych miłośników Marlowe'a, posługując się nie całkiem poprawnym francuskim. Między innymi otrzymał list od krytyka literackiego, Roberta Campigny'ego, który poświęcił mu obszerny artykuł opublikowany na łamach czasopisma „La Revue-Critique". Chandler wdzięczny mu był wprawdzie za komplementy, ale jednocześnie wcale nie poczuł się mile połechtany faktem, że Champigny wymienił go jednym tchem z Agatą Christie.

> Il va sans dire que j'ai eu grand plaisir en lisant ce que vous avez écrit, et je vous remercie plus que beaucoup pour l'honneur que vous m'avez fait en écrivant avec tant de soin sur une espèce de literature qui est souvent regardée, comme peu de chose. [...] Je trouve votre louange de Agatha Christie un peu difficile à engloutir. Sans principe sérieux il est très mauvais gout de déprécier ses livres seulement parce que je les trouve sans interet pour moi, mais l'idée que Madame Christie déjoue ses lectures sans farce me parait presque impossible à croyer. N'est ce pas qu'elle fait ses surprises en détruisant le portrait d'une charactere ou d'un personnage de roman qu'elle a jusque qu'à ce moment peintu en couleurs complètement opposées au portrait fini?[43]

W sumie jednak Chandler zadowolony był z tego, że w końcu uporał się z „Siostrzyczką", chociaż, jak sam stwierdził, pisząc ją, był w podłym nastroju.

*

Tymczasem w Hollywood Swanson rozpoczął negocjacje z przedstawicielami telewizji w sprawie warunków ewentualnego kontraktu na serial ukazujący przygody Marlowe'a. Podobnie jak w przypadku umowy z radiem, Chandler odmawiał swej zgody, jeśli nie miałby prawa weta zarówno w odniesieniu do poszczególnych scenariuszy, jak i w kwestii wyboru aktora, który miałby grać Marlowe'a na telewizyjnym ekranie.

Odrzucał jedną po drugiej proponowane mu wersje ugody, lecz w samej rzeczy to nowe medium obudziło jego zainteresowanie. Jako jeden z pierwszych posiadaczy odbiornika telewizyjnego uważnie śledził rozszerzającą się publiczną debatę na temat społecznych skutków funkcjonowania telewizji. „Wydawcy książek, i nie tylko oni, powinni przestać się martwić perspektywą utraty odbiorców na rzecz TV", napisał do Swansona.

> Facet, który jest w stanie przetrzymać trzy reklamy dezodorantów, żeby dalej oglądać Flashguna Caseya, albo zdolny jest przełknąć potok piwa i sznur finansowych rekinów oferujących korzystne pożyczki, byle tylko doczekać się walki czwartorzędnej pary zapaśników [...] nie traci czasu na czytanie książek. On nigdy jeszcze żadnej nie przeczytał[44].

Mimo to jednak pisarz był tą medialną nowością zafascynowany. „Telewizja jest w gruncie rzeczy tym, czego szukaliśmy przez całe życie", stwierdził w 1950 roku w liście do Mortona.

> Nie musisz być skupiony. Nie musisz reagować. Nie musisz niczego zapamiętać. Nie doskwiera ci brak rozumu, gdyż do niczego nie jest ci on potrzebny. Twoje serce, wątroba i płuca funkcjonują normalnie. Poza tym pełny spokój i cisza. To jest nirwana ubogiego człowieka[45].

Odziedziczywszy po ojcu pewną smykałkę do techniki, Chandler z upodobaniem projektował dla swego domu najróżniejsze energooszczędne gadżety; wynalazł między innymi prototyp telewizyjnego pilota, który pozwalał mu wyłączyć w telewizorze dźwięk, z chwilą gdy na ekranie pojawiały się reklamy.

Chandler przeczuwał, że telewizja ma przed sobą wielką przyszłość i dlatego wiele uwagi poświęcał projektom serialu z Marlowe'em w roli głównej. Doszedł do wniosku, że „Gdybym był teraz młodym człowiekiem, to z pewnością próbowałbym się dostać do TV [...] ona jest w stanie dokonać i dokona nadzwyczajnych rzeczy".

Z jednej strony złościło go to, że Swanson zdawał się niezdolny do wynegocjonowania z telewizją jakichś rozsądnych i zachęcających warunków, ale z drugiej, sam nie mógł sobie pozwolić na jakikolwiek kompromis w tej sprawie: pisarz, który z samej tylko Szwecji otrzymywał rocznie ponad półtora tysiąca dolarów jako procent od zysku ze sprzedanych tam książek, nie mógł zrezygnować z ochrony swych autorskich praw[46].

To samo rozumowanie sprawiło, że w latach pięćdziesiątych Chandler odrzucił propozycję zarabiania rocznie dwudziestu tysięcy dolarów „na boku" w zamian za zgodę na użycie jego nazwiska jako nazwy pewnego magazynu poświęconego prozie kryminalnej (podczas gdy Hitchcock nie oparł się takiej pokusie), ani też nie zezwolił na to, by Marlowe stał się bohaterem komiksu. Te pieniądze przyszłyby szybko, ale nie trwałoby to długo, powiedział Swansonowi. W taki właśnie sposób działało Hollywood.

*

Hollywood nie zamierzało jednak zrezygnować z Chandlera. W lipcu pięćdziesiątego roku wytwórnia Warner Brothers zaproponowała mu dwa i pół tysiąca dolarów tygodniowo za adaptację powieści Patricii Highsmith, zatytułowanej „Nieznajomi w pociągu", którą miał reżyserować Alfred Hitchcock. Zażądał tego sam Hitchcock, który chciał spróbować współpracy z Chandlerem, ten zaś ze swej strony także był ciekaw Hitchcocka, toteż ofertę tę zaakceptował. Ponieważ jednak w dalszym ciągu odmawiał udania się do Los Angeles, wielki reżyser musiał pokonywać odległość stu kilkudziesięciu kilometrów, dzielącą LA od La Jolla, za każdym razem, gdy chciał się naradzić ze swoim scenarzystą. W biurze Swansona krążyła notatka zapisana na firmowym formularzu: „Skoro góra nie przychodzi do Mahometa, to Mahomet jedzie do góry".

Osoba Hitchcocka od dawna intrygowała Chandlera, toteż obaj twórcy z entuzjazmem przystąpili do pracy nad scenariuszem. Bohater powieści Patricii Highsmith, Guy, to nieszczęśliwie żonaty champion tenisa. Gdy pewnego razu po rozegraniu turnieju wraca pociągiem do domu, zaczyna popijać i zaprzyjaźnia się z dziwnym osobnikiem o imieniu Bruno, z którym następnie wspólnie zalewają robaka.

Bruno zgłasza gotowość zamordowania żony Guya, w zamian za co ten miałby zamordować jego ojca. Ponieważ żaden z nas nie zna swej przyszłej ofiary, wyjaśnia Bruno swój pomysł, to nikt nie będzie w stanie wykryć sprawców, nie znajdzie bowiem żadnych więzów, które by łączyły zabójcę z jego ofiarą.

Guy szybko pozbywa się natarczywego Bruna, jednakże nazajutrz jego żona naprawdę zostaje zamordowana, zaś Bruno nawiązuje z nim kontakt i jasno daje do zrozumienia, że teraz spodziewa się, iż on także dotrzyma zawartej w pociągu umowy.

Guy czuje się schwytany w pułapkę, z której nie ma nadziei się wyplątać, gdyż policja traktuje go podejrzliwie, nie dowierzając jego zapewnieniom, że w żaden sposób nie był zamieszany w zabójstwo żony i nic na jego temat nie wie. W dodatku jedyne alibi, jakie może przedstawić policyjnym detektywom, to zeznanie pracownika pewnej stacji benzynowej, który jednak w chwili ich spotkania był pijany, a „alibi dostarczone przez kogoś, kto opił się whisky, to nie jest poważne alibi".

Guy dochodzi w końcu do wniosku, że jedynym dla niego ratunkiem jest zastawienie pułapki na Bruna, który tymczasem coraz wyraźniej zdradza objawy zaburzeń psychicznych.

Chandler zakomunikował Swansonowi, że wprawdzie Hitchcock to „najsympatyczniejszy facet, z jakim można się spierać", ale im dłużej trwa ich dyskusja na temat „Nieznajomych w pociągu", tym bardziej staje się oczywiste, że każdy z nich mówi o całkiem innym filmie. Posłuchajmy Chandlera:

> Co mnie bawi w Hitchcocku, to to, że on zaczyna reżyserować film we własnej głowie, zanim jeszcze pozna historię, którą ten film ma opowiedzieć. W pewnej chwili raptem zdajesz sobie sprawę z tego, że próbujesz z nim ustalić poszczególne ujęcia kamery, jakie mu się zamarzyły, a nie przebieg akcji. A do tego, za każdym razem, kiedy już uda ci się wrócić do rzeczy, on cię natychmiast zbija z tropu, domagając się na przykład miłosnej sceny na szczycie Jefferson Memorial albo czegoś w tym rodzaju[47].

Po dwóch miesiącach Chandler zaczął już mieć tego dosyć. Posunął się aż do tego, przyglądając się, jak reżyser wygrzebuje się z auta zaparkowanego na podjeździe domu w La Jolla, że głośno nazwał

Hitchcocka „tłustym sukinsynem”. Hitchock zareagował na to wymówieniem współpracy i zaangażował do przerobienia tego, co udało im się dotąd napisać, innego scenarzystę, Czenzi Ormonde; Chandler za osiem tygodni pracy zainkasował czterdzieści tysięcy.

Pieniądze te uświadomiły mu dysproporcję między dochodami z książek a sumami, jakie przynosi film. Sporządzony na koniec pięćdziesiątego roku bilans wykazał, że przez jedenaście lat pracy powieściopisarskiej sprzedał w Ameryce ponad trzy i pół miliona egzemplarzy swoich książek, w tym zaledwie sześćdziesiąt osiem tysięcy w twardych okładkach, a wszystkie uzyskane do tej pory wpływy z tytułu praw autorskich dały mu w podsumowaniu zaledwie pięćdziesiąt sześć tysięcy dolarów[48].

„Żadnej ikry”, powiedział Chandler o ostatecznej wersji „Nieznajomych w pociągu” z Robertem Walkerem i Farleyem Grangerem w rolach głównych. „Żadnej postaci ani żadnego dialogu”.

Wprawdzie Chandler nie odmawiał talentu Hitchcockowi, ale nie miał o nim zbyt wielkiego mniemania. Co oznaczało, jak sam przyznał, że film Hitchckoka nie może być niczym innym jak tylko filmem Hitchcocka, zaś w filmie Hitchcocka nie ma miejsca na czyjkolwiek inny głos poza jego własnym.

Słynny reżyser mimo wszystko wywarł na nim trwałe wrażenie; w przyszłości opisze jedno z ich spotkań w La Jolla, gdy Hitchcock objaśniał mu jakąś hipotetyczną scenę, aby dać mu pojęcie o tym, jak powinno być robione nowoczesne kino:

> Proszę sobie wyobrazić, że oto pewien mężczyzna odwiedza swoją dawną miłość, której nie widział od wielu lat, obecnie zamężną, bogatą i tak dalej. Zaprasza go na herbatę. Widownia już wie, co się zdarzy. Po to właśnie całą rzecz filmujemy tak, a nie inaczej.
>
> Mężczyzna przyjeżdża taksówką, wysiada, płaci kierowcy, spogląda na dom, wchodzi po stopniach, dzwoni do drzwi, czeka, zapala papierosa; teraz w ujęciu od wewnątrz widzimy pokojówkę, która podchodzi do drzwi, otwiera je przed mężczyzną, który się przedstawia, potem sakramentalne: „Tak, proszę pana, zechce pan wejść do środka”.
>
> Mężczyzna wchodzi, rozgląda się po holu, przyjmuje zaproszenie, by wejść do recepcyjnego salonu, rozgląda się po nim, pokojówka wychodzi, on się tęsknie uśmiecha, ogląda fotografię na kominku, wreszcie siada.
>
> Pokojówka wchodzi po schodach, puka do drzwi, wsuwa się do środka, pani domu kończy się stroić, zbliżenie jej oczu w momencie gdy pokojówka mówi jej, kto przyszedł, chłodne „dziękuję, zaraz zejdę”, poko-

jówka wychodzi, ona wpatruje się w oczy odbite w lustrze, lekkie wzruszenie ramionami, wstaje, rusza ku drzwiom, wraca po zapomnianą chusteczkę, z powrotem do drzwi, kamera śledzi jej kroki w dół schodów, przed drzwiami salonu zatrzymuje się, na twarzy czuły półuśmiech, po czym zdecydowanym ruchem otwiera je, z kontry ujęcie mężczyzny, który podrywa się na jej wejście, stoją twarzą w twarz, nawzajem wpatrując się w siebie, dwa zbliżenia ich twarzy, a w końcu: „Och, George! Ileż to lat minęło!", czy coś w tym stylu, i zaczyna się scena.
Oboje przez cały czas siedzą, mówi Hitchcock, i to mi się podoba: to kamera wprawia wszystko w ruch, bo to kamera jest w tym wszystkim najcudowniejszą rzeczą. Przecież właśnie dzięki niej, do cholery, dostaliśmy ruchome obrazy, prawda? A co mamy teraz?
Pojawia się taksówka, facet wysiada, wstępuje na schody. Z wewnątrz dźwięk dzwonka, pokojówka idzie ku drzwiom. Ostre cięcie, stłumiony odgłos dzwonka w sypialni na piętrze, pani domu przed lustrem, kamera stopniowo przybliża się do jej twarzy, ona wie, kto przyszedł, pełne zbliżenie mówi nam o jej uczuciach, wózek z rozpuszczalną herbatą już przetacza się przez hol. Cięcie, w pokoju on i ona, blisko, nawzajem w siebie wpatrzeni. Czy najpierw zobaczymy, jak on ją bierze w ramiona, czy też najpierw wjedzie wózek z zastawą do herbaty? A potem ten wspaniały dialog.
Ona: Charles, to już piętnaście lat! *On:* Piętnaście lat i cztery dni. *Ona:* Aż trudno mi w to... *(pukanie do drzwi)* Proszę! *(wózek wjeżdża do środka)* Mam nadzieję, że lubisz herbatę. *On:* Uwielbiam. *Ona:* Jak-żeż-to--daaa-wno. Ale to ja jestem temu winna. *On:* Przez cały ten czas zastanawiałem się, jak spędzasz swój wolny czas.
I tak dalej[49].

Bardzo to interesowało Chandlera, który wszak ubóstwiał dyskusje na temat mechaniki pisarstwa, jednak trudno mu było z pozycji reżysera własnej pisarskiej fikcji przejść do roli „wynajętego człowieka", funkcjonującego w ramach cudzej wizji.

Gdy jeszcze w dodatku ów inny wizjoner był także pewny swych racji, a przy tym wykształcony w podobnej do Dulwich brytyjskiej szkole publicznej, nadto zaś jeszcze stał się powszechnie wielbionym mistrzem nowoczesnych filmowych „dreszczowców" – współpraca nie mogła się udać.

Tak więc, bez dalszych pokus ze strony Hollywood, Chandler przystąpił do pisania kolejnej powieści. Umyślił sobie, że będzie to jego największy, najlepszy – i ostatni – Marlowe.

*

W lutym pięćdziesiątego pierwszego roku odwiedził Chandlera w La Jolla brytyjski pisarz J.B. Priestley. Urodzony w Yorkshire, studiował na uniwersytecie Cambridge, stał się nader płodnym autorem humorystycznych powieści, takich jak „Dobrzy kompani" (1929), dzieł krytyczno-literackich (w tym książki „Powieść angielska"), a także wielu utworów scenicznych.

Priestley był typowym angielskim dżentelmanem, bywalcem ekskluzywnych klubów i znakomitością w świecie londyńskiej śmietanki. Po przeczytaniu brytyjskiego wydania „Laleczki" z czterdziestego roku napisał do Chandlera list z wyrazami swego podziwu. Przez jakiś czas obaj pisarze korespondowali ze sobą i zapraszali się wzajemnie za pośrednictwem Hamisha Hamiltona, ale gdy w pięćdziesiątym pierwszym roku Chandler otrzymał telegram, w którym Priestley poinformował go, że właśnie przebywa w Meksyku i wkrótce wyląduje w Tijuanie, na granicy meksykańsko-amerykańskiej, wiadomość ta nie znalazła w nim wdzięcznego odbiorcy[50].

> Wydałem w Marine Room na jego cześć przyjęcie, którego ozdobę stanowili dulwiczanie wynalezieni przez Johna Latimera i jego żonę; ludzie, których nie znałem [...] i których od tamtej pory nigdy więcej nie spotkałem, a co więcej – ani trochę mi nie zależy na tym, by ich znowu spotkać. Tego wieczora wypiłem chyba jakichś osiem szkockich, czym nie dorównałem bynajmniej średniej spożycia reszty uczestników tej imprezy, ale uznałem, że muszę się jakoś uodpornić. Gdyby w grę nie wchodzili tej klasy ludzie, to pewnie bym nie wytrzymał i zadzwoniłbym na policję z prośbą o pomoc w pozbyciu się tej całej hałastry[51].

Było w Priestleyu coś, co poruszyło w Chandlerze właściwą mu strunę podejrzliwości: „Bardzo dobrze odgrywa swą rolę szczeroustego Yorkshirmana [...] tryska energią, dowcipem, zarazem jednak w jakim sensie jest profesjonalistą; ilekroć trafi mu się okazja, tylekroć potrafi wykorzystać nader sprawnie i nader przy tym powierzchownie materiał, który wpada mu do ręki. [...] Skłonny byłbym go uznać za człowieka dość, w gruncie rzeczy, ograniczonego[52].

Równie niepochlebną opinią odwdzięczał mu się Priestley. Gdy przyszło mu po śmierci Chandlera wspominać w telewizji BBC wizytę, jaką złożył w jego rezydencji w La Jolla, to opisał go jako „typ nieśmiałego, pogrążonego we własnych myślach człowieka, który nie przestawał zaciskać w zębach swojej fajki [...] sprawiając wrażenie postaci wyjętej z komedii wystawianych na londyńskim Ealingu".

Chandler zrobił na nim wrażenie człowieka oschłego, i – choć dobrze zorientowanego w dziedzinie literatury – to zarazem nie tak bystrego, jakiego spodziewał się spotkać. Priestley dodał przy tym, że w miarę upływu czterech czy pięciu dni, które ze sobą spędzili, coraz mniej się od Chandlera dowiadywał i coraz mniej mu się on zdawał sympatyczny w porównaniu z tym, czego oczekiwał, czytając jego książki.

Przyczyna tak ambiwalentej reakcji była wręcz oczywista: pracując nad nową książką, Chandler widział jednocześnie, jak po trochu umiera Cissy. Związany z tym stres jego samego przyprawił jesienią pięćdziesiątego pierwszego roku o gwałtowną utratę wagi i kłopoty z oddychaniem. A jednak, jako nieodstępny opiekun, czuwał na kanapie pod drzwiami jej sypialni, gotów na każde wezwanie bez względu na porę; Cissy bywała niekiedy w na tyle dobrym stanie, by udać się z nim na samochodową przejażdżkę lub zasiąść przy stoliku w La Plaza, ale to się zdarzało nader rzadko.

W miarę jak jej zdrowie się pogarszało, przygnębienie Chandlera znajdowało swój wyraz także w listach. Miało to zniszczyć jego przyjaźń z Charlesem Mortonem, który na krótko przed kłopotliwą wizytą Priestleya – z inicjatywy jego wydawcy – przesłał mu przygotowany do druku zbiór swoich artykułów wraz z propozycją napisania pochlebnego tekstu na obwolucie.

Książka trafiła na czytelnika będącego w fatalnym nastroju, a odpowiedź, jaką Chandler przesłał wydawcy, definitywnie zrujnowała korespondencyjną przyjaźń, jaka łączyła go z Mortonem:

> Panu szalenie się zrobiło śpieszno. Pan nawet wstrzymał druk obwoluty. [...] Podejrzewam, że zwlekał pan z wydaniem tej książki dobre pół roku, czekając, aż ktoś podpali panu ogień pod tyłkiem, a teraz miota się pan od ściany do ściany niby jakiś szwajcarski tenor, gdyż oto „ponieważ obwoluta absolutnie musi iść do druku jeszcze w tym tygodniu, zechciej pan łaskawie jak najszybciej przesłać nam swe uwagi". (Ja was, wydawców, dobrze znam. Wysyłacie mi szczotki ekspresową pocztą, więc ślęczę nad korektą całą noc, po czym pierwsze, co o was słyszę, to to, że spędziliście tę noc pogrążeni w rozkosznym śnie gdzieś na jakiejś prywatnej plaży na Bermudach). Ale gdy nikt nie ma nic do roboty, to najlepiej krzyczeć: „Szybko, szybko, szybko!"
>
> Otóż ja mogę przejrzeć te szczotki, ale bynajmniej nie muszę. Ja mogę wyrazić swoją opinię na ich temat, ale nie jestem do tego zobowiązany. Bo może mi się akurat teraz na przykład zachce przystrzyc mój trawnik za domem. Bo może moje begonie czekają, żeby je zasadzić, może parę moich róż tęskni za jakimś prysznicem, a poza tym mamy nowy zestaw kuchenny, który zabiera mi masę czasu.

> Tak czy inaczej, cóż, wszystkiego najlepszego, jeśli chodzi o pańską obwolutę. Co do mnie, to mam nadzieję, że książka świetnie się sprzeda[53].

Wydawca pokazał ten list Mortonowi, który uznał go za osobistą obrazę; w rezultacie tego incydentu korespondencja między nim a Chandlerem zamarła.

Pomijając to wszystko, Chandler nigdy nie pogodził się z myślą, iż Cissy nie wróci już do zdrowia. Swanson zapamiętał, że dostała ona od niego w prezencie samochód, którego nigdy już nie będzie jej dane prowadzić; że przeprowadzając się do La Jolla, powodowany tą samą optymistyczną niewiarą, kupił jej fortepian, na którym tylko z najwyższym trudem udawało się jej zagrać; że wreszcie u schyłku lata pięćdziesiątego pierwszego roku zabrał ją na wakacje oferowane przez „ranczo dla frajerów", zorganizowane w pobliżu, w dolinie na północ od Santa Barbara. „Takie miejsce, gdzie zwykli urzędnicy mogą paradować w kowbojskich butach. [...] Obojgu nam zdało się ono równie zabawne, co dojmująco nudne"[54].

I oto latem pięćdziesiątego drugiego roku, ukończywszy pierwszy brulion nowego Marlowe'a, Chandler postanawia zrealizować swoje wielkie marzenie.

Zamierza mianowicie udać się wraz z Cissy na wyprawę do Anglii.

PRZYPISY

[1] List do Alexa Barrisa, 18.03.1949; Bodleian, Chandler files.

[2] Z wywiadu przeprowadzonego z autorem przez Neila Morgana w sierpniu 1994.

[3] Ibid.

[4] UCLA Special Collections, Chandler.

[5] List do Jamesa Sandoe, 10.08.1947; UCLA Special Collections, Chandler.

[6] „Chimera", „A Special Issue on Detective Fiction", Volume V, No 4, lato 1947.

[7] List do Charlesa Mortona, 7.01.1947; Bodleian, Chandler files.

[8] W liście do Hamisha Hamiltona Chandler dodaje:

> Pisarz, który akceptuje pewną formułę i pracuje w jej ramach, nie bardziej staje się pisarzyną niż Szekspir, ponieważ aby utrzymać swoją widownię, musiał on wkładać w swe utwory trochę przemocy i trochę płaskiej komedii.
> (List do Hamisha Hamiltona, 28.09.1950; Bodleian, Chandler files).

[9] List do Hamisha Hamiltona, 17.06.1949; Bodleian, Chandler files.

[10] List do Hamisha Hamiltona, 4.12.1949; Bodleian, Chandler files.

[11] William Menard, „Raymond Chandler and Somerset Maugham"; „San Diego Magazine", December 1986.

[12] Ibid.

[13] List do Hamisha Hamiltona, 5.01.1949; Bodleian, Chandler files.

[14] Informacja na temat radiowego serialu z Marlowe'em zawarta jest w zbiorze dokumentów na temat Chandlera w UCLA.

[15] Jak już zostało powiedziane wyżej, w czasie pisania tej książki papiery zachowane w zbiorach Juanity Messick zostały wystawione na aukcjach zorganizowanych przez kilku amerykańskich miłośników rzadkich książek.

[16] List do E.S. Gardnera, 29.01.1946; UCLA Special Collections, Chandler.

[17] Raymond Chandler, „Długie pożegnanie"; op. cit.

[18] List do Paula Brooksa, prezesa Houghton Mifflin, 28.11.1957; UCLA Special Collections, Chandler.

[19] List do Jamesa Foxa, 16.02.1954. Fox był autorem kryminałów; jego korespondencja z Chandlerem została opublikowana

w 1978 roku, w ograniczonym wydaniu, przez wydawnictwo Neville & Yellin, Santa Barbara, California.

[20] List do Charlesa Mortona, 19.03.1945; Bodleian, Chandler files.

[21] Z wywiadu przeprowadzonego przez autora z Albertem Hernandezem w sierpniu 1994.

[22] Kelnerka ta była żoną Hernandeza. La Plaza została przekształcona na kościół metodystów.

[23] Juanita Messick, która została sekretarką Chandlera w roku 1940, tak właśnie opisała Cissy w artykule dla pewnego magazynu, opublikowanym 18.03.1982 pod tytułem „Tu spał Raymond Chandler"; Neil Morgan's Chandler files, „San Diego Tribune".

[24] List do Jamesa Foxa, 18.01.1954 (patrz: przypis 19).

[25] List do Dale'a Warrena, 7.01.1945; UCLA Special Collections, Chandler.

[26] List do Jamesa Sandoe, 27.01.1948; UCLA Special Collections, Chandler.

[27] List do Hamisha Hamiltona, 5.10.1951; Bodleian, Chandler files.

[28] List do Hamisha Hamiltona (data nieznana); Bodleian, Chandler files.

[29] Raymond Chandler, „Skromna sztuka..." w „Mówi Chandler"; op. cit.

[30] Inne artykuły napisane przez Chandlera dla „Atlantic Monthly", to: „Writers in Hollywood" (listopad 1945); „Oscar Night in Hollywood" (marzec 1948) oraz „Ten Per Cent of Your Life" (luty 1952). Wszystkie trzy stanowiły odbicie refleksji Chandlera na temat pisarstwa detektywistycznego, które odnotowywał on w swych listach.

[31] List do Jamesa Sandoe, 19.11.1949; UCLA Special Collections.

[32] List do H.F. Hose'a (który uczył Chandlera greki i łaciny w Dulwich), luty 1951; Bodleian, Chandler files.

[33] List do Hamisha Hamiltona, 22.04.1949; Bodleian, Chandler files.

[34] Chandler napisał niegdyś parodię nekrologu typu pisarzy, których uważał za śmiesznych:

> Popełnił samobójstwo w wieku trzydziestu trzech lat w Greenwich Village, za pomocą dmuchawki amazońskich Indian. Jest autorem dwóch powieści zatytułowanych „Jeszcze raz blizna" oraz „Morskie rybitwy nie mają przyjaciół", a także dwóch zbiorów poezji: „Hydrauliczne popra-

wianie twarzy" i „Kocia sierść w kremie śmietankowym", jak również zbioru opowiadań pod tytułem „Dwadzieścia cali małpy", a wreszcie zbioru esejów krytycznych „Szekspir w gaworzeniu dziecięcym". (Bodleian, Chandler files).

[35] W jednym ze swoich notesów Chandler zachował fragment książki zatytułowanej „Ci, którzy stąpają dumnie":

W maju wyruszyliśmy z obozu górniczego Houndshell do naszego rodzinnego domu, który ojciec zbudował nad Shoal Creek, i pamiętam zapach kwitnących dzikich winorośli oraz chłód wiosennego powietrza. Fern, Lark i ja pobiegliśmy przed furgonem, płosząc wodne drozdy i pokrzykując na naszą wynędzniałą mulicę. Łamaliśmy ogórkowe gałązki, aby machać nimi do niemowlęcia i chcieliśmy je zawołać, ale ono nie miało imienia.

„Co w tym jest takiego – napisał Chandler do samego siebie pod tym urywkiem – co mnie napawa najwyższym niesmakiem? Czy to udawanie natury, czy też to, że zarysowane w tym podejście do śmierci nie może się wydać uczciwe? Czy to ta kadencja zdań, powściągliwość, wszystkie słowa, pseudoprostota myśli i tak dalej, co w sumie sugeruje umysłowość albo zbyt naiwną, albo nie do zniesienia sztuczną, a może to coś z imitacji czegoś, co kiedyś mogło być dobre? Cokolwiek to jest, to śmierdzi".

Notebooks; Bodleian, Chandler files.

[36] List do Charlesa Mortona (data nieznana); Bodleian, Chandler files.

[37] List do Charlesa Mortona, 2.06.1949; Bodleian, Chandler files.

[38] List do Jamesa Sandoe, 14.10.1949; UCLA Special Collections, Chandler.

[39] List do Hamisha Hamiltona, 19.08.1948; Bodleian, Chandler files.

[40] Raymond Chandler, „Siostrzyczka"; op. cit.

[41] Ibid.

[42] Pierwsze niemieckie przekłady Marlowe'a miały się ukazać w 1950 roku.

[43] „Nie muszę mówić, że sprawiło mi wielką przyjemność czytanie tego, co pan napisał, i dziękuję panu więcej niż bardzo za honor, jaki mi pan uczynił, pisząc z taką dbałością o gatunku literackim, który jest często oceniany jako niewiele znaczący. [...] Pański podziw dla Agaty Christie znajduję nieco trudnym do przełknięcia. Byłoby w bardzo złym guście, gdybym potępiał jej książki bez żadnej po-

ważnej podstawy, tylko dlatego, że ja osobiście nie znajduję w nich nic interesującego, ale idea, jakoby pani Christie myliła tropy swoim czytelnikom, nie oszukując ich jednocześnie, wydaje mi się prawie niemożliwa do uwierzenia. Czyż nie jest tak, że jej niespodzianki polegają na niszczeniu portretu jakiejś postaci powieści, który przedtem malowała w kolorach całkowicie przeciwstawnych do tych, w jakich maluje portret końcowy?"

List do Roberta Campigny'ego, 7.02.1958; Bodleian, Chandler files.

[44] List do H.N. Swansona, 9.07.1951; UCLA Special Collections, Chandler.

[45] List do Charlesa Mortona, 22.11.1950; Bodleian, Chandler files.

[46] Stan finansów Chandlera uległ dalszej poprawie, gdy w 1950 roku Houghton Mifflin wydał antologię jego opowiadań pisanych niegdyś dla „Czarnej Maski", poprzedzoną jego esejem na temat beletrystyki kryminalnej zamieszczonym w „Atlantic Monthly" w czterdziestym czwartym roku i zatytułowanym „The Simple Art of Murder" (w cytowanym wyżej zbiorze „Mówi Chandler").

[47] List do Hamisha Hamiltona, 4.09.1950; Bodleian, Chandler files.

[48] A oto sumy, jakie wpłynęły na konto Chandlera do stycznia 1950 roku włącznie z tytułu tantiem od sprzedanych powieści (dwie pierwsze sumy to liczba sprzedanych egzemplarzy, trzecia – to wpływy w dolarach USA):

USA i KANADA
Twarde okładki 68 933; przedruki 3 515 658; $56 355
WIELKA BRYTANIA
Twarde okładki 65 000; tanie wydania 39 580, Penguin 265 601; $17 567
W INNYCH KRAJACH
Łączna ilość 257 436; $14 471

[49] List do Dale'a Warrena (data nieznana); Bodleian, Chandler files.

[50] Chandler wykorzysta drogę na lotnisko w Tijuanie w „Długim pożegnaniu", gdy Marlowe zabiera tam Terry'ego Lennoxa z Los Angeles.

[51] List do Edgara Cartera, 13.12.1951; Bodleian, Chandler files.

[52] List do Hamisha Hamiltona, 27.12.1951; Bodleian, Chandler files.

[53] Bodleian, Chandler files.

[54] List do Hamisha Hamiltona, wrzesień 1951; Bodleian, Chandler files.

Rozdział 7

Długie pożegnanie

Bała się, że Chandler całkowicie utraci grunt pod nogami.
(George Cukor po rozmowie z Cissy; 1946)

Pragnieniem Chandlera od dnia ich ślubu było pokazać Cissy Anglię. Jej drugi mąż, Julian Pascal, także się tam wychowywał i dorastał, a jednak Cissy nigdy Anglii nie widziała.

Nie było mowy, by Chandler mógł się tam z nią wybrać, kiedy jeszcze pracował u Dabneya, w owych czasach bowiem sama podróż statkiem z Kalifornii do Southampton zabrałaby ponad miesiąc. Potem przez długie lata nie stać go było na jakąkolwiek podróż, a w chwili gdy ponownie zaczął zarabiać – wybuchła wojna.

Tym razem Chandler zaplanował wyprawę tak, by w drodze powrotnej z Londynu zatrzymać się w Nowym Jorku: Cissy mogłaby go oprowadzić po mieście, w którym spędziła młodość. Były to plany wielce ambitne, zważywszy na fakt, że od dwudziestego czwartego roku Chandlerowie jako małżeństwo nigdy nie przekroczyli nawet granic Kalifornii.

Przygotowania do tej, mającej charakter symboliczny, wyprawy zabierały wiele czasu, energii i nerwów. Chandler użerał się z biurami podróży, ustalając szczegóły morskiej podróży (Cissy bała się samolotów) i nieustannie prosił swych brytyjskich korespondentów, by informowali go o panującej w Londynie temperaturze i podawali mu nazwiska godnych zaufania lekarzy.

Choć mieli przybyć do Anglii w pierwszym tygodniu września, Chandler obawiał się, że dla Cissy będzie tam zbyt chłodno, toteż w bagażach znalazła się ciepła zimowa odzież. Myślał także o samej podróży statkiem, przy czym okazał się aż tak zapobiegliwy, że (krępując się zapytać o powojenne zaopatrzenie Londynu w napoje alkoholowe) na wszelki wypadek wysłał pod adresem hotelu, w którym zarezerwował apartament, skrzynię wypełnioną butelkami whisky i ginu.

W drugim tygodniu sierpnia pięćdziesiątego drugiego roku para podróżników wypłynęła z Kalifornii na pokładzie statku Guyana. Kwestia pogody, na jaką trafią w Londynie, tak bardzo ich zaabsorbowała, że Chandler zupełnie zapomniał o jakichkolwiek lekkich ubraniach dla siebie i Cissy, co uczyniło ich podróż przez Kanał Panamski i wody Karaibów nader wyczerpującą, jako że za cały przyodziewek mieli jedynie grube futra i tweedy. Chandler z myślą o Cissy starał się nie pić, a Cissy z myślą o nim starała się nie rozchorować.

Pod koniec trzeciego tygodnia krętej żeglugi, na początku września Chandlerowie zeszli na ląd w Southampton. Podróż bardzo ich wyczerpała, toteż przez pierwsze dziesięć dni, zaplanowanego na cztery tygodnie pobytu w Anglii, Cissy nie była w stanie opuścić hotelowego łóżka.

W Southampton powitał Chandlerów Hamish Hamilton, który zawiózł ich do obfitującego w wygody i wspomnienia przeszłości hotelu Connaught przy Carlos Place w dzielnicy Mayfair, gdzie czekała już skrzynia z napitkami. Pisarz ani na chwilę nie odstępował chorej Cissy i stanowczo odrzucał niemal wszystkie składane mu zaproszenia; nie wziął udziału nawet w wielkim przyjęciu, które wydał na jego cześć Hamish Hamilton.

Gdy wreszcie w drugim tygodniu pobytu w Londynie Cissy ozdrowiała na tyle, aby wyjść z hotelu, upadła, wsiadając do taksówki, co spowodowało poważne kłopoty z nogą, a w konsekwencji – zmianę planów: Chandler musiał odwołać wszystkie wyprawy poza Londyn, a przecież zamierzał zabrać Cissy w podróż rolls-royce'em dookoła Anglii.

Jakby nie dość jeszcze było pechowych wypadków, przyszło mu strawić dwa dni na poszukiwaniu lekarza, który mógłby zaszczepić Cissy przeciwko grypie; przy czym, ilekroć musiał wyjść, to nie odchodził od hotelu dalej niż na milę, a nadto jeszcze bezustannie telefonował.

Chandler z uporem trwał w przekonaniu, że podróż do Anglii podniesie Cissy na duchu, toteż gdy okazało się, że omal nie skróciła jej życia, przeżył załamanie nerwowe. Jego oddech stał się niebezpiecznie płytki, cierpiał z powodu obrzęków rąk i twarzy, które były objawem pewnego schorzenia towarzyszącego napięciu nerwowemu.

Nie znosił chorować, a przy tym zdawał sobie sprawę, że w pewnym sensie sam był winien swoim cierpieniom. Będzie później żartobliwie przepraszał za swój londyński stan zastępcę Hamiltona, Rogera Machella:

> Większość czasu spędzam teraz na podziwianiu samego siebie. Jeśli chodzi o TB, to jest znacznie lepiej, a po CA już prawie nie ma śladu. Stan jednej z moich złamanych nóg uległ poprawie i na jedno oko jeszcze widzę. Myślę, że przyjdzie mi zrezygnować z członkostwa klubu Garricka i z Kawalerii Dworskiej, a praktycznie także ze wszystkich innych rzeczy. Zresztą spokojne życie ma swoje dobre strony[1]

Chandler jadał w ekskluzywnych londyńskich restauracjach, ale nie był w nastroju, by się tym rozkoszować: „Krzątanina i nadskakiwanie jak we Francji – powiedział o Café Royal – ale nic z francuskiego wdzięku". Cissy była zbyt chora (on zaś zbyt przejęty jej stanem), by mogli być zadowoleni z siebie lub z uwagi, jaką im poświęcano w Londynie.

Marlowe był w teraz w Wielkiej Brytanii popularniejszy od „Świętego" Leslie Charterisa. Choć na tutejszym rynku księgarskim nie było odpowiednika amerykańskich „papkowych kieszonkowców", to począwszy od czterdziestego ósmego roku, wydawnictwo Penguin Books corocznie sięgało po kolejne powieści Chandlera, publikując je w kieszonkowych wydaniach w cenie jednego szylinga i sześciu pensów.

Cztery już wydane książki, do chwili przyjazdu autora w pięćdziesiątym drugim roku, rozeszły się w łącznej ilości pół miliona egzemplarzy, toteż wiadomości o wizycie Chandlera trafiały na pierwsze kolumny gazet. „Niekonwencjonalny Mr Chandler przybywa do miasta" – głosił tytuł, którym „Sunday Times" obwieszczał w kilka dni po wejściu Guyany do portu w Southampton przyjazd pisarza.

> Szanuje on pisarskie rzemiosło, jednak szanuje niewielu ludzi, którzy je uprawiają. („Nie bardzo lubię pisarzy. A wy? Najsympatyczniejsi pisarze, jakich znam, to pisarzyny, a lubię ich za to, że sami sobie z tego zdają sprawę"). Nie ma również przesadnego mniemania o własnej wartości: „Nie napiszę Wielkiej Amerykańskiej Powieści".
> To wszakże, co napisał i pisze w dalszym ciągu, to prężna i utrzymana w szybkim tempie amerykańska proza, z którą mogliśmy się zapoznać w jego pełnych napięcia książkach traktujących o zbrodni. Spotkały się

one z tak dużym uznaniem – a często wręcz entuzjazmem – poważnych krytyków, jakim nie może się pochwalić żaden inny twórca tego gatunku [...] jego uśmiech jest młodszy niż jego twarz, a tylko ludzie, których serca są młode, mogą nosić taki jak on krawat[2].

W planie londyńskiej wizyty przewidziane były także inne wywiady, ale Chandler uchylił się od nich, co wprawiło w zakłopotanie Hamiltona, który potraktował te odmowy jako gest wymierzony przeciwko swojej osobie. Od swych nowojorskich znajomych wiedział, że Chandler był człowiekiem nieco ekscentrycznym, toteż fałszywie zinterpretował to, co w istocie było wyrazem braku pewności siebie i zakłopotania. Podobnie jak większość amerykańskich przyjaciół pisarza, Hamilton nie wiedział, że Cissy miała już osiemdziesiąt dwa lata i była nieuleczalnie chora, myślał więc, że Chandler używa jej jedynie jako pretekstu do unikania kontaktów z ludźmi.

Mimo swych dolegliwości Cissy wciąż nie wyglądała na swoje lata, zaś jej mąż dodatkowo skomplikował całą rzecz, tłumacząc jej stan wszystkim (a także samemu sobie) zwykłym przemęczeniem. Dopiero po powrocie do Ameryki zda sobie sprawę z tego, że sprawił Hamiltonowi przykrość i przeprosi go w liście:

...co oczywiście nie stanowi wystarczającego usprawiedliwienia mego zachowania, którym zraniłem pańskie uczucia. Najserdeczniej pana niniejszym przepraszam. Co się zaś tyczy tego, jakobym ja czymś się poczuł urażony, to proszę nie używać pochopnie tego słowa w stosunku do mnie, bo po prostu, nie jestem typem człowieka, którego można obrazić. [...] Był pan uosobieniem dobroci i uprzejmości, i pewien jestem, że o wiele więcej godzin spędził pan, zamartwiając się o mnie, niż było po temu powodów. [...] Przyznaję, że czasami potrafię być irytujący, ale to zapewne bardziej wina mego wybuchowego temperamentu niż jakiejś wrodzonej złośliwości[3].

Pogodniejszym – i mniej czułym na punkcie form – nowym znajomym okazał się przyjaciel Hamiltona, F.J. Francis, który był właścicielem antykwarycznej księgarni na West Endzie, zwanej Piccadilly Books. Jeszcze przed wyjazdem do Anglii Chandler otrzymał od niego list z zaproszeniem do odwiedzenia księgarni i wspólnego wychylenia kieliszeczka. Gdy okazało się, że księgarnia znajduje się niezbyt daleko od hotelu Connaught, Chandler skorzystał z tego zaproszenia, a potem zaglądał tam niemal codziennie.

Był niewysokiego wzrostu, bardzo skromny, bardzo spokojny i miły. [...] Polubiwszy mnie, nalegał, bym się do niego zwracał po imieniu, a gdy zdarzyło mi się zapomnieć o „Rayu" i użyć formy „Panie Chandler", to okazało się to powodem jednego z jego bardzo nielicznych wybuchów złości.

Zwykł był przysiadać z boku, by przyglądać się i przysłuchiwać ludziom kupującym rzadkie książki. Ponieważ księgarnia była dość mała, znałem bardzo dobrze większość moich klientów i kiedy wychodzili, Chandler dzielił się ze mną swoimi spostrzeżeniami na ich temat. Odkryłem dzięki temu, że był bardzo wnikliwym obserwatorem i nadzwyczaj trafnie określał charaktery poszczególnych osób [...] zawsze miał przy sobie fotografię swojego kota oraz żony, i był człowiekiem absolutnie gotowym do poświęceń[4].

Niepokój o Cissy nie stłumił w pisarzu właściwej mu ciekawości wszystkiego, co go otaczało. W liście wysłanym z Londynu do swego amerykańskiego wydawcy opisał wrażenia, jakich mu dostarczyła brytyjska stolica:

Mamy dziś Angielską Niedzielę i Bóg świadkiem, że jest tak ponura, iż byłaby odpowiednim dniem, aby przekroczyć Styks. Sądziłem, że Anglia jest w stanie upadku, lecz całe to cholerne miasto zatłoczone jest rolls-royce'ami, bentleyami, daimlerami i ekskluzywnymi blondynkami. [...] Spotkałem tu:

1) Pewnego dziekana z Oxfordu, który pisuje pod pseudonimem kiepskie westerny;

2) Sekretarza, którego lunch składa się z chleba z masłem oraz czystego ginu;

3) Lokaja, który wchodzi bez pukania, gdy moja żona właśnie bierze kąpiel;

4) Wydawcę, który przyrządza najpodlejsze na świecie martini. I tak dalej[5].

Był szczerze zdumiony przyjęciem, jakie mu zgotowano w Londynie. Wszyscy chcieli go poznać, w tym również inni goście hotelowi. „W Anglii jestem Autorem – stwierdził w liście do swego bostońskiego wydawcy – w Ameryce tylko autorem kryminałów"[6].

Ciekaw był, ile się zmieniło w Londynie od czasu, gdy był tam po raz ostatni, tuż po zakończeniu pierwszej wojny. Zwrócił uwagę na „pewną agresywność przedstawicieli klasy robotniczej i absolwentów szkół niepublicznych", której nie dostrzegał w dziewiętnastym roku i która mu się spodobała; „prawdziwi zaś wychowankowie szkół publicznych, a przynajmniej wielu z nich, z ich ptasim szczebiotaniem zaczynają być nieco śmieszni"[7].

Mimo iż dalej jeździły po nim daimlery, Londyn był zupełnie innym miastem niż to, które pamiętał Chandler. Osłabiona i zbiedniała na skutek wojny, Wielka Brytania po upadku Niemiec nie była w stanie zachować w całości wielkiego Imperium. W czterdziestym siódmym roku Indie uzyskały niepodległość, a królowa Elżbieta II w swojej mowie koronacyjnej (którą wygłosiła na trzy miesiące przed przyjazdem Chandlerów) nie taiła, jak wielką oznacza to stratę[8]. Nietrudno było zauważyć, że budynki, które doznały uszkodzeń podczas wojennych bombardowań, naprawiano w latach pięćdziesiątych dość oszczędnie, jako że niegdysiejsza kolonialna kiesa państwa znacznie schudła i nie starczało środków, by zniszczonym przez Luftwaffe gmachom przywrócić dawną świetność.

Na stare tradycje nakładały się osiągnięcia świadczące o postępującej nowoczesności. W Manchesterze powstawały już prototypy pierwszych komputerów, a wkrótce, po wyjeździe Chandlerów w październiku, miały się w Australii odbyć próbne wybuchy atomowych bomb skonstruowanych w Wielkiej Brytanii. Jednakże przybyszowi z Kalifornii, najnowocześniejszego w owym czasie regionu świata, nie mogło to przesłonić prawdziwego obrazu londyńskiej rzeczywistości, choć jedyne (poza żywnością), na co się Chandler uskarżał, to przepis, który w godzinach szczytu pozwalał kierowcom taksówek skręcać w prawo z Oxford Street.

*

Od początku wojny, świadom sytuacji, w jakiej znajdował się Londyn zmagający się z niedostatkiem racjonowanej żywności, Chandler wysyłał paczki z żywnością i sokami owocowymi dla personelu wydawnictwa Hamiltona, a także dla swego dawnego nauczyciela klasyki w Dulwich.

Wysłanie tych paczek, jak i inne przedsięwzięcia podejmowane przez Chandlera, nie obyło się bez komplikacji. Ich odbiorcy zachęcani byli do zgłaszania mu listownie przypadków opóźnień lub uszkodzeń przesyłek, co pozwoliło Chandlerowi na toczenie prywatnych wojen z różnymi instytucjami w La Jolla, w Kanadzie i w Kopenhadze. Było to wysoce krępujące dla ludzi, którzy dostawali jego paczki i w żadnym razie nie chcieli uchodzić za niewdzięczników skarżących się na otrzymywane dary; nie znali jednak charakteru i temperamentu ofiarodawcy.

Była wśród nich grupa zatrudnianych przez Hamisha Hamiltona magazynierów, których większość zaliczała się do grona miłośników książek Chandlera. Jeden z nich, Arthur Vincent, wysyłał do niego dziękczynne listy.

Jasne, że napisałem do niego ze dwa albo trzy razy, no i pan Hamilton go do mnie przyprowadził, bo on chciał poznać Vince'a, wie pan, no bo teraz nikt już o nic nie dba, nie? No więc przyszedł tu i usiadł, i z początku tośmy trochę byli onieśmieleni. Aż w końcu mówię, no, tego, pan jest jedyny facet, co nam cokolwiek przysłał, a on nawet nic nie powiedział na tego „faceta". No więc tak sobie zaczęliśmy gadać...[9]

Przy każdej bytności Chandlera w biurze Hamiltona, udawał się on do magazynu, gdzie z Vincentem i jego kolegami zabawiali się rzucaniem strzałkami do tarczy.

Jednym z nielicznych formalnych zaproszeń, jakie zaakceptował podczas pobytu w Londynie, było to, które wystosował do niego Leonard Russell wraz z żoną, Dilys Powell. Oboje zajmowali się krytyką literacką na łamach gazet i już od połowy lat czterdziestych zwracali uwagę brytyjskiej publiczności na twórczość Chandlera. Oto jak pani Powell wspominała jego wizytę w ich domu:

Gdy teraz sięgam pamięcią w przeszłość, to zdaję sobie sprawę z tego, że – pomijając jego wybitny talent literacki – najbardziej podobał mi się w Raymondzie jego związek z Cissy, tą uśmiechniętą, łagodną osóbką, którą otaczał opieką i chronił. A także tworzył: jego życie opierało się bowiem na wyobrażonej przez niego wizji Cissy jako ubóstwianej istoty, której się radził, której dodawał odwagi i z której tak był dumny. Marlowe był wyimaginowanym obrazem samego Chandlera, twardego i śmiałego w świecie, w którym nie było Cissy. W prawdziwym świecie, w którym Cissy była, Raymond wierny był zasadom innego rodzaju rycerskości: ochraniał ją. I potrzebował jej. [...] Jakkolwiek by się zabłąkał w swym życiu, to w niej miał zawsze stały punkt odniesienia do życiowej rzeczywistości[10].

Chandler bardzo był wdzięczny swoim gospodarzom i złożył im formalne zaproszenie „na różowy gin" w swoim hotelowym apartamencie.

Osobą, którą oboje z Cissy najbardziej polubili w Londynie, był Roger Machell z firmy Hamiltona, którego Chandler poznał uprzednio listownie i który reprezentował typ osobowości, jaki zawsze wzbudzał w nim podziw.

> Ma w sobie ten żartobliwy, ironicznie krytyczny wobec samego siebie sposób bycia, który dzięki jego cudownemu urokowi osobistemu nigdy nie zdaje się przepoetyzowany ani sztuczny. Mieszka wygodnie w swoim apartamencie w Old Albany, ma stary, zdezelowany samochód, przyrządza w półlitrowym dzbanku na wodę absolutnie fatalne martini (którego dwa kieliszki mogłyby człowieka zwalić z nóg na cały tydzień) i zabrał nas na wspaniałą wycieczkę po Londynie. [...] Bezustannie doprowadzał nas do śmiechu, ale w najmniejszej mierze nie stara się być komiczny. Twierdzę, że ktoś, kto potrafi coś takiego robić całkowicie niewinnie i w sposób absolutnie naturalny, ma w sobie odrobinę geniuszu[11].

Poznawanie ludzi całkowicie, jak Machell, pozbawionych jakiejkolwiek afektacji pogłębiało w pisarzu miłość do Anglii; uważał, że w Ameryce trudniej byłoby spotkać podobną osobę. Sposób, w jaki ludzie się zachowują, był dla niego równie ważny jak to, co udało im się osiągnąć w życiu. Mówił, że w połączeniu oryginalności z bezpretensjonalnością było coś z magii, i że owa magia nie jest wyłącznym przywilejem literatury i sztuki. Może się ona objawiać w tym, jak ktoś mówi – to zawsze się dla Chandlera liczyło – lub w postaci prawdziwego sportowca; we wszystkim, co pozostawiało w innych ludziach wrażenie jakiejś niewytłumaczalnej poświaty. Cieszyło go, że on sam, przynajmniej w pisaniu, także objawia tę zdolność.

Pewien kanadyjski dziennikarz zapytał go kiedyś, czy zdarza mu się czytać własne książki.

> Tak, i choć ryzykuję epitet egotycznego zadufka, to powiem, że cholernie mi wtedy trudno oderwać się od lektury. Mnie, który przecież wiem, co będzie dalej. Musi jednak być w pisaniu jakaś magia, choć nie przypisuję sobie w tym względzie żadnej zasługi. To się po prostu ma, tak samo jak, na przykład, ma się rude włosy[12].

Siódmego października, po czterech tygodniach, które upłynęły pod znakiem zmian i odwoływania planów, Chandlerowie odpłynęli z Southampton do Nowego Jorku na pokładzie Mauretanii („to po prostu cholerny pływający hotel"). Cissy miała teraz odwiedzić miasto swej młodości, ale okaże się, iż żadne z nich nie będzie w stanie sprostać temu zadaniu. Linia żeglugowa Cunarda zagubiła ich bagaże, nowojorscy taksówkarze zachowywali się wobec Cissy grubiańsko, a Chandler doszedł do wniosku, że przy Nowym Jorku „nawet Los Angeles wygląda na całkiem cywilizowane miasto".

Była jeszcze jedna sprawa, która go nurtowała podczas pobytu w Nowym Jorku. Przed udaniem się do Londynu wysłał swemu agentowi Carlowi Brandtowi (oraz jego asystentce, Bernice Baumgarten) pierwszy zapis swej nowej powieści, nad którą pracował od czterdziestego dziewiątego roku. Tuż przed opuszczeniem Anglii otrzymał list od Bernice, która stwierdziła, że jej zdaniem, Marlowe stał się zanadto „chrystusowaty".

Zdumiony tym listem, Chandler bezzwłocznie za pośrednictwem poczty zrezygnował z dalszych usług Brandta i jego asystentki, sam zaś zapragnął wrócić do domu, aby ponownie przeczytać swoją książkę. Spędzili z Cissy cztery noce w hotelu Hampshire House na Manhattanie, przez cały czas unikając jakichkolwiek spotkań (jedyny wyjątek stanowił Ralph „Red" Barrow, stary kumpel z branży naftowej), po czym wsiedli w pociąg jadący do Kalifornii.

Znalazłszy się z powrotem w La Jolla, Chandler przystąpił do pracy nad drugim zapisem powieści, której poświęcił już trzy lata. Była niemal dwa razy obszerniejsza niż inne książki z Marlowe'em, toteż zajął się wykreślaniem sporych fragmentów i pisaniem na nowo innych.

Wysłał do Brandta i Bernice listy z przeprosinami, ale nie chciał ich ponownie zaangażować. „Moje pisarstwo – napisał do Bernice Baumgarten – wymaga pewnej barwności i humoru – właściwe słowo to werwa – a nie potrafiłaby pani sobie wyobrazić, ile wysiłku kosztowało mnie w ubiegłym roku to, by podtrzymywać w sobie choć tyle pogody, by jakoś to wszystko przeżyć, a cóż dopiero mówić o nasyceniu nią książki".

Jest jeszcze jeden list, który potwierdza nastrój, w jakim znajdował się Chandler, pracując nad tą książką. Stawał w nim w obronie Hemingwaya, którego najnowsza powieść „Za rzekę, w cień drzew" była właśnie mocno krytykowana.

> Najwyraźniej Hemingway był bardzo chory, gdy pisał tę książkę, i nie miał nawet pewności, czy uda mu się wyzdrowieć, toteż dość pośpiesznie przelewał na papier swoje uczucia, starając się ukazać wpływ, jaki wywierała choroba na jego sposób widzenia tych rzeczy i spraw tego świata, którym przypisywał największą wartość. Przypuszczam, że te wystro-

jone faceciki, zwące się krytykami, uważają, że nie powinien był w ogóle pisać tej książki. I większość mężczyzn tak by właśnie postąpiła. Gdyby się czuli, tak jak on się czuł, to nie znaleźliby w sobie ikry, by cokolwiek napisać. [...] Na tym właśnie polega różnica pomiędzy mistrzem a zwykłym miotaczem noży. Mistrz mógł utracić swoją biegłość na jakiś czas lub na zawsze, nie może być tego pewny. Lecz skoro nie może rzucić nożem, to postanawia rzucić sercem. Coś więc jednak rzuca, a nie – po prostu odchodzi, żeby sobie popłakać[13].

Brytyjski krytyk Cyril Connolly wyraził opinię, iż Hemingway powinien na pół roku zaniechać pisania. Chandler stwierdził na to: „To, co pisze Hemingway, nie może być pisane przez emocjonalnego trupa. To, co pisze Connolly – może, i jest nawet miejscami przekonywające. Bywa zgoła bardzo dobre, ale nie trzeba być żywym, aby tak pisać".

Fragmenty, które Chandler wykreślał z nie mającej jeszcze tytułu powieści, to w większości myśli Marlowe'a. „Nie chciałem być członkiem rasy ludzkiej" czy „nie wystarczy być miłym" stanowią typowe przykłady jego skreśleń. Ofiarą ołówka padały także i nieco dłuższe sentencje detektywa: „Gliniarza nie można zabić, bo na jego miejsce stanie setka innych gliniarzy, którzy będą robili to samo i tak samo. Nie starczy kul, żeby zabić policjanta"; „Historię tworzą faceci, którzy marnie skończyli, i historia to ich requiem"; „Dostojni głupcy, którzy wszystko umieją wyjaśnić, ale nie wiedzą nic". To z pewnością w takich właśnie zdaniach pobrzmiewał ów biblijny ton, na który zwróciła uwagę Bernice Baumgarten; ton, który zresztą da się słyszeć także w tym, co się oparło skreślaniu.

Wiosną pięćdziesiątego trzeciego roku, gdy Chandler zbliżał się ku końcowi pracy nad książką, stan Cissy uległ pogorszeniu; pozbawiło go to apetytu, na skutek czego schudł tak bardzo, że w pasku od spodni musiał wywiercić dwie nowe dziurki.

Sypiał nie w swoim łóżku, lecz na kanapie w pobliżu drzwi sypialni Cissy, by w nocy usłyszeć każde jej wołanie; z tego samego powodu nie pił. Był tak zmęczony, że w ostatecznej wersji książki uszło jego uwagi kilka drobnych niekonsekwencji w przebiegu akcji, zwłaszcza pozostawienie śladów pewnej teczki ze świńskiej skóry, która w pierwszej wersji odgrywała ważną rolę, ale została w procesie skracania wyeliminowana; inny przykład tej nieuwagi autora, to fakt, że włosy jednej z postaci zmieniają kolor: były blond, a stają się ciemne.

Pozbywszy się agenta, Chandler przesłał maszynopisy bezpośrednio do Hamisha Hamiltona w Londynie i do Houghtona Mifflina w Bostonie. Roger Machell poświęcił na przeczytanie londyńskiego egzemplarza całą noc; obaj z Hamiltonem martwili się bardzo, czy powieść kiedykolwiek zostanie ukończona, gdyż od ponad trzech lat nie otrzymali żadnego nowego jej fragmentu. Spotkanie z autorem bynajmniej nie rozwiało ich obaw, toteż maszynopis zarazem zdumiał ich i ucieszył, gdyż powieść uznali za bardzo dobrą. „Parę zdań może brytyjskiego czytelnika wprawić w niejakie zdumienie, ale to nawet lepiej", napisał Machell w liście do Chandlera.

> Musiałem zajrzeć do „American College Dictionary", by zrozumieć, że kiedy ktoś wymiotuje na *lunai*, to znaczy, że korzysta z hawajskiej werandy, a nie wszyscy tu mają pod ręką ten słownik. Ale też z drugiej strony nie wszyscy mają hawajskie werandy[14].

Powieść, która teraz nosi tytuł „Długie pożegnanie"[15], zaczyna się od tego, że Marlowe znajduje pod pewnym nocnym klubem w Los Angeles pijanego i nieprzytomnego mężczyznę. Gdy ogarnięta niesmakiem żona Terry'ego Lennoxa odjeżdża, pozostawiając go w rynsztoku, Marlowe postanawia go odwieźć z powrotem do miasta. Przyrządza mu kawę i daje pieniądze na taksówkę.

Mniej więcej po tygodniu trzeźwy i elegancki Lennox przybywa do biura detektywa, aby mu zwrócić pieniądze. Udają się razem do baru na drinka, przypadają sobie do gustu i od tej pory spotykają się od czasu do czasu w tym samym barze przy szklaneczce gimleta.

Któregoś ranka Lennox zjawia się w mieszkaniu Marlowe'a z kłopotem. Musi wyjechać z kraju i prosi detektywa, by ten podwiózł go do meksykańskiej granicy. Chandler spełnia jego prośbę, nie zadając żadnych pytań, po czym w drodze powrotnej zostaje aresztowany. Dowiaduje się od policjantów, że ubiegłej nocy żona Lennoxa padła ofiarą morderstwa i jej zbiegły małżonek jest głównym podejrzanym.

Zanim Marlowe dotrze do swego biura, najpierw zostanie pobity przez policjantów, a potem wpadnie w łapy przyjaciół Lennoxa, którzy najprawdopodobniej są gangsterami. W biurze zgłasza się do niego kobieta nazwiskiem Eileen Wade, która chce, by detektyw wydostał jej męża, popularnego powieściopisarza, z prywatnego sanatorium kierowanego przez pewnego szarlatana; pisarz trafił tam na kurację odwykową. Gdy Marlowe wywiązuje się z tego zadania, pani Wade ponownie go angażuje, tym razem w charakterze osobistego agenta ochrony i antyalkoholowego nadzorcy jej męża.

Detektyw godzi się na tę pracę dość niechętnie i szybko utwierdza się w niechęci do Eileen Wade, która zdaje się okazywać większe zainteresowanie osobą Lennoxa (którego zna) niż bezpieczeństwem i zdrowiem swego małżonka. Co więcej, Marlowe odkrywa, że pani Wade jest tak samo uzależniona od narkotyków, jak jej mąż od alkoholu.

A tymczasem Lennox przysyła mu z Meksyku swój samobójczy list, w którym przyznaje się do zamordowania żony.

Gdy podpieczny Marlowe'a, Roger Wade, zostaje znaleziony w swym gabinecie z kulą w głowie, wszyscy sądzą, że popełnił samobójstwo. Wszyscy, z wyjątkiem policji, która stwierdza, że Wade został zamordowany, a o dokonanie zbrodni podejrzewa chandlerowskiego detektywa. Ten jednak udowadnia im, że nie ma żadnego związku między śmiercią żony Lennoxa a samobójstwem Wade'a, jak również że on sam ani z jednym, ani z drugim nie ma nic wspólnego. Policja daje mu spokój, a za to aresztuje pewnego Gwatemalczyka, który był służącym Wade'a.

Marlowe dochodzi do wniosku, że dwa budzące wątpliwości samobójstwa w tak krótkim odstępie czasu to trochę za wiele jak na zwykły przypadek, zaczyna więc grzebać w przeszłości jedynej osoby, którą coś łączyło z obojgiem nieboszczyków: Eileen Wade. Odkrywszy, że przed wojną była ona kochanką Lennoxa, kieruje swą uwagę na zabójstwo Sylvii Lennox: jeśli bowiem nie została zamordowana przez swego męża (w co detektyw bardzo chce wierzyć), to winy i motywu tego morderstwa trzeba szukać gdzie indziej.

Marlowe udaje się do rodziny Sylvii. Jej zamożny ojciec, Harlan Potter, nie ma o niczym pojęcia, lecz jego druga córka, Linda Loring, wyjawia detektywowi, że jej siostra miała romans z Rogerem Wade'em.

Powróciwszy do biura, Marlowe przeżywa ponowne spotkanie z kumplami Lennoxa, którzy mu radzą, aby dał spokój zadawaniu pytań w sprawie samobójstwa Terry'ego; co jednak tylko upewnia detektywa w przekonaniu, że zaczął się zbliżać do prawdy. Postanawia więc dowiedzieć się, na czym polegały powiązania Lennoxa z gangsterami, którzy próbują go odwieść od kontynuowania dochodzenia w chwili, gdy złapał już jakiś trop.

Od samego początku znajomości z Terrym zdawał sobie sprawę z tego, że miał on za sobą ciemną przeszłość, ale nie wierzył, aby był gangsterem. Węszy więc dalej, lecz niewiele się dowiaduje poza tym, że podczas wojny Lennox służył w tym samym oddziale co dwaj ludzie, którzy teraz działali jako owi nieustępliwi przyjaciele. Uświadamia sobie zarazem, że Eileen Wade kłamała, mówiąc mu, że romans z Lennoxem nawiązała przed wojną; nie było wątpliwości, że spotkała go dużo później.

Owo ostatnie odkrycie umożliwia wreszcie detektywowi rozwiązanie zagadki: to Eileen Wade zabiła Sylvię Lennox, która odebrała jej zarówno męża, jak i kochanka. Roger Wade, domyśliwszy się, że to ona jest morderczynią, wpada w ciąg alkoholowy (a ponieważ nie w aż tak głęboki, jak by sobie tego życzyła jego małżonka, przeto staje się jej kolejną ofiarą).

Terry Lennox uciekł do Meksyku, gdyż wiedział, że Eileen zabiła Sylvię, nie chciał jednak, by poszła za to do więzienia, więc świadomie ściągnął podejrzenia na siebie.

Gdy wreszcie to długie dochodzenie dobiega końca, Marlowe wraca do swego biura. Lecz oto do drzwi puka jakiś nieznajomy mężczyzna: to Terry Lennox, który dzięki pomocy swych kumpli gangsterów poddał się w Meksyku operacji plastycznej i przebywał tam pod hiszpańskim nazwiskiem Maioranos.

Terry zaprasza go na drinka, lecz Marlowe odmawia: uważa, iż Lennox jest odpowiedzialny za śmierć Rogera Wade'a, i nie może mu wybaczyć, że postawił go w roli pionka w zabójczej grze, a był przecież jedynym w Los Angeles człowiekiem, któremu naprawdę ufał.

Terry pyta wówczas z rozpaczą:

– Jak uważasz, co powinienem był zrobić?
– Nie wiem.
– Eileen była nienormalna. Mogłaby go i tak zabić.
– Niewykluczone.
– No, rozchmurz się trochę. Chodźmy na drinka do jakiegoś chłodnego, cichego baru.
– Nie mam w tej chwili czasu, senior Maioranos[16].

Ta powieść, dłuższa i bardziej sercem pisana niż poprzednie książki Chandlera, różniła się jednak od nich pod innymi jeszcze, bardziej widocznymi względami.

Dotychczas Marlowe od początku zwykł był nie ufać swoim zleceniodawcom. Jego klienci rzadko mówili mu całą prawdę o tym, czego miał szukać, i najczęściej na końcu żałowali, że przyszło im do głowy zwrócić się właśnie do niego. Tymczasem już w pierwszym akapicie „Długiego pożegnania" Marlowe, natknąwszy się na leżącego w rynsztoku pijanego Lennoxa, przez nikogo nie proszony, postanawia mu przyjść z pomocą, nie wiedząc nawet, komu pomaga.

Okazuje się, że Lennox, to bohater wojenny, który przeobraził się w kalifornijskiego handlarza playboya. To równy gość: „Cokolwiek mu brakowało – mówi Marlowe – to umiał się zachować". Jako dwaj pijacy po czterdziestce, potrafiący patrzeć na samych siebie z ironicznym dystansem, Lennox i Marlowe wystarczająco wiele mieli ze sobą wspólnego, by się zaprzyjaźnić.

Detektyw znajduje bratnią duszę także w innej, dalekiej od ideału postaci powieści: Roger Wade to inteligentny mężczyzna, który „odkochał się w sobie" i zaczął pisać samobójcze pożegnalne listy. W porównaniu z tymi dwoma ludźmi, którzy się stoczyli, Marlowe sprawia wrażenie człowieka nieomal pogodnego.

Ich słabości okazują się jednak zaraźliwe. „Godzina wlokła się niczym chory karaluch – mówi w pewnej chwili Marlowe – a ja byłem jak ziarenko piasku na pustyni zapomnienia". Później z kolei wyzna, że „coś we mnie zgorzkniało", a próbując opisać swoje samopoczucie, powie: „Żadnych uczuć, oto najdoskonalsze określenie. Byłem równie pusty jak międzygwiezdna przestrzeń".

Przy całej wspólnej im desperacji, wszyscy trzej zachowali jakąś wewnętrzną spójność wobec nienawiści do samego siebie. Marlowe tak to próbuje wytłumaczyć żonie Wade'a:

> – Nie był dla mnie niegrzeczny. Mówił całkiem do rzeczy. Pani mąż jest facetem, który potrafi spojrzeć na siebie i prawidłowo ocenić to, co widzi. To rzadka umiejętność. Większość ludzi przechodzi przez życie, zużywając masę energii, by bronić godności, której nigdy nie posiadali[17].

Można by Chandlerowi zarzucić, że wprowadzając do książki postać znanego pisarza, Rogera Wade'a, zanadto zbliżył się do owej samoświadomej literatury, którą sam niegdyś atakował[18]. Jednakże dla niego Wade jest nie tyle pretekstem, by pisać o pisarstwie, ile sposobnością do pisania o sobie samym.

Roger Wade nie żyje. [...] Było w nim coś z sukinsyna, lecz może też coś z geniusza. Przerasta mnie rozstrzygnięcie tej kwestii. Był egotycznym pijakiem, który nienawidził samego siebie. Przyprawił mnie o masę kłopotów, a na koniec jeszcze o smutek z powodu swojej śmierci. Dlaczegóż, do cholery, miałbym mu współczuć?

Pożegnalny list Wade'a, to długa pijacka spowiedź. To poruszająco szczery opis człowieczego załamania, całkiem niepodobny do czegokolwiek, co Chandler napisał wcześniej:

Brak jeszcze czterech dni do pełni księżyca, a kwadratowa płachta poświaty patrzy na mnie jak wielkie, ślepe, mleczne oko – oko ze ściany. To żart, beznadziejnie głupie porównanie. Pisarstwo. Każdą rzecz trzeba porównywać z czymś innym. Głowę mam tak lekką jak bita śmietana, ale nie tak słodką. Jeszcze jedno porównanie. Zbiera mi się na wymioty, kiedy myślę o tym obrzydliwym kancie. Mógłbym zresztą zwymiotować i bez tego. I pewnie tak się stanie. Nie przyciskaj mnie. Daj mi trochę czasu. Robaki w splocie słonecznym poruszają się, poruszają, poruszają. Czułbym się lepiej w łóżku, ale wtedy pod łóżkiem zaczęłoby się kręcić i szurać to czarne zwierzę, aż wreszcie wyprężyłoby grzbiet i wybrzuszyło łóżko od spodu; wydałbym wtedy okrzyk, którego by nikt poza mną nie słyszał. Okrzyk ze snu, z koszmarnego snu. Nie ma się czego bać, i ja się nie boję, bo nie ma się czego bać, ale kiedyś właśnie tak leżałem w łóżku i to czarne zwierzę dawało mi się we znaki, uderzając w łóżko od dołu, a ja miałem wytrysk. To wywołało we mnie większe obrzydzenie niż jakakolwiek z tych obrzydliwych rzeczy, które robiłem[19].

W „Długim pożegnaniu" nawet Marlowe stał się bardziej cielesną postacią, co najwyraźniej widać w momencie, gdy omal nie ulega uwodzicielskim zabiegom naćpanej narkotykami pani Wade: „Byłem naładowany żądzą niby ogier. Traciłem panowanie nad sobą. W końcu nieczęsto zdarza się tego rodzaju zachęta ze strony takiej kobiety".

Nie przespał się także ze szwagierką Lennoxa, Lindą Loring, ale gdy rankiem wychodzi ona z jego domu, detektywa jeszcze dotkliwiej przejmuje uczucie beznadziejności: „Przyglądałem się, jak taksówka znika z mi z oczu. Potem wszedłem po schodach do sypialni, zerwałem z łóżka pościel i zasłałem je na nowo. Na jednej z poduszek znalazłem długi czarny włos. Poczułem w żołądku coś jak kawałek ołowiu".

Marlowe znów zaczyna popełniać błędy. Na końcu powieści traci swoje honorarium, a człowiek, którego próbował ochraniać, jest martwy. Został cynicznie wykorzystany przez kogoś, kogo obdarzył zaufaniem, uległ wdziękom morderczyni, a nadto rzucił niesłuszne podejrzenie na służącego Wade'a, i to głównie dlatego, że chłopak był „zmoczonym tyłkiem" (czyli nielegalnym imigrantem, który przepłynął Rio Grande). W obelgach, które go spotykają ze strony innych postaci powieści, pojawia się nowego rodzaju zjadliwość:

> Pan jest płotką. Żywi się pan okruszynami. Jest pan taki maleńki, że zobaczyć pana można tylko przez szkło powiększające. [...] Żyje pan tanimi wzruszeniami. Pan sam jest tani. Zaprzyjaźnia się pan z facetem, wypija z nim parę kieliszków, opowiada parę kawałów i podrzuca trochę forsy, kiedy jest bez grosza, no i zaraz oddaje mu pan swoją duszę. [...] Nie ma pan charakteru, inteligencji, stosunków ani sprytu, więc próbuje się pan zgrywać i oczekuje, że ludzie będą się nad panem rozczulać. Tarzan na dużym czerwonym skuterze[20].

*

Jesień pięćdziesiątego trzeciego roku Chandler spędził, oczekując na publikację swej najnowszej książki, nie zabierał się wszakże do następnej. Czas zajmowało mu opiekowanie się Cissy oraz intensywne czytanie, które odrywało od niej jego myśli w chwilach, gdy spała.

Czytał wszystko, co mu wpadło w ręce, toteż natrafił także na zyskującą sobie popularność literaturę fantastycznonaukową. Podobnie jak kryminały w latach trzydziestych, również i ten gatunek doczekał się już swojej własnej papki. Chandler tak na ten temat pisał do Swansona, z którym wciąż pozostawał w kontakcie:

> Ciekaw jestem, czy przeczytałeś już coś z tego, co nazywają science fiction. Można umrzeć ze śmiechu. To idzie mniej więcej tak: „Porozumiałem się z K9 na Aldebaranie III, po czym wyszedłem w przestrzeń przez ciasny właz mego Sirusa Hardtopa Model 22. Wrzuciwszy drugi bieg w mojej czasowyrzutni, przedzierałem się przez jasnoniebieską trawę mandy. Kosmiczny mróz ścinał wydychane przeze mnie powietrze w kształt różowych obwarzanków. Włączyłem pręty ogrzewania i Brylle szybko pobiegły na swych pięciu odnóżach, dwóch pozostałych używając do emitowania krejlonowych drgań. Ciśnienie stało się trudne do wytrzymania, ale dzięki przezroczystym błonkom mego ręcznego komputerka udało mi ustalić granicę zasięgu broni. Nacisnąłem spust. [...] Nagła jasność obróciła mną i zobaczyłem, że Czwarty Księżyc już wzeszedł. Miałem dokładnie cztery sekundy na rozgrzanie dezintegratora, a George uprzedzał mnie, że to za mało. Miał rację"[21].

Ostatecznie „Długie pożegnanie" ukazało się w Wielkiej Brytanii w listopadzie pięćdziesiątego trzeciego roku, a dwa miesiące później w Stanach Zjednoczonych. Wydanie amerykańskie opóźniło się z powodu wspomnianych tu wcześniej niekonsekwencji fabularnych przeoczonych w autorskim maszynopisie, w rodzaju teczki ze świńskiej skóry i zmiany koloru włosów, które nie zostały wykryte w porę. Wersja brytyjska do tej pory zresztą ukazuje się we wznowieniach z tymi drobnymi błędami. Mimo to książka została w Wielkiej Brytanii uznana za najlepsze z dotychczasowych dzieł Chandlera. Za typową dla takiej oceny uznać można recenzję „Sunday Timesa" z dwudziestego dziewiątego listopada:

> Pan Raymond Chandler, którego wcześniejsze utwory zostały wedle powierzchownych kryteriów przypisane do gatunku spopularyzowanego przez Dashiella Hammetta, stał się w ostatnich latach przedmiotem zgoła ekstatycznego uwielbienia. [...] Podstawowy kanon amerykańskiej prozy kryminalnej, będący zasługą jego poprzedników – przybrał pod jego piórem kształt bardzo osobistej wizji świata, który przypomina dżunglę, rządzącą się prawami narzuconymi przez raketerów i bogatych megalomaniaków, i w którym zdrada i przemoc stanowią normę, wyjątkiem zaś bywa uczciwość, uosobiona w postaci jego prywatnego detektywa, Philipa Marlowe'a. „Długie pożegnanie" nie rozczaruje jego wielbicieli[22].

Brytyjski powieściopisarz Anthony Burgess wyzna z kolei, że nie rozumie, jak to możliwe, by oceniano literaturę amerykańską, pozostawiając poza obrębem krytycznego zainteresowania „Długie pożegnanie". Uznawszy widać, że pochwały te są w jakiejś mierze uzasadnione, niemal wszystkie amerykańskie media poświęciły publikacji książki wiele uwagi. „Time" pisał o „chropawym autentyzmie" chandlerowskiego świata, „New York Times" wręcz nazwał książkę „arcydziełem", zaś wpływowy krytyk magazynu „Harper's", Bernard DeVoto, który niegdyś znęcał się nad szkołą „Czarnej Maski", stwierdził, że powieść ta „budzi grozę".

Nawet „Saturday Review", który od lat dwudziestych niemal całkowicie ignorował literaturę kryminalną, nie omieszkał teraz poinformować swych intelektualnie wyrafinowanych czytelników, że coś takiego istnieje, stwierdzając przy tym, iż powieść detektywistyczna w niczym nie zagraża prozie intelektualnej, a nawet winna być traktowana jako jej integralna część.

W poświęconym tej kwestii artykule zatytułowanym „Kosmiczne spojrzenie na prywatnego detektywa" można było przeczytać, że „proza detektywistyczna, odbierana najczęściej jako czysta rozrywka, jest w rzeczywistości zdumiewająco dokładnym zwierciadłem, w którym odbija się nowoczesny człowiek w trakcie przewartościowywania swej oceny życia i społeczeństwa"[23].

Doszło do tego, że nawet większość autorów kryminałów wyrażała teraz podziw dla Chandlera. Jeden z nich, William Gault, przeczytawszy świeżo wydane „Długie pożegnanie", przesłał autorowi wyrazy swego zachwytu: „Bardzo niewielu spośród nas zasługiwałoby na prawo do korzystania z pańskiego wejścia dla dostawców"[24].

*

Dwunastego grudnia 1954 roku Cissy zmarła w klinice Scrippsa w La Jolla. Według świadectwa zgonu miała osiemdziesiąt cztery lata, a zmarła na zwłóknienie tkanki płucnej.

Ostatnie miesiące życia żony upłynęły Chandlerowi na bezustannej obecności w pobliżu jej łóżku; przywoził do szpitala przyrządzone w domu posiłki, które sam jej podawał do ust pod namiotem tlenowym.

> Do samego końca opierała się śmierci. Jej ciało stawało do setek przegranych bitew, z których każda mogła dla większości z nas być tą ostatnią. Dwa razy zabierałem ją z kliniki do domu, gdyż nienawidziła szpitali, i wraz z pielęgniarkami, które zmieniały się przez całą dobę, czuwałem przy jej łóżku. Musiałem jednak odwozić ją z powrotem do kliniki. I obawiam się, że do końca mi tego nie wybaczyła. Gdy jednak po raz ostatni zamknęła oczy, wyglądała jak ktoś bardzo młody. [...] Oczywiście, że nie stało się to nagle, bo przecież od dawna ku temu to wszystko zmierzało, i że już przedtem wiele, wiele razy żegnałem się z moją Cissy pośród ciemnej i zimnej nocy[25].

Cissy zmarła osiem tygodni przed trzydziestą pierwszą rocznicą ich ślubu, która przypadała na szósty lutego. Tych osiem tygodni Chandler spędził na samotnym upijaniu się. Następnie zrobił to, co zwykł był robić z okazji każdej poprzedniej rocznicy: zapełnił cały dom bukietami róż.

Zaprosił do siebie na szampana jednego z sąsiadów gdyż – jak wyjaśnił – właśnie tak spędziliby ten wieczór z Cissy. Powiedział mu: „Jestem diabelnie załamany". A odpowiadając na listy z kondolencjami, pisał:

Gdy była młodsza, zdarzały się jej nagłe, choć krótkotrwałe przypływy gniewu, podczas których potrafiła rzucać we mnie poduszkami. A ja się tylko śmiałem. Lubiłem to w niej. Była niesłychanie waleczna. Gdy tylko stanęła wobec perspektywy jakiejś nieprzyjemnej sceny, co w tamtych czasach często się nam wszystkim przydarzało, to bez wahania w nią wkraczała, ani chwili nie tracąc na to, by rzecz przedtem przemyśleć. I za każdym razem wychodziła z tego zwycięsko, lecz nie dlatego, że w sprzyjającym momencie potrafiła użyć swego uroku, ale dlatego, że nieodparcie oczarowywała ludzi, sama o tym nie wiedząc ani nie dbając o to. [...]
Przez cały czas leżała pod namiotem tlenowym, ale wciąż odchylała go, by móc mnie trzymać za rękę. [...] Pewnego razu zapytała mnie, gdzie jesteśmy, w jakim mieszkamy mieście, a potem poprosiła, żebym jej opisał nasz dom. [...]
Wkrótce po południu dwunastego grudnia, to była niedziela, wezwała mnie pielęgniarka, mówiąc, że z Cissy jest bardzo źle, co jak na pielęgniarkę było stwierdzeniem niezwykle drastycznym. [...] Gdy tam wszedłem, usunęli namiot i zobaczyłem ją nieruchomą, z na wpół tylko otwartymi oczyma. Myślę, że już była martwa. Kolejny lekarz przyłożył stetoskop do jej piersi i wsłuchał się w serce. Po chwili odsunął się i skinął ku mnie głową. Zamknąłem jej powieki, ucałowałem ją i wyszedłem. [...]
Śpię teraz w jej pokoju. Najpierw wydawało mi się, że nie potrafię się na to zdobyć, ale potem pomyślałem sobie, że jeśli jej sypialnia pozostanie pusta, to stanie się po prostu pokojem duchów i przechodząc obok jej drzwi, za każdym razem będę przeżywał jakieś koszmary, i że jedyne wyjście, to przekroczyć próg, wypełnić ten pokój moimi gratami i stworzyć tam taki sam bałagan, w jakim przywykłem żyć. [...]
Zewsząd jestem otoczony jej ubraniami, a przecież wszystkie wiszą w szafach albo poukładane są w szufladach. [...]
Przez trzydzieści lat, dziesięć miesięcy i cztery dni była światłem mego życia, wszystkim, na czym mi w tym życiu zależało. Cokolwiek bym robił, zawsze było to po prostu podtrzymywanie ognia, przy którym mogła sobie ogrzać ręce. To wszystko, co mogłem teraz powiedzieć. Była muzyką, ledwie jeszcze słyszalną na samej krawędzi dźwięku[26].

Po tej rocznicy ślubu z Cissy, Chandler doszedł do wniosku, że nie będzie w stanie dalej mieszkać w La Jolla i zakomunikował Morganowi, że przenosi się do Anglii, choć równocześnie przemyśliwał nad udaniem się do Francji, na Daleki Wschód lub do Nowej Anglii. Snuł plany, które nie miały żadnego określonego celu. Los Angeles, ten „neonowy slums", w którym spędził większą część swego życia, nie wchodziło już w grę, a cała jego wiedza o współczesnym Londynie ograniczała się do niefortunnych doświadczeń z krótkich wakacji, które tam spędził.

Dwudziestego drugiego lutego pięćdziesiątego piątego roku o trzeciej trzydzieści nad ranem, dziesięć tygodni po śmierci Cissy, Chandler zatelefonował na posterunek policji w La Jolla z wiadomością, że postanowił się zastrzelić.

Pił niepowstrzymanie już od śniadania. Była z nim w domu jego była sekretarka Juanita Messick, która od śmierci Cissy stale nad nim czuwała. Gdy za dziesięć czwarta przybyła policja, Juanita wyszła przed dom, aby przeprosić załogi aż trzech naraz radiowozów: pisarz był dobrym znajomym tamtejszych stróżów porządku.

Wróciwszy do domu, Juanita w pierwszej chwili nie mogła znaleźć Chandlera. Potem z łazienki dobiegł ją odgłos wystrzału, po którym wydało się jej, że usłyszała następny. Wybiegła z powrotem przed dom, zatrzymując policjantów.

Znaleźli go w łazience: jak upadł, tak leżał na kamiennej posadzce, usiłując bezskutecznie wetknąć sobie do ust lufę pistoletu kalibru .38. Okazało się, że pierwszy strzał padł całkiem przypadkowo, w chwili gdy Chandler przewrócił się, próbując wejść pod prysznic.

Eksplozja wydała mi się bardzo słaba – powie potem. To się potwierdziło, kiedy za drugim razem pistolet („ten interes") w ogóle nie wystrzelił. Naboje miały już jakieś pięć lat i pewnie w tym klimacie ładunki się zawilgociły.

To, co Juanita Messick wzięła za drugą eksplozję, okazało się odgłosem rykoszetu: pierwszy pocisk kilkakrotnie odbił się od ścian kabiny prysznicowej, cudem zresztą omijając Chandlera.

Funkcjonariusz, który jako pierwszy wbiegł do łazienki, poprosił go o oddanie broni, co pisarz uczynił. Policjanci odwieźli go wówczas do szpitala okręgowego w San Diego, gdzie został umieszczony na oddziale psychiatrycznym; spędził tam całą noc w odizolowanej celi.

Wchodząc pod prysznic, na skutek nagle skumulowanego działania wypitego alkoholu Chandler wpadł w „czarną dziurę" i nie zachował najmniejszego wspomnienia z przybycia policjantów; tego rodzaju zaniki pamięci już przedtem często mu się zdarzały w okresach intensywnego picia, zwłaszcza za dabneyowskich czasów.

Nigdy nie udało się wyjaśnić najważniejszej w tym wszystkim sprawy: czy mianowicie świadomie po raz drugi nacisnął on spust, żeby „ten interes" wypalił; jest bowiem niemal całkowicie pewne, że on sam nie znał swych zamiarów ani przed, ani w czasie, ani po owym nieudanym zamachu na własne życie.

Bezpośrednio po przeprowadzeniu dochodzenia policja w La Jolla odmówiła ujawnienia sporządzonego w tej sprawie raportu[27], a gdy go wreszcie podano do wiadomości publicznej, to okazało się, że dwudziestego drugiego lutego policjanci z La Jolla bynajmniej nie po raz pierwszy po śmierci Cissy zaalarmowani zostali zapowiedzią samobójstwa ze strony pisarza. „Chandler bardzo dramatyzował śmierć swojej żony", stwierdzono w tym raporcie, „a motywy, jakie nim powodowały, były w jakimś stopniu wynikiem intensywności, z jaką funkcjonowała jego wyobraźnia". Raport ujawnił również, że sierżantowi, który jako pierwszy wkroczył na miejsce wypadku, już przedtem udawało się skutecznie wyperswadować mu samobójcze zamiary.

Sam Chandler powiedział o tym incydencie: Nie mam najmniejszego pojęcia, czy naprawdę chciałem z tym skończyć.

Nie ulega wątpliwości, że myślał o samobójstwie już od chwili, gdy zdał sobie sprawę z nieuchronności śmierci Cissy, i nawet w „Długim pożegnaniu" można wypatrzyć kilka odnoszących się do tego aluzji.

Zarówno Terry Lennox, jak i Roger Wade piszą pożegnalne samobójcze listy. Ten napisany przez Lennoxa zaadresowany został do Marlowe'a:

> Kiedy się to zdarza człowiekowi, kiedy pozostaje ci jedynie rewolwer w kieszeni, kiedy jesteś osaczony w małym, brudnym hoteliku w obcym kraju i zostaje tylko jedna droga przed tobą – wierz mi, przyjacielu, nie ma w tym nic wzniosłego ani dramatycznego. Jest to obrzydliwe i poniżające[28].

Rogera Wade'a Chandler przedstawił jako człowieka, który zamierza popełnić samobójstwo, lecz nie starcza mu na nie odwagi. „Nikomu nic się nie stało – mówi bez przekonania Wade do Marlowe'a, odłożywszy broń. – Ot, po prostu przypadkowy strzał w sufit". Detektyw jednak nie ma najmniejszego zamiaru słuchać takiego gadania: „Pan się po prostu pławił w oceanie żalu nad samym sobą. (...) Wystrzelił pan pocisk, który nigdzie nie był wymierzony".

Następnego ranka, dwudziestego trzeciego lutego, Neil Morgan przeczytał w „San Diego Union" o nieudanej próbie samobójstwa Chandlera. Notatka zawierała krótki opis całego wydarzenia, a towarzyszyło jej zdjęcie pisarza oraz nagłówek: „Raymond Chandler – dwa spudłowane strzały".

Morgan pojechał do szpitala i wymógł na lekarzach, by pozwolili mu zabrać pisarza i zawieźć go do sanatorium Chula Vista, prywatnej kliniki w pobliżu granicy z Meksykiem.

Zarządca szpitala ruchem ręki zaprosił mnie do swego biura, gdzie wyjaśniłem, że jestem znajomym Chandlera. Przegarnął karty przyjęć z nocnej zmiany i zagwizdał; wiedział, kim jest Chandler. Czytał, potem wstał, otworzył białe stalowe drzwi i dał mi znak, żebym szedł za nim. To stary szpital [...] śmierdziało w nim wymiocinami, a oczy wpatrujące się we mnie zza solidnych drucianych siatek przypominały spojrzenia zamkniętych w klatce zwierząt.
Pomiędzy nimi, z miną przemoczonego psiaka, który coś poważnie zbroił, stał Chandler[29].

To właśnie dzięki pobytowi w prywatnym sanatorium Chandler po raz pierwszy od śmierci żony przyszedł do siebie. Tego typu miejsca i narzucany przez nie rygor zawsze odczuwał jako osobistą zniewagę. Uwięzienie w Chula Vista sprowokowało go do odnalezienia w sobie wystarczającej dawki lekceważenia i żartobliwego dystansu wobec rzeczywistości, by odzyskać chęć życia.

Psychiatria w kalifornijskim wydaniu była jego odwiecznym wrogiem; mawiał o niej, że jest „w połowie szalbierstwem, w czterdziestu procentach papugowatą gadaniną, a w pozostałej jednej dziesiątej – z punktu widzenia zdrowego rozsądku, który ludzkość przechowała w sobie przez setki, a może zgoła tysiące lat – po prostu wymyślnym szwargotem".

Znosiłem to przez sześć dni, aż poczułem, że nabierają mnie na jakieś półobietnice. Więc oświadczyłem, że zamierzam się wypisać na własną prośbę. Totalne zamieszanie. Tak po prostu nie było przyjęte się zachowywać. Dobra, mówię. W takim razie pokażcie mi prawo, na podstawie którego mnie tu trzymacie. Takiego prawa nie było, i dobrze o tym wiedziałem. Więc w końcu dyrektor się poddał i zgodził się, żebym wyjechał stamtąd, kiedy tylko zechcę, ale poprosił, żebym przedtem wpadł do jego biura na rozmowę. Powiedziałem: dobra – nie dlatego żebym się po nim spodziewał czegoś dobrego, ale z myślą o tym, że dzięki temu moja karta chorobowa będzie lepiej się prezentowała, a ponadto, że może mógłbym mu jakoś pomóc[30].

Kiedy Morgan przyjechał, by go zabrać z sanatorium, zastał Chandlera pod ramię z dwiema pielęgniarkami, po czym usłyszał od niego, że skoro potrafi oczarować dwie śliczne kobietki, to znaczy, że „czuje się tak dobrze, jak już dawno się nie czuł".

Dziennikarz odwiózł go do domu w La Jolla. Gdy już tam zajechali, Chandler zaprosił go do środka. Przyrządził dwa drinki, po czym zadzwonił do agencji nieruchomości i polecił sprzedać dom pierwszemu chętnemu nabywcy.

„Powiedział mi, że postąpiłem tak, jak może postąpić tylko prawdziwy przyjaciel – opowiadał Morgan. – Czułem się dziwnie. Nie zdradzał żadnego zakłopotania tym, co zaszło".

W dwa tygodnie po opuszczeniu kliniki Chula Vista Chandler sprzedał dom za siedemdziesiąt pięć tysięcy dolarów i z tą chwilą – wraz z należnym mu procentem od sprzedaży jego powieści – rozporządzał gotówką, która starczała na resztę życia: na kontach rozsianych pomiędzy Bank of America i Bank of Canada, w zakupionych obligacjach rządowych i w agencjach autorskich, które ściągały należne mu od europejskich wydawców pieniądze, zebrało się w sumie około trzystu tysięcy dolarów.

Zamieszkał w pobliskim hotelu El Charro, zaniechał pisania, zwolnił sekretarkę i postanowił, że, najszybciej jak mu się uda, przeprowadzi się do Londynu. Meble z domu przy Camino de la Costa oddał na przechowanie lub po prostu rozdał, powziął bowiem stanowczą decyzję, że jeśli jeszcze kiedykolwiek znajdzie miejsce, w którym zechce osiąść na stałe, to wystarczy mu posiadanie kompletu bawełnianej pościeli.

Odczuwał jeszcze dotkliwszy brak życiowych korzeni niż w pierwszych latach swej cygańskiej młodości, przed poznaniem Cissy. Nie wiedział, na jak długo wyjedzie ani czy kiedyś jeszcze powróci do La Jolla, a przecież w Londynie nie znał prawie nikogo poza swoimi wydawcami.

Tymczasem samotność, która mu doskwierała od śmierci żony, podmywała stopniowo fundamenty z trudem odzyskanej samokontroli. Zdarzały mu się desperackie telefony w środku nocy, budzące ludzi, których znał jedynie z listów. Pił bez przerwy. „Widywałem go od czasu do czasu – mówił o tamtym okresie Morgan – gdy po jakiejś kolacji składającej się głównie z alkoholu wracał do domu, w dość przerażający sposób prowadząc swojego oldsmobile'a".

Pamiętne wydarzenia w nocy z dwudziestego drugiego na dwudziesty trzeci listopada gazety i stacje radiowe rozgłosiły na cały świat jako próbę samobójstwa. Na wieść o tym napisało do niego wielu ludzi, wśród których znalazł się, jak wyjawił sam Chandler, nawet tokijski prywatny detektyw.

Pośród tych licznych współczujących listów znalazł się także ten oto, nadesłany przez czytelniczkę z San Francisco, nazwiskiem Louise Loughner:

> Drogi Raymondzie Chandler, pan pomógł mi – wraz z Philipem Marlowe'em – przetrwać wiele bezsennych nocy i wypełnionych zmartwieniami godzin. Pozwoli mi pan wtargnąć w pańskie życie na krótką tylko chwilę, abym mogła wyrazić nadzieję, że dziś już lepiej układają się pańskie sprawy. Pokój duszy to rzecz nieosiągalna. Chciałabym jednak życzyć panu, aby mógł pan teraz samego siebie obdarzyć choć cząstką tego współczucia dla innych, które bije z każdego słowa, jakie pan kiedykolwiek napisał o zmęczonych, brudnych starcach, o dziewczynach, które zeszły na złą drogę, i o twardych chłopakach[31].

Kogoś, dla kogo zawsze listy od ludzi, których nigdy nie spotkał, stanowiły duchowy pokarm, takie słowa musiały podnosić na duchu. Na parę dni przed wyjazdem z La Jolla, tonem człowieka powracającego do zdrowia, Chandler odpowiedział pewnemu autorowi kryminałów, który napisał do niego jeden „z setki miłych listów wysłanych do mnie ze wszystkich zakątków świata":

> Sądziłem, że miałem nadzwyczajne szczęście, osiągając aż tyle we wspólnej nam dziedzinie, i proszę mi wierzyć, że gdy mówię „miałem szczęście", to nie jest to takie sobie gadanie. Talent to jeszcze nie wszystko. Historia literatury usiana jest trupami pisarzy, którzy nie z własnej winy rozminęli się ze swoim czasem bądź po prostu odrobinę wyprzedzili swoje pokolenie. Ten świat nigdy nie słyszy o swych prawdziwie wielkich; ci, których nazywa wielkimi, na tyle tylko wyrośli ponad przeciętność, by się od niej wyróżniać, lecz nie na tyle się ponad nią wznieść, aby się od niej oddalić. Proszę nigdy nie pisać niczego, co się panu samemu nie podoba, a jeśli już coś się panu spodoba, to niech pan tego nie zmienia za niczyją radą. Oni po prostu nie wiedzą[32].

W pierwszym tygodniu kwietnia pięćdziesiątego piątego roku Chandler wsiadł do pociągu jadącego z Los Angeles do Nowego Jorku, by tam wejść na pokład Mauretanii, która popłynie do Southampton.

Sam, i z nader skromnym bagażem, dwunastego kwietnia wyruszył z Nowego Jorku w kolejną podróż na drugi brzeg Atlantyku, gdzie w londyńskim hotelu Connaught czekał na niego zarezerwowany pokój.

„Był jak dziecko – powie o tej chwili Morgan. – W żadnej sprawie nie miał żadnego sprecyzowanego poglądu".

W przypadku kogoś, kto wybierał się w samotną podróż, u której celu nie czekał nań jakiś stały dach nad głową, i kto przy tym rozporządzał ponad ćwiercią miliona dolarów – był to stan ducha zgoła złowieszczy.

PRZYPISY

[1] List do Rogera Machella, 23.05.1957; Bodleian, Chandler files.

[2] „Sunday Times", 21.09.1952.

[3] List do Hamisha Hamiltona, 2.11.1952; Bodleian, Chandler files.

[4] Z transkrypcji programu Radia BBC Home Service poświęconego Chandlerowi w 1960 roku; UCLA Special Collections, Chandler.

[5] List do Paula Brooksa, 28.09.1952; Bodleian, Chandler files.

[6] Ibid.

[7] List do Williama Townenda, 11.11.1952; Bodleian, Chandler files.

[8] Minie jeszcze siedem lat, zanim „Dzień Imperium" zostanie przemianowany na „Dzień Wspólnoty Brytyjskiej".

[9] Z transkrypcji programu Radia BBC; op. cit.

[10] Z tekstu Dilys Powell „Ray i Cissy" w tomie „The World of Raymond Chandler" pod red. Miriam Gross; Weidenfeld & Nicolson 1977, s. 87.

[11] List do Dale'a Warrena, 13.11.1952; Bodleian, Chandler files.

[12] List do Alexa Barrisa, 16.04.1949; Bodleian, Chandler files.

[13] List do Charlesa Mortona, 9.10.1950; Bodleian, Chandler files.

[14] List Rogera Machella do Chandlera, 10.06.1953; Bodleian, Chandler files.

[15] Tytuł książki stał się przedmiotem pewnego sporu między autorem a wydawcą. Chandler wybrał „Summer In Idle Valley" (Lato w Dolinie Bezczynności), lecz Hamilton w Londynie sprzeciwił się temu, uważając, że tytuł ów zanadto zapowiada zagadkę kryminalną. Chandler zaproponował wówczas „Długie pożegnanie", choć początkowo uważał taki tytuł za zbytnio „pretensjonalny", lecz obaj wydawcy uznali go za dobry.

Chandler bardzo poważnie traktował tytuły. Niektóre mają w sobie coś magicznego – powiedział kiedyś Hamiltonowi – coś, co nie ma nic wspólnego ze znaczeniem słów, które się na tytuł składają. Przytoczył wówczas tytuły, które mu się ostatnio bardzo spodobały: „Czerwone buty biegną szybciej", „Śmierć po południu", „Piękni i przeklęci", „Koniec podróży", „Utracony horyzont" i „Punkt, z którego się już nie wraca".

[16] Raymond Chandler, „Długie pożegnanie"; op. cit.

[17] Ibid.

[18] W „Długim pożegnaniu" Marlowe krytycznie odnosi się do udawanego intelektualizmu, podobnie jak czynił to Chandler w swej korespondencji z lat czterdziestych. Rezydencja miliardera udekorowana jest „w najnowszym stylu symbolizmu subfallicznego". Szofer czyta T.S. Eliota: „Starzeję się, starzeję się... Będę podwijał nogawki mych spodni. Co to znaczy, panie Marlowe? To ni cholery nie znaczy. To tylko dobrze brzmi". Chandler świadom był tego, że nie powinien zanadto rozwijać tego wątku, gdyż w ustach Marlowe'a mogłoby to brzmieć całkiem niewłaściwie. „Za bardzo literackie", mówi jedna z postaci do detektywa. „W końcu jest pan tajniakiem, nie?"

[19] Chandler, „Długie pożegnanie"; op. cit.

[20] Ibid.

[21] List do H.N. Swansona, 14.03.1953; Bodleian, Chandler files.

[22] „Sunday Times", 29.11.1953.

[23] „Saturday Review", 23. 08.1953.

[24] Z korespondencji pomiędzy Williamem Gaultem a Chandlerem; UCLA Special Collections, Chandler.

[25] List do Leonarda Russella, 29.12.1954; Bodleian, Chandler files.

[26] Wyjątki z dwóch listów Chandlera po śmierci Cissy: 1) do Hamisha Hamiltona, 5.01.1955; 2) do Helgi Greene, 19.03.1955; oba listy – Bodleian, Chandler files.

[27] Gdy ogłoszono policyjny raport po śmierci Chandlera, towarzyszyła mu osobista prośba szefa lokalnej policji, aby potraktować ten raport dyskretnie, gdyż „Ray był jednym z najlepszych".

[28] Chandler, „Długie pożegnanie"; op. cit.

[29] Neil Morgan, „The Long Goodbye"; „California Magazine", czerwiec 1982.

[30] List do Rogera Machella, 5.03.1955; Bodleian, Chandler files.

[31] List od Louise Loughner, 25.02.1955; UCLA Special Collections, Chandler.

[32] List do Williama Gaulta, kwiecień 1955; Bodleian, Chandler files.

Rozdział 8

Londyn: licencja na alkohol

Całe swoje życie przeżyłem na krawędzi niczego.

(List z czerwca 1957)

W trzecim tygodniu kwietnia pięćdziesiątego piątego roku, płynąc do Anglii na pokładzie pierwszej klasy, poznał Chandler na Mauretanii panią Jessicę Tyndale. Jessica przekroczyła już czterdziestkę, pracowała jako wysokiej rangi menedżer w banku Guinness Manhattan i odznaczała się niezależnością oraz cynizmem. Roger Machell, który zamierzał powitać Chandlera w porcie Southampton, otrzymał nadany przez niego ze środka Atlantyku telegram: „Nie przyjeżdżaj. Mam kobietę z masą bagażu".

Chandler wrócił do picia na pełną skalę. Gdy zaczął rozglądać się za kimś, kto by mu zastąpił Cissy, alkohol zarazem ośmielał go i wprawiał w pomieszanie. Potrzebował towarzystwa kobiet i był wobec nich nadzwyczaj rycerski: żadnej damie nie wolno było odsunąć sobie krzesła, gdy siadała do stołu, zdjąć okrycia lub przypalić sobie papierosa, jeśli w pobliżu był Chandler, wystarczająco trzeźwy, by jej pośpieszyć z pomocą.

Wobec kobiet, które mu się podobały, nie tylko zachowywał się uprzejmie, lecz także okazywał pewną śmiałość. Szukał widowni, która by się składała z pań promieniujących urokiem, ale zarazem nowoczesnych. „Jeśli moja dykcja wzbudza niejakie podejrzenie, że czegoś się nawdychałem – pisał do Jessiki po jej powrocie do Nowego Jorku – to dlatego, że wyrwano mi dziś rano ząb i wciąż jeszcze jestem trochę ogłupiały [...] Czy już przeczytałaś »Bhowani Junction« [Johna Mastersa]? Sądzę, że powinnaś, bo to całkiem dobra rzecz, a przy tym jest tam kilka pikantnych scen, z których napisania sam byłbym dumny, choć Bóg mi świadkiem, że o wiele większą odczuwałbym dumę, gdybym je przeżył"[1].

Alkohol zawsze wpływał pobudzająco na libido Chandlera. Oba biurowe romanse, które mu się przydarzyły za czasów małżeństwa z Cissy, zaczęły się w okresie intensywnego picia: pierwszy, kiedy pracował u Dabneya – drugi w wytwórni Paramount. Była jednak i druga strona medalu. Nadmiar alkoholu może prowokować pożądanie, jak to mówi w „Makbecie" Posłaniec, lecz utrudnia jego zaspokojenie. Długotrwałe picie, zgodnym zdaniem lekarzy, przyśpiesza postępujące z wiekiem słabnięcie sprawności seksualnej. Przybywając w pięćdziesiątym piątym roku do Londynu, Chandler nie tylko pił dużo, ale i od dawna, a miał już przecież sześćdziesiąt sześć lat. Wydaje się bardziej niż prawdopodobne (zarówno z logicznego punktu widzenia, jak i opierając się na późniejszych świadectwach), że picie doprowadziło go do impotencji.

*

Zszedłszy dziewiętnastego kwietnia w porcie Southampton z pokładu statku, Chandler natychmiast znalazł się w świetle jupiterów. Od chwili gdy ukazało się „Długie pożegnanie", jego sława w Wielkiej Brytanii dorównywała sławie filmowych gwiazd. Wszędzie musiał udzielać wywiadów, do których wciąż jeszcze nie przywykł, a gazety tak często zamieszczały jego fotografie, że zaczęto go rozpoznawać w hotelach i restauracjach. Jego jaskrawe krawaty i białe rękawiczki w połączeniu z tym, co „Observer" określił jako obłędny błysk w jego oczach – sprawiły, że był bardzo łatwo rozpoznawalny. „Nie jestem szczęśliwy – napisał do swego amerykańskiego wydawcy w pięć dni po przyjeździe. – Ten cały harmider jest po prostu za bardzo dokuczliwy".

Przez pierwsze dni do hotelu Connaught bezustannie napływały (początkowo za pośrednictwem Hamiltona) oficjalne zaproszenia. Hamilton wydał na jego cześć lunch, w domu poety Stephena Spendera i jego żony Natashy odbył się uroczysty obiad; przyjęcie w porze lunchu zorganizowali też dziennikarze „Sunday Timesa" i na tym właśnie przyjęciu przedstawiono Chandlera Ianowi Flemingowi, który tak później wspominał to spotkanie:

> Był wobec mnie bardzo miły, powiedział, że spodobała mu się moja pierwsza książka, „Casino Royal", ale w gruncie rzeczy nie chciał roz-

mawiać o niczym poza śmiercią żony, o której wyrażał się z taką otwartością, że wprowadzało mnie to w zakłopotanie, ale zarazem powiększało moją do niego sympatię. Pokazał mi jej fotografię: ładna kobieta, siedząca gdzieś w słońcu[2].

Zaproszony na lunch do domu państwa Fleming, Chandler przybył tam spóźniony i w stanie pewnego pomieszania. Zdaniem Fleminga sprawiał wrażenie człowieka, który czuje się bardzo niezręcznie, i miał wyraz twarzy „jakiegoś senatora załamanego wynikami dochodzenia w sprawie skandalu w branży naftowej"; do nikogo prawie się nie odzywał.

Gdy jednak Chandler znajdował się pod wpływem alkoholu, potrafił stanąć na wysokości oczekiwań, jakie budziła bardzo sławna osobistość w gronie, które nazywał „towarzystwem z nadczynnością tarczycy". Dwa tygodnie po przybyciu do Londynu napisał z hotelu do Hamisha Hamiltona, donosząc mu, że podczas obiadu, w którym uczestniczył poprzedniego wieczora, żona George'a Orwella powiedziała mu, że „jest ulubieńcem brytyjskich intelektualistów", że „wszyscy poeci się mną zachwycali" i że „Edith Sitwell z wypiekami na twarzy czytuje w łóżku moje kawałki [...] W każdym razie wszystko to było bardzo zabawne"[3].

Wkrótce krążyły już po Londynie opowieści o Chandlerze, który brylował w restauracjach West Endu, otoczony swego rodzaju dworem: nie tylko jego współbiesiadnicy, ale i goście zasiadający przy sąsiednich stolikach wpatrywali się weń jak zaczarowani, przysłuchując się jego opowieściom.

Londyński prawnik pisarza, Michael Gilbert, jadł z nim pewnego dnia lunch w restauracji Le Jardin des Gourmets (Ogród smakoszy) w Soho. Rozmowa zeszła na zjawisko przemocy, a wówczas Chandler zaczął przy pomocy kieliszków i solniczek odgrywać ze szczegółami scenę, w której Marlowe walczy z dwoma zabójcami. Pod koniec tego pokazu, jak twierdził Gilbert, wokół ich stolika zgromadzili się już wszyscy tamtejsi kelnerzy.

Londyn oferował Chandlerowi nawet pociechę duchową. Każdy, z kim się spotykał, przekonany był, że jego nagłe depresje i nadmierne picie, to bezpośredni rezultat niedawnej śmierci żony. Nikt nie podejrzewał, że ten zgon niejako pozwolił się wyzwolić demonom, które od dawna już prześladowały pisarza, a w pierwszym rzędzie demonowi alkoholu.

Część spośród nowo poznanych ludzi uznała za swój obowiązek codzienne staranie, by go wprawiać w dobry nastrój. Zaczęło się to po jednym z pierwszych przyjęć, w których uczestniczył. Natasha Spender tak to wspominała:

> Był to bardzo przyjemny wieczór: Chandler wyglądał na zachwyconego komplementami. [...] A jednak pomimo całego tego wesołego nastroju, pomimo spontanicznych przebłysków jego wspaniale nonsensownego humoru – atmosfera była jakby nasycona długimi milczącymi zamyśleniami Chandlera i rzucanym przez niego swoistym cieniem jakiejś głębokiej desperacji. Rozmawiałam potem z Jocelyn Rickards, która także była na tym przyjęciu, i okazało się, że obie odczuwałyśmy wówczas coś w rodzaju zalęknienia, podskórnej obawy o to, czy uda mu się to wszystko przeżyć. Jocelyn uważała, że jego maniery dżentelmena nigdy by mu nie pozwoliły ulec silnym impulsom samobójczym, gdyby tylko nieodzowny w jego sytuacji związek z jakąś damą nałożył nań obowiązki związane z obracaniem się w towarzystwie innych ludzi. Postanowiłyśmy więc na zmianę prowokować go do zapraszania to jednej, to drugiej na wspólny posiłek, albo też zapraszałyśmy go na przemian do siebie; przychodziło grono zaprzyjaźnionych osób, i tak zaczęła się nasza „wahadłowa obsługa Chandlera", dzięki której starałyśmy się, aby nigdy nie przestawał on być obiektem czyjegoś zainteresowania, które subtelnie przymuszało go do niezobowiązujących kontaktów towarzyskich, a zarazem pozwalało mu w każdej ciężkiej dla niego chwili, bez względu na porę dnia i nocy, zatelefonować do którejś z nas[4].

W rezultacie tej akcji Chandler pozostawał w stałym kontakcie z trzema lub czterema, najczęściej po trzydziestce, mieszkankami Londynu, do których mógł dzwonić, kiedy tylko przyszła mu na to ochota[5]. Rewanżując się za tę troskę, zabawiał swe „opiekunki" opowiadaniem różnych historyjek, kupował im ozdoby i klejnoty oraz zapraszał do restauracji; w jednej chwili pogrążony w czarnych myślach, w następnej mógł się nagle przeobrazić w zabawnego i troskliwego dżentelmena.

Powstał jednak pewien problem: „wahadłowa obsługa" sprawiła, że Chandler zaczął się zakochiwać we wszystkich swych opiekunkach, a także niemal w każdej kobiecie, którą poznawał. Pociągały go głównie takie, w których doszukał się wrażliwości, poczucia niedowartościowania lub goryczy z powodu tego, że były źle traktowane przez swych najbliższych. Pragnienie przyjścia im z pomocą stało się dla niego tak ważne, że zbijało z tropu tych, którzy starali się go pocieszyć w żałobie. Prezenty, jakie ofiarowywał swoim nowym przyjaciółkom, bywały niekiedy tak drogie, że obdarowane od razu zwracały je do sklepu jubilerskiego Aspreya na Bond Street, gdzie Chandler otworzył sobie rachunek.

Gdy w chwilach nawrotu desperacji mówił o śmierci żony, widziało się, jak narasta w nim pełen napięcia niepokój, i dziwiło nas, że ktoś, kto poniósł tak bolesną stratę, nie jest po prostu smutny, lecz przepełniony niepokojem, jak gdyby wciąż spodziewał się jakiegoś szoku. Gdy mówił o Cissy, o jej zachowaniach, świadczących o sile ducha, i o uroku, jakim się odznaczała, biło z tych wspomnień uwielbienie, nieodparty liryzm i radość. Co do nas, to pragnął nas wszystkie uwolnić od naszych życiowych udręk i uratować, gdyż „nie było przy was nikogo, więc musiałem to zrobić ja". [...] Jego współczucie było szczere i głębokie. Zaproponował nawet [Alison Hooper], że wynajmie w Ameryce kogoś, kto odnajdzie i „załatwi" pewnego mężczyznę, który swego czasu źle się z nią obszedł. –To będzie kosztowało tysiąc dolców! – powiedział chełpliwie, dając do zrozumienia, że wystarczy, by kiwnął palcem, a mafia wkroczy do akcji[6].

Chandler potrafił zakochać się nawet w kobiecie, której nigdy nie spotkał. Wkrótce po przybyciu do Londynu zaczął się obsesyjnie interesować losem Ruth Ellis, która czekała na egzekucję za morderstwo; jej szeroko omawiana przez prasę sprawa obudziła w nim całą właściwą mu rycerskość.

Ruth Ellis była hostessą w jednym z londyńskich nocnych klubów. W kwietniu pięćdziesiątego piątego roku, przed pewnym pubem w Hampstead oddała kilka strzałów do swego kochanka, kierowcy wyścigowego, Davida Blakely, który chciał zerwać ich, jak się zdaje bardzo burzliwy i nie pozbawiony elementów przemocy, związek.

Ellis stanowiła idealny dla Chandlera obiekt miłosnych uczuć, gdyż, podobnie jak Cissy, będzie musiała umrzeć, jeśli on nie udzieli jej pomocy. Napisał więc w jej sprawie list do dziennika „Evening Standard", stwierdzając, że nie jest w stanie zrozumieć, jak cywilizowany naród gotów jest „założyć pętlę na szyję Ruth Ellis, otworzyć pod nią zapadnię i złamać jej kark". Gazeta opublikowała ten list, w którym pisarz apelował o ponowne rozpatrzenie sprawy:

Mógłbym, być może, zrozumieć, że wiesza się kobietę, która dokonała jakiejś bestialskiej zbrodni w rodzaju otrucia kilku osób czy zamordowania człowieka siekierą (à la Lizzie Borden), albo pielęgniarkę w domu

dziecka, która zabijała swych podopiecznych; tu jednak chodzi o zabójczynię, która popełniła zbrodnię pod wpływem namiętności, a przy tym w znacznym stopniu została do tego czynu sprowokowana. W żadnym innym kraju na świecie nie powieszono by takiej kobiety. [...]
Obraz ten prześladuje mnie i – mogę się zdobyć na to wyznanie – budzi we mnie wstręt niby coś obscenicznego. Nie mam tu oczywiście na myśli samego procesu, lecz średniowieczne okrucieństwo prawa[7].

Apel Chandlera nie odniósł żadnego skutku. W jego kieszonkowym pamiętniku, pośród nielicznych londyńskich zapisków, pod datą trzynastego lipca znalazła się lakoniczna notka: „Ruth Ellis powieszona".

„Furia, jaką okazałem w sprawie Ruth Ellis, wzięła się z tego – wyjaśni potem – że nigdy ani przez moment nie zapomniałem, że one [kobiety] narażone są w życiu na takie niebezpieczeństwa, którym mężczyźni nie muszą stawiać czoła".

*

W Londynie Chandler nie przestawał się zapijać. Zaczął za to, podobnie jak niegdyś w Hollywood, zmyślać niestworzone historie, które miały maskować jego pijaństwo. Ponieważ zarzucił pisanie, historyjki te stały się dla niego substytutem fikcji literackiej: tak samo jak kiedyś, gdy zdarzyło mu się gdzieś przybyć z opóźnieniem, rozczarowany i niestarannie ubrany – tłumaczył się, że napadnięto go pod drodze.

Obstawał tak nieugięcie przy wersji bójki, opowiadała Natasha Spender, że nie sposób go było od tego odwieść. Kiedy znalazł się w takim stanie, to zachowywał się jak małe dziecko. Wymyślał różne postaci i zasypywał opowieściami o nich niedowierzających i skonfundowanych przyjaciół:

Był wśród nich na przykład „elegancki lekarz", [który] starał się go zawsze olśnić swoim światowym obyciem, powodzeniem u kobiet, pieniędzmi i subtelnością manier [...] lecz Chandler zawsze zwycięsko wychodził ze słownych pojedynków z owym zmyślonym doktorem, osadzając go jakimś błyskotliwie sformułowanym obraźliwym zdaniem, które pyszałka pozostawiało z rozdziawioną gębą, podczas gdy on, śmiejąc się, dalej szedł swoją drogą [...] albo też zwycięska bójka, stoczona z dwoma opryszkami, którzy chcieli go pozbawić portfela [8].

Chandler zaczął pisywać krótkie autobiograficzne skecze, które hojnie rozsyłał do różnych poznanych w Londynie osób. Odbiorcy tych historyjek nie byli jednak w stanie stwierdzić, w jakim stopniu były one prawdziwe, a w jakim zmyślone. Gdy po miesiącu kierownictwo hotelu Connaught wymówiło mu pokój z powodu nie do zniesienia pijaństwa, Chandler opisał epizod, który miał jakoby stać się powodem tej decyzji, opatrując tę historyjkę tytułem „Czy bardzo by pan miał mi za złe, gdybym pana uwiodła?".

Choć długa i niewiarygodna w szczegółach, jest ona – zwłaszcza gdy się pamięta o okolicznościach, w jakich została napisana – zarazem zabawna i tragiczna; to zestawienie zawsze było Chandlerowi bliskie. Mogłaby również na dobrą sprawę stanowić potwierdzenie owego dwoistego wpływu, jaki alkohol wywierał na libido pisarza.

Szkic ten powstał dwudziestego maja, pięć dni po usunięciu autora z hotelu Connaught.

W ostatnimi czasy moje myśli zdawały się krążyć w rejonie dość ściśle określonym, toteż gdy ta gibka, świetnie zbudowana blondynka późnym wieczorem w recepcji hotelu dwukrotnie obrzuciła mnie spojrzeniem, ja zrewanżowałem się jej trzema spojrzeniami. Odwróciła się ode mnie. Nie pamiętam już, co robił nocny portier, ale nie było to nic, co mogłoby mnie obchodzić. Odwróciłem się, a potem szybko się obejrzałem. Nie zdążyła obrócić głowy i zachichotała.

Powiedziałem do portiera: – Byłby pan łaskaw trzymać tę uroczą i pociągającą niewiastę albo z daleka ode mnie, albo, u diabła, o wiele, wiele bliżej?

Zmieszał się, a zanim odzyskał kontenans, ja już byłem razem z nią w windzie. Windziarz zapytał ją, na które piętro życzy sobie jechać.

Powiedziała półgłosem: – Nie jestem pewna.

Więc powiedziałem: – Prosimy na trzecie.

Powiedziała: – Dziękuję.

Windziarz zrobił ruch, jak gdyby chciał się nam przyjrzeć, ale postanowił nie ryzykować swojej posady. – Trzecie piętro, dziękuję panu – zaanonsował, otwierając drzwi. – Dziękuję pani.

Podziękowaliśmy mu i poszliśmy czerwonym chodnikiem, i już byliśmy za zakrętem korytarza, i miałem w ręku klucz, ale drżałem z podniecenia tak bardzo, że cholernie dużo czasu zajęło mi wsunięcie go do zamka. Dałem sobie jednak wreszcie radę.

– Niezbyt luksusowy ten pokój – powiedziała. – Mój jest o wiele lepszy.

– Przyzwyczai się pani do niego i zacznie się pani podobać. Odrobinę szkockiej?

– Byle to nie była zbyt drobna odrobina.

Zamówiłem lód. Był mi potrzebny. Ona tymczasem usiadła, swobodnym gestem krzyżując uda, właśnie tak jak lubię je widzieć skrzyżowane. Sięgnęła po papierosa. Ja sięgnąłem po zapalniczkę. Zapadła cisza. To ciekawe, że zawsze jest się w takich chwilach zakłopotanym.
– Śliczne są te pierścionki – powiedziałem.
– Sześć razy wychodziłam za mąż – powiedziała.
– A obecnie?
– Odpoczywam – powiedziała.
Przyniesiono lód. Przyrządziłem jej taką porcję szkockiej z wodą sodową, która mogłaby powalić każdego prehistorycznego kolosa. Na niej nie zrobiło to wrażenia większego niż psiknięcie fiołkowej wody kolońskiej.
– Zdejmę je – powiedziała. – Okropnie pobrzękują. – Po kolei odkładała na stolik do kawy diamenty, szmaragdy, rubiny i jeszcze parę diamentów.
– Nie ma pan nic przeciwko temu?
– Na to czekałem.
Uśmiechnęła się lekko i podsunęła mi szklankę. Napełniłem ją tym samym co za pierwszym razem. Trochę się obawiałem, że pozbawi ją to przytomności. Głupek ze mnie.
– Życzyłby pan sobie żebym coś jeszcze zdjęła? – zapytała, opróżniwszy jednym haustem drugą szklankę.
– Zawsze mi się wydawało, że każdy sam powinien odrabiać domowe zadania. To znaczy bez niczyjej pomocy.
– Trafna uwaga – powiedziała. – Ale dłużej to wtedy trwa. Co pan na to, żeby na pięć sekund się odwrócić i przyciemnić trochę światło?
Wystarczyły jej cztery sekundy. Bardzo ładnie prezentowała się w łóżku. Domyślałem się, że spędza w nim masę czasu. Ugryzła mnie.
– Słuchaj – powiedziałem, próbując zatamować krew. – Trzymajmy się pewnych norm.
– Nie widzę żadnego powodu – powiedziała i ponownie mnie ugryzła. Krzyknąłem z bólu.
– Sukinsyn – westchnęła. Odprężała się. Najwyższy czas. Jeszcze dwie minuty i nadawałbym się do szpitala.
– Jeszcze jedna szkocka – powiedziała – tylko żeby tym razem w szklance było trochę whisky, dobrze?
Wręczyłem jej drinka, który tym razem zdolny byłby powalić dwa paleozoiczne stwory. (Kto studiował starożytne języki, ten się już od nich nigdy nie uwolni).
Przełknęła go za jednym zamachem i zamknęła mnie w ciasnym uścisku.
– Spokojnie – powiedziałem. – Nie jestem Casanovą.
– Cicho!
Ugryzła mnie w wargę. Już widziałem, jak wynoszą mnie stąd w worku. Rozluźniła się na moment ze znanego mi już powodu.

– Zrób mi przyzwoitą szkocką – powiedziała, bawiąc się puklem moich włosów. Pomyślałem, że miałem szczęście, bo jeszcze mi trochę ich zostało i miałem szczerą nadzieję, że nie będzie ich rwała garściami.
Udało mi się jakoś jej unikać podczas przyrządzania drinka, który był już naprawdę wybuchowy.
Opróżniła szklankę i wzięła oddech, ale w samą porę zdążyłem odskoczyć.
– O co ci na miłość boską chodzi? – zapytała chłodnym tonem.
– Powiedziałaś mi, że odpoczywasz. To znaczy pomiędzy jednym a drugim małżeństwem.
– Owszem. I co z tego?
– Więc może byś i teraz troszkę sobie odpoczęła?
– Aha. Rozumiem. Kolejny odpadacz.
Podniosła się nieznacznym ruchem, po czym nałożyła na ręce jakieś dwieście tysięcy dolarów w biżuterii.
– Odwróć się, frajerze – powiedziała.
Odmówiłem. Lepiej być chamem niż trupem. Ubrała się z nadzwyczajną wprawą.
– Zrób mi przyzwoitą szkocką – powiedziała, doprowadziwszy swój strój i fryzurę do nieskazitelnego stanu, poprawiwszy makijaż i w ogóle wszystko, co w takich sytuacjach kobiety zwykły na sobie ulepszać.
Wręczyłem jej pełną butelkę i otworzyłem przed nią drzwi. Nie spuszczałem z niej oka. Przesunęła się obok mnie w drodze do wyjścia.
– Tak okropnie nie lubisz zostać uwiedzionym? – powiedziała, przeciągając słowa.
– Jeśli tak nazywasz to, co...
Z szyderczą uprzejmością zamknęła mi drzwi przed nosem. Byłem trochę niespokojny o windziarza.
Przyszłość dowiodła, że słusznie się obawiałem. Nikt go już więcej nie widział[9].

Mimo rosnącej świadomości kłopotów, które dawały o sobie znać w sferze fizjologii, seks coraz bardziej zaczynał fascynować Chandlera. Gdy pewien dyrektor amerykańskiej szkoły przysłał mu listę pytań na temat jego pisarstwa, otrzymał w odpowiedzi długi list, w którym znalazło się też, nie mające nic wspólnego z pytaniami, omówienie artykułu pod tytułem „Latynosi są marnymi kochankami", zamieszczonego przez „Esquire". „Wywołał on wielką obrazę – uświadamiał Chandler pedagoga – toteż na Kubie zakazano nawet rozpowszechniania tego numeru. Tak się jednak składa, że ja dobrze wiem, iż [autorka] miała całkowitą rację. Latynosi są mocni tylko w gębie"[10].

Seks wciąż jednak ustępował wobec ducha rycerskości, toteż członkinie „Patrolu Chandlera" wzbudzały w nim głównie uczucie miłości, nie zaś pożądania. „Do diabła – pisał do Jessiki Tyndale – ja nie przebywam z moimi kobietami. Owszem, jestem bardzo blisko zaprzyjaźniony z kilkoma paniami [...] ale nie zagnieździłem się w ich buduarach".

„Przy wszystkich pięknych słówkach, którymi szafował – zapewnia Natasha Spender – nie zdarzyło się ani razu, by podjął jakąś, choćby subtelną, próbę zdobycia mnie lub którejkolwiek z moich przyjaciółek". Mimo iż pod wpływem alkoholu ożywiły się jego hormony, to ideałem kobiety Chandlera była niezmiennie kobieta, która potrzebowałaby jego pomocy.

Uroda miała dla niego mniejsze znaczenie niż urok. Uświadomiła to sobie jeszcze inna kobieta, którą poznał w Londynie, Helga Greene (zaprzyjaźniona zresztą z Jessicą Tyndale):

> Zawsze wypatrywał kogoś, kogo mógłby wesprzeć. Jeśli na jakimś przyjęciu spostrzegł kobietę, która siedziała na uboczu i nikt się nią nie zajmował, to bez względu na to, czy była ładna czy brzydka – starał się uprzyjemnić jej czas. Dużą wagę przykładał, tak u kobiet, jak i u mężczyzn, do brzmienia głosu[11].

Podobnie jak historyjki o zmyślonych napadach, tak i równoczesna fascynacja poznawanymi kobietami oraz seksem brała się z nagłych przypływów dziecinności. Gdy pewnego razu Chandler opowiadał, jak to spędził na zakazanych przyjemnościach popołudnie z jedną z przyjaciółek Natashy Spender, wyszło na jaw, że w rzeczywistości umówił się z nią na lunch, ale był w tak fatalnym stanie, że kobieta zaprowadziła go do swojego lekarza.

*

Choć lunch, wydany przez Iana Fleminga na cześć amerykańskiego gościa, okazał się katastrofą, to obaj pisarze przez całą wiosnę i lato pięćdziesiątego piątego roku pozostawali ze sobą w bliskim kontakcie. Fleming, licząca się dziennikarska figura „Sunday Timesa", znajdował się w owym czasie w niedobrej fazie swej nowej, literackiej kariery: miał uczucie, że wydając dwa lata wcześniej „Casino Royale" całkowicie wyeksploatował postać głównego bohatera powieści, Jamesa Bonda. Książka sprzedała się słabo (podobnie jak jej dalszy ciąg, „Żyj i pozwól umrzeć"), a Bond nie wzbudził jeszcze zainteresowania żadnego producenta filmowego.

Chandler jak mógł, tak starał się go zachęcić do kontynuowania pracy; napisał przedmowę zarówno do amerykańskiego, jak i do brytyjskiego wydania trzeciej powieści Fleminga, „Moonraker". Biograf Fleminga stwierdzi w przyszłości, że dla twórcy Jamesa Bonda był to potężny zastrzyk wiary w swoje możliwości.

> Zainteresowanie i wsparcie Chandlera przyszło w przełomowym dla Iana Fleminga okresie i przyjaźń, jaka ich łączyła w maju i czerwcu, zanim jeszcze Chandler wyraził swe uznanie w przedmowie, wywarła elektryzujący wpływ na podejście Fleminga do pisarstwa i do postaci swego bohatera. Nie ulega wątpliwości, że odrodzenie się jego zainteresowania zarówno jednym, jak i drugim to rezultat uznania Raymonda Chandlera[12].

Podziw Chandlera wzbudziła przede wszystkim pierwsza książka z Jamesem Bondem, „Casino Royale", opublikowana w tym samym roku co „Długie pożegnanie". Przemoc i bezwzględność cechowały tę opowieść o pewnej kobiecie, w której Bond się zakochuje, aby ją potem zdemaskować jako zdrajczynię. Czasem przeżywa ciężkie tortury, a od czasu do czasu okazuje się równie wrażliwy jak Marlowe. Zdradę kochanki odkrywa dopiero na końcu: „Nagle walnął się pięściami w głowę i wstał. Przez chwilę spoglądał w stronę spokojnego morza, po czym zaklął głośno i chrypliwie. Przetarł oczy, które zwilgotniały".

Podobnie jak Marlowe, Bond zmuszony jest udawać, że się tym nie przejął, i odłożyć cierpienie „do schowka swego mózgu". Ostatnie zdanie powieści brzmi: „Ta suka jest teraz martwa".

Przez całe lato, kiedy tylko było to możliwe, obaj pisarze spotykali się na lunchu, a także pisywali do siebie. „Czy mógłbyś mi tę grę pożyczyć na tydzień?", pisał Chandler, dodając w tym samym liście, że zalicza Fleminga do małej grupki „przyjaciół, których znam wystarczająco dobrze, by mnie obchodzili"[13].

Podobnie jak J.S. Perelman i Somerset Maugham, Fleming był pisarzem, który operował na tej samej co Chandler długości fali: uprawiał inteligentne, choć komercyjne pisarstwo, wyzbyte z intelektualnego snobizmu oraz rozgoryczenia w stosunku do rzeczywistości tego świata. Obaj grali w tej samej literackiej drużynie i z taką samą irytacją reagowali na tych, którzy uważali ich za (jak to określił Fleming) „sflaczałych Szekspirów". Fleming przyzwyczaił się już do tego, że „walono go po głowie" za Jamesa Bonda i przestał traktować swoje książki z powagą. Chandler również doświadczył drwin, jakie ściągały nań jego powieści, i radził przyjacielowi, by nie rezygnował z Bonda, a za to postarał się uczynić z niego postać bardziej trójwymiarową. „Gdybym nie był twardy, to byłbym martwy", jak to powiedział kiedyś Marlowe; „Gdybym jednak nie był zdolny do delikatności, to nie zasługiwałbym na to, aby żyć"[14]. Na tę jego sugestię Fleming odparł, że zawsze będzie traktował swoje książki jako „strzelaninowo-pocałunkową rozrywkę", ale że zobaczy, czy byłby w stanie „wyposażyć swoją maszynę do pisania w trochę więcej uczuć"[15].

Pewnego razu Chandler otrzymał od niego list, który rozpoczynał się od „Drogi Feldmarszałku Chandler", a kończył podpisem „Szeregowiec Fleming". Zainspirowany przez Chandlera, Fleming napisał do swego londyńskiego wydawcy, Jonathana Cape'a:

> A przy okazji i cmokając cię w uszko: wczorajszego wieczora udałem się z Chandlerem na kieliszeczek i usłyszałem od niego, że najlepszy kawałek w „Żyj i pozwól umrzeć" to rozmowa dwóch czarnych w Harlemie, którą on określił jako strzał w dziesiątkę. Może jeszcze pamiętasz, że omal nie zmusiłeś mnie drwinami do skreślenia tego kawałka, twierdząc, że „czarnuchy tak nie mówią"[16].

Po przymusowej wyprowadzce z hotelu Connaught Chandler wynajął pokój w Ritzu na Piccadilly i w dalszym ciągu usilnie się starał, by jak najmniej czasu spędzać w stanie trzeźwości i bez czyjegoś towarzystwa. Nie zaniechał wizyt u Hamiltona, a zwłaszcza odwiedzania magazynu, z którego szefem i jego kumplami zabawiał się grą w strzałki. Otrzymawszy od magazynierów prezent w formie pornograficznej tarczy do strzałek, zawiesił ją na drzwiach swego pokoju i od czasu do czasu zapraszał do zabawy innych gości lub chłopców hotelowych.

Jego ówczesny notes z adresami zawierał nazwy dosłownie wszystkich znanych londyńskich restauracji. Otworzył rachunki u Harrodsa oraz u dystrybutora win, firmy Justerini & Brooks, i z rekomendacji autora kryminałów Erica Amblera stał się członkiem słynnego klubu Garrick. Twierdził, że kieruje się trzema zasadami: w żadnym barze nikt zaproszony do jego stolika nie płaci za napitki; żaden z jego gości nie może być obecny w chwili, gdy on wypisuje czek; a dama, którą zaprasza do restauracji, ma otrzymać kartę dań wypisaną ręcznie. „Przypuszczam, że brzmi to trochę głupawo – powiedział – ale, do cholery, mam prawo do paru sztuczek".

Często zdarzały mu się absurdalne pomysły. Helga Greene wspominała, że odbywając z grupą przyjaciół samochodową wycieczkę po Europie wysłała Chandlerowi widokówkę, w której napomknęła o drobnych kłopotach z samochodem. I oto pierwsze, czego się po wysłaniu kartki dowiaduje o adresacie, to, że wydzwania on do jej londyńskich przyjaciół, chcąc się dowiedzieć, gdzie dokładnie Helga się znajduje, ponieważ chciałby jej telegraficznie przesłać tysiąc funtów na załatwienie problemów z autem.

Zdarzyło się też tego samego lata, że Natasha Spender, która była bardzo dobrą pianistką, udała się z Londynu do Bournemouth, by wystąpić na koncercie wraz z tamtejszą orkiestrą. Po koncercie wzięła udział w dużym oficjalnym bankiecie. Około północy ni z tego, ni z owego pojawił się w wieczorowym stroju Chandler, który przyjechał z Londynu wynajętym rolls-royce'em, aby odwieźć ją do domu.

Natasha zaproponowała miejsce w limuzynie także dyrygentowi. Wnętrze auta pełne było kwiatów oraz butelek szampana, którego podczas postoju w samym środku New Forest wszyscy, z kierowcą włącznie, musieli się napić, po czym Chandler zasnął, zanim jeszcze dojechali do Londynu.

> Obudziwszy się w okolicach Londynu, Raymond powiedział nagle cichym i bardzo trzeźwym głosem: „Ja wiem, ile wszyscy dla mnie robicie, i dziękuję wam za to, ale prawda jest taka, że w gruncie rzeczy chcę umrzeć". Zabrzmiało to tak po prostu i ani trochę nie dramatycznie, że nie potrafiliśmy wykrztusić z siebie żadnego naturalnego w takiej sytuacji słowa pokrzepienia[17].

Chandler zaczynał tracić kontrolę nad swoimi pieniędzmi. Jego rozrzutności często towarzyszyły jednak paranoiczne obawy: obdarzywszy jakichś nowych przyjaciół kosztownymi prezentami i hojną gościnnością – zaczynał się martwić myślą, że ludzie go wykorzystują. Możliwe, że w ten sposób dawały o sobie znać pozostałości kwakierskiego poczucia winy wobec wszelkiego zbytku.

W jego nagłych zmianach nastroju nie sposób już było się dopatrzyć jakiejkolwiek regularności. Zdarzyło mu się zaprosić na lunch pewną miłośniczkę jego twórczości, na koniec posiłku wypisać dla niej czek, a wieczorem tego samego dnia czek ten unieważnić. Dwa dni później otrzymał list, w którym wściekła niewiasta zarzucała mu, że ją nabrał:

Bezgranicznie panu współczuję. Nic nie mogłoby lepiej oddać żałosnej prawdy o panu niż to, że nazywają pana: Raymond „Głęboki sen" Chandler. Zmuszona jestem żądać, by na piśmie przeprosił mnie pan za swój postępek, abym mogła pokazać ten list dyrekcji mojego banku. Proszę zrozumieć, że od chwili gdy za cały kapitał mając pięć funtów, otworzyłam w Kingston-on-Thames pierwszy maleńki zakład mody damskiej, jestem tam szanowaną osobą. Nie pozwolę, by swoim dziecinnym zachowaniem zniszczył pan moją reputację[18].

Nie jest znana reakcja Chandlera na ów list, lecz tego rodzaju epizody mogły tylko umocnić w nim wątpliwości co do tego, czy kiedykolwiek naprawdę pomógł jakiejś kobiecie.

W Londynie rozpoczął korespondencję z Louise Loughner, wielbicielką z San Francisco, która przysłała mu jeden z najbardziej podtrzymujących na duchu listów, jakie otrzymał po swej nieudanej próbie samobójstwa.

W najczarniejszej i najbardziej rozpaczliwej chwili mego życia, gdy nie pozostało mi nic, czym mógłbym się posłużyć w walce, i już nawet nie chciałem dalej walczyć, spadł na mnie deszcz kwiatów i listów od nieznajomej osoby. I nagle stanąłem do wielkiego boju. Zdołałem ich wszystkich przegadać i przechytrzyć, tak że w końcu odwieźli mnie do domu luksusową limuzyną, gdyż po prostu oszołomił ich pokaz sprytu i odwagi, na jaki się zdobyłem. A dlaczego się na to zdobyłem? Tylko i wyłącznie dzięki pani[19].

Zdarzało się niekiedy, iż do listów, pisanych do niej latem pięćdziesiątego piątego roku, Chandler dołączał erotyczne wiersze: „W noc gdy mglisty opar pieścił drzewa [...] ja także pieściłem ciebie". W jednym z listów sugerował, by po jego powrocie do Kalifornii Louise spotkała się z nim, gdyż „jestem bardzo przystojnym i eleganckim człowiekiem". Tej propozycji również towarzyszył wiersz, który kończył się następująco: „Przeto twierdzę, iż wiesz/ I w płomieniu jaśniejącym między twymi udami/ Umieram jedyną znaną mi śmiercią/ Śmiercią rozmodloną".

Chandler starał się także dokładnie opisywać pani Loughner swoje londyńskie życie; „Wydaje mi się, że pod pewnymi względami przeceniasz Anglików", przestrzegał ją w jednym z listów.

Trwa tu nieustanne wariackie telefonowanie i odtelefonowywanie w wielkim pościgu za jakąkolwiek, choćby najdrobniejszą nowiną o każdym fakciku, który mógłby się okazać na tyle skandaliczny, by móc wokół niego osnuć pajęczą sieć jakiejś intrygi. Podczas wojny okazali wiele odwagi i wytrzymałości. Może być, iż kiedy ludzie nie mają pewności, czy jeszcze będzie im kiedyś dane znowu się spotkać, to chcą wszystko sobie powiedzieć na jednym oddechu, co rodzi jakąś histeryczną konieczność mówienia, która pozostaje w nich jeszcze przez długi czas[20].

*

Londyńska prasa nie przestawała się interesować Chandlerem. W jakiejś mierze brało się to z tego, że był on tego rodzaju sławną osobistością, która zapewniała szczerość wypowiedzi lub dodatkową atrakcję, jaką stanowiła nietrzeźwość, a nawet, jak to się zdarzyło podczas wywiadu dla dziennika „Daily Express", płacz na wspomnienie zmarłej żony[21].

Jego barwna przeszłość oraz sposób, w jaki opowiadał, stanowiły znakomite antidotum na ducha Bloomsbury z jego nienagannymi manierami, który wciąż prześladował sławne osobistości brytyjskiej literatury. Ponadto jako nowicjusz w sztuce udzielania wywiadów, Chandler nie miał w zanadrzu gotowych, standardowych odpowiedzi, lecz, jak napisał „Sunday Times", „chciał wszystko opowiedzieć tak, jak się zdarzyło".

Prezentowane w prasie dziennikarskie portrety Chandlera niekiedy skrajnie się od siebie różniły; zależało to od nastroju, w jakim pisarz się akurat znajdował, oraz od osoby przeprowadzającej wywiad. Odmiennie się też prezentował w ujęciu poważnych pism i w prasie popularnej.

Wywiad dla gazety „Daily Mirror" opatrzony był tytułem: „Pieniądze są po to, by się umawiać z pięknymi kobietami, mówi as literatury kryminalnej", a trzy wyróżnione podkreśleniami podtytuły brzmiały: „Luksus", „Uroda" i „Whisky".

Raymond Chandler, będący [...] jednym z najlepiej na świecie opłacanych autorów kryminałów, jest „zanadto dżentelmenem", by przyznać, że kobiety się za nim uganiają.

– Ale mogę powiedzieć tyle – wyjawił mi – że Angielki są najwspanialsze na świecie. Są wrażliwe, niełatwe do zdobycia i absolutnie nie do kupienia. Nie obchodzi ich, ile masz tysięcy dolarów dochodu; poczują się nawet obrażone, kiedy zechcesz zapłacić za taksówkę, którą wracają do domu.

Mówi się o Chandlerze, który jest Amerykaninem, że zarabia rocznie trzydzieści pięć tysięcy funtów jako twórca najtwardszego detektywa w literaturze, Philipa Marlowe'a.

– Ale – powiada – jedyny luksus, jaki się naprawdę liczy, to ten, że masz pieniądze, by jeść obiady z pięknymi kobietami.

Nigdy nie zdarzyło mi się zalecać do kobiety, dopóki się nie upewniłem, że ona sama sobie tego życzy[22].

Gdy dziennikarz zapytał go, czy ożeni się po raz drugi, Chandler odparł, że nigdy nie zwiąże się z kobietą, która przekroczyła trzydziestkę. Powiedział również, że właśnie usłyszał od lekarza zapowiedź, iż ma przed sobą jeszcze trzydzieści lat życia.

Czytelnicy gazety dowiedzieli się, że Chandler w trakcie wywiadu nie rozstawał się z whisky, a ponieważ rozmowa odbywała się w Ritzu, to przerywały ją bezustanne prośby o autograf, co pisarz skomentował żartem: „Nie sądzę, żeby kiedykolwiek coś mojego przeczytali. Przypuszczam, że mój podpis jest im potrzebny do transakcji wymiany na autograf Liberace".

Zapytany, czy chciałby mieć dzieci, Chandler odparł: „Nigdy nie odczuwałem ich braku. Byłem absolutnie szczęśliwy z Cissy. Ale teraz sądzę, że powinienem być zadowolony".

Na wywiad dla „News Chronicle" przybył w muszce i „profesorskich" tweedach. Także i tym razem reporter wspomniał o towarzyszącej im whisky. Przy tej okazji Chandler skupił się na metodach, jakich powinna spróbować świeżo utworzona przez Roberta Kennedy'ego Komisja McClellana, aby wywiązać się z postawionego przed nią zadania uwolnienia Ameryki od zorganizowanej przestępczości:

Jedyni ludzie, którzy mogliby położyć kres tej formie przestępczości, to członkowie stowarzyszenia Amerykańskich Prawników. Gangsterzy działają tylko dzięki zasłonie, jaką im stwarzają opłacani przez nich prawnicy. Gdyby zerwać tę zasłonę, to gangi straciłyby całą swą potęgę w ciągu pół roku[23].

W wywiadzie dla „Daily Express" padło pytanie, na którą z postaci by postawił, gdyby doszło do bezpośredniej konfrontacji Jamesa Bonda z Philipem Marlowe'em. „Zastanawiał się przez chwilę, po czym odparł: – Myślę, że postawiłbym na Marlowe'a. Jest subtelniejszy"[24].

Na fotografiach, które towarzyszyły wywiadom, tak wyraźnie widoczny był efekt jego nieustannego picia, że Chandler był zaszokowany na ich widok i stwierdził, że wygląda niczym „przemytnik narkotyków" lub „Bąbcia Mojżesz".

Jeden z dziennikarzy, określając jego posturę, użył przymiotnika „mały".

> Cóż to za kryteria? Nigdy nie ważyłem mniej niż siedemdziesiąt sześć kilogramów; czy to dla Anglii „mało"? Często zdarzało mi się ważyć ponad osiemdziesiąt dwa. Gdybym się ułożył na ulicy, to do metra osiemdziesiąt brakowałoby mi dwu i pół centymetra. Mój nos nie jest spłaszczony, tylko przytępiony, ponieważ spróbowałem zaatakować gracza, który właśnie kopnął piłkę. Jak na angielski nos trudno go nazwać wydatnym. Włosy jak wełna stalowa? Idiotyzm. Chodzi nieco pochylony do przodu?... Ha. Nic dziwnego, że ten gość uznał mnie za spostrzegawczego. Wedle jego kryteriów każdego, kto zauważyłby, ile ścian jest w pokoju, należałoby uznać za człowieka spostrzegawczego[25].

Chandler nie schował w Londynie swych pazurów. Jego gwałtowna krytyka egzekucji Ruth Ellis, wyrażona publicznie, i to tuż po przybyciu do Anglii, ściągnęła na niego pewną niechęć okazywaną przez tych, którzy nie znosili obcokrajowcóch krytykujących powojenną Wielką Brytanię. Gdy więc komentator dziennika „Daily Express" zaatakował w swym felietonie nowoczesną Amerykę, pisarz także zażądał prawa do repliki w imieniu swego kraju. Przez całe lata wypowiadał się obszernie na różne tematy w listach do swych korespondencyjnych znajomych. Teraz nadarzała mu się okazja skorzystania z publicznej mównicy o szerokim zasięgu, z której mógł perorować na każdy interesujący go temat, w tym również na temat historii politycznej:

> Staliśmy się [Ameryka] zbyt bogaci i zbyt potężni dzięki pewnego rodzaju genialnej zdolności tworzenia techniki, i myślę, że rezultat tego jest taki, iż przypisaliśmy sobie dominującą pozycję w świecie, zanim jeszcze posiedliśmy wiedzę, jak ten świat zdominować, i czy w ogóle naprawdę chcemy to osiągnąć; po prostu zajęliśmy miejsce numer 1.
>
> Przez sto lat, jak może pamiętacie, Anglia dominowała nad światem i była przez pozostałe kraje dość serdecznie znienawidzona. Taka widać jest cena potęgi, choćby się jej nawet nie pragnęło i nie dążyło do niej. Pozycja, w jakiej my się teraz znaleźliśmy, jest niemal niemożliwa do utrzymania ani przy pomocy wdzięku, ani sprytu[26].

Podczas pobytu w Londynie Chandler okazywał znikome zainteresowanie muzyką, sztuką czy teatrem, choć pytany o plany na przyszłość odpowiadał, iż zamierza napisać sztukę dla West Endu. Była to bardzo użyteczna wymówka, gdyż ilekroć przychodziło do konkretów, wyjaśniał, że akcję swej sztuki zamierza osadzić w Anglii, a więc potrzeba mu dwóch lat, by mógł dobrze uchwycić język, jakim się będą posługiwać jego brytyjskie postaci.

Cokolwiek jednak planował, to jasne było, że przynajmniej jeszcze przez jakiś czas zamierzał mieszkać w Londynie. Wyprowadził się z Ritza do wynajętego apartamentu w Belgravii, przy Eaton Square 116; był to najelegantszy ze wszystkich ówczesnych londyńskich adresów. W liście do Louise Loughner opisywał swoją rozmowę z właścicielem mieszkania:

> Spotkanie miało mieć bardzo oficjalny charakter i musiałem przedtem poprosić o wyznaczenie terminu. Zachowywałem się tak cholernie uprzejmie, że aż zaczęło mnie od tego mdlić. Więc mówię raptem do tego gościa: „Jestem z natury bardzo dobrze ułożonym człowiekiem, ale myślę, że w tej chwili trochę jednak przesadzam". Wtedy roześmiał się, wstał, podał mi rękę i podziękował, że przyszedłem. Zapytałem: „Więc jak będzie z tym wynajmem?" On na to: „Cóż, zwykle sporządzamy coś w rodzaju dokumentu, ale w praktyce mamy skłonność do przechodzenia do porządku nad tą formalnością". Oto jak to tutaj funkcjonuje. I to jest przyczyna, dla której od pokoleń są oni bankierami świata[27].

Chandler rzadko opuszczał Londyn, choć od poznanych tam osób bardzo często otrzymywał zaproszenia do spędzenia weekendu na wsi. Pobyt na wsi jednak sprawiał, że czuł się niespokojnie; doszedł więc do wniosku, że atmosfera miasta jest mu niezbędna. Chmurne weekendy, mówił o swych wiejskich doświadczeniach, spędzane na „czekaniu na porę herbaty, jakby to miała być jakaś rewolucja".

Jeśli czytał teraz jakieś książki, to niemal zawsze był to kryminał. Jego ulubionym (i tym, do którego przeczytania wszystkich próbował namówić) stał się utwór Donalda Hendersona zatytułowany „Mr Bowling kupuje gazetę".

W miarę ciągłego picia jego zachowanie stawało się coraz bardziej dziwaczne. Williamowi Townendowi, dawnemu przyjacielowi z Dulwich, którego po raz ostatni spotkał w trzynastym roku w San Francisco, wyznał, że „od przybycia do Wielkiej Brytanii nie zdarzyło mu się odetchnąć powietrzem, w którym nie byłoby domieszki alkoholu".

Odkąd przestał już być nowością, jaką stanowił na początku lata, coraz mniej osób w Londynie czyniło starania, aby go rozerwać. Jego osamotnienie spotęgowało się z chwilą, gdy wyprowadził się z Ritza, gdzie otaczała go ciągła krzątanina. Jego opiekunki zaczęły tracić nadzieję, że uda im się przywrócić go do stanu normalności i stopniowo się od niego oddalały; w miarę upływu czasu jego skłonność do nagłych zmian nastroju, zamiast się zmniejszać, jeszcze bardziej się pogłębiała, toteż ciągłe czuwanie nad nim stawało się wyczerpujące, a nadto nie rokowało powodzenia.

Najwytrwalszą opiekunką okazała się Natasha Spender. Gdy inni się poddawali, dla niej wspieranie go stało się osobistą (i „agnostycznie chrześcijańską") misją. Przy tym jej życie bardziej niż innych przypominało życie Chandlera. Podobnie jak on dorastała bez ojca i utrwaliła w sobie instynkt opiekuńczy w stosunku do matki. Podobnie jak związek Chandlera z Cissy, jej małżeństwo ze Stephenem Spenderem oparte było na głębokich uczuciach, lecz ze względu na jego homoseksualną przeszłość spotykało się z powszechnym niezrozumieniem i kpiącą postawą innych. Powodowało nią (w pewnej mierze tak samo jak Chandlerem) mocne poczucie moralnego imperatywu pomagania tym, którzy potrzebowali pomocy. Bliska już w owym czasie czterdziestki, ciemnowłosa, skłonna do szerokiego, ujmującego uśmiechu, była kobietą bardzo piękną. Raymond Chandler nie był jedyną osobą w jej londyńskim światku, której starała się pomagać, lecz z pewnością to on był teraz z nich wszystkich najbardziej od niej uzależniony.

Pod koniec lata Chandler całkowicie już stracił kontrolę nad alkoholem. „Analiza mojej krwi lada chwila wykaże jej brak" – wyjawił swemu prawnikowi. Początkowo nie chciał przyjąć do wiadomości, że stan jego zdrowia był skutkiem picia, toteż próbował znaleźć takiego lekarza, który byłby tego samego zdania. Po konsultacjach z różnymi specjalistami, którzy jednogłośnie nakazywali mu odstawienie alkoholu, nie ulegało już jednak wątpliwości, że odwyk stał się pilną koniecznością.

Chandler postanowił tego dokonać samodzielnie, w mieszkaniu przy Eaton Square, i przystąpił do tego ze stanowczą determinacją, która wszystkich zaskoczyła. Tym bardziej że wydawało się, iż jego wysiłki zakończyły się sukcesem: w pierwszych dniach września Chandler powrócił do towarzyskiego życia jako całkowity abstynent.

Jego ciało, a także mózg, tak bardzo były jednak uzależnione od alkoholu, że kuracja odwykowa doprowadziła go do stanu kompletnego wewnętrznego rozstroju. „Mój mózg wciąż dopomina się o te uczucia, które dawał alkohol – wyznał Rogerowi Machellowi. – Fizycznie ani trochę mi tego nie brakuje, ale tęsknię za tym psychicznie i duchowo".

W istocie był teraz niewiarygodnie wątły. Panie, które jeszcze nie zaniechały „wahadłowej obsługi", zgodnie uznały, że trzeba Chandlera na jakiś czas wywieźć z Londynu, a Natasha Spender zaproponowała, że zabierze go ze sobą do Włoch.

Polecieli tam we dwoje we wrześniu i spędzili dwa tygodnie nad jeziorem Garda, w hotelu, który Spenderom był dobrze znany; towarzyszył im też lekarz rodzinny zawsze do dyspozycji.

Warunkiem, na który Chandler musiał się przed wyjazdem zgodzić, była całkowita abstynencja; gdy więc udawali się na samochodowe wycieczki do Werony lub do Wenecji, zwykł był z nieszczęśliwą miną przesiadywać w kawiarniach nad mrożoną kawą, ani fizycznie, ani psychicznie niezdolny do zwiedzania zabytków (Po prostu odmawiałem patrzenia – powie potem).

Choć po raz pierwszy od pierwszej wojny światowej znowu znalazł się w na kontynencie europejskim, to bez alkoholowego bodźca jego wrodzona ciekawość, która niegdyś stanowiła siłę napędową jego życia, zwiędła.

Przed śmiercią Cissy napisał:

> Najgorszą rzeczą dla kogoś, kto próbuje pomóc wyleczyć się alkoholikowi albo narkomanowi, jest to, że na dłuższą metę nie masz mu absolutnie nic do zaoferowania [...] twój wyleczony alkoholik albo były narkoman rozgląda się wokół siebie i zastanawia się, co właściwie osiągnął. Znalazł się na zupełnie płaskiej równinie, na której żadna droga nie wydaje się bardziej interesująca niż inna[28].

To było tak, jak gdyby chodził we śnie, powiedziała Natasha; w październiku wrócili oboje do Londynu.

*

Kończyła się ważność brytyjskiej wizy, toteż Chandler postanowił powrócić do Ameryki. W październiku, bardzo nieszczęśliwy, popłynął do Nowego Jorku na pokładzie Queen Elizabeth.

> Ta podróż, to było piekło. Wciąż ćwiczyłem niepicie (co będzie wymagało dużo więcej czasu, niż go mam). Siadywałem samotnie w kącie i nie

chciałem rozmawiać ani w ogóle mieć cokolwiek do czynienia z innymi pasażerami, co zresztą najwyraźniej nie przejmowało ich jakimś żalem[29].

Przed powrotem do La Jolla udał się do miasteczka Old Chatham w stanie Nowy Jork, by spędzić kilka dni u swego przyjaciela z epoki naftowej, Ralpha „Reda" Barrowa. Przed osiedleniem się wraz z żoną w Nowej Anglii Barrow praktykował prawo w Los Angeles. W latach dwudziestych byli z Chandlerem dobrymi przyjaciółmi, a odkąd „Red" przeniósł się na Wschodnie Wybrzeże, pozostawali w listownym kontakcie. „Chciałbym, żebyś nie był tak cholernie daleko – pisał Chandler w czterdziestym dziewiątym roku. – Brak mi ciebie".

Nudził go jednak wiejski pejzaż Nowej Anglii. Nie wiem, jak długo tu wytrzymam – napisał w liście do Neila Morgana do La Jolla. Nie był w nastroju do uczestniczenia w sielskim, zdrowym życiu rodzinnym, a już zwłaszcza odkąd przestał pić. Uskarżał się, że nawet okazjonalne wyjazdy samochodem z żoną Barrowa, Jane, nie mogły się obyć bez tego, „żeby mi po drodze nie pokazała każdego przeklętego drzewka i nie opowiedziała historii każdego przeklętego domu pomiędzy Old Chatham a Bennington".

Wczoraj udaliśmy się do Chatham [...] żeby odebrać bieliznę z pralniomatu. Widząc, że jestem cokolwiek stary i słabowity, facet sam zaniósł pakunek do auta, mówiąc: „Dziękuję, panie Barrow". Jak zwykle nie zdążyłem powstrzymać niewyparzonego języka i powiedziałem: „Och, ja nie jestem panem Barrow. Jestem po prostu kochankiem jego żony". Gościowi nawet nie drgnęła powieka, ale poczekaj tylko, co będzie, kiedy ta wiadomość dotrze do miejscowej pocztmistrzyni[30].

Po dwóch tygodniach spędzonych z Barrowami Chandler wrócił do La Jolla i do swego pokoju w hotelu Del Charro.

Podejmując decyzję o tym, gdzie się osiedli, kierował się także i tym, że przez rok nie będzie mu wolno wrócić do Wielkiej Brytanii, gdyż musiałby zapłacić podwójny podatek za rok pięćdziesiąty piąty: zarówno Brytyjczykom, jak i Amerykanom. Jednakże już po czterech tygodniach pobytu w Ameryce zaczął obmyślać powrót do Londynu. Ostateczną decyzję nagle przyśpieszyła wiadomość, że Natasha, za którą czuł się teraz w pełni odpowiedzialny, miała się poddać operacji. Jej termin wyznaczono na dwunasty grudnia, a była to, o czym nikt w Londynie nie wiedział, data śmierci Cissy.

Otrzymawszy wiadomość w listopadzie, Chandler niezwłocznie odleciał samolotem z San Diego do Londynu, z postojem w Kopenhadze, gdzie spędził bezsenną noc. Obstawał przy tym, by Natasha wyjechała z nim z zimowej Anglii, żeby się przygotować do operacji, która miała być w istocie rutynowym zabiegiem; po pewnym wahaniu wyraziła zgodę. Postanowili udać się do Hiszpanii i Tunezji, gdzie Natasha miała przyjaciół.

Podróż ta okazała się całkiem odmienna od tej, którą odbyli we wrześniu. Chandler znowu zaczął pić. Jego stan psychiczny oscylował pomiędzy inercją a nadaktywnością; zdarzało mu się na całe godziny zamykać w pokoju hotelowym i nie schodzić nawet na posiłki. Dla Natashy była to trudna do zniesienia sytuacja: nie dość, że musiała uspokajać swego współtowarzysza, który przesadnie dramatyzował czekającą ją operację, to teraz jeszcze uświadomiła sobie, że musi sobie sama radzić z podróżą, a nadto ze znajdującym się w pełnym ciągu alkoholowym mężczyzną, który przeżywał coś w rodzaju głębokiego załamania.

> Niemal bez przerwy mówił o Cissy, ale tym razem, zamiast zwykłego liryzmu i rezygnacji, ulegał o wiele bardziej skomplikowanym uczuciom odnoszącym się do całego przeszłego życia, co sprawiało, iż na przemian ogarniały go to retrospektywny gniew, to znów rozpacz bieżącej chwili [...] byłam potem zdumiona, gdy dowiedziałam się od przyjaciół, że słyszeli od niego wyłącznie radosne opowieści o tej wycieczce, w tym zwłaszcza o pewnym wspaniałym słonecznym dniu w Chauen, podczas gdy w rzeczywistości pozostawał wówczas w cieniu i zachowywał naburmuszone milczenie, przerywane od czasu do czasu opisami pobytów w Big Bear Lake i tego, jak bardzo Cissy nienawidziła śniegu[31].

Chandlerowi wycieczka ta jednak sprawiała pewne przyjemności. Alkohol na nowo rozbudził w nim właściwą mu ciekawość otoczenia. Najwyraźniej nie zdając sobie sprawy z tego, jak bardzo potrafił być uciążliwy w kontaktach z innymi ludźmi, stwierdził, że podobało mu się Toledo, znienawidził zaś Madryt.

> Moja energia i przedsiębiorczość utrzymują się na wysokim poziomie, lecz za to umysł mój zdaje się mętny. W Tangerze przyłapałem się na tym, że mówię kilkoma językami jednocześnie. [...] Hiszpanie są tępi i nie chcą się uczyć. Z francuskim bywa u nich różnie; angielski lub włoski najczęściej wywołuje tylko puste spojrzenia, o niemieckim w ogóle nikt

tu nie słyszał. O wiele bystrzejsi są Arabowie, oni jednak są bardzo męczący, bo jest tu ich tak cholernie dużo[32].

W Tangerze zatrzymali się w szykownym hotelu El Mirizah. Miasto, jak powiedział Chandler amerykańskiemu reporterowi, było pełne „wolnych od podatku młodszych synów członków Izby Lordów, którym obmierzło życie w Anglii, gdyż musieliby tam stoczyć się socjalnie, biorąc się do jakiejś pracy".

Mimo wrodzonego sceptycyzmu, Chandlera fascynowała jednak angielska arystokracja. W Londynie zdarzało mu się bywać zarówno w szlacheckich domach, jak i w ekskluzywnych klubach w rodzaju Boodle's czy Athenaeum. Hamishowi Hamiltonowi powiedział, że jego zdaniem, szlachetnie urodzony Anglik jest „najbardziej bezpretensjonalnym stworzeniem na świecie", zaś spotkanego w Tangerze Davida Herberta (młodszego syna lorda Pembroke i przyjaciela Spenderów) uznał za „cholernie miłego i bardzo dowcipnego faceta". Twierdził, że Herbert, jak wszyscy dobrze wychowani ludzie, nie tylko nie miał dobrych manier, ale nawet nie znał samego pojęcia dobrych manier, gdyż dla niego była to rzecz zupełnie naturalna.

Co do Natashy, to coraz bardziej była zaniepokojona okazywanym przez Chandlera brakiem psychicznej równowagi. Zaczął ją doprowadzać do rozpaczy, w dużej mierze z tego jeszcze powodu, że całkowicie zdał się na nią. W jego zmąconym umyśle stawała się wcieleniem Cissy: była piękna, grała na pianinie i zdawała się go rozumieć.

Podczas gdy w Natashy Spender i jej rodzinie czekająca ją operacją nie budziła szczególnej obawy, Chandler po powrocie do Londynu w pierwszym tygodniu grudnia był strzępkiem nerwów. Kiedy Natasha udała się do szpitala, opiekę nad pisarzem przejął osobiście Stephen Spender, który często musiał spędzać z nim całe noce, starając się go uspokoić. W portfelu Chandlera znajdowała się teraz karteczka z nazwiskiem i adresem Spendera, opatrzona dopiskiem: „Gdyby doszło do jakiegoś wypadku".

Picie ponownie wymknęło się spod jego kontroli, toteż na krótko przed Bożym Narodzeniem pięćdziesiątego piątego roku on także znalazł się w szpitalu, gdzie odstawił alkohol. Tymczasem operacja Natashy przebiegła bez najmniejszych komplikacji.

Chandlera zabrała ze szpitala Jocelyn Rickards, jedna z jego „opiekunek". Zawiozła go z powrotem do hotelu Ritz, gdzie jednak mogła tylko bezradnie przyglądać się, jak pisarz nalewa sobie największe porcje ballantines, jakie kiedykolwiek widziała.

Co do niego samego, to – przynajmniej chwilowo – był w dobrym nastroju. Każdemu, kto go pytał o pobyt w szpitalu, wciąż jeszcze nie będąc gotowym przyznać się do swego alkoholizmu, odpowiadał, że w Tunezji dopadła go malaria.

W styczniu 1955 roku Spenderowie wynajęli mu mieszkanie na Carlton Hill, jednym ze spokojniejszych miejsc Londynu, a przy tym położonym niedaleko St John's Woods, gdzie znajdowała się ich rezydencja; stało się już bowiem oczywiste, że bez codziennego nadzoru Chandlerowi pozostawałoby tylko jedno wyjście: pobyt w jakimś specjalistycznym zakładzie.

Mieszkanie nie odznaczało się szczególną urodą, ale też Chandler nie mógł sobie pozwolić na jakiś kosztowny apartament, w dalszym ciągu tak samo rozrzutnie szastając pieniędzmi, skoro nie pracował nad niczym nowym.

On sam stawał się coraz bardziej nieszczęśliwy i coraz trudniejszy do zniesienia: samotne życie w zimowym Londynie to nie to samo co samotność w kalifornijskim słońcu. Na dobitek zaczął rozpowiadać na prawo i lewo, że oboje z Natashą są bardzo nieszczęśliwi, ponieważ kochają się i chcieliby się pobrać, co jednak jest niemożliwe ze względu na jej dwoje dzieci.

Gdy opowieści te dotarły do jej uszu, Natasha z jeszcze większym zniecierpliwieniem zaczęła reagować na jego delirium.

Powodem, dla którego tak źle znosił okres mieszkania na Carlton Hill, było w pierwszym rzędzie to, że pił, aby utopić w sobie dramatycznie skłócone między sobą obrazy z przeszłości; każda inna przyczyna spośród tych, które podawał różnym zaprzyjaźnionym osobom, stanowiła dowód samooszukiwania się, podobnie jak podczas poprzednich kryzysów, gdy na przykład wyjaśniał przyczyny nagłego końca swojej kariery w branży naftowej.

Zdarzały mu się jednak w tym czasie i lepsze okresy, kiedy na nowo odradzał się jego dowcip i oryginalny sposób bycia, i znów potrafił improwizować kolejne baśnie o swoich przygodach. Bardzo był zadowolony z wycieczki do Cambridge, gdzie poznał Frances Cornford [poetkę i wnuczkę Darwina]. Zapytała go ona w pewnej chwili, jakie jest jego ulubione dosadne wyrażenie spośród używanych w Ameryce, i wyraźnie się zdumiała, gdy bez namysłu rzucił: „Och, spływaj!"[33].

Zdarzały się chwile, gdy Chandler zdawał się objawiać trzeźwą świadomość tego, co się z nim dzieje. „Należę do tych ludzi – przyznał pewnego razu – których należy poznać dokładnie na tyle tylko, by można ich było lubić".

Natasha wspominała, że któregoś dnia podczas lunchu toczyła się przy stole rozmowa o psychoanalizie i ktoś z obecnych stwierdził w pewnym momencie, że w większości przypadków neuroza rodzi się w dzieciństwie. „Och, nie wiem – westchnął wówczas Chandler. – Ja swoje zbieram pod drodze".

Mieszkając na Carlton Hill – znów zaczął pisać wiersze:

Pielgrzymem się stałem i pomimo słoty
Ku ruinom świątyni zdążam zbyt odległym,
Lub piosnki miłośnikiem, co pełna tęsknoty
W sztuczną słodycz obleka złoty czas ubiegły,
Niepowrotny już warstwą pozłoty[34].

Do Louise Loughner tak pisał w tym okresie: „Lubię wstać z łóżka o czwartej nad ranem, wypić łagodną szkocką z wodą i zacząć stukać w klawisze mojej kochanej olivetti 44, która pod każdym względem przewyższa wszystko, co produkujemy w Ameryce. To ciężka przenośna maszyna, równie wspaniale skonstruowana jak włoski samochód wyścigowy, lecz proszę jej nie osądzać po moim maszynopisaniu"[35].

Polubiły go dzieci Spenderów, Matthew i Elizabeth, a sympatia okazywana mu przez całą rodzinę budziła w nim wzruszenie. Do Stephena napisał: „Mam takie wrażenie, jak gdyby rodzina Spenderów była moją własną. I potrzebna mi jest rodzina Spenderów nieporównanie bardziej, niż ja jestem potrzebny Spenderom. Jeżeli to tylko będzie możliwe, zawsze będę się uważał za członka rodziny Spenderów".

W udzielanych prasie wywiadach Chandler tak szczerze i otwarcie mówił o swej próbie samobójstwa po utracie Cissy, że zaczął otrzymywać listy od osób, które spotkała podobna tragedia. Kilka z nich po przeczytaniu listu pisarz zaprosił nawet do siebie na herbatę. Sam, będąc maniakiem epistolografii, nigdy nie uważał za coś niezwykłego, że nieznani ludzie zwierzali mu się w listach ze swoich przeżyć i uczuć. Pogląd, iż ludzie piszący do znanych osób, które darzyli uwielbieniem, byli psychopatami – Chandler pewnego razu określił jako rezultat błędnego myślenia, wedle którego osądzano całość na podstawie przypadków wyjątkowych.

> Gdy otrzymam list od jakiejś damy z Seattle (ostatnio mi się to nie zdarzyło), która informuje mnie, że lubi muzykę i seks, i właściwie proponuje mi, żebyśmy zamieszkali razem [...] bezpiecznie jest na taki list nie odpowiedzieć. Lecz inteligentny człowiek pisze listy inteligentne: może to być po prostu ktoś samotny albo po prostu otwarty wobec innych, albo ktoś, kto zwyczajnie znajduje przyjemność w pisaniu listów[36].

Dodał przy tym, że najinteligentniejsze listy od miłośników przychodzą do niego ze Skandynawii.

*

Chandler popadł w poważne kłopoty z brytyjskim urzędem podatkowym, nie był bowiem świadom – lub po prostu nie chciał przyjąć tego faktu do wiadomości – że nie wystarczyło z jego strony oświadczenie, iż przedłużył swój pobyt w Wielkiej Brytanii ponad przepisowe sześć miesięcy, gdyż musiał opiekować się Natashą Spender. Wciąż odmawiał uiszczenia jakiejkolwiek kwoty, ale jasne było, że dalsze pozostawanie w Londynie pogarsza jego położenie. Wreszcie w maju pięćdziesiątego szóstego, rok po przybyciu do Anglii po raz pierwszy, w jakimś przebłysku trzeźwości postanowił znowu powrócić do Ameryki.

Uczynił to prawie natychmiast: poleciał do Nowego Jorku, zatrzymał się tam na tydzień w hotelu Grovesnor przy Piątej Alei, codziennie widując się z Jessicą Tyndale i pijąc dość umiarkowanie. Zamierzał odwiedzić także Louise Loughner w San Francisco, toteż wysłał do niej liścik z prośbą: „Zarezerwuj mi, proszę, w hotelu Cliff apartament na siedem dni, licząc od trzeciego czerwca". W następnym liście z Nowego Jorku podał pani Loughner godziny lotu; postanowił udać się wprost do San Francisco, nie zaglądając przedtem do La Jolla, i poprosił ją, by powitała go na lotnisku z butelką szkockiej.

Przedtem jednak pojechał do Nowej Anglii w odwiedziny do Barrowów, które – jak się miało okazać – potrwają dwa tygodnie. Oto bowiem w pierwszych dniach pobytu okazało się, że jego organizm nie potrafi się już dłużej opierać „przypływowi" whisky: Chandler zwalił się ze schodów i został odwieziony karetką do szpitala w Nowym Jorku, gdzie przeszedł transfuzję krwi. Ze szpitalnego łóżka nadał telegram do Louisy Loughner, prosząc o odwołanie hotelowej rezerwacji:

W NAJWYŻSZYM STOPNIU NIEPOCIESZONY ALE KONIECZNOŚĆ LECZENIA TUTAJ WYMAGA ODŁOŻENIA WYJAZDU. NAPISZĘ JAK NAJSZYBCIEJ. PROSZĘ ODWOŁAJ CLIFF. TWÓJ RAYMOND CHANDLER[37].

Jessica Tyndale, która wzięła na siebie odpowiedzialność za opiekę nad pisarzem, mogła teraz naocznie przyjrzeć się tym aspektom jego osobowości i charakteru, o których dotychczas dane jej było tylko dowiadywać się od londyńskich przyjaciół. Pisała: „Zdaje się on mieć szczególną zdolność intensywnego wciągania innych w swoje własne życie; znalazłszy się w takim właśnie położeniu, zaczynam odczuwać totalną desperację[38].

Mimo tej serii doznanych upokorzeń nic nie przeszkodziło Chandlerowi w rozsyłaniu listów, które odmalowywały jego sytuację w całkiem odmiennych barwach. „Całkiem spodobał mi się wtedy Nowy Jork – zapewniał po ozdrowieniu Iana Fleminga – choć przedtem nie znosiłem jego szorstkości i grubiaństwa. [...] Nie miałem nic do roboty poza cholernym obijaniem się z kąta w kąt czy też po prostu spacerowaniem po Village".

Odzyskując siły w hotelu Grovesnor, napisał kolejną humorystyczną scenkę zatytułowaną „Jak zrujnować lekarza". Można się w niej doczytać, że Chandler zaniechał wreszcie prób zaprzeczania prawdziwej naturze jego choroby:

Wszedł w tym swoim białym kitlu i z tym potwornie kosztownym uśmiechem na twarzy. Wstałem. On usiadł za swoim biurkiem i przygotował się do robienia notatek na temat mojego stanu zdrowia, jeśli jeszcze jakiekolwiek mi pozostało. Zapytał mnie o wiek, na co jak zwykle udzieliłem mu kłamliwej odpowiedzi, po czym raczej niespodziewanie:
– Czy mógłbym wiedzieć, dlaczego nosi pan ciemne okulary?
– Ależ oczywiście! Ponieważ moje oczy są przekrwione od chlania.
– Doprawdy? Ile pan średnio wypija w ciągu dnia?
– W gruncie rzeczy nie tak znów bardzo wiele. Butelka szkockiej, osiem albo dziewięć koktajli (ma się rozumieć podwójnych) i jeszcze parę rodzajów wina do posiłków.
Przyjrzał mi się bez zbytniej przyjemności.

– Czy zawsze pił pan w tak nadmiernych ilościach, panie Chandler?
– Niechże pan nie wygaduje głupstw, panie doktorze – powiedziałem. – W końcu ciągle udaje mi się trafić we własne buty.
– Powinienem pana uznać za człowieka, przed którym rozpościera się przepaść alkoholizmu – oznajmił poirytowanym tonem.
Powiedziałem:
– Cóż, to całkiem przyjemny widok[39].

Dotarłszy w połowie czerwca do La Jolla, Chandler przez pewien czas pozostawał w hotelu Del Charro, po czym wprowadził się do dwupokojowego mieszkania na Neptune Place 6925.

Było to nieumeblowane mieszkanie z widokiem na brzeg oceanu. To znaczy – kiedyś było nieumeblowane. Teraz było w nim tyle gratów, że tylko specjalista od skoków przez przeszkody mógł się tam czuć jak u siebie w domu. Ale mimo wszystkich zgromadzonych tam cudownych (mnie zaś nienawistnych) sprzętów, mimo eleganckiego elektrycznego piecyka, lodówki i paru zasłon, mimo mnogości żółtych kartonów, które powstrzymywały mnie przed nieostrożnym zdejmowaniem koszul i spodniej bielizny, mimo niewielkiego, acz należącego tylko do mnie, patia i obszernego składziku – do jedzenia i picia znalazłem tam tylko jeden kubek, jeden spodek oraz jeden talerz, a i to okazało się tylko pożyczone. Ale za to (och, oczy moje!) miałem do dyspozycji komplet sztućców ze srebra pierwszej próby[40].

Po dwóch tygodniach od powrotu Chandler poczuł się na tyle dobrze, by wybrać się w podróż na północ, do San Francisco, i spotkać się tam z Louise Loughner. Zobaczyli się po raz pierwszy, i w następstwie tego spotkania pisarz przez cały miesiąc mieszkał w hotelu Cliff; wrócił do picia, a swego londyńskiego prawnika, Michaela Gilberta, poinformował nawet w liście, iż zamierza poślubić panią Loughner.

Niestety, na początku września Chandler znowu stracił przytomność i znalazł się w Pasadenie, w Las Encinas Sanitarium. Był to kres krótkotrwałego związku. „Bardzo mi jest przykro – napisał Chandler do Louise – i bardzo jestem samotny”.

Było to coś w rodzaju odroczenia wykonania wyroku. Klinika w Pasadenie zdała się jej nowemu pacjentowi „nader cudownym miejscem”, w którym stopniowo odzyskiwał siły fizyczne i duchowe. Osiągnął wreszcie stan, w którym – jak wyznał Jessice Tyndale – potrafił się zdobyć na pewną całościową ocenę swego postępowania w ciągu ostatnich dwunastu miesięcy. Zgodził się także skorzystać z pomocy specjalistów:

Mieli tam psychiatrę, który mógł sobie zdobyć szacunek każdego inteligentnego człowieka. Zajmują się najróżniejszego rodzaju ludźmi (byle, kurczę, mieli pieniądze): nieuleczalnymi alkoholikami, facetami, którzy wpadli w ciąg [...] jest paru psychicznych, których muszą trzymać pod zamknięciem w osobnym pawilonie, są ludzie w depresji etc. [...] Powiedziałem im, że tak długo żyłem w bardzo szczęśliwym małżeństwie, że gdy przeszedłem torturę powolnej agonii mojej żony, najpierw wydawało mi się, że zdradą byłoby spojrzeć na jakąś inną kobietę, a potem nagle zaczęło wyglądać na to, że zakochuję się w każdej poznanej niewieście. [...] Poddawali mnie różnym testom, jak test percepcyjny, test Rorschacha czy test klockowy. Nie wiem jeszcze, jak zostały ocenione, ale zdaje się, że wypadłem całkiem nieźle z wyjątkiem próby rysowania. [...] W końcu facet, który tym wszystkim zarządzał, powiedział mi: „Myśli pan, że znajduje się pan w depresji, ale pan się absolutnie myli. [...] Cały pański problem sprowadza się do samotności. Pan po prostu nie może, panu wręcz nie wolno żyć samotnie". [...] Ani trochę się nie spodziewałem tak wnikliwej oceny[41].

Chandler o własnych siłach powrócił do La Jolla i – po raz pierwszy od śmierci Cissy – zasiadł do pisania. Postanowił przywrócić do życia „Playback", niewykorzystany przez Universal scenariusz z czterdziestego siódmego roku, przerabiając go na książkę z Marlowe'em jako bohaterem; dzięki kuracji w Pasadenie jasno sobie uświadomił (o czym dobrze wiedzieli ci, z którymi korespondował), że o wiele bardziej był stabilny psychicznie, kiedy pisał.

Ta na nowo odzyskana równowaga uległa jednak gwałtownemu rozchwianiu w ostatnich miesiącach pięćdziesiątego szóstego roku, gdy dowiedział się, że Natasha Spender rozpoczęła tournée koncertowe po Ameryce.

Natasza uwierzyła zapewnieniom Chandlera, że od ich ostatniego spotkania odzyskał zarówno psychiczne, jak i fizyczne zdrowie, zgodziła się więc na wspólne spędzenie świąt Bożego Narodzenia. Chandler w łagodnej formie dał do zrozumienia Jessice Tyndale, iż zamierza nawiązać romans, i w tygodniu przedświątecznym wynajął kierowcę, który poprowadził jego samochód do Arizony[42].

Ujrzawszy go pijanego, Natasha z miejsca zdała sobie sprawę, że jego ozdrowienie było złudą i że popełniła błąd, zgadzając się na to spotkanie. „Najpierw wjechał prosto w ogrodzenie, a potem prowadził samochód zakosami, a nawet zdarzało mu się zjechać z szosy". Chandler wynajął kolejnego kierowcę, z którym pojechali do miasta Chandler w Arizonie, a następnie przez Wielki Kanion do

Palm Springs, gdzie spędzili dzień Bożego Narodzenia. Natasha nie czuła się jednak dobrze w towarzystwie człowieka, któremu pomimo tylu wysiłków nie mogła pomóc, toteż pozostawiła go w Palm Springs i sama udała się autem do Los Angeles, by spędzić tam Nowy Rok w towarzystwie swych przyjaciół, państwa Hookerów.

Evelyn Hooker prowadziła pierwsze w Ameryce studia nad homoseksualizmem i przyjaźniła się z Christopherem Isherwoodem, pisarzem, który niekiedy wynajmował pokój w domu w Brentwood, należącym do niej i do jej męża. Gdy wkrótce po przybyciu Natashy zadzwonił do Hookerów Chandler, by powiadomić ją, że on także szóstego stycznia zamierza przyjechać do Los Angeles, został przez gospodarzy zaproszony na obiad. Przy stole przez cały czas siedział nachmurzony i nie chciał brać udziału w rozmowie, która – jak wspominała Natasha – „dotykała najróżniejszych tematów, jak meskalina, chińskie nefryty, kompozycje fortepianowe Schuberta, książki Tolkiena i prywatne życie doktora Swifta; wszystkie te wątki rozmowy wydały się Raymondowi bardzo nudne".

Evelyn Hooker studiowała psychologię, toteż natychmiast zdała sobie sprawę, że Chandler znajduje się na granicy choroby psychicznej, i próbowała odwieść Natashę od powrotu do Palm Springs w jego towarzystwie. Evelyn była przekonana, że potrzebował on pomocy specjalistów, jednakże Natasha, choć wiedziała, że i tak wkrótce będzie musiała opuścić Chandlera, by kontynuować swoje tournée – pojechała z nim do Palm Springs.

Zaledwie zdążyli tam dotrzeć, gdy dotarła do nich wiadomość, że mąż Evelyn zmarł nagle na atak serca; Natasha gotowa była natychmiast powrócić do Los Angeles, lecz Evelyn przekonała ją, że dla dobra Chandlera powinna pozostać przy nim. Wzruszony takim gestem, pisarz nalegał, aby po pogrzebie Evelyn, Isherwood i jego kochanek, Don Bachardy, przyjechali na jego koszt do Palm Springs. Zaproszenie zostało przyjęte i Natasha pojechała do Brentwood, by ich stamtąd zabrać autem.

Chandler miał okazję bliżej poznać Isherwooda: „Myślę, że to jedyny pedał, w którego towarzystwie nie czułem się skrępowany. Homoseksualiści (nie biseksualiści; to kwestia czasów i obyczajów), bez względu na to, jakim by się odznaczali talentem i smakiem artystycznym, zawsze wydawali mi się pozbawieni zdolności głębszego odczuwania. Podczas wojny potrafili wykazywać się odwagą, ale nie zmienia to faktu, że w istocie są dyletantami".

Pewien amerykański krytyk napisał, iż przyjaźń, jaka łączyła w „Długim pożegnaniu" Terry'ego Lennoxa i Philipa Marlowe'a, miała skryte podłoże homoseksualne. „Można z całą pewnością odrzucić uwagi pana G. Legmana", odparł na to Chandler, dodając, że krytyk ten należał do kategorii neurotycznych Amerykanów, „którzy nie potrafią sobie wyobrazić, aby głęboka przyjaźń pomiędzy dwoma mężczyznami mogła nie być homoseksualna".

Legman, który analizował detektywistyczną twórczość samego tylko Chandlera, wyraźnie nie wziął pod uwagę całego gatunku, w jakim ta twórczość się mieściła. Podobnie jak westerny, twarde powieści detektywistyczne zawsze miały za bohaterów mężczyzn odznaczających się siłą, urodą i uczciwością. To, że nieodmiennie byli oni kawalerami i tak samo nieodmiennie za najlepszych przyjaciół mieli także kawalerów, zgodne było z tradycyjnym kanonem.

Powieści Chandlera przyciągały jednak uwagę intelektualistów, którzy zwykli je oceniać w oderwaniu od ich korzeni, które sięgały wszak „Czarnej Maski". Chandler zdał sobie z tego sprawę, toteż w gruncie rzeczy próbował z góry usunąć grunt spod nóg różnych „proszę-jaki-oto-jestem-błyskotliwy" krytyków – w tym także posądzenie o ukryty wątek homoseksualny – opierając się na samym tekście „Długiego pożegnania". Pod koniec powieści Roger Wade w rozmowie z Marlowe'em mówi:

> Miałem kiedyś sekretarza. Dyktowałem mu. Pozwoliłem mu odejść. Krępowało mnie, kiedy tak siedział i czekał, aż zacznę tworzyć. Błąd. Powinienem był go zatrzymać. Mogłaby zacząć krążyć pogłoska, że jestem homo. Bystre chłopaczki, co to pisują recenzje, bo nic innego nie potrafią napisać, mogliby się na to załapać, a wtedy zaczęliby mi udzielać swojego wsparcia. Rozumiesz, swoim trzeba pomagać. To wszystko pieprzone pedzie, jeden w drugiego. Pedał jest artystycznym sędzią swej epoki, kolego. Perwersyjne skłonności torują teraz drogę na szczyt.

Po „Długim pożegnaniu", zetknąwszy się w Londynie z Davidem Herbertem, Stephenem Spenderem i innymi, Chandler zaczął zmieniać swoją opinię na temat homoseksualistów, i w chwili gdy zetknął się z Isherwoodem, był już w stosunku do nich bardziej tolerancyjny. Postanowił zapoznać się z osławionym przesłuchaniem, jakiemu Edward Carson poddał przed sądem Oscara Wilde'a, który bezskutecznie usiłował uzyskać wyrok skazujący w wytoczonej przez siebie sprawie o zniesławienie ze strony markiza Queensberry; doszedł do wniosku, że przesłuchanie to przypominało sytuację, w której „dwóch ludzi usiłuje krzyczeć poprzez oceany niezrozumienia. [...] [Homoseksualistów] uważamy za zagrożenie, gdyż budzą w nas taki sam wstręt jak ten, którym napełniają nas niekiedy nasze własne normalne grzechy".

A jednak po śmierci Chandlera krytyka w dalszym ciągu powracała do tezy, że Philip Marlowe był postacią zrodzoną w wyobraźni Chandlera (podobnie jak i homofobia) pod wpływem jego własnych, głęboko skrywanych skłonności homoseksualnych. Są to czyste spekulacje intelektualne, gdyż twierdzeń tych ani nie można udowodnić, ani obalić; a powód dał im sam Marlowe swymi opisami wyglądu niektórych męskich postaci, z którymi się stykał. W „Tajemnicy jeziora" na przykład poznaje pewnego doświadczonego i uczciwego wiejskiego szeryfa:

> Miał duże uszy i przyjazne spojrzenie, jego szczęki bezustannie coś wolno przeżuwały i w sumie wyglądał na osobnika równie groźnego jak wiewiórka, tyle że mniej od niej nerwowego. Wszystko mi się w nim podobało.

Także w powieści „Żegnaj, laleczko" występuje podobna postać i jej opis podany przez Marlowe'a (zwłaszcza że mężczyzna jest młodszy od przywołanego wyżej szeryfa) mógłby tym, którzy dopatrują się w Chandlerze homoerotycznych skłonności, posłużyć jako dowód.

Początkowo Marlowe widzi w nim „wielkiego rudowłosego byczka w brudnych trampkach", który zamierza go zaatakować, ale przy bliższym poznaniu pozbywa się obaw; ma zwyczaj oceniać charakter człowieka po szczegółach fizjonomii i uznaje, że ów rosły mężczyzna nie ma w sobie nic ze złoczyńcy.

> Uśmiechał się lekko i było w tym uśmiechu pewne zmęczenie. Jego głos brzmiał łagodnie, nieco sennie i jak na mężczyznę jego postury tak delikatnie, że aż wywoływał zdumienie. [...] Ponownie mu się przyjrzałem. Miał oczy, jakich się nie widuje, a tylko czyta o nich w książkach. Oczy fiołkowe. Niemal purpurowe. Oczy dziewczyny, i to pięknej dziewczyny. [...] Wszystko inne niczym się jednak nie odróżniało od twarzy zwyczajnych farmerów, w których nie było nic z aktorskiej urody.

Współzależność pomiędzy wyglądem danej postaci a jej sposobem myślenia (powszechna w melodramatach) obowiązuje także w odniesieniu do dobrych kobiecych postaci występujących w książkach Chandlera. W „Laleczce" na przykład jest taką postacią Anne Riordan:

> Miała jakieś dwadzieścia osiem lat. Jej czoło było raczej wąskie, za to wysokie ponad miarę uznawaną za granicę elegancji; nos mały i jakby wścibski, górna warga zbyt duża, a całe usta bardziej niż trochę za szerokie. Oczy miała szaroniebieskie i pobłyskiwały w nich złotawe punkciki. Miły uśmiech. Wyglądała jak po dobrze przespanej nocy. To była sympatyczna twarz, taka, którą można by było polubić. Ładna, lecz nie aż tak, żeby pokazując się z nią między ludźmi, trzeba było za każdym razem na wszelki wypadek zakładać kastet.

Żyjąc w przepełnionej sztucznym pięknem Kalifornii, gdzie każda burgerowa restauracja mieniła się pałacem, a każda kobieta na odległość sprawiała wrażenie księżniczki – Marlowe polegał na oczach, skórze i głosie, które mówiły mu wszystko, co chciał o kimś wiedzieć; ubrania i meble niemal nic dla niego nie znaczyły.

W tej samej opowieści, w której spotyka Anne Riordan, poznaje Marlowe olśniewającej piękności *femme fatale*. W pierwszej chwili nie znajduje żadnego punktu zaczepienia, tak nieskazitelne są jej maniery i tak przewidywalne zachowania. „Nie zwracałem większej uwagi na jej strój. Specjalnie dla niej zaprojektował je jakiś facet, a ona należała do tych, które zwracają się do odpowiednich projektantów". Dużo czasu zajmie mu rozgryzienie motywów, jakie nią kierowały.

Marlowe zawsze wypatrywał takich szczegółów, które mogłyby mu zdradzić prawdziwe intencje danej osoby, zarówno mężczyzny, jak i kobiety. W „Długim pożegnaniu" zwraca jednak uwagę na coś innego.

Natasha Spender uważa, że w postaciach Lennoxa, Wade'a i Marlowe'a Chandler stworzył trzy wersje samego siebie. Jej zdaniem, z chwilą opuszczenia Los Angeles, jego zainteresowanie przeniosło się z ulic do wnętrza własnego umysłu. W życiorysie każdej z tych trzech postaci, wyjaśnia Natasha, pojawiają się szczegóły, które współgrają z różnymi aspektami osobowości samego Chandlera. Razem reprezentują one wszystko, czym pisarz chciał być i czego się obawiał. Zgodnie z tą interpretacją Terry Lennox przestaje być domniemanym obiektem miłości Marlowe'a i Chandlera, a zaczyna odgrywać rolę alter ego.

Wszystkie trzy postaci, podobnie jak sam Raymond, to pijacy; dwaj rozpadają się wewnętrznie i wpadają w rozpacz. [...] Tak samo jak poszczególne aspekty charakteru samego Raymonda, rola każdego z nich w powieści rośnie lub maleje w zależności od aktualnego nastroju autora. Roger Wade, to jego „złe ja", Marlowe jest „dobrym ja", zaś Terry Lennox to sam Chandler dręczony wewnętrznym niepokojem. Cała ta, częstokroć skonfliktowana pomiędzy sobą trójka, w odpowiedniej chwili podporządkowywana była czwartemu, dobrodusznemu, szczodremu przyjacielowi, który chętnie bierze na siebie rolę poniekąd ojcowską[43].

*

Śmiertelny atak serca Edwarda Hookera bardzo poruszył Chandlera, który przez cały czas pobytu w Palm Springs nie przestawał rozprawiać o śmierci. Wciąż powtarzał zdanie: „Cissy odeszła na zawsze". Ku przerażeniu Natashy tłumaczył świeżo owdowiałej Evelyn, że jednym z powodów, dla których tak ciężko przeżył śmierć Cissy, było to, iż nie wierzy w życie pozagrobowe. Sytuację uratowała tylko wyrozumiałość samej pani Hooker oraz fakt, że dobrze układały się stosunki między Chandlerem a Isherwoodem.

Don Bachardy zarejestrował na taśmie filmowej, w kolorze, choć bez dźwięku, jedną ze scen tych wspólnych wakacji, i jest to jedyny znany filmowy obraz Chandlera. Widzimy go, jak wygłupia się na desce do pływania, sprawiając wrażenie osoby podejrzanie ożywionej. Evelyn Hooker, która w tym czasie o wiele mniejszą niż Natasha wagę przywiązywała zarówno do nietaktownych zachowań pisarza, jak i do jego pijaństwa, stwierdzi potem, że Chandler nalegał, by każdy jego wyczyn na desce był przez obie panie oceniany w skali od zera do dziesięciu punktów.

Wszystkiego tego za wiele już było dla Natashy Spender, która zresztą tak czy inaczej musiała wznowić swoją turę koncertową. Podczas ceremonialnego obiadu pożegnalnego, który wymógł na niej Chandler po wyjeździe Evelyn i Isherwooda, powiedziała mu bez ogródek, że nie ma zamiaru dłużej znosić jego fantastycznych zmyśleń na temat ich wzajemnego stosunku, jak również tego, że on sam uważa się za całkowicie zdrowego psychicznie. Chandler odpowiedział na to jednym ze swych rycerskich gestów, z których był tak dumny. Napisał list, w którym oficjalnie przyjmował do wiadomości decyzję o zerwaniu przyjaźni, i przesłał go jej za pośrednictwem swego londyńskiego prawnika.

Zapewne przez cały czas byłem głupi. Byłaś dla mnie tak dobra i czuła w trudnych dla mnie chwilach, iż wydało mi się, że odnosiło się to do mnie jako takiego, nie zaś po prostu do człowieka będącego w potrzebie. Teraz już wiem, że byłem w błędzie, gdyż postąpiłabyś tak samo w stosunku do każdego, kto borykałby się z poważnymi problemami[44].

Trzy dni po wyjeździe Natashy Spender przybył do Palm Springs kierowca Chandlera, aby go zawieźć do La Jolla.

PRZYPISY

[1] List do Jessiki Tyndale, 19.06.1956; Bodleian, Chandler files.

[2] John Pearson, „The Life of Ian Fleming"; Jonathan Cape 1966, s. 255.

[3] List do Hamisha Hamiltona, 27.04.1955; Bodleian, Chandler files.

[4] Natasha Spender, „His Own Long Goodbye", w książce „The World of Raymond Chandler"; red. Miriam Gross; Weidenfeld & Nicolson 1977, s. 129.

[5] Centralny ośrodek „obsługi" Chandlera stanowiły Natasha Spender, Jocelyn Rickards, Alec Murray i Alison Hooper.

[6] Natasha Spender w książce pod red. M. Gross „The World of Raymond Chandler"; op. cit.

[7] List do redaktora „Evening Standard", 30.06.1955; Bodleian, Chandler files.

[8] Natasha Spender w książce pod red. M. Gross; op. cit.

[9] Bodleian, Chandler files.

[10] List do Wesleya Hartleya, 3.12.1957; Bodleian, Chandler files.

[11] Helga Greene w niewykorzystanej przedmowie do książki „Raymond Chandler Speaking"; Bodleian, Chandler files.

[12] Pearson, op. cit., s. 262.

[13] List do Iana Fleminga, 9.06.1956; Bodleian, Chandler files.

[14] Raymond Chandler, „Playback"; op. cit., s. 163.

[15] Paradoksalnie, gdy Chandler recenzował „Diamonds Are Forever" w „Sunday Times" (wraz z recenzją książki tegoż Fleminga „Doctor No" stanowiła ona cały jego londyński dorobek krytyczny), uważał, że autor uczynił postać Bonda nazbyt ludzką. Napisał: „Nie lubię, kiedy Bond myśli. Lubię go, kiedy jest w trakcie niebezpiecznej karcianej rozgrywki. Lubię go, kiedy staje się celem dwunastu wąskowargich profesjonalnych zabójców [...] Lubię go, gdy na końcu bierze w ramiona piękną dziewczynę i poucza ją na temat tego, co trzeba wiedzieć o życiu, a jest to zaledwie dziesiąta część wiedzy, którą ona sama już posiadła".

„Doctor No", przeciwnie, był dla Chandlera „majstersztykiem".

[16] List od Iana Fleminga, 9.06.1956; Bodleian, Chandler files.

[17] Natasha Spender w książce pod red. M. Gross; op.cit.

[18] List od Louise Lee, 16.04.1958; Bodleian, Chandler files.

[19] List do Louise Loughner, 15.06.1955; UCLA Special Collections, Chandler.

[20] List do Louise Loughner (data nieznana); UCLA Special Collections, Chandler.

[21] „Daily Express", 14.01.1956.

[22] „Daily Mirror", 13.04.1958.

[23] „News Chronicle", 1.05.1958.

[24] „Daily Express", 7.07.1958.

[25] List do Rogera Machella, 15.03.1958; Bodleian, Chandler files.

[26] „Daily Express", 25.05.1957.

[27] List do Louise Loughner, 21.05.1955; UCLA Special Collections, Chandler.

[28] List do Paula McClunga, 11.12.1951; Bodleian, Chandler files.

[29] List do Rogera Machella (data nieznana); Bodleian, Chandler files.

[30] List do Neila Morgana (data nieznana); Bodleian, Chandler files.

[31] Natasha Spender, op. cit.

[32] List do Jamesa Foxa, 16.12.1955; w książce „Letters: Raymond Chandler and James M. Fox"; Neville & Yellin, 1978.

[33] Natasha Spender, op. cit.

[34] Bodleian, Chandler files.

[35] List do Louise Loughner, 21.05.1955; UCLA Special Collections, Chandler.

[36] List do redaktora „The Third Degree", kwiecień 1954; UCLA Special Collections, Chandler.

[37] Telegram do Louise Loughner, 29.05.1956; UCLA Special Collections, Chandler.

[38] List Jessiki Tyndale do Helgi Greene, 3.06.1956; Bodleian, Chandler files.

[39] Bodleian, Chandler files.

[40] List do Jessiki Tyndale, 12.07.1956; Bodleian, Chandler files.

[41] List do Jessiki Tyndale, 20.08.1956; Bodleian, Chandler files.

[42] Siódmego stycznia 1957 Jessica Tyndale napisała do Chandlera: „Zniechęciła mnie do pisania twoja pocztówka z [miejscowości] Chandler w stanie Arizona, która wydała mi się szczegółowym opisem jednodniowych wizyt składanych na całym Południowym Zachodzie"; Bodleian, Chandler files.

[43] Natasha Spender, op. cit. Wywiad z panią Spender przeprowadzony wiosną 1955 roku.

[44] Ibid.

Rozdział 9

Playback

Jakie to ma znaczenie, gdzie się leży po śmierci? W brudnym bagnie czy w marmurowej wieży na szczycie wysokiej góry? Umarli śpią głębokim snem, nie troszcząc się o takie różnice.

(„Głęboki sen", 1939)

W Nowy Rok 1957 Chandler ponownie wprowadził się do swego mieszkania przy Neptune Place w La Jolla, poddał się serii witaminowych zastrzyków i próbował sobie z powrotem narzucić reżym samodyscypliny.

W „San Diego Tribune" zamieścił ogłoszenie, iż poszukuje sekretarki. Odpowiedziała na nie Jean Fracasse, uderzająco urodziwa Australijka, była aktorka i prezenterka telewizyjnych wiadomości. Urodzona w Sydney, wykształcenie zdobyła w Paryżu i w Londynie, a w Kalifornii znalazła się po wyjściu za mąż za wziętego lekarza.

Zgłaszając się do Chandlera, miała już dwoje dzieci, była w czasie kosztownej procedury rozwodowej i potrzebowała pieniędzy. Jej kwalifikacje znacznie wykraczały poza to, czego wymagało się od zwykłej sekretarki, bowiem przez jakiś czas pracowała w reklamie, uzyskała doktorat z muzykologii i była jedną trzech pierwszych kobiet zatrudnionych w telewizji. Podobnie jak Cissy i Natasha Spender – Jean była utalentowaną pianistką.

Chandler zaangażował ją w styczniu pięćdziesiątego siódmego roku i wkrótce tkwił już po uszy w perypetiach rozwodowych pani Fracasse. Wspomagał ją finansowo, a swój bezpośredni udział w sprawie posunął aż tak daleko, że osobiście odszukiwał świadków, których mógłby wykorzystać adwokat Jean („Można było ich oczywiście formalnie wezwać do stawienia się przed sądem, ale chodziło mi o ludzi, którzy zeznawaliby z własnej woli"), i doszedł do wniosku, że doktor Fracasse był łobuzem i oszustem, a także „niebezpiecznym typem maniakalno-depresyjnym i paranoikiem”.

Nie wystarczył mu sam udział w postępowaniu sądowym; postanowił sobie, że jak tylko ukończy nowego Marlowe’a, napisze książkę o adwokatach rozwodowych: „Rozszyfrowałem metody stosowane w Kalifornii przez tę sitwę – oświadczył swym amerykańskim wydawcom. – Badałem także inne tego rodzaju sprawy. [Książka] opowiadać będzie o typowym adwokacie specjalizującym się w rozwodach i możecie mi wierzyć, że będzie to portret bezlitosny”.

Jego pomocne wysiłki odbiły się jednak nieprzyjemnym rykoszetem: adwokat doktora Fracasse’a zaczął posługiwać się argumentem, iż żona jego klienta znalazła dzięki Chandlerowi nowe środki utrzymania. Ta przebiegła sztuczka jeszcze bardziej jednak umocniła w pisarzu wolę wspomagania Jean. Po jakimś czasie zaczął ją zachęcać, by przychodząc do pracy, przyprowadzała ze sobą swoje dzieci.

Lubił się z nimi – chłopcem i dziewczynką – bawić i często we trójkę oglądali telewizję. Zaprosił je razem z matką na wakacje do Palm Springs i począł informować swych przyjaciół w Londynie, że zamierza ożenić się z Jean Fracasse. Co do niej, to była elegancką kobietą o pogodnym charakterze i nie dawała się nabrać na jego nonsensowne pomysły, co zresztą tylko pogłębiało w Chandlerze miłość, jaką do niej zapałał. Nie była zainteresowana ani ponownym zamążpójściem, ani zwłaszcza tym, by z nim sypiać. Oto jego limeryk, który do tej sprawy nawiązuje:

Znana jest mi niewiasta Jean zwana,
Zgrabna, czuła i bardzo zadbana.
Choć ubóstwiam jej nogi
W sercu żal czuję srogi,
Że nie dla mnie rozchyli kolana[1].

W czasie pracy nad siódmą już powieścią Chandler zakochał się także w swej nowej agentce. Helga Greene, którą przed opuszczeniem Londynu zaangażował jako swoją międzynarodową przedstawicielkę, była ekszoną Hugh Carletona Greene’a, dyrektora generalnego BBC. Będąc spadkobierczynią fortuny Guinnessów, a przy tym przyjaciółką Jessiki Tyndale, znała wielu spośród ludzi, których Chandler spotkał w Londynie.

W listopadzie pięćdziesiątego czwartego roku Helga wsiadła w samolot i pojawiła się w La Jolla, aby na własne oczy zobaczyć, na jakim etapie znajduje się książka Chandlera, gdyż nikt w Londynie, z Hamishem Hamiltonem włącznie, nie wierzył, aby był on w stanie ją dokończyć.

Spędziła w La Jolla tydzień, a przez następny – była gościem Chandlera w Palm Springs. Jej towarzystwo wpływało na pisarza mobilizująco: „Już sam sposób, w jaki mówiła i zachowywała się, jej prostota i brak małostkowości, przenikliwość jej umysłu – wszystko to w jakiś sposób mnie inspirowało”[2].

Jak wspominała pani Greene, Chandler zabrał się do pisania z pewną determinacją:

> Kładł się spać wcześnie, około dziesiątej, a budził się radosny jak ptaszek – bez najmniejszych śladów kaca – tuż po czwartej. [...] Pracował zwykle do lunchu, sam albo z sekretarką, po czym już nie zdarzyło mi się go zobaczyć piszącego, choć czasem jeszcze dyktował listy, leżąc na plecach niby wielki morświn[3].

Helga nie mogła na dłużej pozostać w Kalifornii, gdyż prowadziła w Londynie agencję literacką i musiała się zajmować interesami różnych klientów, między innymi (przez jakiś czas) Roalda Dahla; podobnie jednak jak inni – szybko została wciągnięta w życie Raymonda Chandlera.

Lubiła go jednak, jak też lubiła jego niekonwencjonalne zachowania. Po jego śmierci napisze:

> Był w stanie mnie rozśmieszyć, co rzadko komu się zdarza. Był całkiem nieprzewidywalny; stanowił swoistą mieszankę naiwności i błyskotliwości. Gdy od czasu do czasu sięgał po butelkę, stawał się nudny, ponieważ alkohol sprawiał, że zaczynał się powtarzać, ale w sumie był najlepszym na świecie kompanem, który potrafił z ciebie wydobyć to, co było w tobie najlepsze [...] jego obecność stymulowała innych; miał w sobie niewyczerpane pokłady czaru, którym obdarzał nie tylko swych przyjaciół, ale i sklepikarzy, posługaczki czy kelnerki[4].

Podobnie jak przedtem dla Jean Fracasse, tak i dla Helgi ułożył teraz limeryk:

> Greene z nazwiska, z natury cnotliwa,
> Nawet w myślach rozpustna nie bywa.

Przetom rzec jej niezdolny
O czym, starzec swawolny,
Zwyczaj mam w każdą noc przemyśliwać[5].

„Playback”[6], książka, którą właśnie kończył, to bez wątpienia najzabawniejsza ze wszystkich jego powieści. Charakterystyczny dla „Długiego pożegnania” klimat depresji zastąpiony w niej został przez coś w rodzaju pogodzonej z samą sobą absurdalności. Nie poprawiła się dola detektywa ani nie zwiększył się jego szacunek dla samego siebie, teraz jednak zdaje się on oceniać swoje położenie jako raczej komiczne niż tragiczne: zdarzają się niekiedy sytuacje, gdy Marlowe, obecnie już w połowie piątego krzyżyka, przyłapuje samego siebie na chichotaniu.

Tę historię od poprzednich zasadniczo różnią choćby takie oto dwie nowości, że – po pierwsze – do morderstwa dochodzi dopiero pod koniec książki, a po drugie, że Marlowe w czasie prowadzonego przez siebie dochodzenia przesypia się z obiema głównymi postaciami kobiecymi[7].

Wszystko zaczyna się od dzwonka telefonu, który o świcie budzi detektywa w jego domu w Los Angeles. Niezręczny jak nigdy przedtem i bardzo jak na siebie powolny, Marlowe szarpie się ze słuchawką, by wreszcie wyjęczeć do niej: „Nie jestem młodzieniaszkiem. Jestem stary, jestem zmęczony i mój żołądek nie jest napełniony kawą”. Głos po drugiej stronie jest wyraźnie zniecierpliwiony: „Nie słyszałeś pan? Powiedziałem, że jestem Clyde Umney, adwokat!” Marlowe przez chwilę wpatruje się w telefon, a potem mówi: „Clyde Umney, adwokat. Myślałem, że paru takich już mamy”.

Rankiem, czekając przed drzwiami gabinetu Umneya na szczegółowe instrukcje, detektyw wdaje się w kłótnię z olśniewającą, lecz arogancką asystentką adwokata, do której uporczywie zwraca się per „siostrzyczko”, na co w końcu słyszy:

– Nie nazywaj mnie „siostrzyczką”, tani kapusiu!

– To nie mów do mnie „kolego”, kosztowna sekretarko. Co robisz dziś wieczorem? I nie opowiadaj mi, proszę, że znowu jesteś umówiona z czterema marynarzami[8].

Umney żąda, by Marlowe śledził dziewczynę nazwiskiem Eleanor King, począwszy od dworca kolejowego w Los Angeles, aż do miejsca, do którego się uda; potem dowie się, jakie dalsze instrukcje otrzymał Umney od swego klienta.

Jak się okazuje, dziewczyna udaje się do pewnego hotelu w nadmorskim miasteczku Esmeralda w pobliżu San Diego. Marlowe wynajmuje więc pokój w tym samym hotelu. Gdy traci przytomność po ciosie zadanym mu przez innego prywatnego detektywa, zaczyna podejrzewać, że nie jest jedyną osobą, która śledzi tę dziewczynę. Z czasem odkrywa, że King to przybrane nazwisko, pod którym przybyła ona do LA ze Wschodniego Wybrzeża, po procesie, w którego wyniku została oczyszczona (bardzo szczęśliwym zrządzeniem okoliczności) od zarzutu spowodowania śmierci męża alkoholika.

Podobnie jak w scenariuszowej wersji tej historii, nie wiemy, czy ta młoda kobieta naprawdę jest winna śmierci męża, Marlowe za to odkrywa, że jej bogaty i ustosunkowany teść, który jest przekonany o jej winie, zaprzysiągł, iż uczyni życie pani King jednym pasmem niedoli. To on właśnie jest klientem Umneya, któremu nakazał ją śledzić.

Zmieniwszy nazwisko na Betty Mayfield, młoda kobieta stopniowo przeobraża się w ludzki wrak, ogarnięty paranoją i obsesją samobójstwa. Mimo iż zorientowała się, że ją śledzono, zanadto jest zmęczona, by próbować kolejnej zmiany miejsca pobytu, i zaczyna otwarcie przesiadywać w miejscowych barach.

Szybko zwraca na siebie uwagę dwóch bezwzględnych przestępców: jeden to Larry Mitchell, który odkrywszy powody, dla których starała się ukrywać, zaczyna ją szantażować; drugi to Clark Brandon, działający kiedyś na terenie Kansas gangster, który przeszedłszy w stan spoczynku, przeniósł się do Esmeraldy i prowadzi legalne interesy, będąc między innymi zarządcą hotelu, w którym pani King się zatrzymała. Brandon zakochuje się w niej, podobnie zresztą jak i Marlowe, który postanawia teraz zmienić front i chronić ją, zamiast śledzić.

Chandler wykorzystał stronice swej powieści, by się oczyścić od często mu stawianego zarzutu, iż jest antysemitą. Przyczyną tego oskarżenia stała się charakterystyka, jaką nadał w „Wysokim oknie" postaci handlarza numizmatyka, nazwiskiem Elisha Morningstar.

(W każdym z nas tkwi jakaś cząstka antysemity – powiedział kiedyś Chandler Hamiltonowi – tak w gojach, jak i w samych Żydach) .

Sportretowana na podobieństwo Shylocka postać Morningstara bez wątpienia pasowała do tradycyjnego stereotypu Żyda stworzonego przez antysemitów. Z początku pisarz bronił tego portretu w listach do oskarżających go o antysemityzm czytelników, wyjaśniając im, że większość jego postaci została scharakteryzowana z pewną przesadą: jego dziewczęta w nocnych klubach nie były po prostu skąpo odziane, lecz wszystko, co miały na sobie, mogły ukryć „za zapałką"; jego osiłki (jak Moose Molloy w „Laleczce") nie odznaczali się po prostu potężnymi rozmiarami, lecz musieli być gigantami; jego bogacze (jak Potter w „Długim pożegnaniu") nie bywali zwykłymi milionerami, ale miliarderami; jego policjanci nie byli po prostu przekupni, lecz stanowili uosobienia zła; wreszcie jego filmowym gwiazdeczkom nie wystarczała neuroza i musiały być psychopatkami.

Każda postać była wyolbrzymiona, gdyż tak właśnie widział Chandler melodramat, idąc za przykładem Szekspira i Dickensa. Nawet Philip Marlowe, przypominał swym krytykom Chandler, pomyślany był jako „NAJ": „najbardziej honorowy, najdowcipniejszy, najodważniejszy i najbardziej pomysłowy mężczyzna, jakiego można sobie było wyobrazić". W odpowiedzi na jeden z najbardziej bolesnych dla siebie listów, napisał, że łowca czarownic, który węszy za antysemityzmem, „winien rozglądać się za nieprzyjaciółmi Żydów nie pośród tych, którzy [...] umieszczają w swych książkach żydowskie postaci, ponieważ w życiu spotykają wielu Żydów, z których każdy jest interesujący i każdy jest inny, acz zdarza się, iż niektórzy są raczej złymi ludźmi – podobnie jak niektórzy nie-Żydzi; niech się ktoś taki rozejrzy za antysemitami raczej wśród bezwzględnych i pozbawionych skrupułów osobników (a nie będzie mu trudno ich rozpoznać) oraz wśród snobów, którzy w ogóle nie wypowiadają się na temat Żydów".

Chandler nie uważał się za rasistę i w samej rzeczy zdarzyło mu się odmówić członkostwa klubu tenisowego w La Jolla, ponieważ nie przyjmowano do niego Żydów; w „Playbacku" poddał jednak swoją skłonność do posługiwania się stereotypami pewnej rewizji. Oceny dokonał posiwiały właściciel motelu, nazwiskiem Fred Pope:

> Oczywiście teraz mamy tu także Żydów, ale coś panu powiem. Mówią, że Żyd to jest wredna sztuka, jeżeli się człowiek nie pilnuje. To bzdura. Żyd po prostu lubi handlować, lubi biznes, ale jest twardy tylko z wierzchu. W środku żydowski biznesmen jest przeważnie całkiem zwyczajny i przyjemny w kontaktach. Jest ludzki. A od obdzierania ze skóry z zim-

ną krwią mamy tu w mieście sporą gromadkę, która potrafi zjeść człowieka z kośćmi i jeszcze policzy za usługę. Wyrwą ci ostatniego dolara i będą na ciebie patrzyli tak, jakbyś to ty im go ukradł[9].

*

Dziwne zakończenie „Playbacku" zdradza zmęczenie, jakie ogarnęło Chandlera w pięćdziesiątym siódmym roku: Pani King znajduje w swoim pokoju martwego Larry'ego Mitchella i wpada w panikę. Mówi detektywowi, że jeśli policja znajdzie zwłoki, to będzie ją podejrzewać o morderstwo. Przysięga, że nie zabiła Mitchella, ale zarazem histerycznie zapewnia, że nie będzie w stanie ponownie stanąć przed sądem.

Marlowe, mimo iż sam prawie ją podejrzewa, to powodowany uczuciem zgadza się jej pomóc. Gdy jednak udają się do pokoju dziewczyny – nie znajdują tam żadnego trupa. To jeszcze bardziej rozstraja przerażoną kobietę, która jest u progu załamania nerwowego.

Detektyw dochodzi do wniosku, że ciało mogło zostać usunięte z hotelu tylko przez podziemny parking i udaje się do mieszkania jego strażnika, który jednak także już nie żyje, powieszony u sufitu swego pokoju.

A tymczasem Goble'a, prywatnego detektywa, który na początku powieści ogłuszył Marlowe'a, znaleziono ciężko pobitego. Miejscowa policja poinformowana przez teścia Eleanor King o jej przeszłości zaczyna zaciskać wokół niej złowrogi pierścień. Ciała Mitchela nie odnaleziono, lecz policjanci wiedzą już, że zniknęło.

Marlowe domyśla się w końcu, jak się to wszystko odbyło, i składa wizytę Clarkowi Brandonowi. Okazuje się, że to jego, a nie Eleanor King, szantażowali wspólnie Mitchell i Goble. Goble pochodził z Kansas i przybył do Esmeraldy, by zagrozić Brandonowi ujawnieniem jego gangsterskiej przeszłości; Marlowe'a zaatakował przez pomyłkę, sądził bowiem, że on także próbuje się dobrać do kieszeni Brandona.

Goble wtajemniczył w swój plan Mitchella, proponując mu nawiązanie kontaktu z Brandonem i wyciągnięcie od niego pieniędzy. Brandon wszakże, zamiast zapłacić, wyrzucił szantażystę z najwyższego piętra hotelu; Mitchell spadł na balkon pokoju pani King (to najbardziej wątpliwy szczegół wymyślonej przez Chandlera historii), która go tam znalazła martwego.

Policja nikomu niczego nie może udowodnić: Brandon ukrył ciało Mitchella, Goble zbiegł do Kansas, a śmierć parkingowego wygląda na samobójstwo. Eleanor King, która myśli, że to dla niej Brandon zabił Mitchella, zakochuje się w nim. Marlowe, wzgardzony i samotny, wraca do Los Angeles.

W innych swych książkach Chandler przestrzegał zasady, że nie zawsze Marlowe ma ostatnie słowo, aby czytelnicy nie uznali go za zbyt pewnego siebie. W „Playbacku" odchodzi jednak od tej reguły, bowiem detektyw z upływem lat zmienił się: nie jest już bohaterem, lecz człowiekiem, który uświadomił sobie, że mimo swej uczciwości poniósł w życiu porażkę. Przed sobą ma perspektywę wycofania się z zawodu, a za cały majątek pozostało mu jedynie własne ego i poczucie zgryźliwego humoru.

Jego punktujące kąśliwe odzywki podobne są teraz w tonie do triumfalnie brzmiącego, lecz nie całkiem zgodnego z prawdą, listu, który Chandler napisał po wyjściu z Chula Vista Sanitarium, dokąd trafił po nieudanej próbie samobójstwa. „Przegadałem ich i przechytrzyłem ich – chwalił się pani Loughner – aż w końcu odwieźli mnie do domu limuzyną, po prostu dlatego, że zadziwiłem ich tym pokazem bystrości umysłu i odwagi".

Ten właśnie typ straceńczej odwagi demonstruje Marlowe w „Playbacku". Czerpie przyjemność z małych triumfów w słownych potyczkach, w których zwykł zdobywać punkty bez wysiłku, jakiego by wymagała chwila zastanowienia. Gdy jeden z pary zbirów zapowiada, że przykróci go do takich rozmiarów, iż będzie musiał używać drabiny, żeby zawiązać sobie sznurowadła, replika Marlowe'a odnosi się tylko do samego sformułowania groźby – „Ktoś przed tobą mocno się już na tym napracował – odpala bez namysłu – ale ciężka praca nigdy nie zastąpi talentu". Nic nie jest już poważne.

> – O, broń palna. Mnie broń palna nie przeraża. Obcuję z nią od urodzenia. [...] Broń nigdy niczego nie rozwiązuje. [...] Jest jak szybkie opuszczenie kurtyny po słabym drugim akcie[10].

Nawet śmierć stała się dla chandlerowskiego detektywa tylko żartem „na siłę". Wprawdzie fizycznie nie jest on już w stanie stawić czoła złoczyńcom, ale przecież przeszedł całą długą drogę od litowania się nad samym sobą w „Długim pożegnaniu", do stanu, w którym zdolność godzenia się z absurdem pozwala mu na pełną dystansu autoironię:

> Musiał mi to [lód] położyć na ciemieniu ktoś, kto mnie bardzo kochał. Ktoś, kto kochał mnie trochę mniej, przyłożył mi w tył czaszki. Niewykluczone, że była to ta sama osoba. Ludzie miewają różne nastroje[11].

Marlowe z „Playbacku" przywodzi na myśl matadora, którego dni chwały już dawno minęły i który woli teraz zachęcać byka, żeby go wziął na rogi, niż dalej zamęczać go swoimi sztuczkami. Bohater Chandlera zawsze stawał do walki ze złoczyńcami, a przy tym czynił to w taki sposób, że na końcu tej walki odczuwali oni wobec niego niechętny szacunek. Teraz już tylko ich prowokuje. – Nie próbuj sobie ze mną żartować, cwaniaczku – ostrzega go w pewnym momencie jakiś rewolwerowiec w jednym z epizodów „Playbacku" – bo dość łatwo wpadam w złość.

> – Doskonale. Popatrzmy, jak się pan denerwuje. Co pan wtedy robi? Gryzie wąsy?
> – Przecież widzisz, że nie mam wąsów, frajerze!
> – Mógłby pan sobie zapuścić. Ja poczekam[12].

Chandler – być może zainspirowany przez Hitchcocka, który w każdym swoim filmie przemykał przez ekran w jakiejś epizodycznej scence – zamieścił w „Playbacku" swój własny autoportrecik.

Henry Clarendon IV jest bogaty, samotny i stary; życie spędza w drogich hotelach. Jest nadinteligentnym i niedożywionym mężczyzną, który trwoni swój intelektualny potencjał, skupiając całe swe zainteresowanie na wysłuchiwaniu hotelowych plotek, bezcelowych podróżach po całym świecie i beznadziejnym zakochiwaniu się w niewiastach w średnim wieku. Clarendon zdaje sobie sprawę, że jest zarazem bardzo mądrym i bardzo głupim człowiekiem. „Jestem egocentrykiem", mówi do Marlowe'a, „jestem absurdalny i paplam jak podlotek".

Podobnie jak Chandler, Clarendon nosi białe rękawiczki i – także jak Chandler – jest zarazem cyniczny i romantyczny.

> – Mężczyźni w moim wieku potrafią się cieszyć różnymi drobiazgami. Kolibrem, patrzeniem, jak otwierają się pączki strelicji. Dlaczego na

pewnym etapie jej rozwoju pączki rozwierają się pod kątem prostym? [...] Dlaczego królicza matka, dopadnięta w norze przez fretkę, zasłania dzieci własnym ciałem i daje sobie rozerwać gardło? Dlaczego? Za dwa tygodnie nawet by ich nie poznała[13].

Pisząc „Playback", Chandler miał sześćdziesiąt dziewięć lat i od tak dawna nie mieszkał w Los Angeles, że wręcz unikał nawet pisania o tym mieście. Już podczas pracy nad „Długim pożegnaniem" jednym z bardziej męczących zadań, jakie przed nim stanęły, było opisywanie LA z pamięci, a nie z bezpośredniej obserwacji.

Uniknął tego problemu, przenosząc akcję „Playbacku" w pobliże wielkiego miasta, do miejsc dobrze mu teraz znanych: na przedmieścia San Diego. Marlowe sam przyznaje w tej powieści, że nie nadąża już za Los Angeles. Ile jeszcze minie czasu, zastanawia się, zanim jeżdżące po LA samochody będą wyposażone w „radar, ministudia radiowe, barki i działka przeciwlotnicze?".

Jego wrogowie zawsze zarzucali detektywowi śmieszność (w „Długim pożegnaniu" Marlowe nazywany został „Tarzanem na wielkiej czerwonej hulajnodze"), a teraz on sam zdaje się z nimi zgadzać. James Bond, bohater Fleminga, wykorzystywał fałsz tego świata i jego zdobycze technologiczne, aby wygrywać swe potyczki; Marlowe pozostał samotnikiem, marnotrawiącym swe zdolności na próbach przyjścia z pomocą niewdzięcznym klientom.

„Czy to już nie odpowiedni czas żeby mi pan przestał deptać po piętach?", pyta go bohaterka „Playbacku".

– Jesteś moją klientką. Próbuję cię chronić. A dlaczego, to dowiem się może na swoje siedemdziesiąte urodziny[14].

Przez cały czas w tle tej książki czai się groźnie alkohol, który kolejny raz zagroził życiu samego Chandlera. Tymczasem właśnie podczas pracy nad „Playbackiem" po raz pierwszy w trakcie wieloletnich zmagań z alkoholizmem zdarzyło mu się pisać książkę po pijanemu. Kto wie nawet, czy nie wzmacniał działania whisky środkami farmakologicznymi nabywanymi na receptę; w jednym z listów pisze o tym, jak przydarzyła mu się infekcja gardła i było to „zabawne", ponieważ „dzięki temu naszprycowali mnie penicyliną, takim wspaniałym czymś, co wywołuje uczucie, że Bóg stoi jednak po stronie właściwych ludzi"[15].

Jakkolwiek Cissy jako młoda kobieta flirtowała w Nowym Jorku z opium, to nie ma żadnych dowodów na to, by Chandler próbował narkotyków, choć w „Playbacku" zdradza znajomość zapachu „słodkawego dymu dobrze wysuszonej marihuany", jak również niektórych skutków jego wdychania: „Facet wypadł już z obiegu. Znajdował się teraz w dolinie pokoju, gdzie czas może stanąć w miejscu i gdzie cały świat jest spowity w kolor i muzykę".

Ostatni rozdział „Playbacku" jest przejmującym podsumowaniem sytuacji, w jakiej znajdował się sam Chandler, kończąc pracę nad książką. Oto Marlowe wraca do domu, który podobny jest do pozbawionego indywidualnego wyrazu mieszkania w La Jolla, gdzie żył teraz jego twórca.

> Otworzyłem okna i zrobiłem sobie w kuchni drinka. Usiadłem na kanapie i zapatrzyłem się w ścianę. Gdziekolwiek bym był, cokolwiek bym zrobił, zawsze tu wracam. Przed pustą ścianą w nijakim pokoju, w nijakim domu.
>
> Odstawiłem nienapoczętego drinka na stolik. Alkohol na to nie pomaga. Zresztą nic nie pomaga oprócz twardego serca, które niczego się od nikogo nie spodziewa[16].

Szczęściem dla bohatera opowieści, Chandler wyposażył go w tę samą zdolność uciekania od dobrze znajomych czarnych myśli w świat fantazji, którym sam się posługiwał od chwili śmierci Cissy. Jeśli prawdziwe było domniemanie, że tylko wtedy mógł się zdobyć na optymizm, gdy się łudził nierealnymi nadziejami, to przynajmniej, tworząc literacką fikcję, mógł sprawiać, że owe fantazje stawały się powieściową rzeczywistością.

Przyrośniętego do kanapy Marlowe'a, który nie ma nic do roboty, zaskakuje raptem dzwonek telefonu: oto ni z tego, ni z owego zadzwoniła do niego piękna spadkobierczyni wielkiej fortuny, znana czytelnikowi z „Długiego pożegnania".

Linda Loring dzwoni z Paryża, aby mu wyznać miłość i powiedzieć, że chce za niego wyjść. „Obejmij mnie", prosi. „Zamknij mnie jak najmocniej w swych ramionach. Ja już nie chcę cię posiadać. To się nikomu nie uda. Chcę cię po prostu kochać".

Pracując samotnie w swoich czterech kątach nad „Playbackiem", Chandler także wpadł w nałóg zamawiania niezliczonych rozmów telefonicznych między Kalifornią a Londynem, za które przychodziły ogromne rachunki. Dzwonił do swych przyjaciół, na przykład do Helgi Greene, ani nie biorąc poprawki na różnicę czasu dzielącą dwa brzegi Atlantyku, ani nie myśląc o koszcie transoceanicznej rozmowy.

Dopóki żyła Cissy, jedynym połączeniem ratunkowym ze światem były dla niego listy; po jej śmierci coraz częściej sięgał po słuchawkę telefonu, który zaczął pełnić w jego życiu rolę równie ważną jak listy.

Stworzony przez niego detektyw, który jeszcze przed paroma minutami znajdował się na skraju całkowitej depresji, po rozmowie z Lindą odkłada słuchawkę, wręcz oszołomiony nagłym szczęściem. Powieść kończy się w pogodniejszym nastroju niż wszystkie jej poprzedniczki z Marlowe'em w roli głównej:

> Sięgnąłem po drinka. Rozejrzałem się po pustym pokoju, który przestał już być pusty. Był w nim głos i piękna, smukła kobieta. Ciemnowłosa głowa na poduszce w sypialni. Miękki, delikatny zapach kobiety, która mocno przytula się do ciebie, ma ciepłe, uległe usta i półprzymknięte oczy[17].

*

Chandler ukończył pracę nad „Playbackiem" w okresie Bożego Narodzenia 1957 roku, po czym powiadomił Helgę Greene, że zamierza wraz z Jean Fracasse i jej dziećmi udać się do Australii, gdzie na jakiś czas osiądzie.

Równocześnie coraz bardziej zaczął się interesować historią wojskowości: „Chciałbym napisać wspaniałą opowieść o tym, jak MacArthur został pokonany, gdy próbował zachowywać się niczym udzielny władca. Jeśli o mnie chodzi, to zawsze nie znosiłem tego człowieka. Nie znosiła go też marynarka wojenna [...] jego ofensywa z Seulu do Yalu [podczas wojny koreańskiej 1950–53], to jedna z największych militarnych pomyłek w historii. Niech go wszyscy diabli wezmą".

Chandler mówił, że planuje podróż do Australii via Londyn, aby pożegnać się z tamtejszymi przyjaciółmi i przedstawić im Jean. Po wypadku samochodowym, do którego doszło w październiku pięćdziesiątego siódmego roku, przerejestrował swego oldsmobila na jej nazwisko, a teraz wysłał go statkiem do Sydney.

W lutym pięćdziesiątego ósmego poleciał do Londynu, gdzie wynajął pokój u Ritza, po czym przesłał pani Fracasse i jej dzieciom bilety na podróż do Londynu, dokąd cała trójka przybyła w marcu.

Tymczasem jednak Chandlerowi nagle bardziej zaczęła się podobać perspektywa pozostania z Helgą w Londynie niż podróżowanie do Australii. Przez cały marzec zastanawiał się, co począć, podczas gdy Jean z dziećmi czekała na jego decyzję.

Jego obecność w Londynie nie uszła uwagi brytyjskiej prasy, która znowu zaczęła przeprowadzać z nim wywiady, zauważając przy tym, że pisarz wyraźnie złagodniał.

Solidne dwuogniskowe okulary nie wpłynęły na właściwą mu umiejętność uważnego obserwowania świata i zastanawiania się nad słabościami człowieczeństwa; jest wciąż tak samo gotów uchwycić rysy i postawę jakiejś osoby, by zachować je w pamięci do przyszłego spożytkowania. „Trzeba zawsze patrzeć na świat tak, jakby się go oglądało zza krat więziennej celi", stwierdził. Mówi tak cicho, że jeśli nie chce się stracić części jego sardonicznych komentarzy, które tak pociągają w postaci Marlowe'a, to trzeba mocno wytężać słuch. Trudno jest wręcz rozróżnić sposób, w jaki pisze, od sposobu, w jaki mówi. Mówi tak, jak pisze: dobywa słowa ze swego wewnętrznego świata, który w tej samej mierze składa się z fantazji, co i ze zdrowego rozsądku człowieka interesu. Marlowe, podobnie jak większość chandlerowskich postaci, jest cynikiem, w którego duszy kryje się jednak wrażliwość i kiplingowskie ideały[18].

Nim Chandler zdołał rozstrzygnąć swe wahania w stosunku do Jean Fracasse, jego przewidywany wyjazd do Australii nieco się skomplikował, z powodu jego bliskiej zażyłości z jeszcze jedną kobietą.

Deirdre Gartrell, australijska studentka, czując się nieszczęśliwa, napisała do Chandlera w pięćdziesiątym szóstym roku list, w którym wyznała mu, jak wielką pomocą są dla niej w chwilach depresji jego książki.

Deirdre studiowała na uniwersytecie w Armidale, niewielkim mieście położonym między Brisbane a Sydney w Nowej Południowej Walii; swoim listem dała początek korespondencji, która trwała przez cały rok pięćdziesiąty siódmy. Chandler próbował w swych listach pocieszyć nieszczęśliwą Australijkę:

To wielki dla mnie komplement z pani strony, że dzieląc się ze mną swymi myślami i uczuciami, czuje się pani pewniejsza siebie i szczęśliwsza, ale zarazem jest w tym racja. W samej rzeczy odznaczam się dziwną zdolnością rozumienia ludzi, a zwłaszcza kobiet[19].

Korespondencja stawała się coraz bardziej ożywiona: Deirdre zwierzała się ze swych kryzysów emocjonalnych, a Chandler słał jej wiersze podobne do tych, które niegdyś pisywał dla Louise Loughner. W liście z lipca pięćdziesiątego siódmego roku wyznał: „W jakiś dziwny sposób stała się pani częścią mnie samego, do tego stopnia, że zdarza mi się obudzić w środku nocy i zastanawiać się, co teraz myśli lub robi Deirdre. Im człowiek staje się starszy, tym mniej wie”[20].

Tego rodzaju korespondencyjna intymność była już w owym czasie swoistym nałogiem Chandlera, toteż częstokroć w listach do Deirdre pełno było wspomnień o Cissy:

> Zawsze otwierałem przed nią drzwiczki samochodu i pomagałem jej wsiąść. Nigdy nie pozwalałem jej czegokolwiek mi przynosić. To ja zawsze przynosiłem to, co było jej potrzebne. Nie zdarzyło mi się przekroczyć jakiegoś progu, nie przepuściwszy jej przed sobą. Nie zdarzyło mi się wejść do jej sypialni bez pukania. Zapewne to wszystko były drobne rzeczy i gesty – jak ciągłe obdarowywanie jej kwiatami, jak tradycyjne siedem prezentów na każde jej urodziny, jak szampan na każdą rocznicę naszego ślubu. Owszem, w pewnym sensie są to drobiazgi, ale kobiety muszą być traktowane z wielką czułością i troską – gdyż są kobietami[21].

W listach Chandlera do Deirdre Gartrell wyraźnie widać, jak raptownie zmieniały się jego nastroje: oto w chwili gdy wydaje się, że wykorzystuje swoją pozycję bohatera dziewczęcych wyobrażeń – zaczyna opowiadać o Cissy; gdy zaś wspominanie Cissy zaczyna trącić ckliwością – przechodzi do udzielania zdroworozsądkowych rad studentce, która chciała zostać pisarką:

> Ani razu nie opisałaś mi swojego pokoju, swojego uniwersytetu, budynków, miasta, jego atmosfery, panującego w nim klimatu i w ogóle – jakiego rodzaju jest to miejsce. [...] Jestem ciekaw Australii i wszystkiego, co jej dotyczy: jak wygląda, jak wyglądają australijskie domy, ile liczą pomieszczeń i jakiego rodzaju, jakie tam rosną kwiaty, jakie żyją zwierzęta i ptaki, jakie są tamtejsze pory roku, jak wygląda codzienne życie kogoś takiego jak ty. Bardzo obszernie piszesz o swoich myślach, a nic o życiu, które cię otacza. Czy sądzisz, że stałem się jednym z najbardziej znanych pisarzy kryminalnych wszech czasów dzięki temu, że myślałem o sobie – o moich osobistych cierpieniach i triumfach, o bezustannym analizowaniu mych osobistych wewnętrznych problemów? Otóż nie[22].

Deirdre Gartrell i Raymond Chandler nigdy się jednak nie spotkają, on bowiem zdecydował właśnie, że nie wybierze się do Australii z Jean Fracasse i pozostanie w Londynie. W połowie kwietnia wyprawił całą trójkę w morską podróż, sam zaś wprowadził się do mieszkania przy Swan Walk 8 w dzielnicy Chelsea, które pomogła mu znaleźć Helga Greene. Raz jeszcze zaczął londyńskie życie, ale już nie w tym samym rytmie co za poprzednim pobytem; nie pozwalał na to nienajlepszy stan zarówno jego ciała, jak i ducha. Był teraz bardziej wyciszony i coraz więcej czasu spędzał z Helgą, którą uwielbiał. Pani Greene ciepło będzie kiedyś wspominała tamten wspólnie spędzony czas:

> Gdzie tylko się z Rayem znaleźliśmy, graliśmy w strzałki. Jego ulubionym pubem był The Saddler's Arms na Sand Marsh. Graliśmy z tamtejszymi stałymi bywalcami, którzy – jak się zdawało – nie byli z tego powodu niezadowoleni. „Nie jestem asem w tej zabawie", mawiał Chandler. „Niezły, ale nic nadzwyczajnego". [...] Gdy byłam zajęta – sam rzucał do tarczy. Potrafił mnie po jakimś czasie odszukać, powiedzieć: „Znowu wygrałaś", i zniknąć, aby rzucać dalej. [...] W młodym wieku Ray bardzo lubił tańczyć, nie znał jednak nowoczesnych tańców, więc latem wzięliśmy kilka lekcji na wieczornych sobotnich kursach w Guildford. Ray chciał opanować nowoczesne kroki, ale „Niech zostawią w spokoju mojego walca, bo walc jest mój własny"[23].

Chandler postanowił zabrać gdzieś ze sobą Helgę na wakacje. Hamish Hamilton zaproponował Kenię, lecz usłyszał na to, że oboje zostaliby tam prawdopodobnie „zmaumaumowani".

(W 1952 roku w Kenii, która była wówczas brytyjską kolonią, organizacja Mau-Mau doprowadziła do zbrojnego powstania, na którego czele stali Kikujowie, przeciwko europejskim osadnikom. Była to wyjątkowo krwawa rebelia, która w pięćdziesiątym czwartym równie krwawo została stłumiona przez brytyjskie wojsko).

Chandler rozważał możliwość ponownej wycieczki do Tangeru, ale z kolei Fleming, który pracował wówczas w redakcji „Sunday Timesa", podsunął mu pomysł, by udał się do Neapolu i przeprowadził wywiad z przebywającym tam na wygnaniu słynnym gangsterem, „Luckym" Luciano.

Charles Luciano wywalczył sobie w okresie prohibicji pozycję ojca chrzestnego amerykańskiej mafii tudzież ogólnokrajową sławę. Zwano go „Szczęściarzem", ponieważ kierując potężnym przestępczym imperium opartym na handlu narkotykami, wymuszeniach i prostytucji, potrafił unikać aresztowania. Szczęście opuściło go jednak w trzydziestym szóstym roku, gdy został skazany na podstawie zeznań trzech prostytutek i ich sutenera, przy czym, co ciekawe, wszyscy troje opłacani byli przedtem przez mafię.

Legenda głosiła, że Luciano potrafił nawet z więzienia w dalszym ciągu kierować działalnością mafii. Po dziesięciu latach został zwolniony (podobno w zamian za to, że podczas wojny przekazał amerykańskiemu wywiadowi wojskowemu informacje na temat Sycylii), ale wydalono go ze Stanów Zjednoczonych. Początkowo osiedlił się na Kubie (gdzie widywano go w towarzystwie Franka Sinatry), a potem na ojczystej Sycylii.

Luciano konsekwentnie zaprzeczał, jakoby odgrywał jakąkolwiek ważną rolę w mafii, twierdząc, że to prasa i FBI mu ją przypisały, aby jego uwięzienie nabrało większego znaczenia, niż w rzeczywistości miało.

Chandlerowi spodobał się pomysł, aby spotkać się ze słynnym gangsterem, zwłaszcza że zawsze miał mieszane odczucia w stosunku do sposobu, w jaki prasa amerykańska przedstawiała sylwetki sławnych członków mafii. Wysłał więc do Neapolu telegram, prosząc Luciano o zgodę na udzielenie wywiadu, na co jednak eksgangster odpowiedział krótko i jednoznacznie: NIC DO POWIEDZENIA. NIE PRZYJEŻDŻAĆ Z MOJEGO POWODU.

Mimo to Chandler zdecydował się na wyjazd, zaś Helga zgodziła się mu towarzyszyć. Przybyli do Neapolu pod koniec kwietnia i zamieszkali w hotelu Royal, a Chandler tak opisał ich podróż w liście do jednej ze swoich niegdysiejszych londyńskich „opiekunek”:

> Podróż była dość męcząca. Greckim samolotem do Rzymu, a stamtąd pociągiem do Neapolu. W pociągu nic do jedzenia. Grecki samolot miał dobrego pilota, ale obsługa poniżej brytyjskiego standardu. [...] Są tutaj trzy bary ze ślicznymi kurewkami, ale to nie dla mnie. Nigdy w życiu nie skorzystałem z tego rodzaju usługi, więc nie zamierzam tego zrobić teraz. [...] Z Helgą trochę się kłócimy. Ona twierdzi, że za bardzo wszystko organizuję, ja jej zarzucam to samo. Ona chce wszystko zobaczyć, mnie interesują tylko ludzie i konkretne rzeczy. Mam gdzieś Pompeje czy Capri, albo pozostałości historii. Już i tak tej cholernej historii za dużo[24].

Powiedziano Chandlerowi, że powinien zostawić wiadomość dla Luciano w restauracji California. Zaproponował więc gangsterowi pisemnie wspólny lunch i w końcu doszło do spotkania, podczas którego Luciano zgodził się jednak na wywiad.

Jak opowiadała Helga Greene, obaj panowie przez cały czas rozmowy pili „włoską wódkę, która smakowała jak benzyna", ale przypadli sobie jednak do gustu.

Helga uprzedziła Fleminga, że podczas wywiadu Chandler nie robił żadnych notatek. Nie przeszkodziło mu to w napisaniu artykułu, w którym przedstawiał swe poglądy na temat włoskiej mafii w Ameryce. Stwierdził, że w okresie prohibicji, która była, jego zdaniem, swoistym żartem, nikt nie wyrzekł się picia, nie wyłączając sędziów i policjantów.

Amerykanie w dalszym ciągu potrzebowali też hazardu i prostytutek. A skoro Amerykanie tego chcieli, to ktoś musiał wziąć na siebie dostarczanie towarów i organizację usług; okazało się, że najlepiej wywiązują się z tego zadania Włosi.

Rozrost mafii do rozmiarów wielkiej ogólnokrajowej organizacji był rzeczą wielce kłopotliwą, gdyż nieustannie stawiał on Amerykanom przed oczy ich hipokryzję, „a my często wciąż na nowo próbujemy oczyścić nasze sumienia, wybierając sobie jakiegoś kozła ofiarnego, którym następnie intensywnie zajmują się media, aby stworzyć złudzenie, że nasze prawa są wdrażane z całą surowością".

W trzydziestym szóstym roku, wywodził dalej Chandler, prasa i dziennikarze upatrzyli sobie takiego kozła ofiarnego w osobie Luciano. O jego winie zdecydowała ława przysięgłych, której członkowie mogli się już przedtem o nim do woli naczytać, „a gdyby nie umieli czytać, to przecież było jeszcze radio".

Chandler wyraził stanowczą opinię, iż amerykańscy ławnicy byli w większości głupi, jako że „ludzie inteligentni najczęściej potrafią znaleźć jakiś sposób na wywinięcie się z obowiązku zasiadania w składzie ławy przysięgłych"; zaatakował również służby prokuratorskie za korzystanie z zeznań świadków, na których także ciążyły oskarżenia:

> Głównym świadkiem, zeznającym przeciw Luciano, był mężczyzna aresztowany za włamanie. Gdyby został uznany winnym, to byłby to jego czwarty wyrok skazujący i zgodnie z prawem obowiązującym w stanie Nowy Jork, oznaczałoby to automatycznie dożywocie, i to bez prawa do wcześniejszego zwolnienia. W zamian za obietnicę nietykalności zeznałby nawet, że jego własna matka była wielokrotną trucicielką.

Powiedział on, że znał oskarżonego od ośmiu lub dziewięciu lat, i że niedawno Luciano zaproponował mu czterdzieści dolarów tygodniowo za ściąganie stałego haraczu od właścicieli domów publicznych. Gdyby był podał sumę czterystu dolarów za tydzień lub tysiąca dolarów za jedną noc, to nawet nie mrugnąłbym okiem. Ale za taką robotę czterdzieści dolarów? To absurd. Nie bez pewnej przyjemności dowiedziałem się, że gdy zwolniono prokuratora, który z nim pertraktował, świadek ten odwołał swoje zeznania i powiedział, że tylko raz miał okazję widzieć Luciano w jakimś barze[25].

W konkluzji artykułu Chandler stwierdził, że „jeśli Luciano jest chodzącym złem, to ja jestem idiotą", a na zakończenie wywiadu – który zatytułował „Mój przyjaciel Luco" – podzielił się z czytelnikami swoją prywatną opinią na temat charakteru gangstera:

Ma delikatny głos, smutną twarz i jest pod każdym względem dobrze wychowanym człowiekiem. Mogłyby to być tylko pozory, ale nie sądzę, żeby można mnie było tak łatwo oszukać; brutalne zbrodnie zawsze pozostawiają w człowieku jakiś ślad. Luciano sprawiał wrażenie samotnego. Polubiłem go i nie było żadnego powodu, żeby było inaczej. Zapewne nie jest to człowiek bez skazy, ale też i ja sam takim człowiekiem nie jestem[26].

„Sunday Times" odmówił wydrukowania tego artykułu.

*

Chandler i Helga wrócili do Londynu. Początkowo planowali wprawdzie dalsze podróże po Włoszech, ale Helga odmówiła spędzania wakacji w towarzystwie wiecznie pijanego Chandlera, który po powrocie z zagranicy znowu wprowadził się do swego mieszkania w Chelsea.

Dręczyły go teraz wyrzuty sumienia wobec Jean Fracasse, z którą regularnie rozmawiał przez telefon. Już wcześniej owo nieczyste sumienie sprawiło, że scedował na nią swoje prawa do „Playbacku" na terenie Wielkiej Brytanii i krajów Wspólnoty Brytyjskiej, które ona zresztą natychmiast odstąpiła Heldze Greene za dwa tysiące funtów w gotówce. Jednakże nawet tak hojny podarunek nie przyniósł ulgi udręczonej duszy Chandlera, który tak intensywnie zagłuszał w sobie poczucie winy alkoholem, że znowu wylądował w klinice, tym razem na Queen's Gate w dzielnicy Kensington.

Wypisany stamtąd w maju pięćdziesiątego ósmego roku, Chandler zmuszony był stawić czoło problemowi, którego unikał przez trzy lata: brytyjski Urząd Podatkowy wciąż domagał się od niego pięćdziesięciu tysięcy funtów za przedłużony pobyt w pięćdziesiątym piątym roku; a był to rok, w którym wpłynęły na jego konto znaczne sumy z tytułu procentów od sprzedaży „Długiego pożegnania".

W lepszych czasach Chandler nie odmówiłby sobie zapewne przyjemności, jaką zawsze sprawiała mu wojna z biurokracją, i stanąłby do walki z brytyjskim fiskusem. Teraz jednak nie miał na to sił, toteż zapłacił, choć nie bez komentarza na temat Urzędu Podatkowego: „W całym moim życiu nie czułem się jeszcze tak bardzo zawiedziony niemożnością otrzymania najprostszych odpowiedzi".

Rzecz nie ograniczała się zresztą tylko do sprawy zaległych podatków. Otóż władze wystąpiły jednocześnie o formalne uznanie, iż ze względu na obywatelstwo matki, Chandler jest wciąż obywatelem brytyjskim; odstąpiły od tego dopiero wówczas, gdy zaspokojone zostały roszczenia Urzędu Podatkowego.

Wprawdzie reakcja pisarza na żądania fiskusa nie odznaczała się dawną energią i pomysłowością w wynajdywaniu wszelkich możliwych kruczków, ale nie znaczyło to, że poddał się bez walki; tyle tylko, że jej jedynym rezultatem były dodatkowe wydatki.

Chandler mianowicie wynajął do pomocy swemu prawnikowi, Michaelowi Gilbertowi, rachmistrza, od którego otrzymywał cotygodniowe raporty na temat przebiegu całej sprawy, a nadto od czasu do czasu spotykał się z samym Gilbertem na lunchu w restauracji Simpson's na Strandzie.

Sprawa była zawiła i tym trudniejsza dla prawnika, że Chandler stanowczo nie godził się na to, by Gilbert, broniąc go, posłużył się argumentem, iż jego klient został w tymże opodatkowanym pięćdziesiątym piątym roku poddany kuracji antyalkoholowej; w dodatku pisarz obstawał przy tym, że jego pobyt został przedłużony ponad przepisowe pół roku ze względu na konieczność opiekowania się Natashą Spender.

Było całkowicie wykluczone, by mogło to stanowić skuteczny argument obrończy (jak tego zresztą dowiodła przyszłość), ale Chandler za nic nie chciał ustąpić, jakkolwiek nie stracił przy tym do końca poczucia humoru. Napisał na przykład do Gilberta: „Pragnąłbym, aby mi pan przesłał rachunek za pańskie usługi, ponieważ z pewnym opóźnieniem zapoznałem się ostatnio z mrożącym krew w żyłach artykułem na temat honorariów, jakich żądają tu prawnicy [...] i przeczytałem w nim, że nawet jeśli się komuś zdarzy przechodzić obok biura, w którym urzęduje jego adwokat, ten zaś akurat wyjrzy przez okno i go zobaczy, to niezwłocznie dopisuje do swej należności skromną sumę w wysokości jednej gwinei. Domyśla się pan oczywiście, że moja prośba o przesłanie mi rachunku podyktowana jest jedynie czystą ciekawością. Ani mi w głowie go uregulować".

Finansowe zasoby Chandlera zostały poważnie uszczuplone. Na Bahamach zarejestrowana została spółka, której celem było gospodarowanie wszystkimi przyszłymi wpływami z tytułu autorskich praw Chandlera. Jej kontem miał osobiście dysponować sam pisarz, który wprawdzie uzyskał godność Prezesa Philip Marlowe Ltd, Nassau, ale jednocześnie uznał, że w jego obecnym położeniu nie stać go już na taksówki, którymi dotychczas przemieszczał się po Londynie, i podjął dramatyczną decyzję, iż będzie odtąd korzystać z metra.

W samej rzeczy prawdopodobieństwo, że będą na Bahamy wpływały jakieś znaczniejsze sumy, było nader znikome. Wszystko, czego Chandler dokonał w Londynie jako pisarz, sprowadziło się do krótkiego wstępu do książki Franka Normana „Bang To Rights", napisanej przez niego w więzieniu. Poznawszy autora na lunchu wydanym w Café Royal przez Stephena Spendera, Chandler podjął się napisania przedmowy. Czytamy w niej między innymi, że „nie ma w tym tekście żadnych cholernych literackich nonsensów [...] jest w nim sytuacja, są ludzie, z którymi się jest; a to rzecz rzadka".

Podobnie jak w przypadku powieści Fleminga „Moonraker", wstęp podpisany przez Chandlera w istotnej mierze przysporzył zysków autorowi. Sam Norman w przyszłości stanie się wziętym autorem tekstów do londyńskich musicali i opisze swe znamienne spotkanie z Chandlerem w pięćdziesiątym ósmym roku:

> Bardzo sobie przypadliśmy do gustu i wypiliśmy masę whisky, po czym Chandler zaproponował, abyśmy w następnym tygodniu wybrali się wspólnie do teatru; chodziło o jakąś sztukę Donalda Ogdena Stewarta. Zasiedliśmy w loży i Ray zapadł w sen. W pewnym momencie ze sceny dobiegł nagle terkot karabinu maszynowego, co zbudziło Raya, który oświadczył: „To jest po prostu niedobre. Rozumiesz, ot tak sobie raptem zacząć strzelać. To nie wystarczy, żeby wyszła z tego dobra sztuka". Po czym wyszliśmy, nie obejrzawszy dalszego ciągu[27].

Chandler nie zaniechał pisania skarg do wszystkich, którzy czymś mu się narazili. Wśród adresatów znalazły się na przykład takie instytucje jak: londyńskie telefony, Harrods, winien pomyłki w rachunku, oraz RAC Club, w którym odmówiono pisarzowi wstępu na pływalnię, ponieważ nie znał żadnego z członków klubu.

Chandler napisał nawet do producenta amerykańskiego teleturnieju pod hasłem „Ostatnie słowo", który go zirytował podczas pobytu w La Jolla:

> Jeśli nie zawodzi mnie moja pamięć i jeśli w grę nie wchodzą jakieś względy techniczne, których nie rozumiem, to wyznaję, że w wielkie zdumienie wprawiła mnie ocena, jaka spotkała ze strony pańskiego jury zdanie: „Wszyscy i każdy z Persów pijali ich sorbet". O ile pamiętam, nikt nie zwrócił uwagi na dwie fundamentalne rzeczy. Otóż użycie słowa „każdy" było absolutnie niepoprawne, a nawet gdyby posłużono się zwrotem „każdy z", który sam w sobie byłby poprawny, to nie uprawniałoby to do zastosowania czasownika w liczbie mnogiej. [...] Sam nie wiem, dlaczego piszę do pana ten list. [...] Jest taka stara anegdota o nas, Amerykanach, która ludziom myślącym wiele mówi. Na rozstaju dróg stoją dwa drogowskazy. Na jednym widnieje napis: NA KONCERT MUZYKI BACHA, a na drugim: NA PRELEKCJĘ O MUZYCE BACHA. Proszę zgadnąć, którą drogę wybrali Amerykanie[28].

W czasie pobytu w Londynie Chandler napisał również list do „Timesa", tym razem w sprawie pewnego artykułu redakcyjnego, który opatrzony został nagłówkiem „Bomby, czołgi i buty". Wskazując na pewien fragment owego komentarza, Chandler zwracał uwagę redaktorów na fakt, że „z kontekstu wyraźnie wynika, iż użycie broni nuklearnej, to wydarzenie, które jeszcze nie nastąpiło i być może nigdy nie nastąpi. Należało przeto posłużyć się trybem warunkowym"[29].

„Times" tego listu nie opublikował.

Gdyby jednak Chandler chciał, mógłby się podjąć także innych przedsięwzięć pisarskich. Hamish Hamilton zachęcał go do napisania autobiografii, ale spotkał się z odmową i wyjaśnieniem, że byłaby ona pełna kłamstw, a poza tym „kogóż obchodzi, jak pisarz dostał swój pierwszy rower?". Z kolei, amerykański wydawca zaproponował wydanie zbioru jego listów, ale i ta oferta została odrzucona. Pisarz nosił się wprawdzie z pomysłem napisania książki zatytułowanej „Ten rok był moim życiem", w której opisałby jeden przypadkowo wybrany ze swego życiorysu rok, ale i ten zamiar spalił na panewce. Zwierzył się również Heldze z pomysłu na „Książkę kucharską dla idiotów", która instruowałaby ludzi, jak sobie dobrze radzić w kuchni z prostymi zadaniami, i spotkał się z zachętą z jej strony; w sumie jednak trudno było stwierdzić, na ile poważnie podchodził Chandler do rozmaitych swoich pomysłów. „Moje pieczone jabłka zapewniał – smakują wszystkim, którzy winni mi są pieniądze"[30].

W pewnym momencie doszedł do wniosku, że powinien czytać klasykę, w związku z czym Hamilton ofiarował mu nawet kilka tomów, lecz okazało się, że Chandler wolał jednak po raz kolejny wertować swoje ulubione kryminały, które podtrzymywały go w chwilach depresji. Częściej zasiadał teraz przed telewizorem, przy czym szczególne jego zainteresowanie wywołał tenisowy Wimbledon 1958, który obejrzał od początku do końca[31].

Z płaconych przez niego rachunków za dostarczanie gazet pod drzwi mieszkania na Swan Walk wynika, że co tydzień przeglądał „Radio Times", „TV Times" oraz magazyn pod nazwą „What's On". Wieczorami często mu się zdarzało, że, zamiast położyć się do łóżka, zasypiał przed telewizorem; „Nie ulega wątpliwości – powie Helga Greene – czasami na skutek picia tracił świadomość".

Recenzje z „Playbacku", które pojawiły się w pięćdziesiątym ósmym roku, zawierały więcej wyrazów czci niż zachwytu. Chandler tylekroć mówił dziennikarzom, że zamierza posłać Marlowe'a w stan spoczynku, iż potraktowano tę książkę raczej jako coś w rodzaju epilogu „Długiego pożegnania" niż jako autonomiczny utwór powieściowy. Krytycy komponowali teksty, które bardziej przypominały pochwalne przemówienia nad grobem zmarłego niż recenzje, wiele w nich bowiem padało ciepłych słów odnoszących się do całości pisarskiej kariery Chandlera, a niewiele dotyczyło samej książki.

Jednym z powodów, dla których Chandler chciał przyjechać do Londynu, była chęć napisania sztuki teatralnej pod tytułem „Angielskie lato", czegoś w rodzaju „Amerykanina w Anglii", którą niegdyś sobie naszkicował. Tematem jej miał być „rozkład wyrafinowanej warstwy angielskiego społeczeństwa i kontrast, jaki wobec niej stanowi wzorcowy typ przedsiębiorczego, uczciwego i niezrównanie wielkodusznego Amerykanina". Jednakże latem pięćdziesiątego ósmego roku jego zainteresowanie tym pomysłem także definitywnie zwiędło.

Skądinąd z ulgą przyjęły to osoby z nim zaprzyjaźnione, gdyż niewielkie próbki „Angielskiego lata", jakie mieli okazję poznać (w formie prozatorskiej), okazały się dziwacznymi tworami fantazji: oto jej amerykański bohater, będący zarazem narratorem, udaje się na wieś, aby pozostawać w bliskości dobrze urodzonej Angielki, w której jest zakochany, a której mąż jest pijakiem i źle ją traktuje.

Pewnego razu Amerykanin udaje się na spacer i ulega uwodzicielskiemu czarowi zażywającej konnej przejażdżki tajemniczej damy, która uwozi go do swego zamku. Gdy ośmielony tą przygodą wraca do rezydencji swej gospodyni, którą wciąż kocha, dowiaduje się, że właśnie zastrzeliła swego małżonka. Padają sobie w ramiona, po czym Amerykanin zabiera zabójczynię do Londynu, nie zapominając przy tym o pistolecie, aby zmylić trop, na który mogłaby wpaść policja. Mimo to zostaje aresztowany, gdy zaś odzyskuje wolność, uświadamia sobie, że jego kochanka wcale nie darzy go uczuciem, a tylko go wykorzystała.

W zakończeniu owego utworu widzimy Amerykanina podwójnie osamotnionego w Londynie: „Chłodny wiatr przegarniał liście i strzępki papieru po wyblakłej już teraz trawie Green Park, poprzez jego schludnie wytyczone alejki, aż niemal ponad wysokimi krawężnikami na sam plac Piccadilly. Stałem tam chyba bardzo, bardzo długo na niczym nie zatrzymując wzroku. Bo też i nic tam nie było, na co by warto było patrzeć”[32].

Zarzuciwszy swoje humorystyczne skecze, sztukę teatralną, książkę kucharską, historię wojskowości oraz studia nad nieuczciwością adwokatów, nie zaniechał jednak Chandler pisania nader osobistych wierszy. Wprawdzie poezje te wciąż nie dorównywały jego prozie oryginalnością, a teraz już nawet ustępowały jej pod względem bijącej z nich energii, ale nie było w jego schyłkowych wierszach nic z pretensjonalności bądź nadmiernego skomplikowania:

Lecz zawsze jest ten grób,
Który czeka, i cisza, i robak (nicość)
To była przynajmniej ta groza, za którą zapłacili.
Nazbyt często człowiek szlachetniejszy jest od swego losu[33].

Próżną jest rzeczą przestrzegać młodzieńców
A jednak wieczną po sobie zostawiają żałobę.
Starcy dobrze zapamiętali
Przemijający dźwięk dzwonu.
Zagłębieni w swe samotne fotele
Śnią o niegdysiejszych rautach i jarmarkach. (...)

Młodzieńcy umierają w maju;
Starcy odchodzić muszą

Gdy zimowe noce przeniknięte są chłodem i
Wilgotna, wilgotna jest cmentarna ziemia[34].

Tego owego lata Chandler widywał tylko tych, którzy przychodzili go odwiedzić w mieszkaniu na Swan Walk. Był wśród nich Maurice Guinness, kuzyn Helgi, który wpadał tam często, wracając do domu ze swego biura w City. Kładli się wówczas obaj na kanapach i dyskutowali na temat zamożności Marlowe'a. („Spraw, żeby Philip zaczął coś zarabiać – napisał kiedyś Guinness do Chandlera. – Jestem poważnie zmartwiony stanem jego finansów").

Guinness namawiał Chandlera, by ożenił Marlowe'a, co ten posłusznie uczynił, pisząc dziesięciostronicowe opowiadanie zatytułowane „Poodle Springs", w którym opisał miesiąc miodowy detektywa i Lindy Loring. Ian Fleming po namyśle uznał, że małżeństwo to jednak dla Marlowe'a lepsze wyjście niż koniec, jaki zgotował mu jego stwórca, który poinformował Anglika, że wedle jego przewidywań detektyw zapije się na śmierć, utraciwszy zdolność do pracy.

Gdy do redakcji „Daily Mail" dotarła wiadomość o planowanym małżeństwie Marlowe'a, wysłano na Swan Walk dziennikarza z zadaniem przeprowadzenia wywiadu z Chandlerem.

Czułem się jak rąbnięty na umyśle psychiatra, gdyśmy tak w tym słabo oświetlonym mieszkaniu w Chelsea – on w pozycji horyzontalnej na kanapie, a ja obok w fotelu – napełniali swoje szklanki whisky, by wspólnie całą tę sprawę doprowadzić do końca.

Reporter pytał Chandlera o Cissy, wysuwając przypuszczenie, że to śmierć własnej żony poddała mu pomysł, by ożenić swego fikcyjnego bohatera. Chandler, jak zwykle w garniturze z tweedu, najwyraźniej pogrążył się w jakimś śnie na jawie:

Była moją jedyną prawdziwą miłością. [...] Była oszałamiającą pięknością z blond włosami o truskawkowym odcieniu i z cudowną skórą, której zwykłem dotykać. Może pan popatrzeć na jej zdjęcie.
Podniósł się do pozycji siedzącej i wpatrzyliśmy się obaj w ścianę nad kominkiem. Nie było tam żadnej fotografii. Chandler wyglądał na niebywale zdumionego, aż w końcu powiedział – Och, zapomniałem. Nie jesteśmy w moim własnym domu. – Z powrotem zwalił się na sofę. – Nie myślę już o Kalifornii jako o własnym domu. To tylko miejsce, w którym przechowuję meble[35].

W końcu jednak Chandler wyznał Guinnessowi, że nie potrafi napisać tej książki, gdyż pomysł ożenku Marlowe'a, „nawet z jakąś bardzo miłą dziewczyną, jest w całkowitej niezgodzie z charakterem tej postaci. Widzę go zawsze na pustej ulicy, w pustych pokojach, pogrążonego w głębokiej rozterce, ale nigdy nie pokonanego do końca". Wkrótce potem pisarz ostatecznie zrezygnował z tego zamysłu.

Jednym z nielicznych przypadków, gdy Chandler wystąpił na forum publicznym, był wywiad, jakiego udzielił latem pięćdziesiątego ósmego roku Radiu BBC, które zleciło to zadanie Ianowi Flemingowi.

Gdy Fleming przybył o dziesiątej rano do mieszkania na Swan Walk, aby zawieźć swego rozmówcę do rozgłośni, zastał go już pijanego. Podczas nagrania Chandler nie zwracał najmniejszej uwagi na jego pytania, a za to wyraźnie usiłował wytłumaczyć radiosłuchaczom, jak łatwo przyszłoby mu w Ameryce wynajęcie zawodowego mordercy.

To całkiem prosta sprawa, wyjaśniał Flemingowi. Nawiązujesz kontakt z kimś, o kim wiesz, że obraca się w światku drobnych przestępców, płacisz mu i w zamian żądasz, żeby cię skontaktował z kimś większego kalibru. Jeżeli ciebie też uznają za poważnego klienta, to po paru dniach spotka się z tobą ktoś, kto ma już taką pozycję, że może zlecić dokonanie morderstwa. Taki facet zadzwoni do swojego człowieka w Nowym Jorku, który z kolei zatelefonuje do dwóch zabójców. Każdy z nich działa pod oficjalną przykrywką, na przykład prowadzą jakiś sklep metalowy w Denver.

Gdziekolwiek twój facet żyje, znajdą go. Wynajmą jakieś lokum w pobliżu jego mieszkania i będą go przez parę dni na okrągło obserwować, dopóki nie zorientują się dokładnie, kiedy wychodzi z domu, kiedy wraca i co robi.

Wtedy dopiero wybierają czas i miejsce, po czym jeden z nich, zgodnie z planem, po prostu podchodzi do faceta i kładzie go trupem. Drugi czeka na niego w samochodzie, którym znikają i wracają do swojego Denver. Kiedy policja wreszcie przybędzie na miejsce zabójstwa, to nie ma pojęcia, w którą stronę obrócić oczy.

Tak właśnie, niejako na bocznym torze, przebiegł cały ten wywiad: Chandler nie okazywał żadnego zainteresowania sprawami, o które był pytany, lecz które go akurat nie obchodziły, a Fleming zanadto był rozbawiony nagłą głuchotą swego rozmówcy, by uczynić jakąkolwiek próbę naprowadzenia go na właściwe tory. Gęsto pocięty i zmontowany wywiad został jednak nadany przez krajową sieć BBC.

*

Helga Greene zaangażowała do opieki nad Chandlerem pielęgniarza, Dona Santry. Okazało się to dobrym posunięciem.

Mieszkanie na Swan Walk było ciche, podobnie jak i sama uliczka, piękna, położona nieco na uboczu Chelsea, w pobliżu rzeki. W tej atmosferze spokoju Chandler, który niewiele miał do roboty, był szczęśliwy. Przeżył nawet nieoczekiwane atrakcje, gdy skontaktował się z nim daleki kuzyn Thorntonów, doktor Loftus Bor, który wytropił go przy pomocy wydawcy i zabrał na wycieczkę do Kew Gardens, gdzie pracował jako botanik[36].

Miły spokój skończył się jednak w sierpniu, gdy zatelefonowała z Australii Jean Fracasse. Właśnie dowiedziała się, że zmarł jej mąż, w związku z czym postanowiła wrócić do La Jolla, i chciała, by Chandler uczynił tak samo. Uważając to za swój obowiązek, pisarz niezwłocznie udał się w podróż w towarzystwie Dona Santry jako medycznego pomocnika.

Ponieważ zamierzał powrócić do Londynu, pozostawił w pancernej skrytce u Harrodsa walizkę, w której umieścił parę ciemnych okularów, fotografie z pobytu we Włoszech, kiłka krawatów (w tym jeden Klubu Etończyków), strój wieczorowy, jedno prawidło do butów i szary flanelowy garnitur.

Gdy dotarł z Donem do La Jolla, okazało się, że w żaden sposób nie może pomóc Jean Fracasse, która znalazła się w bardzo trudnej sytuacji. Wyprowadzony z równowagi, Chandler napisał do Londynu list z wiadomością, że Fracasse'owie zostali wydziedziczeni:

> Ten brudny, zgniły pieprzony sukinsyn mąż (choć raz nie sądzę, aby było szlachetną rzeczą dobrze mówić o zmarłym, bo dobrze go poznałem) na cztery dni przed śmiercią sporządził zapis, w którym pozbawia ją i dzieci spadku, przekazując go w całości swemu bratu, który także jest kawałem palanta. Oprócz mnie Jean nie ma nikogo, na kim mogłaby się wesprzeć, i zaczyna się to wszystko robić dość uciążliwe[37].

Chandler nie mógł się nie zaangażować w całą tę sprawę. Początkowo zamierzał do chwili powrotu do Londynu zamieszkać w hotelu Del Charro, teraz jednak wynajął mały domek na Prospect Street w La Jolla. Stawał się coraz bardziej niespokojny i całkowicie stracił kontrolę nad piciem. Jego osłabiony umysł nie był już w stanie sprostać poczuciu obowiązku wobec Jean Fracasse i jej dwojga dzieci.

Ilekroć przekroczył alkoholową miarę, Don odwoził go do sanatorium na tygodniową kurację. Chandler wymiotował krwią i wymagał zastrzyków z proteinami.

Odwiedzający go od czasu do czasu goście, jak Neil Morgan, zastawali go w stanie, który niegdyś by go zawstydzał. Znowu pijał gimlety; Morgan wspomina, że widział kiedyś, jak pod dom zajechała dostawcza furgonetka ze skrzynką limonowego kordiału.

W „Długim pożegnaniu" Chandler pisał złowieszczo: „Alkohol jest jak miłość. Pierwszy pocałunek to oczarowanie, drugi to intymność, a trzeci to już rutyna. Potem po prostu się dziewczynę rozbiera".

Wyglądało na to, że pisarz bitwę z alkoholem przegrał niejako we własnej głowie; uświadomiwszy to sobie, Don Santry wrócił do Londynu.

Chandler w dalszym ciągu bez zastanowienia czerpał ze swych kurczących się szybko zasobów finansowych. „Hardwick, potrzebuję pieniędzy – napisał do swego amerykańskiego wydawcy Hardwicka Moseleya w październiku pięćdziesiątego ósmego roku – w gotówce, a nie w walorach".

Wkrótce po wyjeździe Dona, Chandler zakomunikował Michaelowi Gilbertowi, że postanowił ożenić się z Jean Fracasse, oraz zlecił mu utworzenie funduszów powierniczych na rzecz jej dzieci. W Londynie początkowo przyjęto te decyzje z pewnym optymizmem, gdy jednak Santry przywiózł wieści o stanie, w jakim znajduje się jego były pracodawca, Helga poprosiła swoją koleżankę, Kay West, aby udała się do La Jolla i zorientowała się, co można by w tej sytuacji zrobić.

Na lotnisku w San Diego Kay powitana została przez podejrzliwą Jean i zamroczonego alkoholem Chandlera. Nie minęły dwa tygodnie od jej przyjazdu, a Chandler oświadczył się także Kay West.

Pewnego dnia poprosił ją, by przepisała na maszynie jego list do Michaela Gilberta. Komunikował w nim prawnikowi, że jest jego intencją uczynić Kay West swoją spadkobierczynią. („Gdy dyktował mi ten list, siedziałam obok niego. Sposób, w jaki mówił, nie pozostawiał wątpliwości co do tego, że nie rozumie, co mi dyktuje"). W kilka dni później usłyszała, jak Chandler mówi do właścicielki domu: „Któregoś dnia ożenię się z panią".

Jean w dalszym ciągu odwiedzała Chandlera, lecz Kay West nie potrafiła zrozumieć, na czym polegają stosunki między nimi. Jean zdawała się nie mieć nic przeciwko temu, by Chandler pił. „Łatwo jest jej mówić, że wpływa na niego stymulująco – pisała Kay do Helgi Greene – ale jakiż z tego pożytek, skoro on jest w stanie skrajnego wyczerpania na skutek braku odpowiedniego pożywienia?"

Kay donosiła także Heldze, że Chandler nie tylko bezustannie pije, ale i regularnie wpada w „czarne dziury". Zbudziwszy się którejś nocy, znalazła go na półpiętrze, pełznącego na czworakach ku stolikowi z trunkami. Rankiem nic z tego nie pamiętał i był w świetnym humorze.

Dla Chandlera takie chwile utraty pamięci nie były niczym nowym, teraz jednak mieszkał z nim ktoś, kto był świadkiem nawet najbardziej intymnych szczegółów jego alkoholicznej demencji. Dla Kay zaś obserwowanie go było przeżyciem tym cięższym, że od czasu do czasu zdarzały mu się przebłyski pełnej świadomości, a nawet chwile, gdy był szczęśliwy.

> Pamiętam, jak pewnego dnia zabrał mnie ze sobą do miasta, mówiąc, że chce mnie przedstawić swoim przyjaciołom, co oznaczało sklepikarzy i innych tego rodzaju ludzi. Musiał coś załatwić na poczcie, więc powiedziałam, że zrobię zakupy i za parę minut spotkamy się przed budynkiem poczty. Przybyłam tam pierwsza i widziałam, jak wychodzi. Wyglądał jak ktoś bardzo smutny i bardzo osamotniony, aż podniósł wzrok, zobaczył, że czekam na niego i twarz mu się rozjaśniła niby małemu chłopcu[38].

Atmosfera, jaką stwarzał stan Chandlera, była tak trudna do zniesienia, że po miesiącu pobytu w La Jolla także i Kay West doznała załamania nerwowego. Musiała przejść kurację w szpitalu, a potem wrócić do Londynu. Nawet tam jednak wciąż zdradzała objawy psychicznego urazu, który wywołał stan Chandlera („jego sytuację powinien zobaczyć ktoś, kto stanowi dla niego jakiś autorytet"), jak również pewnego obrzydzenia, jakie odczuła, widząc skutki nawrotu jego choroby. „Wedle mojej oceny, miał swoją szansę, i to nie jedną – powiedziała Heldze. – Nie uważasz, że lepiej by było, gdybyś dała sobie z tym spokój?"[39] Dodała przy tym, że Chandler jest niedożywiony, brudny i nastawiony destrukcyjnie wobec samego siebie: jego załamanie przyjęło takie rozmiary, że tylko specjalista mógłby sobie z nim poradzić, a nie ktoś zupełnie w takich sprawach niedoświadczony.

Tymczasem Chandler nawet teraz, po czterdziestu latach picia, nie potrafił – tak wobec innych, jak i przed samym sobą – przyznać, że to alkohol jest przyczyną jego obecnego stanu. W liście do Hardwicka Moseleya usprawiedliwia swoje długie milczenie żółtaczką: „Miałem wszystkie klasyczne objawy, byłem w głębokiej depresji, odczuwałem słabość, wstręt do jedzenia, swędzenie na całym ciele i zaburzenia pamięci w stosunku do świeżych zdarzeń. Zdarzało mi się to już w Londynie”[40].

W samej rzeczy był teraz tak słaby, że naprawdę odczuwał symptomy kilku naraz chorób.

A jednak wciąż był w stanie tworzyć. Zarzuciwszy ideę ożenienia swego detektywa, napisał opowiadanie zatytułowane „Marlowe stawia czoło mafii”, które kupił londyński „Daily Mail”. Rzecz ta osnuta była wokół najnowszej obsesji pisarza – płatnych zabójców – i opowiadała o tym, jak prywatny detektyw próbuje ocalić życie mężczyźnie, za którego głowę mafia wyznaczyła nagrodę. To jedyna w dorobku Chandlera historia, w której intryga i akcja zdają się mieć dla autora większe znaczenie niż sama postać Marlowe'a.

Pierwszy to także przypadek, gdy Philip Marlowe próbuje przeciwstawić się ogólnokrajowej mafijnej organizacji, a nie miejscowym przestępcom, i zadanie to wydaje się beznadziejne. „Facet już jest martwy – ostrzega detektywa przyjaciel policjant. – Ta Brygada Śmierci ma swoje powody, żeby go zabić. Oni nie robią już takich rzeczy dla czystej zabawy”.

Wprawdzie Marlowe zdoła ocalić swojemu klientowi życie, ale okaże się, że ów klient także był członkiem mafii i starał się go wrobić w jeszcze inne zabójstwo na zlecenie.

Tak czy inaczej – podobnie jak to się zdarzyło z pierwszym opowiadaniem Chandlera „Szantażyści nie strzelają” – można tę historię przeczytać dziesięć razy, a i tak nie będzie się wiedziało, o co w niej naprawdę chodzi[41].

*

Po wysłuchaniu ponurych wieści, jakie przywieźli do Londynu Don Santry i Kay West, Helga postanowiła w lutym pięćdziesiątego dziewiątego roku osobiście udać się do La Jolla. Chandler bardzo się ucieszył na jej widok i niezwłocznie się jej oświadczył, proponując, by po ślubie oboje powrócili do Anglii i tam prowadzili wspólne życie.

Helga wyraziła zgodę. Spodziewała się zresztą takiego obrotu sprawy i już wcześniej omówiła wszystko z Kay, dochodząc ostatecznie do wniosku, że jedynym ratunkiem dla Chandlera jest życie

23. Raymond Chandler

w Londynie pod jej opieką; zwłaszcza iż czuła się mu bardzo bliska i wierzyła, że pomoże mu odzyskać zdrowie.

Chandler był zachwycony jej zgodą na małżeństwo i nalegał, by niezwłocznie pojechała z nim do La Jolla, gdzie kupi jej zaręczynowy pierścionek. To radosne podniecenie wywołało w nim taki przypływ adrenaliny, że dokonało się w nim również fizycznie przeobrażenie.

Londyńscy przyjaciele wyszukali przyszłej młodej parze dom do wynajęcia, przy Elm Park w Chelsea, i na początku marca Chandler w radosnym nastroju pożegnał się z Neilem Morganem, ofiarowując mu na pamiątkę swój słownik i kolekcję swych fajek.

Narzeczeni wracali do Londynu via Nowy Jork. Ten postój miał dwie przyczyny. Pierwszą było przemówienie, jakie Chandler miał wygłosić przed zgromadzeniem członków stowarzyszenia Detektywistycznych Pisarzy Ameryki (Mystery Writers of America).

Przynależność do tego typu organizacji zawsze uważał za stratę czasu i dopiero w pięćdziesiątym ósmym roku dał się namówić na członkowstwo MWA. Wkrótce potem został wybrany honorowym prezesem, a jego wystąpienie, które miało być tradycyjną mową inauguracyjną, dowiodło, że był w znakomitym nastroju. Z dumą obwieścił swoim słuchaczom, iż zaręczył się z Helgą Greene: „Doprawdy sam nie wiem, jak udało mi się ją zdobyć. To musiał być jakiś słoneczny dzień. Dzień bez deszczu zawsze czyni Brytyjczyków bardziej wrażliwymi"[42].

Zatrzymali się w Nowym Jorku także po to, aby Chandler mógł poznać ojca Helgi, H.S.H. Guinnessa, który przybył do Stanów w interesach. Doszło do tego spotkania pod wpływem nalegań samego Chandlera, który chciał oficjalnie poprosić przyszłego teścia o rękę jego córki. Umówili się wszyscy troje na lunch w jednej z nowojorskich restauracji. Zdaniem Helgi, Chandler był zdenerwowany, lecz trzeźwy.

Guinness od pierwszej chwili tak jawnie okazywał swoją niechęć do małżeńskich planów córki, że Chandler (który już w La Jolla zaczął próbnie ćwiczyć tę wielką sceną) poczuł się niemal całkowicie zdruzgotany. Po lunchu nakłonił Helgę, by sama udała się do Londynu, obiecując, że postara się do niej dołączyć latem.

Wrócił do La Jolla i ponownie wynajął domek przy Prospect Street, który opuścił wraz z narzeczoną przed dwoma tygodniami. Zaczął pić i przestał jeść. Do nikogo nie dzwonił i nie wychodził z domu.

Po tygodniu zapadł na zapalenie płuc. Dwudziestego trzeciego marca został odwieziony karetką do kliniki Scripps w La Jolla.

Trzy dni później Raymond Thornton Chandler zmarł.

Nie wydał żadnych zaleceń co do swego pogrzebu. Pozostawił majątek wartości sześćdziesięciu tysięcy dolarów.

Henry Clarendon, postać z jego ostatniej powieści, którą nakreślił jako coś w rodzaju szkicu swego autoportretu, trafnie przewidział, jak będzie wyglądał ten ostatni moment:

> Będą się koło mnie krzątać nakrochmalone białe smoczyce. Moje łóżko będzie ścielone, prześcielane i zaścielane na nowo. Będą podjeżdżać stoliki, a na nich tace zastawione tą bezduszną szpitalną karmą. Będą mi mierzyli puls i temperaturę regularnie, często, i zawsze akurat wtedy, gdy zacznę przysypiać. Będę tam leżał i słuchał szelestu nakrochmalonych spódnic i cmokliwych odgłosów gumowych podeszew na zdezynfekowanej posadzce, i będę patrzył na uśmiechy lekarzy, za którymi czai się cicha groza. Po jakimś czasie rozwieszą nade mną namiot tlenowy i otoczą moje małe białe łóżko dużymi białymi ekranami, a potem już tylko, nieświadomemu nawet, co się ze mną dzieje, pozostanie mi do zrobienia to jedyne na tym świecie, czego żaden człowiek nie musi robić po dwakroć.

PRZYPISY

[1] Bodleian, Chandler files.

[2] List do Jessiki Tyndale, 3.02.1958; Bodleian, Chandler files.

[3] List Helgi Greene do Iana Fleminga; data nieznana, lecz pisany po śmierci Chandlera; Bodleian, Chandler files.

[4] Z niewykorzystanej przedmowy Helgi Greene do książki „Mówi Chandler"; Bodleian, Chandler files.

[5] Bodleian, Chandler files.

[6] Tytuł i zasadnicza konstrukcja intrygi „Playbacku" zostały przejęte z oryginalnego scenariusza, który Chandler napisał dla Universal Studios w 1947 roku. Miejsce akcji, dialogi i postaci były inne (Marlowe'a nie było w scenariuszu); gdy jednak prawnicy Universalu dowiedzieli się, że Chandler pracuje nad powieścią pod tym samym tytułem, zażądali części tantiem dla wytwórni. Pisarz zagroził wówczas złożeniem sprawy do sądu i żądania zostały wycofane.

[7] Marlowe sypiał zarówno z bohaterką, jak i z sekretarką Umneya. O tej pierwszej powie: „Nie powiedziałbym, żeby sprawiała wrażenie bardzo chętnej, ale też nie wyglądała na równie trudną do zdobycia jak większościowe udziały w General Motors".

[8] Raymond Chandler, „Playback"; Czytelnik, op. cit.

[9] Ibid.

[10] Ibid.

[11] Ibid.

[12] Ibid.

[13] Ibid.

[14] Ibid.

[15] List do Dale'a Warrena, 9.07.1949; Bodleian, Chandler files.

[16] Chandler, „Playback"; op.cit.

[17] Ibid.

[18] „Sunday Times", 30.03.1958.

[19] List do Deirdre Gartrell, 20.03.1957; Bodleian, Chandler files.

[20] List do Deirdre Gartrell, 25.07.1957; Bodleian, Chandler files.

[21] Ibid.

[22] List do Deirdre Gartrell, 8.05.1957; Bodleian, Chandler files.

[23] Z niewykorzystanej przedmowy Helgi Greene do książki „Mówi Chandler"; op. cit.

[24] List do Jean de Leon, 30.04.1958; Bodleian, Chandler files.

[25] „My Friend Luco” (artykuł dla „Sunday Times”, nieopublikowany); Bodleian, Chandler files.

[26] Bodleian, Chandler files.

[27] Z transkrypcji programu Radia BBC Home Service poświęconego Chandlerowi w 1960 roku; UCLA Special Collections, Chandler.

[28] List do Bergen Evans, 18.01.1958; Bodleian, Chandler files.

[29] List do „Timesa”, 24.06.1958; Bodleian, Chandler files.

[30] Chandler był tak oburzony stanem amerykańskiej opieki medycznej, którą uważał za kiepską i kosztowną, że także tej sprawie zamierzał poświęcić książkę.

[31] Tamtego roku zwycięzcą turnieju męskiego został Australijczyk Ashley Cooper, wśród kobiet zaś zwyciężyła Amerykanka Althea Gibson, pierwsza słynna czarnoskóra tenisistka.

[32] Bodleian, Chandler files.

[33] „Sonet 13”; Bodleian, Chandler files.

[34] „Youth To Age”; Bodleian, Chandler files.

[35] „Daily Mail”, 8.07.1958.

[36] Po śmierci doktora Bora, Times przedstawił go w nekrologu jako „światowy autorytet w dziedzinie azjatyckich traw”.

[37] List do Rogera Machella, 14.10.1958; Bodleian, Chandler files.

[38] Kay West (obecnie Kay Beckett) udzieliła autorowi wywiadu w styczniu 1995.

[39] List Kay West do Helgi Greene, 16.02.1959; Bodleian, Chandler files.

[40] List do Hardwicka Moseleya, 5.10.1958; Bodleian, Chandler files.

[41] „Marlowe Takes on the Syndicate” opublikował „Daily Mail” w miesiąc po śmierci Chandlera, w czterech odcinkach, które ukazywały się od 6 do 10 kwietnia 1959 roku. Tekst został później przedrukowany pod tytułami „Wrong Pigeon” i „The Pencil”.

[42] Transkrypcja przemówienia Chandlera na forum MWA znajduje się w UCLA, Chandler papers.

Epilog

Do diabła z potomnością, ja chcę swoje teraz.

(List z października 1947)

Wobec tego, iż Chandler nie wyraził przed śmiercią żadnego życzenia co do swego pogrzebu, pochowano go w cztery dni po zgonie na cmentarzu stanowym Mount Hope w San Diego, w kwaterze numer 1577-3-8. Uroczystość była nader skromna, uczestniczyło w niej siedemnaście osób, w tym miejscowy przedstawiciel MWA. Następnego dnia w dzienniku „New York Times" ukazał się nekrolog:

> Zmarł Raymond Chandler, lat 70; pisał wybitne powieści detektywistyczne. Stworzył Philipa Marlowe'a, bohatera „Big Sleep" – zwrócił na siebie uwagę „jajogłowych"[1].

Amerykańcy krytycy literaccy wciąż nie byli pewni, co myśleć o Chandlerze; nie byli też zgodni co do tego, jak długo będzie on pamiętany. Jeszcze w czterdziestym ósmym roku „New York Times" zarzucił mu „nienawiść do rasy ludzkiej", a choć później uznał „Długie pożegnanie" za „wielką powieść", to inne recenzje w dalszym ciągu podawały w wątpliwość znaczenie twórczości Chandlera; „New Yorker" pogardliwie określił „Pożegnanie" jako książkę „niewartą uwagi".

Brytyjscy krytycy nadal byli jednak przekonani, że Chandler może stać się klasykiem gatunku. Londyński „Times" wydrukował nekrolog podnoszący zasługi człowieka, który „wkuwając się w żyłę kryminału, wydobywał złoty kruszec literatury".

*

W ciągu ostatnich czterech lat życia Chandler napisał tyle testamentów, w tym jeden na odwrocie restauracyjnego menu, że nikt – a zapewne także on sam – nie mógł być pewny, kto stał się jego spadkobiercą; w marcu pięćdziesiątego dziewiątego wrócił do La Jolla tak przybity, że nawet Helga Greene nie wiedziała już, czy nadal zamierza się z nią ożenić.

Jean Fracasse sądziła, że ostatnia wola, którą jej pokazał w maju pięćdziesiątego ósmego, jest wciąż ważna, i następnego dnia po jego śmierci zatelefonowała do Michaela Gilberta; ten jednak poinformował ją o własnoręcznie sporządzonym przez pisarza zapisie, który otrzymał na cztery tygodnie przed jego śmiercią, zgodnie z którym wszystko miało przypaść Heldze Greene.

Jean Fracasse oświadczyła, że dokument ten został sporządzony „pod przymusem" i w listopadzie zwróciła się w tej sprawie do sądu w San Diego. Gdy w pół roku później sprawa weszła na wokandę, wiedziała już o niej zarówno amerykańska, jak i brytyjska prasa. „Dwie kobiety przystąpiły do walki o testament Raymonda Chandlera", donosił londyński „Sunday Express". Helga została opisana jako „kasztanowowłosa była małżonka pana Hugh Carletona Greene'a, dyrektora generalnego BBC", podczas gdy wobec powódki używano określenia „była australijska sekretarka Chandlera". „Express" informował: „Obie te kobiety uważają się za jedyne dziedziczki majątku po Chandlerze i obie twierdzą, że są w posiadaniu jedynej ważnej wersji jego testamentu. Nadużywający alkoholu autor w ostatnich latach swego życia każdej z nich proponował małżeństwo"[2].

Przed sądem w San Diego Jean Fracasse oświadczyła, że Helga Greene podczas swej ostatniej wizyty w La Jolla odgrodziła Chandlera od świata zewnętrznego, upijała go i stosowała presję uczuciową, by skłonić go do zmiany testamentu. Zeznała, że pamięta, iż w dniu dwudziestym lutego pięćdziesiątego dziewiątego roku (to data, którą opatrzony był ostatni własnoręcznie przez pisarza spisany tekst ostatniej woli) widziała „rozsypane na podłodze proszki nasenne" i samego Chandlera trzęsącego się pod wpływem alkoholu.

Według pani Fracasse parokrotnie zdarzyło się, że gdy przybywali z wizytą przyjaciele pisarza, Helga Greene okłamywała ich, mówiąc, że Chandler śpi, i zamykała na klucz drzwi do jego sypialni. Jean zeznała ponadto, że pani Greene usiłowała przekabacić pisarza na swoją stronę za pomocą zabiegów o charakterze seksualnym; gdy bowiem pewnego razu przybyła do Chandlera z wizytą w czasie pobytu Helgi Greene w jego domu, znalazła go nieprzytomnego na łóżku bez spodni od piżamy.

Pani Fracasse zapewniła Wysoki Sąd, że tylko ona jedna wiedziała, jak obchodzić się z pisarzem:

> Był to człowiek o wybitnym umyśle, który potrzebował zajęcia i który pił, ponieważ dręczyła go nuda, a także dlatego, że był nałogowym alkoholikiem, ale jeśli potrafiło się podtrzymać czymś jego zainteresowanie, to gdy udało się go wprowadzić w twórczy nastrój – miało się jakąś szansę[3].

Po czterech dniach rozprawy przed sądem wyższej instancji – sędzia Gerald C. Thomas odrzucił wniosek Jean Fracasse, uznawszy, że powódka „kierowała się uprzedzeniem" i nie przedstawiła żadnego dowodu, który by uwiarygodnił którykolwiek z jej zarzutów; uznał prawomocność testamentu na rzecz Helgi Greene, co postawiło Jean w jeszcze gorszej sytuacji niż ta, w jakiej się znajdowała przed poznaniem Chandlera.

Helga tymczasem była tak oburzona wytoczonym jej procesem, że teraz sama wystąpiła do sądu, domagając, się by pani Fracasse zwróciła jej cztery tysiące siedemset pięćdziesiąt dolarów, które pożyczyła od Chandlera na rok przed jego śmiercią.

Majątek i prywatne mienie zmarłego pisarza przypadły Heldze Greene.

*

Śmierć Chandlera nie wywołała takiej fali hołdów i honorów, jaką spowodowała śmierć Ernesta Hemingwaya (dwa lata później, w 1961), Wiliama Faulknera (1962) czy Johna Steinbecka (1968). Mimo to jednak na początku lat sześćdziesiątych jego książki zostały przetłumaczone na dwadzieścia dwa języki; były to: bułgarski, czeski, duński, fiński, francuski, grecki, hebrajski, hiszpański, holenderski, japoński, kataloński, niemiecki, norweski, polski, portugalski, rumuński, serbsko-chorwacki, słowacki, słoweński, węgierski, włoski i szwedzki; nawet w Japonii powstał Klub Miłośników Raymonda Chandlera, a gdy popularny niemiecki magazyn „Stern" opublikował ostatnie opowiadanie Chandlera „Marlowe stawia czoło mafii", to numer ten rozszedł się w rekordowej ilości egzemplarzy.

Już w sierpniu pięćdziesiątego dziewiątego roku amerykańska sieć telewizyjna NBC rozpoczęła nadawanie serialu pod tytułem „Philip Marlowe", który składał się z dwudziestu sześciu odcinków. W międzyczasie Helga Greene zaangażowała dwójkę redaktorów wydawnictw, którzy mieli dokonać wyboru listów spośród bogatej korespondencji Chandlera. Jedną z tych osób była Dorothy Gardiner, która napisała do Helgi z Nowego Yorku, że zadanie to wydało jej się prawie niemożliwe: „Czy jemu nigdy się nie zdarzyło napisać jakiejś linijki, która by nie była interesująca?"

Wybór listów zmarłego pisarza ukazał się ostatecznie w sześćdziesiątym drugim roku pod tytułem „Raymond Chandler Speaking" („Mówi Chandler") i po krótkim czasie został wznowiony, zarówno w Ameryce, jak i w Wielkiej Brytanii.

W tym samym okresie pojawiła się książka zatytułowana „Down These Mean Streets a Man Must Go" (Po tych złych ulicach kroczyć musi człowiek) autorstwa kalifornijskiego krytyka Philipa Durhama, dowodzącego, że Chandlera należy uznać za pisarza, który zawsze będzie przyciągał czytelników. Durham cytował samego Chandlera, który zdefiniował kiedyś literaturę jako „każde pisarstwo, które świeci swym własnym żarem".

We wczesnych latach siedemdziesiątych zainteresowanie wydawców objęło także to, co Chandler napisał oprócz znanych powszechnie siedmiu powieści z Marlowe'em. W siedemdziesiątym trzecim wydawnictwo University of South Carolina Press opublikowało zbiór jego młodzieńczej prozy i poezji; w trzy lata później nakładem wydawnictwa Southern Illinois University Press ukazał się scenariusz filmu „Blue Dahlia", a po nim niewykorzystany scenariusz „Playbacku", na podstawie którego powstała ostatnia powieść Chandlera.

Popularność Chandlera nie malała przez całą epokę „dzieci kwiatów". W sześćdziesiątym dziewiątym MGM wprowadziła na ekrany kin filmową wersję „Siostrzyczki" pod tytułem „Marlowe", w której chandlerowski bohater – grany przez Jamesa Garnera – przeniesiony został do Los Angeles z późnych lat sześćdziesiątych. Scenariusz zawierał sporo scen przejętych z powieściowego oryginału, a także przydzielił rólkę gangstera przyszłej gwieździe filmów spod znaku „sztuki walki", Bruce'owi Lee.

I nie był to koniec filmowej kariery książek Chandlera. W siedemdziesiątym trzecim roku Robert Altman (reżyser słynnego „M.A.S.H") nakręcił następną zaadaptowaną do współczesnych warunków wersję przygód Marlowe'a, tym razem opartą na „Długim pożegnaniu", z Elliottem Gouldem w roli głównej. W filmie tym sąsiadami Marlowe'a są dziewczyny, które stworzyły hippisowską komunę, i nago, oszołomione haszyszem, uprawiają na balkonie yogę. Przed przystąpieniem do zdjęć Altman polecił całej obsadzie (w której znalazł się także Arnold Schwarzenegger) przygotowywać się do ról, czytając książkę „Raymond Chandler Speaking".

Nie powinno nikogo dziwić, że ktoś, kto pracował niegdyś w Hollywood i dla Hollywood, wywarł na branżę filmową wpływ znacznie wykraczający poza pośmiertne ekranowe adaptacje jego powieści z Marlowe'em. W siedemdziesiątym czwartym roku film Romana Polańskiego „Chinatown", usytuowany w Los Angeles lat trzydziestych, dostał Oscara za najlepszy oryginalny scenariusz. Jego autorem był Robert

Towne, który stwierdził w owym czasie, że „Jeśli chodzi o wyczucie klimatu tego miasta, to Chandler dał mi więcej niż ktokolwiek inny”[4]. Towne ujawnił przy tym, że na pomysł „Chinatown” wpadł podczas lektury pewnego artykułu poświęconego związkom Chandlera z LA.

W roku siedemdziesiątym piątym powstała trzecia filmowa adaptacja powieści Chandlera: „Żegnaj, laleczko” z Robertem Mitchumem w roli detektywa i Charlotte Rampling jako Velmą. Dwa lata później ukazała się książka profesora Franka MacShane'a z nowojorskiego uniwersytetu Columbia, zatytułowana „Życie Raymonda Chandlera” (w której po raz pierwszy bez osłonek ukazany został alkoholizm pisarza). „Pierwsze, co chciałbym tu powiedzieć – brzmi początek tej książki – to to, że traktuję Raymonda Chandlera jako powieściopisarza, nie zaś po prostu jako autora powieści detektywistycznych”. Amerykańscy recenzenci książki MacShane'a w większości zdawali się podzielać stanowisko jej autora.

W siedemdziesiątym szóstym roku ukazały się wybrane fragmenty osobistych zapisków Chandlera, a w rok później w Wielkiej Brytanii wyszedł „Świat Raymonda Chandlera”, zbiór poświęconych mu esejów napisanych przez krytyków, pisarzy i filmowców. Umieszczono tam między innymi wywiad z siedemdziesięcioletnim już wtedy Billym Wilderem:

> To jest, wie pan, przedziwna rzecz, ale przez całe te czterdzieści lat, które spędziłem w Hollywood, kiedy przychodzili ludzie – dziennikarze, naukowcy – i zadawali różne pytania, tak samo jak listy ze wszystkich stron świata, to spośród wszystkich ludzi, z którymi się zetknąłem w mojej pracy, dwie osoby każdego najbardziej interesowały: Marilyn Monroe i Raymond Chandler[5].

Robert Mitchum ponownie wcielił się w rolę Marlowe'a w nakręconej w siedemdziesiątym ósmym roku nowej wersji „Big Sleep” (Wielki sen) w reżyserii Michaela Winnera, w którym główną rolę kobiecą grała Sarah Miles. Film ten, którego akcja usytuowana została we współczesnej Anglii, nie zyskał sobie pochlebnej oceny krytyków; większość z nich wyżej stawiała wersję oryginalną. Film z 1946 roku – napisano w „Variety” – w porównaniu z tym nabiera jeszcze więcej wartości.

Trzy lata później ukazał się drugi tom korespondencji pisarza zatytułowany „Wybrane listy Raymonda Chandlera” i – podobnie jak to było z książką „Mówi Chandler” – okazało się, że listy cieszą się niemal takim samym wzięciem jak powieści z Marlowe'em: gazety w Londynie, Nowym Jorku, Johannesburgu i w Sydney drukowały ten wybór w odcinkach.

Także w latach osiemdziesiątych nie ustało zainteresowanie Chandlerem zarówno wśród krytyków, jak i wśród czytelników. W roku osiemdziesiątym drugim wyszły dwie książki traktujące o jego wpływie na Hollywood: „Raymond Chandler i film" oraz „Raymond Chandler w Hollywood". „Uwaga, jaką przyciągała w ciągu ostatnich dziesięciu lat twórczość Chandlera – stwierdza autor pierwszej z nich – dowodzi jak niezwykłe rozmiary przybrało zainteresowanie jego utworami, jego postaciami i stylem, jakim się odznaczają". Jakby dla potwierdzenia tej tezy w następnym roku ukazała się książka zatytułowana „Chandlertown", upamiętniająca ludzi i miejsca chandlerowskiego Los Angeles.

W 1988 roku „Time" uczcił setną rocznicę urodzin pisarza esejem:

> Pisarstwo Raymonda Chandlera było swoistym spisywaniem filmowej ścieżki dźwiękowej, którą tak często nasze życie naśladuje. [...] Jego twórczość odbiła się echem w większej ilości naśladownictw i parodii niż twórczość któregokolwiek innego amerykańskiego pisarza, z wyjątkiem Hemingwaya. Eliot tylko wyartykułował najważniejsze duchowe i uczuciowe zagadnienia naszych czasów; Chandler wprowadził je na uliczne chodniki[6].

Autor tego eseju, Pico Iyer, uzasadniał niesłabnącą popularność Chandlera i polemizował z krytykami, którzy sprowadzali go do rozmiarów papkowego pisarza z obsesją porównań. Porównanie, dowodził Iyer, „to najdoskonalsze narzędzie do opisywania tego świata, w którym wszystko coś przypomina i nic nie jest tylko samym sobą". Przypomniał również czytelnikom, że rok osiemdziesiąty ósmy był także rokiem urodzenia T.S. Eliota:

> T.S. Eliot był bardzo prywatnym człowiekiem, obdarzonym wszakże zdolnością bardzo publicznego widzenia świata, toteż jak najbardziej stosowną jest rzeczą, by obchodzić setną rocznicę jego urodzin w formie publicznych ceremonii; Chandler to laureat nagród samotnego człowieka, przeto jego wielbiciele czczą dzisiaj jego pamięć w bardziej stonowany i prywatny sposób, przez nikogo niezauważani i skupieni na co bardziej mrocznych zakątkach swych dusz.

Koniec lat osiemdziesiątych przynosi jednak niekorzystny dla Chandlera zwrot w postawie krytyki literackiej, która pod wpływem mody na analizy psychologiczne i „polityczne" znalazła w osobie Chandlera łatwy obiekt ataków. Podobnie jak Hemingwayowi, zarzucano mu mizoginizm, homofobię i rasizm; widziano w nim pisarza, który w gruncie rzeczy stworzył model fantastycznego bohatera, podkreślając jego męskość i przynależność do białej rasy, a uczynił tak po to, by samemu sobie zrekompensować własne poczucie niepewności i zagrożenia.

Amerykański twórca powieści kryminalnych, George V. Higgins, wystąpił w osiemdziesiątym ósmym roku w poświęconym Chandlerowi programie brytyjskiej telewizji z tezą, że twórca Marlowe'a prawdopodobnie w rzeczywistości nienawidził zarówno swej matki, jak i żony i że rozpacz, jaką przeniknięte były jego listy po śmierci Cissy, to „bzdura". Równocześnie po Hollywood krążyły pogłoski, jakoby Chandler był w istocie ukrytym fetyszystą, który lubił przebierać się w kobiece stroje. Nie posunął się aż tak daleko brytyjski krytyk, Russell Davies, który w opublikowanym w tym samym roku w magazynie „Listener" artykule przypatrywał się życiu i twórczości Chandlera pod kątem jego niestabilności:

> Jego pisarstwo było swoistą próbą wyznaczenia miejsca swej własnej osobowości, stanem zawieszenia pomiędzy tym jego JA, które idealizowało i wielbiło Cissy, nie przynależąc do realnego świata, a JA przynależącego do rozwiązłych lat dwudziestych, które skutecznie w sobie dławił. Na starość jednak, gdy nie było już Cissy, to drugie JA znów dało o sobie znać; choć Chandler miał wielu lojalnych przyjaciół, zwłaszcza w Londynie, to nawet oni nie potrafili zataić, jak bardzo potrafił być męczący w ostatnich latach swego życia[7].

Davies utrzymywał, że Chandler czuł się zagrożony w sferze seksualnej i miał „nieszczęśliwe życie". Marlowe był jego ucieczką; jego fantazją. Pisarz był „człowiekiem nieszczęśliwym", kontynuował Davies, i najlepszym tego dowodem był jego wywiad dla radia BBC: „smutny dźwiękowy portret zamroczonego i niekompetentnego człowieka".

W Ameryce krytyczny zwrot w ocenie Chandlera dotyczył w pierwszym rzędzie tego, co postrzegano w postaci Philipa Marlowe'a jako „faszyzm". Typowym przykładem takiej krytyki były oskarżenia zawarte w bestsellerze Mike'a Daviesa, opublikowanej w dziewięćdziesiątym roku pod tytułem „City of Quartz" historii Los Angeles:

> Marlowe, ten mieszczuch w roli mściciela, chwieje się na krawędzi niebezpiecznej przepaści, jaką jest faszystowska paranoja. Każda kolejna książ-

ka Chandlera skupia się na nowych obiektach niechęci detektywa: na Murzynach, Azjatach, homoseksualistach, Latynosach i – za każdym razem – na kobietach[8].

Jako znamienny należy interpretować fakt, że wydana przez California Classic Boooks w następnym roku książka „W poszukiwaniu literackiego Los Angeles" zbywa Chandlera dwoma zaledwie akapitami, określając go jako „mizantropa i bigota" i stwierdzając, że jego wizja LA mniej miała wspólnego z miastem i jego życiem niż z „jego własnym alkoholicznym rozczarowaniem". Z podobnym lekceważeniem potraktowała Chandlera „Biblioteka Ameryki", literacki „Hall Sławy" powstały z inicjatywy Narodowego Funduszu na rzecz Humanistyki oraz Fundacji Forda.

Mimo tych przejawów pogardy, czytelnicza popularność Chandlera rosła, podobnie jak w latach czterdziestych, gdy krytyka kwitowała Marlowe'a niemal całkowitym milczeniem. Popularnością cieszyli się również autorzy książek zbliżonych do pisarstwa Chandlera, jak James Ellroy, Walter Mosely czy Elmore Leonard – a także twórcy filmów jak Quentin Tarantino – co sprawiło, że powszechna uwaga skierowała się ku amerykańskim korzeniom „twardej" prozy, w szczególności zaś ku samemu Chandlerowi. W osiemdziesiątym dziewiątym roku jego niedokończone opowiadanie „Poodle Springs" (w którym Marlowe się żeni) zostało rozwinięte w pełną powieść przez autora kryminałów Roberta B. Parkera. W dziewięćdziesiątym piątym, w rok po wielkim sukcesie filmu Tarantina „Pulp Fiction", w Wielkiej Brytanii wrócił na ekrany kin całego kraju „Big Sleep". W międzyczasie, w dziewięćdziesiątym czwartym roku nadane zostało słuchowisko radiowe oparte na papkowym opowiadaniu Chandlera „Czerwony wiatr", przy czym po raz pierwszy Marlowe'a grał czarnoskóry aktor – Danny Glover.

O tym, że odradza się entuzjazm wobec twórczości i osoby Chandlera, świadczyć może fakt, że w dziewięćdziesiątym piątym na targach książki w San Diego wystawiono na sprzedaż notatki, które pisał Chandler do swej sekretarki Juanity Messick, wycenione na piętnaście tysięcy dolarów. Na tych samych targach książkę, która niegdyś była w jego posiadaniu („Lost in the Horse Latitudes" Allena Smitha), oferowano za półtora tysiąca, czyli za taką samą sumę, na jaką wyceniono książkę ze zbiorów F. Scotta Fitzgeralda, zatytułowaną „Szekspir to Bacon".

Wreszcie w grudniu pięćdziesiątego piątego roku „Biblioteka Ameryki" oficjalnie oddała sprawiedliwość Chandlerowi, publikując jego utwory zebrane. „Od dawna już – powiedział główny wydawca tego zbioru – wszyscy się tu domagali Chandlera".

Co jednak nie przeszkodziło wybitnej powieściopisarce i autorce dzieł krytycznoliterackich, Joyce Carol Oates, skrytykować „Bibliotekę Ameryki" na łamach „New York Timesa": jej zdaniem, dzieła Chandlera winny były zostać poprzedzone „wyważoną oceną znaczenia Chandlera – jeśli w ogóle można o czymś takim mówić – dla amerykańskiej literatury". W ocenie samej autorki Marlowe i Chandler byli rasistami i mizoginistami.

*

Miażdżące na pierwszy rzut oskarżenie, iż książki Chandlera ujawniają skrywany rasizm ich autora, może być uznane za zasadne tylko wtedy, gdy cytując fragmenty jego książek, oskarżyciele wyrywają je z kontekstu. Chandler chciał, by Marlowe był prawdziwy: by mówił tak, „jak mówi mężczyzna w jego wieku, to znaczy z szorstkim żartobliwym dystansem, z wyczuciem groteski, okazując niesmak wobec wszelkiego udawania i pogardę dla małości". Tego rodzaju realizm wymagał, rzecz jasna, by detektyw dostosował się do żargonu LA, w którym używano słów takich jak „mokre tyłki" i „czarnuchy". Niemal wszyscy amerykańscy autorzy „twardych" kryminałów (w tym także tacy czarnoskórzy mistrzowie tego gatunku, jak Chester Himes) wkładają w usta swych bohaterów żargonowe wyrażenia odnoszące się do spraw rasowych i czynią to z tych samych powodów co Marlowe: nie byliby realistami, unikając ich.

Rasizm jako taki mieści w sobie nienawiść, a Philip Marlowe nie darzy nienawiścią tych, którzy sprzeciwiają się staremu „białemu" porządkowi, choćby dlatego, że robi to samo. Jeśli nienawidzi ludzi, którzy go irytują lub którzy mu grożą, to nie ma to nic wspólnego z kolorem ich skóry. Dowodem prawdziwości tego stwierdzenia może być początek powieści „Żegnaj, laleczko", który jednak niekiedy przytaczany jest jako potwierdzenie zarzutu, iż Marlowe jest rasistą.

Biały eksprzestępca ciągnie detektywa do baru okupowanego przez Murzynów, ponieważ szuka swej przyjaciółki. Marlowe nie chce wejść do środka, gdyż czułby się tam niepewnie: w tamtych czasach napięcie pomiędzy białą policją LA a społecznością murzyńską było tak wielkie, że niekiedy władze ogłaszały nawet godzinę policyjną dla kolorowych. W latach czterdziestych biali detektywi nie zwykli w pojedynkę wchodzić do murzyńskich barów, toteż Marlowe czuje, jak z chwilą gdy wchodzi do środka, na sali rodzi się pewne napięcie: „Z wolna obracały się głowy i rozbłyskiwały oczy wpatrzone we mnie w martwej, obcej ciszy odmiennej rasy".

Ale w tej samej scenie Chandler prezentuje białego gliniarza rasistę, Nulty'ego, który przybył do baru w związku z dochodzeniem w sprawie popełnionego tam zabójstwa. Nulty w niczym nie przypomina „wielkiej nadziei białych"; ma „chudą twarz i długie pożółkłe ręce, które przez większość naszej rozmowy splatał na kolanach"; z obrzydzeniem mówi o sprawie, którą mu zlecono: „Czarnuchy. Jeszcze jedno czarne zabójstwo. Oto, na co w oczach szefa mojego wydziału zasługuję po osiemnastu latach służby".

W prozie Chandlera dokładny opis czyjegoś wyglądu zawsze współgra z charakterem moralnym opisywanej postaci, i Marlowe z obrzydzeniem reaguje na długie żółtawe ręce Nulty'ego. Wychodzi z baru i idzie do podłego hoteliku po drugiej stronie ulicy, aby zadać parę pytań tamtejszemu czarnemu recepcjoniście, który – w przeciwieństwie do policjanta – sprawia na nim wrażenie anioła:

> [...] za blatem recepcji siedział łysy mężczyzna. Miał zamknięte oczy, a jego splecione dłonie leżały spokojnie na blacie. Drzemał, a może tylko tak to wyglądało. Jego krawat sprawiał wrażenie, jakby go zawiązano gdzieś około tysiąc osiemsetnego roku. Zielony kamień na wetkniętej do niego szpilce nie dorównywał wielkością jabłku. Jego duży pofałdowany podbródek łagodnie opadał na krawat, złożone ręce były spokojne i nieruchome, paznokcie przycięte, z wielkimi szarymi półksiężycami u nasady.

Najbardziej niesympatyczna postać w „Laleczce", psychiatra Jules Amthor, odznacza się wszystkimi najgorszymi cechami chłodnej anglosaskiej megalomanii, które znajdują swe odbicie w jego wyglądzie:

> Przyjrzałem mu się. Był chudy, wysoki i wyprostowany jak stalowy pręt. Miał najbledsze i najdelikatniejsze siwe włosy, jakie kiedykolwiek zdarzyło mi się zobaczyć. Można by je było przewlekać przez jedwabną gazę. Jego skóra miała świeżość płatka róży. Mógł mieć trzydzieści pięć albo sześćdziesiąt pięć lat. Był bez wieku. [...] W jego oczach była głębia, zbyt wielka głębia. Patrzyły bezdennym, nieobecnym spojrzeniem somnambulika. Przypomniały mi studnię w dziewięćsetletnim zamku, o którym kiedyś czytałem. Mogłeś do niej wrzucić kamień i czekać. Mogłeś nasłuchiwać i czekać, aż w końcu dawałeś spokój czekaniu i wybuchałeś śmiechem, a gdy właśnie odwracałeś się, żeby odejść – z dna studni do-

biegało cię słabe, ulotne pluśnięcie, tak nieznaczne i tak dalekie, że aż trudno było uwierzyć, by mogła istnieć studnia tak głęboka.
Taką właśnie głębię miały w sobie jego oczy. A przy tym były to oczy bez wyrazu, bezduszne oczy, które mogły patrzeć, jak lew rozszarpuje na strzępy człowicka, i nic by się w nich nie zmieniło; które mogłyby się spokojnie przyglądać wyjącemu z bólu człowiekowi wbijanemu na pal, a przedtem pozbawionemu powiek.

Każde idiomatyczne wyrażenie Marlowe'a, które brzmi „rasistowsko" lub „mizoginistycznie", należy interpretować w szerszym kontekście jego mizantropii; ta mizantropia jest u niego bezwarunkowym odruchem zrodzonym z paranoi rewolwerowca – tym bowiem w istocie jest Marlowe – któremu nie wolno nikomu z góry zaufać, jeśli chce pozostać przy życiu. Zwykle rezygnuje z tej nieufności, gdy przekonuje się, że była bezpodstawna. „Za to można by kupić cały autobus mokrych tyłków", krzyczy w „Długim pożegnaniu" do gwatemalskiego chłopca do posług; gdy jednak zdaje sobie sprawę, że niesłusznie go oskarżył o wzięcie łapówki, wraca, by go osobiście przeprosić.

Marlowe nie jest święty – bo gdyby był, to nie mógłby realistycznie odgrywać roli prywatnego detektywa – ale nie jest też bynajmniej „faszystą".

W osiemdziesiątym trzecim roku amerykański krytyk, Edward Thorpe, zarzucił chandlerowskiemu detektywowi nienawiść do wszystkich kobiet, jakie spotyka w swym życiu:

> Ich chciwość i próżność to powracający temat, gdy chodzi o bezpośredni lub pośredni motyw jakiejś zbrodni. Za wszelką cenę starają się one zdobyć liczącą się społeczną pozycję, są naciągaczkami, nimfomankami, psychopatkami, matriarchalnymi potworami i flądrowatymi degeneratkami[9].

Tymczasem w utworach Chandlera na każdą podłą i grzeszną kobietę przypada przecież tuzin podłych i grzesznych mężczyzn. Marlowe nie posługuje się żadną skalą różnie stosowanych miar: nienawidzi „udawania i małości", gdziekolwiek się z nimi styka, a za wiele widział hipokryzji pośród tych, którzy mają w LA władzę, aby robiła na nim wrażenie idea utopii stworzonej przez i dla białych mężczyzn.

Przykładem, który ostatecznie dowodzi, że Chandler zachowywał całkowitą neutralność wobec różnic rasowych – a zarazem dowodzi, jak łatwo poszczególnymi cytatami tę neutralność podważać – może być jego stosunek do Meksykanów.

Chandler nie lubił uwielbienia, jakie manifestowała kalifornijska biała bohema wobec tradycyjnej meksykańskiej sztuki i kultury, traktując ją w taki sposób, jak gdyby była ozdobną dekoracją. „Nie znoszę książek o Meksyku – napisał kiedyś. – Meksykanie, tak samo jak Chińczycy, ...sko [kropkowanie Chandlera] mnie nudzą". Współczesny, prawdziwy Meksyk interesował go o wiele bardziej niż jego przedindustrialne wizje komponowane przez beatników.

W „Długim pożegnaniu" Marlowe spotyka mężczyznę, który poddał się w Meksyku plastycznej operacji zmiany twarzy: „Cudownie mu to zrobili w Mexico City, ale właściwie dlaczego by nie? Ich lekarze i szpitale, ich technicy, malarze czy architekci są równie dobrzy jak nasi. Czasem nawet lepsi. To meksykański glina wymyślił test parafinowy".

W odróżnieniu od wielu należących do klasy średniej Amerykanów, którzy traktowali Meksyk jako coś w rodzaju chwalebnego hobby, Chandler znał hiszpański. Jeszcze w pięćdziesiątym szóstym roku miał maszynę do pisania marki Olivetti z hiszpańskimi znakami diakrytycznymi, aby jego meksykańscy gangsterzy mogli znieważać Marlowe'a w swej ojczystej mowie.

*

Nie jest czymś niewłaściwym to, że pośmiertna reputacja Raymonda Chandlera w ciągu czterdziestu lat po jego śmierci miała swoje wzloty, lecz i okresy krytycyzmu. Niemniej jednak fakt, że w każdym kolejnym pokoleniu jego książki znajdowały zagorzałych admiratorów, zdaje się zapowiadać, że Chandler przeżyje większość innych pisarzy tego wieku, bez względu na to, jak będą go oceniać krytycy.

Przeminęła epoka, o której pisał, nie da się już rozpoznać wielu miejsc, które przedstawiał w swoich książkach, ale jego język zachował całą swą wspaniałość. Począwszy od lat czterdziestych tak wielu powieściopisarzy i scenarzystów naśladowało styl Chandlera, że Marlowe stał się postacią, która jest niejako powielana w książkach innych autorów, a zarazem w oryginalnych powieściach nie straciła niemal nic ze swej atrakcyjności.

Chandler, poddawany naciskowi okoliczności, na które nie miał wpływu i które nie zawsze akceptował, był człowiekiem swej epoki. Wśród rzeczy, których odziedziczyła po nim Helga Greene, były również odbite przez kalkę tysiące napisanych przez niego listów. Znalazł się wśród nich ten oto, wysłany w październiku pięćdziesiątego siódmego roku z La Jolla do Charlesa Mortona, naczelnego redaktora pisma „Atlantic Monthly”:

> Od pewnego czasu noszę się z myślą, iż powinienem napisać artykuł na temat Moralnego Statusu Pisarza, czyli – pod bardziej frywolnym tytułem – „Do diabła z potomnością, ja chcę swoje teraz”. Artykuł nie byłby taki znów frywolny. Mam wrażenie, że całe to ujadanie na pisarzy, którzy sprzedają się Hollywood albo chałturzą, albo służą jakiejś chwilowej idei propagandowej, zamiast szczerze i od serca pisać o tym, co widzą wokół siebie – że ci, którzy wyrażają tego rodzaju żale, a dotyczy to praktycznie wszystkich biorących się na serio krytyków, zapominają (nie wiem, jak może im się to zdarzyć, ale to fakt), że żaden pisarz w żadnej epoce nie rozporządzał pełną wolnością. Zawsze musiał godzić się z warunkami narzucanymi z zewnątrz, respektować pewne tabu, sprawiać przyjemność pewnym osobom. Mógł to być Kościół, jakiś bogaty mecenas albo powszechnie uznawane normy elegancji, albo handlowy zmysł wydawcy lub redaktora, a być może nawet i obowiązujące teorie polityczne. Jeśli się z nimi nie godził, to znaczyło, że się im sprzeciwia. Tak czy inaczej, ograniczało to jego pisarską swobodę. Nigdy jeszcze żaden pisarz nie napisał dokładnie tego, co chciał napisać, ponieważ nigdy w nim samym nie było nic, nic czysto indywidualnego, o czym chciałby pisać. To wszystko jest zawsze taką czy inną reakcją.
> Och, do diabła z tym. Idee to trucizna. Im więcej dumasz, tym mniej tworzysz[10].

Jako pisarz, Raymond Chandler przebył drogę od przeciętniactwa młodości w Wielkiej Brytanii po twórczy wzlot zaawansowanego średniego wieku w Ameryce. Pomiędzy tymi dwoma punktami jego życia przebiegał szlak naznaczony miejscami, w których dopadała go miażdżąca samotność. Samotność zdawała się jednak od początku jego przeznaczeniem, tak jak była przeznaczeniem Marlowe’a, który tak oto drażnił się sam ze sobą w „Siostrzyczce”: „Masz gdzieś jakiegoś przyjaciela, który z przyjemnością usłyszałby twój głos? Nie. Nikogo. Proszę, niech zadzwoni telefon. Niech mnie ktoś na nowo włączy w rasę ludzką. [...] Chciałbym po prostu oderwać się od tej skutej lodem gwiazdy”.

Jakkolwiek ponure było jego życie, to Raymond Chandler starał się nigdy nie zwątpić w możliwość szczęścia ani nie stracić zdolności postrzegania świata jako komedii ludzkiej, gdyby mu się tego szczęścia nie udało znaleźć. Miewał uczucie, że jego życiowa walka przebiega pod złym znakiem, lecz nie zaniechał takiego podejścia do świata, w którym byłoby coś więcej niż tylko pesymizm.

PRZYPISY

[1] „New York Times", 27.03.1959.

[2] „Sunday Express", 1.05.1960.

[3] Kopia protokołu tego czterodniowego procesu przechowywana jest w archiwach San Diego County Court.

[4] Cytowane w książce Ala Clarka, „Raymond Chandler and Hollywood"; Proteus 1982, s. 16.

[5] Miriam Gross (red.), „The World of Raymond Chandler"; Weidenfeld & Nicolson 1977, s. 44.

[6] „Time", 12.12.1988.

[7] „Listener", 24.11.1988.

[8] Mike Davies, „City of Quartz"; Vintage 1992, s. 91.

[9] Edward Thorpe, „Chandlertown"; Vermilion 1983, s. 68.

[10] List do Charlesa Mortona, 28.10.1947; Bodleian, Chandler files.

INDEKS

SPIS TREŚCI